SECOND EDITION

À L'ATTAQUE!

LEAVING CERTIFICATE FRENCH FOR HIGHER LEVEL

Dominique Sénard

GILL EDUCATION

Gill Education
Hume Avenue
Park West
Dublin 12
www.gilleducation.ie

Gill Education is an imprint of M.H. Gill & Co.

ISBN: 978-0-7171-81384

Design and print origination: Anú Design
Illustrator: Katie Gabriel Allen
Cover design: Fabrice Robin

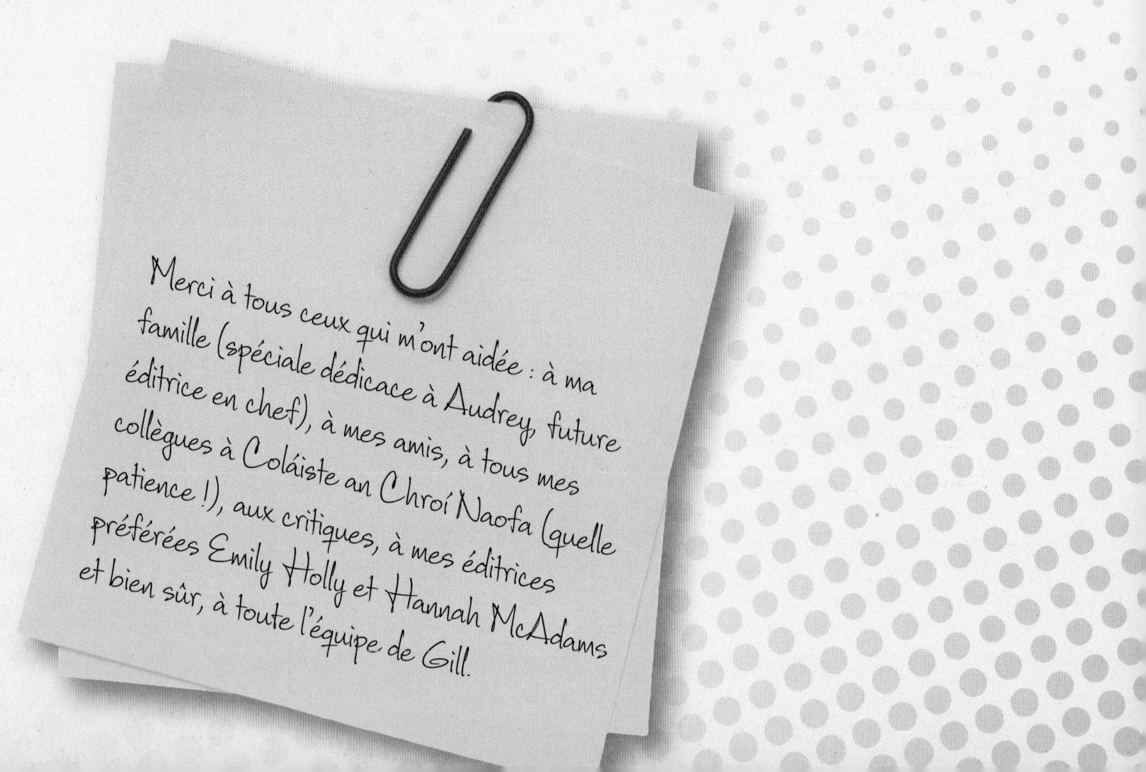

CONTENTS

UNITÉ 3 Ma ville

UNITÉ 4 Les études et le français

UNITÉ 5 On y va ?

UNITÉ 6 La santé

UNITÉ 7 La citoyenneté

Welcome to À l'Attaque !

The original idea when writing *À l'Attaque !* was to help students prepare for the Higher Level French Leaving Certificate, building their confidence as they gain the required proficiency in the language throughout Fifth and Sixth Year and providing them with the tools they need to succeed in the exam.

À l'Attaque ! 2nd Edition is in keeping with this idea. In fact, it takes it further. It is modern and innovative, and delivers interactive, experiential learning. It bridges the gap between Junior Cycle and the Leaving Certificate and encourages and supports students at every step. Throughout the textbook, students are asked to revisit what they have learned, to think about the skills they are using, and to push themselves and each other that little bit harder in order to reach their full potential.

Covering all of the topics, skills, grammar points and vocabulary required to maximise exam potential, *À l'Attaque ! 2nd Edition* is arranged in theme-based units, each divided into four separate chapters. Throughout each chapter there is a wide variety of engaging individual, pair and group activities covering all of the core language skills.

The activities in the book are coded with the following icons:

Ecrivez

Ecoutez

Grammaire

Lisez

Parlez

Regardez

These activities include up-to-date and authentic journalistic and literary reading comprehensions, plenty of oral and aural practice, contemporary videos, and thought-provoking discussion and written exercises.

Scaffolding of learning takes place in each chapter, enabling students of all abilities to acquire the skills to deal with the complexity of the Higher Level French Leaving Certificate exam. **On s'échauffe !** warm-up exercises ease students into each topic, and they are prepared for the more difficult tasks with a series of pre-reading and post-listening activities to maximise learning. The transcript of each listening activity is provided at the back of the book to reinforce the vocabulary, to help with pronunciation and to show grammar used in context. All of this is designed to encourage the students to keep moving forward!

Aide panels throughout provide useful tips and helpful phrases and encourage students to reflect on their own learning as they progress through the book.

The **Grammaire** section at the end of each chapter simplifies the teaching of grammar with clear explanations and lots of practice exercises. The **Bilan du chapitre** then tests the main points of the chapter, to consolidate the learning.

At the end of each unit, the **Focus examen** feature breaks down each section of the exam and the end-of-unit **Évaluation** provides an exam-focused reading and writing assessment.

À l'Attaque ! 2nd Edition is not only a textbook. The new **Cahier d'Oral** is structured to help students prepare for the oral exam, organise themselves and revise throughout Fifth and Sixth Year. Each topic starts with helpful phrases and sentence structures and then provides space for students to prepare and revise answers to common oral exam questions. The Cahier d'Oral also offers useful oral exam tips and practical strategies to help students improve their pronunciation.

Students can find **Quizlet** quizzes at **https://quizlet.com/GillEd1/folders/a-lattaque-for-senior-cycle-french** to test themselves on all of the vocabulary in each chapter.

Extra teacher resources to complement the book are also available on **gillexplore.ie**, including:

- a full scheme of work
- solutions for all of the aural, reading and grammar exercises in the textbook
- additional grammar exercises for each chapter
- sample answers to past exam questions
- topic-based vocabulary lists
- grammar tables
- all of the audio content in the book.

I hope teachers and students alike will enjoy using *À l'Attaque !* – I certainly loved writing it!

Bon courage à tous !

Dominique Sénard

Punctuation

French punctuation is a little different from English punctuation.

- Spaces are used before colons, question marks and exclamation marks, e.g.: *Regardez-vous les informations ?*
- French quotation marks look like this « » in printed text. With dialogue, they are sometimes left out altogether and replaced with a long dash at the beginning of the speech, e.g.:
  —Tu crois que c'est possible ?
  —Je ne sais pas.
- In numbers, spaces are used instead of commas, and commas (virgules) instead of decimal points, e.g.:
  12,300,321 = *12 300 321*
  987.65 = *987,65*

TRACK LISTING

Unité 1 C'est moi			
Chapitre 1	Exercice 4	CD 1	2–5
Chapitre 1	Exercice 23	CD 1	6–9
Chapitre 2	Exercice 2	CD 1	10–12
Chapitre 2	Exercice 7	CD 1	13
Chapitre 2	Exercice 15	CD 1	14–17
Chapitre 3	Exercice 4	CD 1	18–19
Chapitre 3	Exercice 14	CD 1	20–22
Chapitre 4	Exercice 9	CD 1	23–24
Chapitre 4	Exercice 12	CD 1	25–28
Unité 2 Les loisirs			
Chapitre 5	Exercice 2	CD 1	29–32
Chapitre 5	Exercice 7	CD 1	33–34
Chapitre 5	Exercice 11	CD 1	35
Chapitre 5	Exercice 16	CD 1	36–40
Chapitre 5	Exercice 24	CD 1	41–44
Chapitre 6	Exercice 4	CD 1	45–48
Chapitre 6	Exercice 10	CD 1	49–51
Chapitre 7	Exercice 2	CD 1	52–54
Chapitre 7	Exercice 6	CD 1	55–59
Chapitre 7	Exercice 10	CD 1	60
Chapitre 8	Exercice 1	CD 1	61–67
Chapitre 8	Exercice 9	CD 1	68–70
Unité 3 Ma ville			
Chapitre 9	Exercice 2	CD 1	71–75
Chapitre 9	Exercice 5	CD 1	76
Chapitre 9	Exercice 12	CD 1	77–78
Chapitre 9	Exercice 22	CD 1	79–82
Chapitre 10	Exercice 2	CD 1	83–86
Chapitre 11	Exercice 5	CD 1	87–90
Chapitre 12	Exercice 2	CD 1	91–93
Chapitre 12	Exercice 7	CD 1	94
Chapitre 12	Exercice 10	CD 1	95–97
Chapitre 12	Exercice 15	CD 1	98
Unité 4 Les études et le français			
Chapitre 13	Exercice 3	CD 2	2
Chapitre 13	Exercice 9	CD 2	3–12
Chapitre 13	Exercice 14	CD 2	13–15
Chapitre 14	Exercice 3	CD 2	16–20
Chapitre 14	Exercice 6	CD 2	21–23
Chapitre 15	Exercice 7	CD 2	24–29
Chapitre 15	Exercice 11	CD 2	30
Chapitre 15	Exercice 17	CD 2	31–34
Chapitre 16	Exercice 2	CD 2	35–38
Chapitre 16	Exercice 11	CD 2	39–41

Unité 5 On y va ?			
Chapitre 17	Exercice 10	CD 2	42
Chapitre 17	Exercice 13	CD 2	43–46
Chapitre 18	Exercice 5	CD 2	47
Chapitre 18	Exercice 11	CD 2	48–50
Chapitre 18	Exercice 15	CD 2	51–54
Chapitre 19	Exercice 2	CD 2	55–58
Chapitre 19	Exercice 8	CD 2	59–64
Chapitre 19	Exercice 13	CD 2	65
Chapitre 19	Exercice 15	CD 2	66–69
Chapitre 20	Exercice 2	CD 2	70–73
Chapitre 20	Exercice 8	CD 2	74–77
Chapitre 20	Exercice 12	CD 2	78–81
Unité 6 La santé			
Chapitre 21	Exercice 7	CD 3	2–6
Chapitre 21	Exercice 12	CD 3	7–10
Chapitre 22	Exercice 2	CD 3	11–15
Chapitre 22	Exercice 4	CD 3	16–19
Chapitre 22	Exercice 10	CD 3	20–21
Chapitre 23	Exercice 2	CD 3	22–24
Chapitre 23	Exercice 4	CD 3	25–35
Chapitre 23	Exercice 11	CD 3	36–39
Chapitre 24	Exercice 2	CD 3	40–43
Chapitre 24	Exercice 6	CD 3	44–46
Chapitre 24	Exercice 21	CD 3	47–48
Unité 7 La citoyenneté			
Chapitre 25	Exercice 2	CD 3	49–51
Chapitre 25	Exercice 11	CD 3	52–57
Chapitre 25	Exercice 14	CD 3	58–59
Chapitre 26	Exercice 3	CD 3	60–64
Chapitre 26	Exercice 7	CD 3	65–70
Chapitre 26	Exercice 15	CD 3	71–74
Chapitre 27	Exercice 4	CD 3	75
Chapitre 27	Exercice 8	CD 3	76–78
Chapitre 27	Exercice 16	CD 3	79–80
Chapitre 28	Exercice 5	CD 3	81–83
Chapitre 28	Exercice 10	CD 3	84–88
Chapitre 28	Exercice 14	CD 3	89–92

UNITÉ 1

C'est moi

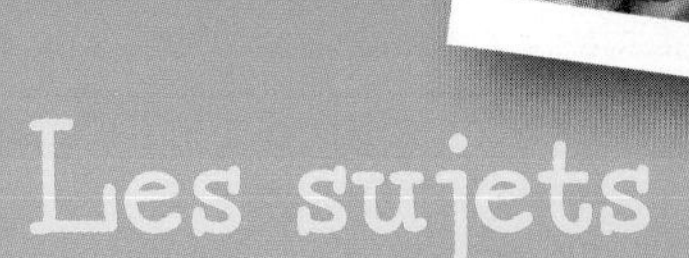

Les sujets

- La description physique
- La personnalité
- La famille
- Les tâches ménagères
- Les meilleurs amis
- L'importance de l'amitié
- Les sentiments
- Les opinions

Grammaire

- Les noms et les déterminants
- Les adjectifs qualificatifs et possessifs
- L'infinitif
- Le présent de l'indicatif
- Les superlatifs et les comparatifs
- Les questions

Focus examen

- Le format de l'examen
- Les compréhensions écrites
- Le journal intime

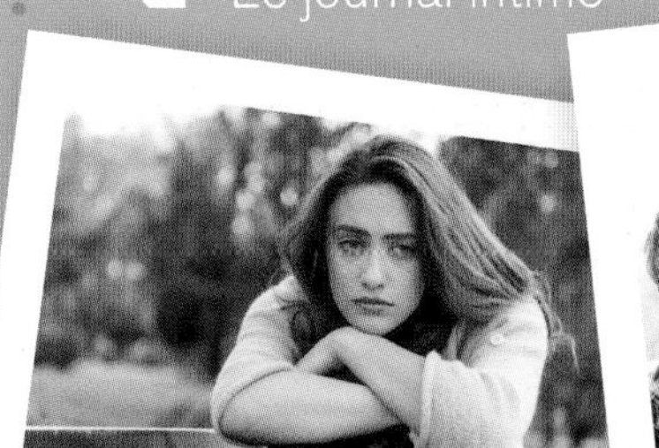

Chapitre 1

Parlez-moi de vous

À la fin de la leçon, on pourra :

- se présenter
- se décrire physiquement
- décrire sa personnalité
- comprendre les noms et les déterminants
- comprendre les adjectifs qualificatifs et possessifs.

Se présenter et la description physique

On s'échauffe !

1. Faites correspondre les mots avec les phrases.

a. Nom	**i.** Mon nom de famille est Girardo.
b. Prénom	**ii.** Je pèse 75 kilos.
c. Surnom	**iii.** Je suis taureau.
d. Date de naissance	**iv.** Mon anniversaire est le 15 mai.
e. Lieu de naissance	**v.** Mes copains m'appellent Totofe.
f. Taille	**vi.** Je mesure 1 m 70.
g. Poids	**vii.** Je m'appelle Christophe.
h. Signe astrologique	**viii.** Je suis né à Brest en Bretagne.

2. Seul(e) puis à deux et enfin, avec la classe, trouvez un maximum de mots pour décrire quelqu'un.

J'ai / il a / elle a les cheveux …	blonds bruns raides longs …

... et les yeux ...	bleus marron ...
Je suis / il est / elle est	grand(e) petit(e) maigre ...
J'ai / il a / elle a	une moustache une barbe des tâches de rousseur ...
Je / il / elle porte	des lunettes des lentilles de contact des boucles d'oreilles ...

3. Traduisez ce paragraphe.

Michel is tall – very tall! He is also skinny. He has brown eyes and long black hair. He wears huge glasses because he doesn't like contact lenses. He has one earring and three other piercings. He has a beard and a small moustache. He measures one metre ninety and weighs sixty-five kilos.

AIDE

En France on utilise les mètres et les kilos : 1 m 90 = 6 feet 2 ; 65 kilos = 10 stone. Attention avec les chiffres ! Ils sont très importants ! Pour s'entraîner, écrivez les chiffres et les dates ci-dessous en lettres: 60, 70, 75, 80, 83, 90, 95, 106, 1999, 2010.

4. Écoutez ces quatre personnes se présenter et complétez le tableau dans votre cahier.

	Mohamed	Chantal	Jonathan	Sophie
Surnom				
Âge				
Date de naissance				
Nationalité				
Cheveux				
Yeux				
Taille				
Poids				
Autre détail				
Numéro				

5. Cherchez les mots et expressions suivants dans la transcription page 418 de l'exercice 4.

a. Everybody calls me Momo, even the teachers!
b. My friends say that I am nice but stubborn.
c. I'm going to turn 17 on the 6th of October.
d. I'm comfortable with who I am.
e. I wear my heart on my sleeve.
f. Ever since I was young I've been called Johnny.
g. I just turned 17 on the 20th of September.
h. My friends call me Sof or Soso.
i. I was born on the 15th of December 1999.
j. I look shy but, when you know me, I'm very sociable.

AIDE

Chercher des mots et des expressions dans la transcription peut vous aider à apprendre du vocabulaire. Apprenez ces mots et sélectionnez des expressions pour votre travail oral ou écrit.

6. Voici un paragraphe trop simple. Transformez-le en utilisant les expressions de l'exercice 5.

AIDE

Utilisez des phrases complexes, du vocabulaire le plus riche possible.

Je m'appelle Dominique. Mon surnom c'est Domi. J'ai 17 ans. Mon anniversaire est le 10 mai. Je suis gentille, généreuse et sociable. Je suis têtue.

7. À deux, répondez aux questions suivantes à l'oral.

a. Comment vous appelez-vous ?
b. Avez-vous un sobriquet / surnom ?
c. Quel âge avez-vous ?
d. Quelle est votre date de naissance ?
e. Décrivez-vous physiquement.
f. Décrivez votre personnalité :
Quelles sont vos plus grandes qualités ?
Quelles sont vos plus grands défauts ?

AIDE

Vous allez améliorer ces réponses plus tard dans ce chapitre. Vous pourrez comparer et voir votre progression !

Parler de la personnalité

On s'échauffe !

8. Sans regarder l'exercice 9 …

→ **écrivez cinq adjectifs**, puis

→ **à deux**, trouvez encore cinq adjectifs,

→ et enfin, **avec la classe**, trouvez cinq autres adjectifs.

Vous avez **15 adjectifs**. Combien de ces adjectifs se trouvent dans la liste de l'exercice 9 ? Bingo !

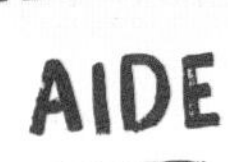

AIDE

Travailler à deux peut vous aider à apprendre.

9. Maintenant, seul(e) ou à deux, traduisez un maximum d'adjectifs en 10 minutes.

Qualités	Défauts
amusant(e)	arrogant(e)
calme	bavard(e)
compréhensif /compréhensive	dur(e)
courageux /courageuse	égoïste
doux /douce	énervant(e)
dynamique	ennuyeux /ennuyeuse
extraverti(e)	fier /fière
généreux /généreuse	gâté(e)
gentil(le)	ignorant(e)
mûr(e)	impatient(e)
optimiste	introverti(e)
ouvert(e)	irresponsable
patient(e)	jaloux /jalouse
passionné(e)	maladroit(e)
raisonnable	mal élevé(e)
rêveur /rêveuse	méchant(e)
sérieux /sérieuse	menteur /menteuse
sincère	paresseux /paresseuse
sympathique	réservé(e)
tolérant(e)	snob
travailleur / travailleuse	timide
vif/vive	têtu(e)

AIDE

Pour travailler ces adjectifs, allez sur Quizlet et faites les exercices.

10. Lisez l'horoscope suivant et répondez aux questions.

Bélier : du 21 mars au 19 avril

C'est pas un peu fini de râler ? Vous n'êtes jamais satisfait. C'est votre côté perfectionniste. Si vous n'arrivez pas à vous calmer, cette semaine sera difficile au travail car vous allez devoir gérer un nouveau projet. Je vous conseille de faire du jardinage ou d'aller vous promener en forêt. Calmez-vous !

Taureau : du 20 avril au 20 mai

Ok, on sait que vous êtes stable, calme, patient ... mais bon ! Il faut bouger un peu ! Il faut prendre des risques ! Au travail, un de vos collègues veut cette promotion plus que vous. Un peu d'ambition que diable, ou cette promotion va vous passer sous le nez !

Gémeaux : du 21 mai au 20 juin

Quel dynamisme ! Quelle vivacité ! **Vous avez une pêche d'enfer** ! Vous désirez passionnément réussir et ça porte ses fruits au travail. Vous allez peut-être enfin la décrocher cette promotion. Attention à votre santé et n'oubliez pas de manger des fruits et des légumes.

Cancer : du 21 juin au 22 juillet

Au travail cette semaine on va vous demander de parler en public. Aïe aïe aïe ! Avec votre timidité, **ça ne va pas être du gâteau** ! Respirez ! Vous avez une force intérieure énorme et vous êtes optimiste. Vous pouvez le faire !

Lion : du 23 juillet au 23 août

Vous avez beaucoup de chance au travail. On respecte votre force et votre détermination. Vous êtes libre et ne dépendez de personne. Vraiment ? Faites attention à travailler en équipe ou vous allez vous retrouver tout seul !

Vierge : du 24 août au 22 septembre

Vous avez le cafard. Ce n'est pas bientôt fini ce pessimisme ? Regardez autour de vous ! Vous êtes estimé au travail car vous avez l'esprit d'équipe. Vous êtes toujours là pour aider les autres. La perle rare ! Alors on sourit.

Balance : du 23 septembre au 22 octobre

Vous en avez ras le bol du boulot. Vous avez envie de changer de travail, de carrière, de vie ! Cette semaine pourra peut-être vous offrir une opportunité en or. Gardez les yeux ouverts.

Scorpion : du 23 octobre au 21 novembre

Coucou ! On est là ! Vous, **vous avez la tête dans les nuages**, comme d'habitude. Votre côté rêveur, c'est mignon au début mais il va falloir redescendre sur terre. Vous avez dépensé beaucoup trop d'argent cette semaine. Au travail !

Sagittaire : du 22 novembre au 21 décembre

Vous voyez la vie en rose et vous détestez les conflits. Pas de bol ! Cette semaine, vous allez rencontrer des difficultés avec quelqu'un. Vous savez le collègue égoïste que vous n'aimez pas du tout ? Oui. Lui. Bon courage.

Capricorne : du 22 décembre au 19 janvier

Vous allez être tranquille cette semaine parce qu'il n'y a rien de spécial à l'horizon. Détendez-vous et profitez-en. Ça ne dure jamais.

Verseau : du 20 janvier au 19 février

Vous travaillez trop. Il faut lever le pied ou demander de l'aide à quelqu'un. Vous êtes très indépendant et aimez gérer vos problèmes tout seul. Ne soyez pas si fier ! Tout le monde a besoin d'aide ! **Quelle tête de mule** !

Poisson : du 20 février au 20 mars

Vous avez la tête sur les épaules mais vous êtes aussi créatif. C'est une recette gagnante au travail. Cette semaine, on va vous demander de diriger une équipe. Vous êtes né pour être chef ! C'est parfait !

a. Trouvez deux activités que les Béliers peuvent faire pour se calmer.

b. Relevez trois adjectifs qui décrivent les Taureaux.

c. Quel signe astrologique :
   i. a des problèmes d'argent ?
   ii. a beaucoup d'énergie ?
   iii. est très timide ?
   iv. va devenir chef d'équipe ?
   v. va se disputer avec un collègue ?
   vi. a de la chance ?

d. Regardez les phrases en caractères gras (*in bold*) et essayez de deviner le sens des expressions avec votre classe. Lequel veut dire … ?
   i. What a stubborn person you are!
   ii. You are feeling down.
   iii. It's not going to be easy.
   iv. You have great energy!
   v. You have your head in the clouds.
   vi. You see life through rose-tinted glasses.

AIDE

Attention aux questions ! Quand vous voyez « trouvez / relevez / citez / nommez », vous devez citer le texte. Pour une explication détaillée de la compréhension écrite, regardez la section *Focus examen* page 59.

11. Vous avez trouvé un nouveau correspondant français / une nouvelle correspondante française. Il / elle s'appelle Pierre / Florence. Écrivez un email pour vous présenter en incluant les détails suivants.

- Prénom
- Surnom (si vous en avez un)
- Âge
- Anniversaire
- Nationalité
- Détails sur vos cheveux
- La couleur de vos yeux
- Taille
- Poids
- Un détail sur votre personnalité.

New message

To

Subject

Cher / Chère ...

Mon professeur de français m'a donné ton adresse. Je m'appelle ...

AIDE

Le but n'est pas seulement d'écrire un paragraphe sur vous-même, c'est aussi d'utiliser les nouvelles expressions et structures ! « J'ai 16 ans » peut devenir « je viens d'avoir 16 ans » et « je suis sympa et généreux » n'est pas aussi bien que « mes amis disent souvent que je suis sympa et que j'ai le cœur sur la main ».

12. Écoutez l'entretien avec Julien Priem, l'acteur dans la série « Non mais ça va ? » et répondez aux questions qui suivent.

a. When is Julien's birthday?
b. How long has he been an actor for?
c. Give two points that Julien makes about the character he plays in his TV series.
d. Name two words Julien uses to describe himself.
e. What does Julien say about his wife?
   i. She is just like him.
   ii. She is the opposite of him.
   iii. She doesn't like to go out.
   iv. She is very sporty.
f. Name two activities Céline enjoys.

13. Trouvez les mots et expressions suivants dans la transcription de l'exercice 12 page 418.

a. He likes to chat.
b. He often puts his foot in it.
c. He only thinks about himself.
d. I need time to be at ease with people.
e. I'm myself with my family.
f. I feel free.
g. I can let go.
h. She makes friends within five minutes.
i. She likes to go clubbing.

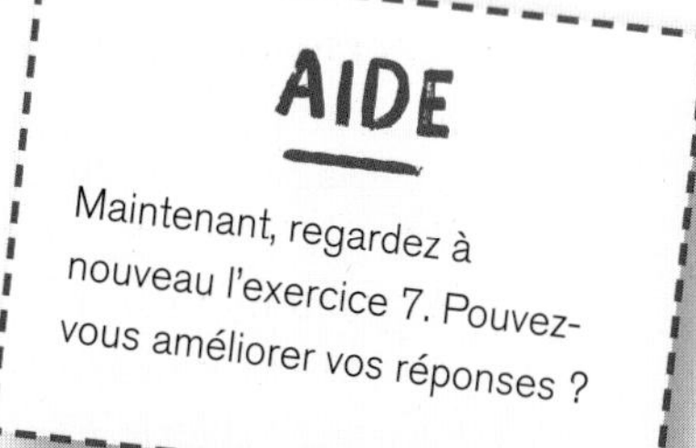

14. Avant de lire le texte qui suit, faites correspondre les mots et expressions suivants.

a. Il est doué	**i.** Everything interests him
b. Il touche à tout	**ii.** Fluent
c. Il s'intéresse aux langues	**iii.** He is gifted
d. Désormais	**iv.** From now on
e. Courant	**v.** He is interested in languages

15. Un texte journalistique : lisez cet article et répondez aux questions qui suivent.

AIDE

Pour faciliter la compréhension, retrouvez les expressions de l'exercice 14 dans le texte ci-dessous en caractères gras.

Thomas Pesquet, l'astronaute « normal » au parcours sans faute

PORTRAIT—Dixième Français de l'histoire à partir dans l'espace, Thomas Pesquet ne correspond pas à l'image que l'on se fait d'un astronaute. Modeste, touche à tout, c'est à force de beaucoup de travail qu'il réalise enfin son rêve d'enfant.

1. Il n'est pas pilote de chasse, n'a pas eu la mention « très bien » au bac et court moins vite que son grand frère. Thomas Pesquet, qui décolle ce soir de Baïkonour pour une mission de six mois sur la Station spatiale internationale, devenant le 10e astronaute français de l'histoire, n'est pas un être exceptionnel. Il ne correspond pas à l'image que l'on se fait d'un astronaute. Ce n'est pas le plus brillant ou le plus charismatique. Mais il est curieux, intelligent, aventureux et travailleur. Très travailleur.
2. Après un bac scientifique au lycée Corneille, à Rouen, le natif de Beauval-en-Caux, près de Dieppe en Normandie, est parti faire SupAéro à Toulouse. Puis il intègre le cursus de formation de pilote de ligne chez Air France en 2004. **Il est doué**. En 2006, il commence à voler à bord de l'A320 et devient instructeur après 2300 heures de vol. Une trajectoire sans faute. Sans coup d'éclat non plus.
3. C'est en 2008 que se présente la chance de sa vie. L'Agence spatiale européenne entame une procédure de recrutement pour trouver six astronautes. Ce n'est pas fréquent : la première a eu lieu en 1978. La deuxième en 1992. « Je me suis retrouvé au bon endroit, au bon moment », reconnaît volontiers le jeune homme de 38 ans. Sur 84 143 candidats, seuls six sont retenus en 2009.
4. C'est un rêve d'enfant qui se réalise. Si l'aventure spatiale l'a toujours intéressé, ce n'était toutefois pas son seul objectif de vie. Thomas Pesquet **touche à tout**. Ceinture noire de judo, il aime tous les sports. Du squash au rugby en passant par le basket.
5. Le jeune homme joue aussi du saxophone et **s'intéresse aux langues**. Avec modestie, il reconnaît en parler six, mais « mal ». On peut immédiatement préciser que son français et son anglais sont parfaits, et qu'autant qu'on puisse en juger son russe est **désormais courant**. S'ajoutent l'allemand, le chinois et l'espagnol, que le jeune homme a dû mettre entre parenthèses depuis le début de sa longue formation. Il n'est pas exceptionnel mais il est parfait. Thomas Pesquet est un astronaute « normal ». L'astronaute du futur.

Adapté de : Tristan Vey pour *www.lefigaro.fr*, le 16 novembre 2016

a. Combien de temps Thomas Pesquet passera-t-il dans la station spatiale internationale ? (Section 1)
b. Citez un adjectif qui décrit Thomas Pesquet. (Section 1)
c. Où est-il né exactement ? (Section 2)
d. Trouvez la phrase qui indique que Thomas Pesquet pense qu'il a eu de la chance. (Section 3)
e. Combien y avait-il de candidats qui espéraient devenir astronaute ? (Section 3)
f. Combien de candidats ont réussi ? (Section 3)
g. Trouvez un adjectif féminin singulier dans la section 4.
h. Relevez deux sports que Thomas Pesquet pratique ? (Section 4)
i. Combien de langues parle-t-il ? (Section 5)
j. The journalist says that, despite all his achievements, the astronaut Thomas Pesquet is not exceptional. Do you agree? Make two points to justify this statement, referring to the text each time. (50 words)

AIDE

Attention aux mots utilisés dans les questions. Retrouvez la liste dans la section *Focus examen* à la fin de cette unité.

GRAMMAIRE

Les noms et les déterminants

A noun is a label for places, things, events, ideas, concepts and so on. As in English, nouns in French may be categorised as common or proper, singular or plural. However, unlike English, French nouns are also categorised as either masculine or feminine. Gender in French affects all nouns, pronouns, adjectives and articles. When learning vocabulary, it is important that you learn the gender of each noun. Look at the list of noun endings typical for each gender:

Typical masculine endings:		**Typical feminine endings:**	
-é	*le pâté*	-ée	*la purée*
-age	*le visage*	-tion	*la description*
-eau	*le bateau*	-itude	*l'habitude*
-ège	*le collège*	-ience	*la science*
-isme	*le dynamisme*	-té	*la liberté*

There are plenty of exceptions – e.g. *le lycée, le musée, la plage* – so the best thing to do is simply to learn the noun with its gender systematically.

Nouns ending in a consonant are usually masculine, while nouns ending with a silent **e** after two consonants are usually feminine: e.g. *la ville, le quartier.*

Nouns referring to people, jobs and nationalities usually have (but again, not always!) a masculine and a feminine form.

Masculine:	**Feminine:**
un serveur	*une serveuse*
un chanteur	*une chanteuse*
un lycéen	*une lycéenne*
un Français	*une Française*

Most nouns in French add an **-s** to make them plural, but some end in **-x** or **-z**, e.g. *un bureau, des bureaux, des gaz dangereux.*

1. Complétez le paragraphe suivant avec « un », « une » ou « des ».

Je suis assez grand, je mesure 1 m 80. J'ai les yeux bleus et je porte ______ lunettes. Parfois je préfère porter ______ lentilles de contact. J'ai ______ barbe, ______ moustache, et ______ tâches de rousseurs. Dans le nez, j'ai ______ piercing.

2. Complétez avec « le », « l' », « la » ou « les ».

a. Vous avez vraiment ______ tête dans ______ nuages !
b. Il porte ______ boucle d'oreille que je lui ai offerte.
c. Vous voyez ______ vie en rose.
d. Écrivez sur la fiche ______ lieu de naissance, ______ taille, ______ poids et si vous avez ______ majorité.
e. Quelle est ________ couleur de vos yeux ?

Les adjectifs qualificatifs et possessifs

L'adjectif qualificatif

Adjectives are describing words. In French, adjectives have different endings depending on whether the words they describe are masculine or feminine, singular or plural.

Most French adjectives are made feminine by simply adding the letter **-e** to the masculine form, e.g. *grand* ⟶ *grande*, *petit* ⟶ *petite*.

This table shows how different endings change:

Masculin	Féminin	Exemple
-er	-ère	premier ⟶ première
-x	-se	heureux ⟶ heureuse
-f	-ve	vif ⟶ vive
-on	-onne	bon ⟶ bonne
-as	-asse	bas ⟶ basse
-et	-ette	cadet ⟶ cadette

As usual, there are some exceptions. Here is a list of the common irregular adjectives you might meet.

Masculine:		Feminine:
beau	⟶	*belle*
blanc	⟶	*blanche*
bref	⟶	*brève*
doux	⟶	*douce*
faux	⟶	*fausse*
fou	⟶	*folle*

Masculine:		Feminine:
frais	⟶	*fraîche*
gentil	⟶	*gentille*
gros	⟶	*grosse*
long	⟶	*longue*
vieux	⟶	*vieille*

3. Complétez les phrases suivantes avec la forme correcte de l'adjectif entre parenthèses.

a. Je regarde un _______ film à la télé. (bon)
b. Ma sœur est _______. (petit)
c. Ma copine est _______. (fou)
d. La réponse est _______. (faux)
e. Il est super _______. (beau)
f. Mon meilleur ami est très _______. (gentil)
g. Ma sœur _______ m'énerve souvent. (cadet)
h. Ma mère n'est pas très _______. (vieux)
i. Ma musique _______ c'est le rap. (favori)
j. La robe est _______. (blanc)

To make an adjective plural in French, you usually add an **-s** to the end of the adjective, although you do not pronounce it:
Le père est gentil ⟶ *Les parents sont gentils*

Adjectives ending in **-x**, **-s** or **-z** stay the same in the masculine plural:
Mon copain est généreux ⟶ *Mes copains sont généreux*

Adjectives ending in **-al** change to **-aux** in the masuline plural:
Il est brutal ⟶ *Ils sont brutaux*

If the adjective ends in **-eau** or **-eu**, add an **-x** to the end in the masculine plural:
Il est beau ⟶ *Ils sont beaux*

Most adjectives in French go after the noun they describe. The following adjectives, however, are some of the ones that come before the noun:
Grand, petit, jeune, vieux, nouveau, ancien, bon, mauvais, excellent, beau, joli, gros, vrai, cher, propre, brave …

If placed after the noun, the meaning of these adjectives can change:

*C'est un homme **grand***	*C'est un **grand** homme*
He's a tall man	He's a great man
*Mon **ancienne** maison*	*Ma maison **ancienne***
My former house	My old house

4. Mettez les adjectifs entre parenthèses à la forme qui convient.

a. Les parents de mon copain sont très _______. (généreux)
b. Mes parents ne sont pas très _______. (vieux)
c. Ma sœur n'est pas très _______. (sportif)
d. Mon frère a toujours été _______. (paresseux)
e. Les élèves sont _______ d'être là. (content)
f. Il habite une maison _______. (ancien)
g. Ma chambre est _______. (vert)
h. C'est une personne vraiment trop _______. (fou)

L'adjectif possessif

Possessive adjectives indicate who a thing, person or object belongs to. In French, the words for 'my', 'your', 'his', 'her', 'our', 'their', etc. change according to whether the noun that follows is masculine, feminine, singular or plural.

	Masculin singulier	Féminin singulier	Pluriel (masc. / fém.)
my	mon	ma	mes
your (informal)	ton	ta	tes
his/her/its	son	sa	ses
our	notre	notre	nos
your (formal/plural)	votre	votre	vos
their	leur	leur	leurs

If the feminine noun begins with a vowel or a silent **h**, you have to use *mon*, *ton*, *son*, e.g. ***mon** amie s'appelle Marie.*

5. Choisissez le bon adjectif possessif puis traduisez ces phrases en anglais.

a. Je suis têtue comme ________ mère.

b. Fais ________ devoirs !

c. Mon frère ? Il passe le plus clair de ________ temps à m'énerver.

d. J'arrive facilement à parler de ________ problèmes.

e. ________ parents sont beaucoup trop sévères avec moi.

f. Il préfère parler à ________ copains.

g. ________ sœur me pique ________ fringues.

h. Pour mon anniversaire, en général, je fais une boum incroyable avec tous ________ amis et ________ famille.

i. Vous êtes combien dans ________ famille ?

j. Que font ________ parents dans la vie ?

Bilan du chapitre 1

On révise le vocabulaire

1. Traduisez les mots suivants.
   a. La taille
   b. Le poids
   c. Le lieu de naissance
   d. Des tâches de rousseur
   e. Une boucle d'oreille

2. Traduisez les phrases suivantes.
   a. **Depuis que je suis petite, tout le monde m'appelle** Jackie.
   b. **Mes amis m'appellent** Johnny.
   c. **Mes amis disent que je suis** têtu.
   d. **Je vais avoir** 17 ans le 15 octobre.
   e. **Je viens d'avoir** 18 ans le 15 octobre.

3. Utilisez les structures en caractères gras ci-dessus pour créer vos propres phrases.

4. Traduisez le sens général des expressions suivantes.
   a. Il a le cœur sur la main.
   b. Quelle tête de mule !
   c. Il voit la vie en rose.
   d. Il a la tête dans les nuages.
   e. Il a le cafard.

On révise la grammaire

5. Traduisez les phrases suivantes.
   a. The girl is courageous. She is our cousin.
   b. A teacher is open minded. My teacher is not open minded.
   c. They [fem.] are hard workers. They are his aunts.
   d. You [pl.] are chatty. My brother is quiet.
   e. We are selfish. Our mother is not happy.
   f. She is spoiled. Their parents are angry.

Chapitre 2

Moi et ma famille

À la fin de la leçon on pourra :

- parler de sa famille
- parler des relations familiales
- parler des tâches ménagères
- comprendre l'infinitif
- comprendre le présent de l'indicatif
- comprendre les verbes pronominaux.

Ma famille

On s'échauffe !

1. Faites correspondre les paires comme dans l'exemple ci-dessous et traduisez les mots en anglais.

Exemple : père + mère = *father* + *mother*.

mère cadet(te) grands-parents nièce femme oncle père demi-sœur sœur marraine belle-mère grand-père cousine petit-fils neveu beau-père frère petite-fille demi-frère cousin ainé(e) mari petits-enfants grand-mère parrain tante

2. Écoutez ces trois personnes décrire leurs familles et répondez aux questions.

a. How many people are in Lucille's family?
b. Is she the eldest, the middle child or the youngest?
c. What are her parents' jobs?
d. Lucille gets along well with her parents. True or false?

a. How old is she?
b. Who is Bruno?
c. Who does Alexandra live with?
d. Which of the following is her step-mother especially strict about?
   i. Cleaning the bedroom
   ii. Homework
   iii. Going out with friends
   iv. Using the internet.

a. How many people are there in his family?
b. Is Marc the eldest, the middle child or the youngest?
c. What are his parents' jobs?

3. Cherchez les mots et expressions suivants dans la transcription page 419 de l'exercice ci-dessus.

a. There are four people in my family.
b. I'm the eldest.
c. I live with my dad.
d. I am part of a large family.
e. There are eight people in my family.
f. I'm the youngest.

4. Avant de lire les textes ci-dessous, faites correspondre les mots et les expressions suivants avec leur traduction.

a.	Je m'entends très mal avec mon frère.	**i.**	I'm spoiled.
b.	Je ne peux pas le supporter.	**ii.**	They're always on my back.
c.	Ils sont là pour moi.	**iii.**	I can speak easily about my problems.
d.	J'arrive facilement à parler de mes problèmes.	**iv.**	We're like enemies.
e.	Je suis gâté.	**v.**	I can't stand him.
f.	Je les ai toujours sur le dos. [fam.]	**vi.**	I get along very badly with my brother.
g.	On est comme chien et chat.	**vii.**	She treats me a bit more like an adult.
h.	Il me critique tout le temps.	**viii.**	They are there for me.
i.	Elle me traite un peu plus comme un adulte.	**ix.**	He criticises me all the time.
j.	On s'entend à merveille.	**x.**	We get on extremely well.

AIDE

[fam.] = familier = *informal language*

5. Lisez les textes et répondez aux questions qui suivent.

Ludivine

Salut, moi c'est Ludivine. J'ai eu seize ans le 15 juillet et nous sommes cinq dans ma famille. Je suis l'aînée et ce n'est pas toujours drôle. Je m'entends très mal avec mon frère qui s'appelle Stéphane. Il a treize ans, l'âge bête à mon avis ! Je ne peux pas le supporter. Il est coléreux, jaloux, stupide. C'est la guerre entre nous ! Ma petite soeur, elle, est toute mignonne, elle n'a que trois ans. Je la garde parfois quand mes parents travaillent. Ils sont médecins. Même s'ils sont souvent absents, ils sont quand même là pour moi. J'arrive facilement à parler de mes problèmes à ma mère. Je pense que j'ai de la chance ... À part pour mon frère !

Karim

Salut ! Je m'appelle Karim et j'ai dix-sept ans. J'ai trois frères et deux soeurs. Je suis le cadet, ce qui n'est pas pour me déplaire ! Je sais que je suis gâté et j'en profite ! J'ai plus de liberté que mes frères et soeurs. Mes parents sont beaucoup trop sévères. Je les ai toujours sur le dos :

« Fais pas ci, fais pas ça ! Range ta chambre ! Fais tes devoirs ! Gnagnagni gnagnagna ! » Parfois j'ai envie de crier : « Lâchez-moi les baskets ! » Je suppose qu'ils font ça pour mon bien, mais j'en ai vraiment marre. Vivement l'université pour un peu plus d'indépendance.

Bastien

Bonjour, je m'appelle Bastien. Je n'ai pas de frère et de soeur. Je suis né le premier mai et j'ai quinze ans. Mon père, Jean-Luc, a 48 ans, il est chauffeur de taxi et ma mère Marie a 45 ans. Elle est infirmière. Ils sont séparés. Je ne m'entends pas du tout avec mon père. On est comme chien et chat. Dès que je fais quelque chose, il s'énerve. Il me critique tout le temps. Il est vraiment négatif et intolérant. Ma mère me traite un peu plus comme un adulte. Je n'ai pas l'impression d'avoir dix ans avec elle ... Elle me laisse sortir le week-end. Quand j'ai besoin d'argent, elle m'en donne. Je sais qu'elle s'inquiète pour moi mais elle est compréhensive.

Isabelle

Je m'appelle Isabelle, mais tout le monde m'appelle Lisa. Ma mère est femme au foyer et mon père est ingénieur. J'ai une soeur jumelle qui s'appelle Claire. On s'entend à merveille. On fait tout ensemble, on a les mêmes goûts, le même style. Parfois on se dispute, surtout quand elle me pique mes fringues. Mais c'est normal. Il y a un règlement très clair chez nous. Tant qu'on est sous leur toit, on doit aider à faire le ménage, prévenir si on rentre tard, se concentrer d'abord sur nos études. Comme on va aller à l'université, tout va changer, je vais me retrouver seule car ma soeur va dans une ville différente. J'ai un peu peur, mais il me tarde !

Vrai ou faux ?

a. Ludivine s'entend bien avec son frère.

b. Karim est membre d'une famille nombreuse.

c. Bastien peut facilement parler avec son père.

d. Isabelle a le même âge que sa sœur.

Qui ...

e. a un père ingénieur ?

f. fait du baby-sitting pour ses parents ?

g. a une mère qui travaille à la maison ?

h. se dispute avec son père ?

i. a peur d'être seule à l'université ?

j. a des parents souvent absents ?

k. a plus de liberté dans sa famille ?

6. Faites correspondre les phrases simples avec les phrases complexes.

a. Je m'appelle Patrick.

b. J'ai 16 ans. Mon anniversaire est le 15 mai.

c. Je suis taureau.

d. Je suis sympa et paresseux.

e. Nous sommes cinq dans ma famille.

f. Mon frère s'appelle Marc. Il a 15 ans. Il est gentil. Je m'entends bien avec lui.

g. Ma soeur s'appelle Emma. Elle a 13 ans. Elle est embêtante.

h. Mon père s'appelle John. Il est docteur. Il a 50 ans. On se dispute souvent.

i. Ma mère s'appelle Marie. Elle est agent immobilier. Elle a 45 ans. Je m'entends bien avec elle.

j. J'ai beaucoup de liberté.

i. Je suis l'aîné d'une famille de cinq personnes. Il y a mon père Marc, ma mère Marie, mon frère Marcel, ma sœur Emma et moi.

ii. Moi c'est Patrick, mais tout le monde m'appelle Pat.

iii. Mes parents ne sont pas trop sévères. Je peux sortir le weekend mais je dois faire mes devoirs et être sérieux à l'école. J'ai beaucoup de liberté.

iv. Comme je suis né le 15 mai, je suis taureau. Je ne crois pas aux signes astrologiques. C'est des bêtises !

v. Mes parents travaillent tous les deux. Mon père est souvent absent car il est médecin de garde. Il essaie de passer du temps avec moi mais c'est difficile parce qu'on est comme chien et chat. Je l'ai toujours sur le dos.

vi. Emma est la cadette de la famille donc elle est pourrie gâtée. Elle a 13 ans, l'âge bête ! Elle a un caractère de cochon. À vrai dire, je ne la supporte pas.

vii. Ma mère s'appelle Marie et elle travaille dans une agence immobilière. Elle vient d'avoir 45 ans. On s'entend à merveille. Elle me traite comme une adulte.

viii. J'ai un frère, Marc, qui a 15 ans et avec qui je m'entends très bien. Il est toujours là pour moi et j'arrive facilement à parler de mes problèmes avec lui.

ix. De nature, je suis plutôt sympa et mes copains disent que je suis toujours dans les nuages. C'est vrai que je préfère rêver que travailler. Je suis un peu paresseux.

x. J'ai eu 16 ans le 15 mai dernier.

7. Écoutez Nathalie et Paul qui discutent des problèmes de famille et répondez aux questions.

- **a.** Who does Nathalie argue with in her family?
- **b.** What does Nathalie think about being the eldest?
- **c.** What is her sister like?
- **d.** Who does she get along well with?
- **e.** Describe her relationship with her father?
- **f.** Name one activity she is not allowed to do.
- **g.** What is she looking forward to next year?

8. Trouvez les mots et expressions suivants dans la transcription de l'exercice ci-dessus page 419.

- **a.** She is spoiled rotten.
- **b.** It's annoying me.
- **c.** My sister is stupid, selfish and a liar.
- **d.** It's war between us.
- **e.** He treats me like a baby.
- **f.** I can't wait because I'm fed up.

AIDE

Apprenez des expressions idiomatiques pour l'oral. Choisissez des expressions que vous aimez par thème. Par exemple, ici, vous pouvez regrouper les expressions sous les titres « relation positive » (e.g. « on s'entend à merveille ») et « relation négative » (e.g. « on est comme chien et chat »).

9. Écrivez un paragraphe sur votre famille en répondant aux questions suivantes.

- **a.** Présentez vous (nom, âge, date d'anniversaire, signe astrologique, défauts, qualités ...).
- **b.** Vous êtes combien dans votre famille ?
- **c.** Vous avez des frères et des sœurs ?
- **d.** Vous vous entendez bien avec eux ?
- **e.** Que font vos parents dans la vie ?
- **f.** Vous avez une bonne relation avec vos parents ?
- **g.** Est-ce qu'ils sont sévères ?
- **h.** Vous avez beaucoup de liberté ?

10. Maintenant, travaillez à deux et répondez aux questions de l'exercice 9.

11. Être enfant unique ou avoir des frères et des sœurs : il y a des avantages et des inconvénients dans les deux cas. Qu'en pensez-vous ? (75 mots environ)

AIDE

Regardez bien la question de l'exercice 11.

- Quels sont les mots-clés ?
- Qui est fils ou fille unique dans la classe ? Qu'en pensent-ils ?
- Á deux ou avec la classe, trouvez un maximum d'avantages et d'inconvénients à être fils ou fille unique.
- Travaillez à deux ou seul(e) et trouvez un maximum d'avantages et d'inconvénients à avoir des frères et sœurs.
- Faites une introduction et une conclusion (ne copiez pas les mots du sujet).
- Vous pouvez présenter votre famille, mais pensez à répondre à la question. Ne donnez pas trop de détails.
- Avant d'écrire, pensez toujours à la conjugaison des verbes que vous allez utiliser.
- Utilisez des phrases complexes, des expressions, etc.
- Soyez clair.
- Utilisez les nouvelles structures et le nouveau vocabulaire que vous avez appris.

Les tâches ménagères

On s'échauffe !

12. Seul(e), à deux puis avec la classe, trouvez un maximum de mots liés à la maison.

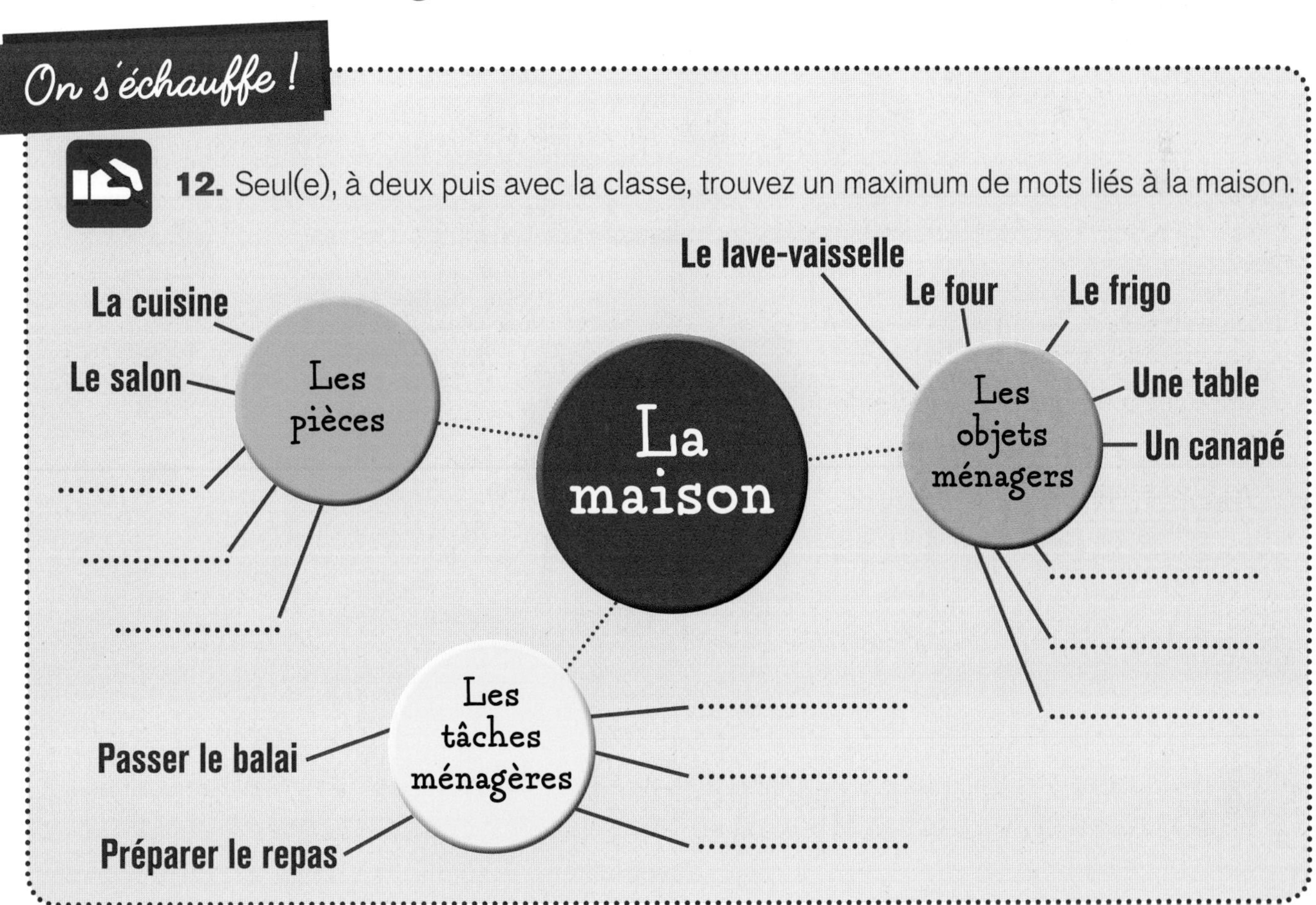

13. Faites correspondre les images avec les tâches ménagères.

a. Passer l'aspirateur
b. Passer le balai
c. Faire la poussière
d. Faire la lessive
e. Repasser le linge
f. Laver le sol
g. Préparer le repas
h. Vider le lave-vaisselle
i. Mettre la table
j. Débarrasser la table
k. Faire la vaisselle
l. Ranger la chambre
m. Faire les lits
n. Sortir les poubelles
o. Laver la voiture
p. Tondre la pelouse
q. Faire du jardinage

14. À deux, articulez les phrases sans les prononcer et votre partenaire doit deviner la tâche ménagère en lisant sur vos lèvres.

15. Écoutez ces quatre personnes expliquer les tâches ménagères qu'elles font ✓ et celle qu'elles détestent le plus ✗ et remplissez le tableau qui suit dans votre cahier.

	Soan	Penelope	Lilou	Karim
Walking the dog				
Sweeping the floor				
Dusting				
Doing the laundry				
Ironing				
Cleaning the floor				
Cooking				
Filling the dishwasher				
Setting the table				
Clearing the table				
Washing the dishes				
Tidying my room				
Putting the bins out				
Washing the car				
Cutting the grass				
Gardening				
Hoovering				

16. Cherchez ces mots et expressions dans la transcription de l'exercice ci-dessus page 419.

a. To help my parents at home
b. From time to time
c. However
d. I have to help with the household chores
e. Every day
f. What I hate the most is
g. Even though I have the Leaving Cert this year
h. I still have to help at home
i. I can't stand putting the bins out
j. I don't mind chores too much

17. À deux, posez les questions suivantes et répondez en vous aidant de la transcription page 419.

a. Que faites-vous pour aider à la maison ?
b. Quelle est la tâche ménagère que vous aimez faire ?
c. Quelle est la tâche ménagère que vous détestez faire ?

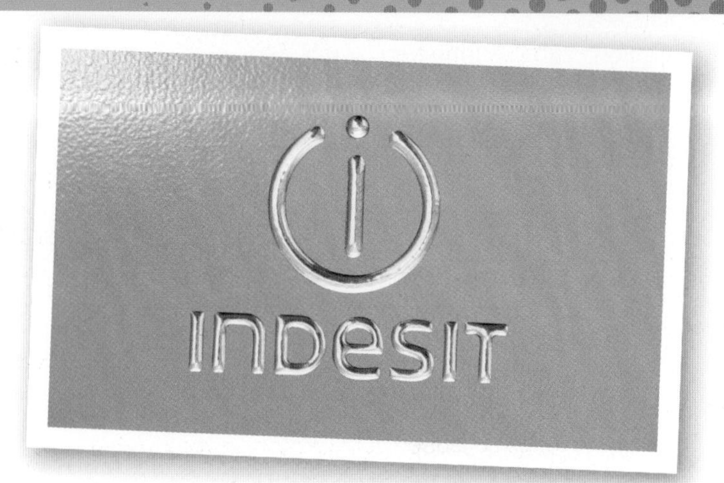

18. Regardez la vidéo « Indesit | #DoItTogether » sur YouTube et faites la liste des tâches ménagères que ce père fait. Ensuite, donnez vos réactions et répondez à la question : qui fait le ménage chez vous ?

19. Avant de lire le texte ci-dessous, faites correspondre les mots et les expressions suivants.

a. Le partage des tâches ménagères	**i.** A fair share of household chores between men and women
b. Interpeller le public	**ii.** Engage the public
c. Encourager au changement	**iii.** To pick things up
d. Une répartition équitable des tâches ménagères entre les hommes et les femmes	**iv.** I don't have a second to myself
e. Ramasser les affaires	**v.** He wakes the children up
f. Il réveille ses enfants	**vi.** To encourage change
g. Elle est obnubilée par son journal	**vii.** She is obsessed with her newspaper
h. Elle ne peut pas décrocher le nez de son portable	**viii.** To pick up the kids at school
i. Récupérer les enfants à l'école	**ix.** The sharing of household chores
j. Je n'ai pas une seconde à moi	**x.** She cannot look up from her mobile phone.

20. Maintenant, lisez ce texte et répondez aux questions qui suivent.

Cette campagne sur la répartition des tâches ménagères est géniale

1. Le partage des tâches ménagères au sein d'une famille, c'est le sujet qu'a choisi d'aborder la marque Indesit, fabriquant de machines à laver, pour sa nouvelle campagne de communication baptisée *#DoItTogether*. La première vidéo de ce projet, qui dévoile une famille aux rôles inversés, est formidable.
2. *« En France 73% des tâches ménagères sont faites par les femmes »*, partant de ce constat, le fabricant d'électroménager Indesit a décidé de nous faire découvrir un monde où les tâches

traditionnelles d'un couple seraient inversées. Alors que les femmes consacrent en moyenne deux fois plus de temps que les hommes aux tâches ménagères, la vidéo *#DoItTogether* (FaisonsLeEnsemble) a pour ambition d'interpeller le public et d'encourager au changement pour une répartition équitable des tâches quotidiennes entre homme et femme.

3. La première vidéo de la campagne *#DoItTogether* met en scène une famille où le père accomplit les tâches généralement effectuées par la mère. Levé à 6 heures alors que sa femme poursuit sa nuit, l'homme, encore somnolant, se rend à la cuisine pour préparer le petit déjeuner de toute la famille. Sur son chemin, il ramasse les affaires encore éparpillées de la veille. Le petit déjeuner fin prêt, il réveille ses enfants avant de retrouver toute sa petite tribu autour de la table.

4. Malheureusement, personne ne semble prêter attention ni à ce qu'il a pris le soin de préparer avec minutie ni à lui puisque sa femme est obnubilée par son journal quand sa fille ne peut décrocher le nez de son portable. Repasser, travailler, faire les courses, récupérer les enfants à l'école avant de les baigner, faire la lessive, préparer le dîner, les tâches se succèdent et ce « père courage » n'a tout bonnement pas une seconde à lui. Si bien qu'il est difficile de ne pas être touché par sa situation mais la campagne nous rappelle alors à l'ordre avec le message suivant : « Auriez-vous réagi de la même manière si cela avait été une femme ? »

Adapté de : Anais Moine pour *www.aufeminin.fr,* le 28 avril 2017

a. Que fabrique la marque Indesit ? (Section 1)
b. En France, plus de soixante-dix pour cent des femmes font le ménage. Vrai ou faux ? (Section 2)
c. Quelle est l'ambition de cette vidéo ? (Section 2)
d. Trouvez un verbe à l'infinitif dans la section 2.
e. À quelle heure se lève le père ? (Section 3)
f. Trouvez l'expression qui indique que sa femme continue à dormir. (Section 3)
g. Relevez trois tâches ménagères que le père effectue.
h. The author of this article seems to think that the video is a great tool to make people think about gender roles in household chores. Do you agree? Refer to the text in your answer. (Two points, about 50 words in total)

21. « En France 73 % des tâches ménagères sont faites par les femmes ». Est-ce que vous pensez que c'est la même chose en Irlande ? Écrivez un paragraphe qui justifie votre opinion.

AIDE

Incorporez le vocabulaire et les expressions qui sont dans les exercices ! Par exemple : « En Irlande, c'est la même chose. Les femmes font **plus** le ménage **que** les hommes. Il n'y a pas **de partage des tâches ménagères**. Chez moi, **ma mère n'a pas une seconde à elle ...** »

Pour plus d'aide pour écrire la pièce d'opinion, regardez la section *Focus examen* page 59.

GRAMMAIRE

L'infinitif

The infinitive form is the basic unconjugated form of a verb as found in a dictionary. In English, the infinitive is 'to + verb', e.g. to swim, to sing, to eat.

In French, the infinitive is a single word. The infinitive verb in French finishes with either *-er*, *-ir* or *-re*, e.g. *manger*, *parler*, *finir*, *partir*, *vendre*, *apprendre*.

Apart from the verbs *avoir* and *être* (which are auxiliaries to create tenses), when a verb is followed immediately by a second verb in French, the second verb must be in the infinitive form. There are three categories of verb that follow this rule.

1. Verbs which are followed directly by the infinitive:
   J'aimerais sortir ce weekend = I would like to go out this weekend.
2. Verbs which are joined by the preposition à:
   Elle a commencé à chanter = She started to sing.
3. Verbs which are joined by the preposition de:
   Il a choisi de partir plus tôt = He chose to leave earlier.

There is no easy way of knowing which verbs fall into which categories. You need to learn them as you go, making sure to learn the infinitive verbs with the preposition if there is one. Here is a list of the most useful ones.

Pas de préposition	+ à	+ de
aimer *(to like)* adorer *(to love)* détester *(to hate)* devoir *(to have to)* espérer *(to hope)* faillir *(to nearly …)* oser *(to dare to)* pouvoir *(to be able to)* préférer *(to prefer)* prétendre *(to pretend to)* savoir *(to know how to)* sembler *(to seem)*	aider à *(to help)* s'amuser à *(to have fun)* apprendre à *(to learn to)* arriver à *(to manage to)* s'attendre à *(to expect to)* avoir tendance à *(to tend to)* chercher à *(to try to)* commencer à *(to begin to)* continuer à *(to continue to)* hésiter à *(to hesitate to)* inviter à *(to invite to)* se mettre à *(to begin to)* passer son temps à *(to spend time)* penser à *(to think about)* réussir à *(to succeed in)*	accepter de *(to accept)* arrêter de *(to stop)* avoir envie de *(to feel like)* avoir besoin de *(to need to)* avoir l'intention de *(to intend to)* avoir peur de *(to be afraid to)* cesser de *(to stop)* choisir de *(to choose to)* refuser de *(to refuse to)* décider de *(to decide to)* se dépêcher de *(to hurry to)* empêcher de *(to prevent from)* essayer de *(to try to)* finir de *(to stop)* éviter de *(to avoid)* oublier de *(to forget to)*

The following verbs are followed by *à* + person + *de* + infinitive:

conseiller (to advise)
défendre (to defend)
demander (to ask)
dire (to say)
permettre (to allow)
promettre (to promise)

For example:
J'ai conseillé à Marie de rentrer en taxi = I advised Marie to return by taxi.
Il a demandé à ses parents de lui donner un peu d'argent = He asked his parents to give him a bit of money.

1. Apprenez les verbes de la liste page 28 et complétez les phrases avec les bonnes prépositions.

a. Il a oublié ________ sortir les poubelles.
b. Tant qu'on est sous leur toit, on doit aider ________ faire le ménage.
c. J'arrive plus facilement ________ parler ________ mes problèmes à mes amis.
d. J'ai envie ________ crier : « Lâchez-moi les baskets ! »
e. Mes parents essaient ________ passer du temps avec moi.
f. Mon grand frère s'amuse ________ m'embêter tous les jours !
g. Elles ont décidé ________ ne pas aller en vacances cette année.
h. Ma sœur passe le plus clair de son temps ________ m'énerver.

Le présent de l'indicatif

Quand utiliser le présent de l'indicatif ?

- To talk about what is happening at the moment or now or what happens usually or normally:
  Je mange = I eat, I am eating, I do eat.
- To talk about something that started in the past but is still going on now:
  J'étudie le français depuis 5 ans = I have been studying French for 5 years.

Comment former le présent de l'indicatif ?

Verbs are **regular** when they follow the exact same conjugation pattern.

To form the present tense, first drop the endings **-er / -ir / -re**, then conjugate as follows:

-*er* verbs

regarder (to watch)
*je regard***e** = I watch
*tu regard***es** = you watch
*il/elle/on regard***e** = he/she/one watches
*nous regard***ons** = we watch
*vous regard***ez** = you watch
*ils/elles regard***ent** = they watch

AIDE

Many French verbs are regular *-er* verbs. The infinitive ends in *-er*: jou**er**, regard**er**, écout**er**, arriv**er**, etc.

-*ir* verbs

finir (to finish)
*je fin***is** = I finish
*tu fin***is** = you finish
*il/elle/on fin***it** = he/she/one finishes
*nous fin***issons** = we finish
*vous fin***issez** = you finish
*ils/elles fin***issent** = they finish

-*re* verbs

attendre (to wait)
*j'attend***s** = I wait
*tu attend***s** = you wait
il/elle/on attend = he/she/one waits
*nous attend***ons** = we wait
*vous attend***ez** = you wait
*ils/elles attend***ent** = they wait

Some verbs have peculiarities in their spellings when they are conjugated.

- **Verbs ending in *-cer*:** Change the **c** to a **ç** before the vowels **a**, **o** and **u** in order to keep the sound of the **c** soft.
  For example: *commencer* (to start)
  Je commence à 8 heures = I start at 8 o'clock.
  *Nous commen***ç***ons à 8 heures* = We start at 8 o'clock.

- **Verbs ending in *-ger*:** Add an **e** after the **g** before the vowels **a** or **o** in order to keep the sound of the **g** soft.
  For example: *nager* (to swim)
  Je nage dans la mer = I swim in the sea.
  *Nous nag***e***ons dans la mer* = We swim in the sea.

- **Verbs ending in *-ayer*, *-oyer*, *-uyer*:** Change the **y** to an **i** before a silent ending (the endings ***-e***, ***-es***, ***-ent***).
  For example: *envoyer* (to send)
  *J'envo***i***e des emails à mon copain* = I send emails to my friend.
  *Tu envo***i***es des emails à ton copain* = You send emails to your friend.
  Nous envoyons des emails à nos copains = We send emails to our friends.

- **Verbs like *espérer*:** For verbs that have **e** or **é** as the final vowel of the stem (a stem is what remains of the verb when you take the ending off: ***espér-***) change the **e** to **é** or the **é** to **è** before a silent ending (the endings -***e***, -***es***, -***ent***).
  For example: *espérer* (to hope)
  J'espère que tu vas bien = I hope you are OK.

- **Most verbs ending in *-eler* and *-eter*:** Double the **l** or the **t** before a silent ending (the endings ***-e***, ***-es***, ***-ent***).
  For example: *s'appeler* (to be called)
  *Je m'appe**ll**e Fabien* = I am called Fabien.

There are also many other **irregular** present tense verbs which do **not** follow a pattern. You should learn the **common irregular verbs** on page 450.

2. Copy and complete the table of the most common irregular verbs in your copybook. See if you can remember them all.

Être (to be)	Avoir (to have)	Faire (to do)	Aller (to go)
Je suis I am	J ______ ______	Je ______ ______	Je vais I go / I'm going
Tu ______ You are	Tu ______ ______	Tu fais You do / You are doing	Tu ______ ______
Il ______ He is	Il ______ ______	Il ______ ______	Il ______ ______
Elle ______ She is	Elle ______ ______	Elle ______ ______	Elle ______ ______
On ______ We are / One is	On ______ ______	On ______ ______	On ______ ______
Nous ______ We are	Nous avons We have	Nous ______ ______	Nous ______ ______
Vous ______ You are	Vous ______ ______	Vous ______ ______	Vous ______ ______
Ils sont They are (m.)	Ils ______ ______	Ils ______ ______	Ils ______ ______
Elles ______ They are (f.)	Elles ______ ______	Elles ______ ______	Elles ______ ______

3. Mettez les infinitifs entre parenthèses au présent de l'indicatif (regardez le tableau des verbes irréguliers page 450 pour vous aider).

Depuis que je __________ (être) en terminale, mes relations avec mes parents __________ (devenir) de plus en plus difficiles. Il ne __________ (comprendre) pas que j'__________ (avoir) beaucoup de devoirs, que je __________ (devoir) réviser, étudier. Je n'ai pas le temps de faire le ménage. Ils me __________ (demander) de tout faire ! Je __________ (nettoyer), je __________ (balayer), je __________ (passer) l'aspirateur. Ma soeur et moi, nous __________ (ranger) nos chambres depuis qu'on est petites. Mais cette année, je __________ (vouloir) me concentrer sur mes études!

Les verbes pronominaux

A reflexive verb is a verb that has a reflexive pronoun as part of its infinitive, e.g. *se laver.*

The reflexive pronoun is used to say what one does to oneself (*je* ***me*** *lave* = I wash **myself**). The pronoun changes for each person:

Je ***me*** *lave* = I wash myself
Tu ***te*** *laves* = You wash yourself
Il ***se*** *lave* = He washes himself
Nous ***nous*** *lavons* = We wash ourselves
Vous ***vous*** *lavez* = You wash yourselves
Ils ***se*** *lavent* = They wash themselves

AIDE

If you don't remember which pronoun to use, remember how you say what your name is – « *je m'appelle* » – as *s'appeler* is a reflexive verb; that should help to jog your memory.

4. Choisissez le bon verbe.

a. Il __________ de rire quand il regarde la télé. (éclatez / éclate / éclatent)

b. Mes parents __________ à m'énerver. (commences / commencent / commençons)

c. Tu __________ ? (pleures / pleurons / pleure)

d. Quand je vois mes copains on __________ comme des fous. (rigoles / rigolent / rigole)

e. Ils __________ Henri et Marc. (s'appelle / nous appelons / s'appellent)

f. Ma mère __________ si je n'appelle pas. (s'inquiète / t'inquiète / nous inquiétons)

g. Ma sœur et moi, nous ________ de temps en temps. (nous disputons / se dispute / vous disputez)

h. Nous ________ en larmes. (fonds / fondons / fondez)

i. Je ne ________ plus mon frère. (supportons / supportez / supporte)

j. Paul me ________ les pieds. (casse / cassez / cassent)

G **5.** Voici le début d'une lettre. Changez les verbes entre parenthèses au présent de l'indicatif.

Chère Marie,

Comment (aller) ________-tu ? Je (être) ________ en pleine forme. Toute la famille (aller) ________ bien. En ce moment, je (chercher) ________ des livres pour le lycée. Je (ranger) ________ ma chambre aussi. Mon père (avoir) ________ une nouvelle voiture. Elle (être) ________ verte. Mon frère (aller) ________ à l'université pour la première fois lundi. Il (être) ________ très stressé ! Il me (casser) ________ les pieds parce qu'il (s'inquiéter) ________. De toutes façons, il (avoir) ________ peur de tout! Nous (se fâcher) ________ sans arrêt !

G **6.** Mettez les verbes pronominaux entre parenthèses au présent de l'indicatif.

a. Je ________ (se lever) à sept heures.

b. Nous ________ (s'amuser) bien ensemble en général.

c. Les familles ________ (se retrouver) toutes ensemble à Noël.

d. Je trouve que tu ________ (se maquiller) bien.

e. Vous ________ (se rappeler) de lui ?

f. Il ________ (se doucher) pendant une heure chaque matin.

g. On ________ (s'ennuyer) chez mes grands-parents.

h. Paul et Luc ________ (se croiser) dans le métro.

i. Je ________ (se demander) si c'est vrai.

j. Nous ________ (se coucher) vers minuit.

Bilan du chapitre 2

On révise le vocabulaire

1. Traduisez les mots suivants.
   - a. The youngest girl
   - b. The step mother
   - c. The husband
   - d. The eldest boy
   - e. The nephew
   - f. To hoover
   - g. To empty the dishwasher
   - h. To put the bins out
   - i. To do the laundry
   - j. To set the table

2. Traduisez les phrases suivantes.
   - a. **Je ne supporte pas de** sortir les poubelles.
   - b. **Même si je n'ai pas le temps avec mon bac**, j'aide mes parents.
   - c. Faire le repassage **ne me dérange pas trop**.
   - d. **Ce que je déteste vraiment c'est** faire mon lit.
   - e. **Je dois quand même** ranger ma chambre.

3. Maintenant, utilisez les structures en caractères gras ci-dessus pour créer vos propres phrases.

4. Traduisez le sens général des expressions suivantes.
   - a. On est comme chien et chat.
   - b. Je l'ai toujours sur le dos.
   - c. On s'entend à merveille.
   - d. C'est la guerre entre nous.
   - e. Il me tarde parce que j'en ai ras le bol.

On révise le grammaire

5. Trouvez cinq verbes à l'infinitif qui utilisent la préposition **à**, puis cinq qui utilisent **de**.

6. Faites les conjugaisons complètes de ces trois verbes réguliers au présent de l'indicatif : regarder ; finir ; vendre.

7. Mettez les verbes à la forme choisie au présent de l'indicatif. Attention aux particularités.
   - a. Je commence, nous ________.
   - b. Je nage, nous ________.
   - c. J'envoie, nous ________.
   - d. J'espère, nous ________.
   - e. Je m'appelle, nous nous ________.
   - f. Je me lève, nous ________ ________.
   - g. Je me brosse les dents, il ________ ________ les dents.
   - h. Je me couche, vous ________ ________.

Chapitre 3

Moi et mes copains

À la fin de la leçon on pourra :

- parler de ses copains
- parler de l'importance de l'amitié
- comprendre les superlatifs et les comparatifs.

Parlez-moi de votre meilleur(e) ami(e)

On s'échauffe !

1. En utilisant le vocabulaire des chapitres 1 et 2, écrivez un paragraphe qui décrit votre meilleur(e) ami(e) en incluant les points suivants.

- Nom et prénom
- Âge
- Si il / elle est plus âgé(e) que vous / plus jeune / a le même âge
- Date de naissance (si vous la connaissez)
- Nationalité
- Description physique
- Ses qualités
- Ses défauts
- Ce qu'il / elle aime faire / sa passion

AIDE

N'oubliez pas d'inclure du vocabulaire riche, des expressions et des phrases complexes. Gardez ce paragraphe et comparez-le avec celui que vous écrirez plus tard dans ce chapitre.

2. Fatima, Léonard et Samuel sont amis mais ils sont très différents les uns des autres. Lisez ce texte et répondez aux questions:

Salut !

Voilà comme prévu je t'envoie la photo de mes meilleurs potes. À droite c'est Léonard mais tout le monde l'appelle Léo et à gauche c'est Samuel, ou Sam pour les copains. On ne pourrait pas être plus différents les uns des autres. →

AIDE

Pour les comparatifs, regardez page 45 mais voilà quand même un résumé :

- plus [*adjective/adverb*] que = *more … than*
- moins [*adjective/adverb*] que = *less … than*
- aussi [*adjective/adverb*] que = *as … as.*

Pour les superlatifs, regardez page 46 :

Le / la / les plus … de ma classe c'est …

Je pense que, de nous trois, je dois être la plus patiente. Il faut l'être avec ces deux-là ! Léonard est le plus têtu de tous, une vraie tête de mule! Par contre, Sam et Léonard sont aussi extravertis l'un que l'autre. Moi je suis la plus timide. Quand ils font les fous, moi, je rigole mais je ne participe pas. Le pire défaut de Léonard c'est la paresse. Il n'arrive pas à sortir de son lit. C'est Sam et moi qui devons le motiver. Sam a le coeur sur la main. C'est le plus gentil de nous trois. Il est plus gentil que moi ! Ça c'est sûr ! Je dirais aussi que je suis la plus bavarde des trois. Le moins calme de tous c'est Léonard. Il est un peu soupe au lait. Il change d'humeur tellement vite que c'est difficile parfois. On ne sait plus sur quel pied danser ! Mais c'est aussi pour ça qu'on l'aime, Léo. On est vraiment différents mais on est inséparables.

Qui est la personne …

a. la plus patiente ?
b. la plus têtue ?
c. la plus timide ?
d. la plus paresseuse ?
e. la plus gentille ?
f. la plus bavarde ?
g. la moins calme ?

3. En groupe, discutez des qualités et des défauts des élèves dans la classe, et des professeurs de votre lycée.

- Quelle est la personne la plus patiente de la classe ?
- Quel est le professeur le plus extraverti ?
- Qui est aussi (peu) bavard que vous ?

4. Écoutez Pierre et Sandra, qui parlent de leurs meilleurs amis et de l'amitié en général, puis répondez aux questions.

Pierre

a. When did he meet his best friend?
b. Are they in the same class?
c. What activities do they do together after school? (Two things)
d. When was his friend particularly helpful?
e. What's the most important thing for him about friendship?

Sandra

a. How old is her best friend?
b. How long have they known each other?
c. Why do they argue sometimes?
d. Which passion do they share?
e. What is the most important thing about friendship for her?

5. Maintenant cherchez les mots et expressions suivants dans la transcription de l'exercice 4 page 419.

a. We met each other
b. We spend a lot of time together
c. I had enough
d. To give advice
e. We have known each other for
f. Because of
g. To share

6. Regardez les phrases simples et faites les correspondre avec les phrases complexes.

a. Mon ami s'appelle Florent.
b. Il a 17 ans.
c. Il est sportif. Moi, je suis paresseux.
d. Il est têtu.
e. Il aime le sport. Moi, j'aime la musique.
f. On va au cinéma. On va en ville. On joue au foot. On bavarde ensemble.
g. On est toujours ensemble.
h. Nous nous entendons bien.

---

i. Il n'est pas paresseux comme moi je peux l'être parfois. En fait, il est très sportif.
ii. Son truc à lui c'est le rugby, le foot, le hurling. Tout ce qui a un ballon ! Moi, je préfère jouer de la guitare. On est super différents mais on s'entend à merveille.
iii. C'est quelqu'un avec qui je m'entends à merveille.
iv. Il peut être têtu comme une mule de temps en temps mais en général il est plutôt cool.
v. Il a le même âge que moi. Son anniversaire est en août et le mien est en septembre. Techniquement, c'est lui le plus âgé !
vi. J'ai un ami qui s'appelle Mathieu mais moi, je l'appelle Mat.
vii. Comme il habite à côté de chez moi, on est toujours fourrés ensemble.
viii. On fait plein de trucs ensemble. La plupart du temps, on parle de tout et de rien. On peut passer des heures à discuter. Parfois on va en ville pour faire du lèche-vitrine même si ce n'est pas trop mon truc, ou alors on va voir un film au ciné. On rigole bien ensemble.

7. En utilisant le vocabulaire des exercices ci-dessus, répondez aux questions suivantes.

- **a.** Comment s'appelle votre meilleur(e) ami(e) ?
- **b.** Quel âge a-t-il / elle ?
- **c.** Où habite-t-il / elle ?
- **d.** Décrivez le / la physiquement.
- **e.** Quel est sa personnalité ?
- **f.** Avez-vous beaucoup de points communs ?
- **g.** Avez-vous les mêmes goûts ?
- **h.** Depuis quand êtes-vous ami(e)s ?
- **i.** Qu'est-ce que vous aimez faire ensemble ?

AIDE

Écrivez un nouveau paragraphe sur votre meilleur ami en incluant tous les points ci-dessus et comparez-le avec celui que vous avez écrit dans l'exercice 1.

L'importance de l'amitié

On s'échauffe !

8. Faites correspondre les noms avec les adjectifs de la même famille.

Le plus important dans l'amitié c'est …	Pour moi, un ami / une amie doit être …
a. la fidélité.	**i.** sensible.
b. la sensibilité.	**ii.** généreux / généreuse.
c. la compréhension.	**iii.** modeste.
d. la générosité.	**iv.** gentil(le).
e. l'intelligence.	**v.** optimiste.
f. la popularité.	**vi.** fidèle.
g. la patience.	**vii.** patient(e).
h. l'honnêteté.	**viii.** compréhensif / compréhensive.
i. la modestie.	**ix.** intelligent(e).
j. l'optimisme.	**x.** populaire.
k. la gentillesse.	**xi.** honnête.

AIDE

Pour une révision des noms et des adjectifs, regardez page 12. Quand vous apprenez le vocabulaire, apprenez si possible le nom (la générosité) et l'adjectif qui correspond au masculin et au féminin (généreux / généreuse).

9. Prononcez ces mots et ces phrases. Écoutez votre professeur et comparez. Entrainez-vous !

a. fid**è**le, sinc**è**re, distr**ai**t, r**ê**veur, honn**ê**te, popul**ai**re

b. **ré**aliste, t**ê**tu, g**éné**reux, **é**goïste, tol**é**rant

c. rêv**eur**, travaill**eur**, ment**eur**

d. rêv**eu**se, travaill**eu**se, ment**eu**se

e. gent**ill**e, br**ill**ante

f. Une gent**ille** f**ille** br**ill**ante s'hab**ille**.

g. Un fact**eur** rêv**eur** mais travaill**eur** a un ordinat**eur**.

h. Un irland**ais** distr**ait** est tomb**é** dans l'escal**ier** et s'est cass**é** le p**ied**.

10. Avant de lire l'article qui suit, faites correspondre les mots français avec leur traduction.

a. Les réseaux sociaux	**i.** To confide in somebody
b. Le quotidien	**ii.** To open up to others
c. La complicité	**iii.** To share a secret
d. La rigolade	**iv.** Daily life
e. Se sentir à l'aise	**v.** Trust
f. La confiance	**vi.** Social media
g. Se confier à quelqu'un	**vii.** To feel at ease
h. Avoir confiance en quelqu'un	**viii.** It is not easy to [+ verb]
i. Passer du temps avec quelqu'un	**ix.** Complicity
j. Partager un secret	**x.** To spend time with somebody
k. Trahir la confiance de quelqu'un	**xi.** Friendship
l. Il n'est pas facile de [+ verbe]	**xii.** To take the time to [+ verb]
m. Prendre le temps de [+ verbe]	**xiii.** Fun
n. Les rapports amicaux	**xiv.** To betray one's trust
o. S'ouvrir aux autres	**xv.** To trust somebody

11. Quelle différence entre un copain et un véritable ami ? Lisez ce texte et répondez aux questions qui suivent.

*À l'heure où dans notre quotidien, nous fréquentons une multitude de personnes, à l'heure où les « amis » **des réseaux sociaux** déposent des « j'aime » sur nos photos et des mots sur nos profils, on en vient parfois à se demander qui sont nos véritables amis. Comment faire la différence entre un copain et un ami, un véritable ami ?*

1. Les copains, qui par définition ne sont pas de véritables amis, sont ces personnes qui vous accompagnent dans votre **quotidien**. Avec eux, vous pouvez passer des moments très agréables, placés sous le signe de **la complicité**, de **la rigolade**. Vous les voyez peut-être au bureau, dans un cadre professionnel, vous vous croisez au sein de votre voisinage, vous vous êtes rencontrés grâce à vos amis. Avec eux, **vous vous sentez à l'aise**, vous faites des sorties, du sport, vous allez au cinéma. Si la compagnie des copains est agréable, ce n'est pas la même chose qu'un véritable ami, d'un confident.

2. Parce que la différence entre un copain et un ami se situe dans le degré de **confiance** que vous pouvez accorder à la personne. Bien que vous appréciiez votre copain, **vous ne vous confiez pas à lui**, jamais sur des sujets graves, des sujets d'importance. **Vous n'avez pas une confiance** sans limite **en lui**.

3. À l'inverse d'un copain, un ami véritable est un être particulier, une personne que l'on ne peut pas trouver facilement dans son entourage, et qui, une fois trouvée, est des plus précieuses ! Un ami est un copain, avec qui il est agréable de **passer du temps**, avec qui vous vous sentez bien et en qui vous avez toute confiance. À un ami, on peut tout dire, des choses futiles ou des secrets qu'on ne pourrait pas forcément **partager** avec un parent. Un ami vous comprend, vous aime pour ce que vous êtes et prend soin de ne jamais **trahir votre confiance**.

4. **Il n'est pas facile de** rencontrer de véritables amis, pas facile de pouvoir accorder sa confiance à une personne. Mais les amis sont des personnes uniques qu'il est essentiel d'avoir dans sa vie, des personnalités qui participent à notre bonheur, quand leur complicité peut nous apporter de multiples bienfaits ... **Un conseil, prenez donc le temps de** cultiver **vos rapports amicaux**, prenez le temps et efforcez-vous de vous **ouvrir aux autres**, de rencontrer de véritables amis.

Adapté de : « Quelle différence entre un copain et un véritable ami ? » de www.faire-des-amis.com par Fda-blog, *17 mars 2017.*

a. Quelle est la définition d'un copain ? (Section 1)

b. Trouvez deux activités que vous pouvez faire avec vos copains. (Section 1)

c. Dans la section 2, trouvez une des différences entre un copain et un ami.

d. i. Citez la phrase qui décrit ce qu'est un ami. (Section 3)

ii. Qu'est-ce qu'on peut dire à un ami mais pas à son père ou sa mère ? (Section 3)

iii. Trouvez un adverbe dans la section 3.

e. Quel conseil est donné dans la section 4 ?

f. A friend is very different from an acquaintance. Do you agree? Answer in English, giving two points and referring to the text.

12. Cochez les cases si vous êtes d'accord.

Un bon ami, c'est quelqu'un qui …

- ❑ **a.** est toujours là pour moi.
- ❑ **b.** prête toujours de l'argent.
- ❑ **c.** m'écoute sans me juger.
- ❑ **d.** me soutient quoiqu'il arrive.
- ❑ **e.** ne me critique jamais.
- ❑ **f.** écoute mes problèmes.
- ❑ **g.** partage tout.
- ❑ **h.** ne me ment jamais.
- ❑ **i.** m'offre beaucoup de cadeaux.
- ❑ **j.** reconnaît s'il a tort.
- ❑ **k.** a les mêmes gouts que moi.
- ❑ **l.** est présent aux moments difficiles.
- ❑ **m.** pardonne tout.
- ❑ **n.** m'accepte comme je suis.

13. Décidez des cinq phrases que vous trouvez les plus importantes parmi cette liste et comparez avec votre classe.

Créez vos propres phrases commençant par « Un ami, c'est quelqu'un qui … » sur des notes autocollantes à mettre sur les murs de la classe ou sur le site www.padlet.com.

14. Écoutez Paul parler de son meilleur ami Quentin et répondez aux questions.

a. What is Quentin's birthday?

b. What was Paul's best childhood memory?

c. Why was Paul upset last year?

15. Maintenant, cherchez les mots et expressions suivants dans la transcription de l'exercice 14 page 420.

1. He always makes me laugh
2. We celebrate our birthdays together
3. We had a great laugh
4. Another part of town
5. I was overwhelmed

16. Choisissez entre ces deux sujets et écrivez 75 mots minimum.

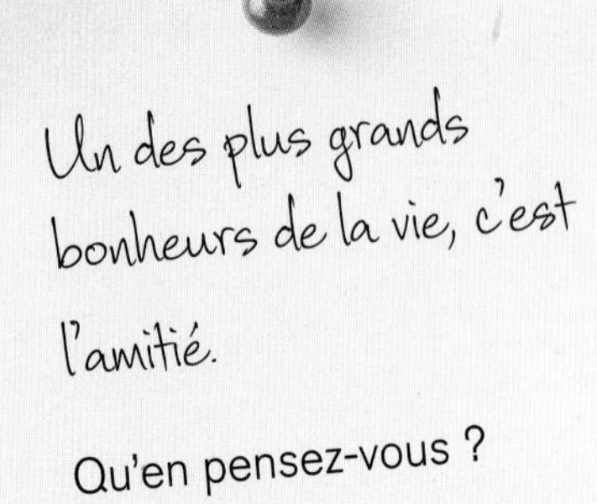

AIDE

Attention ! Si une question comporte les mots : « Qu'en pensez-vous? » ⟶ Vous devez donner votre opinion ! Voici quelques conseils :

- Commencez par:
  « Je suis d'accord avec cette déclaration. »
  « Je suis complètement d'accord avec cet avis. »
  « L'amitié est essentielle, surtout dans la vie d'un adolescent. »
- Reformulez la question ou rappelez la question :
  « On ne peut pas avoir 300 véritables amis. Les vrais amis se comptent sur les doigts de la main. »
  « L'amitié est vraiment l'un des plus grands bonheurs de la vie. »
  « Je ne pourrais même pas imaginer ma vie sans mes amis ! »
- Évitez les répétitions, pensez aux synonymes : les amis / les copains / les potes / l'amitié ...
- Utilisez les textes et les exercices précédents (et apprenez les phrases) :
  « Il n'est pas facile de rencontrer de véritables amis, pas facile de pouvoir accorder sa confiance à une personne. Mais les amis sont des personnes uniques qu'il est essentiel d'avoir dans sa vie. »
- Parlez des avantages qu'apporte l'amitié :
  « Les amis nous aident quand on en a besoin, ils nous écoutent. »
  « Un ami c'est quelqu'un qui est toujours là pour nous. »
  « Les amis sont là pour nous conseiller, pour nous aider à trouver des solutions, pour apprendre à vivre en société. Ils nous soutiennent aussi dans les moments difficiles. »
- Parlez de votre expérience:
  « **Personnellement**, je sais faire la part des choses. Les 'amis' que j'ai sur Facebook ne sont pas des gens que je considère comme des véritables amis. Ce sont des copains. »
  « **Personnellement**, mes amis sont essentiels pour mon équilibre. Comme je ne parle pas trop de mes problèmes à mes parents, c'est super d'avoir un copain qui vous écoute, qui vous donne des conseils. »
- Á la fin, utilisez les expressions : en somme / pour conclure / en conclusion etc. et rappelez la question :
  « **Pour conclure je dirais que** les amis que l'on se fait sur les réseaux sociaux ne sont que des copains ou des connaissances. Il est clair que les vrais amis sont rares. »
  « **En fin de compte**, il est clair que l'amitié est essentielle et, certainement, un des plus grands bonheurs de la vie. »

17. Faites correspondre les expressions familières avec leurs équivalents.

a. Je n'ai pas su quoi dire	**i.** To set something on fire
b. Une natte	**ii.** To shake one's head
c. Mon coin préféré	**iii.** To glance
d. Faire non de la tête	**iv.** I didn't know what to say
e. Avoir l'air [+ adjectif]	**v.** To gather sticks
f. Une grille	**vi.** A gate
g. Ramasser des brindilles	**vii.** A braid
h. Une loupe	**viii.** My favourite spot
i. Mettre le feu à quelque chose	**ix.** A magnifying glass
j. Jeter un coup d'œil	**x.** To appear [+ adjective]

18. Lisez cet extrait littéraire et répondez aux questions qui suivent.

Calypso est une jeune fille solitaire. Depuis la mort de sa mère, elle se réfugie dans la lecture. Calypso rencontre Mae, une nouvelle de sa classe.

1. La nouvelle, Mae, m'a demandé de jouer avec elle aujourd'hui. **Je n'ai pas su quoi dire.** Elle a de longs cheveux noirs qu'elle porte en **deux nattes** fixées au sommet de sa tête, comme Heidi. Elle a un visage rond de poupée avec des yeux bleu vif, et elle est arrivée à l'école ce trimestre.

   J'étais assise dans **mon coin préféré** de la cour avec un livre. C'est mon habitude pendant les récréations. Mae m'a adressé un sourire plein d'espoir, mais **j'ai fait non de la tête** et je suis retournée à mon livre.

   — OK, a-t-elle dit, et elle s'en est allée.

2. J'ai essayé de me concentrer sur mon livre, mais mon regard n'arrêtait pas de s'échapper des pages pour la regarder. Elle dit souvent OK ; ça a l'air de bien lui aller. Ça rime même avec son nom. OK, Mae. Quand elle s'est présentée en classe, elle nous a expliqué qu'elle avait changé d'école parce que sa famille avait déménagé. Mais elle ne paraissait pas en souffrir. Elle a toujours l'air joyeux.

3. Je me disais qu'elle allait proposer son amitié à quelqu'un d'autre, mais elle est partie toute seule vers **la grille** et elle s'est mise à **ramasser des brindilles** par terre. Elle en a fait un petit tas. Puis elle s'est assise et a tiré quelque chose de sa poche. Le soleil s'est reflété dessus – c'était **une loupe**.

Elle essayait de **mettre le feu** aux brindilles. J'ai regardé, fascinée. Est-ce que ça allait marcher ? Elle avait visiblement du mal à trouver le bon angle. Ses yeux faisaient des va-et-vient entre le ciel et la loupe, qu'elle inclinait d'un côté puis de l'autre.

4. « Mauvais procédé, ai-je pensé. Il faudrait qu'elle maintienne la loupe dans la même position pendant longtemps, pour que le rayon de lumière central chauffe la brindille au même endroit. » J'ai lu ça dans un livre. Allumer un feu de cette façon, ce n'est pas très pratique, mais ça peut fonctionner si on est assez patient et que le soleil brille assez fort. Mais on est en automne, là. Le soleil ne brille pas très fort.

5. Je la regardais avec une telle intensité que quand elle a levé les yeux et qu'elle m'a aperçue, le choc a failli me faire lâcher mon livre. Vite, mon regard est revenu à ma page, mais je n'ai pas résisté au besoin **de jeter un autre coup d'œil** à Mae. Elle continuait à me fixer des yeux, et souriait comme si j'étais son amie.

Extrait de : « *La bibliothèque des citrons* », Jo Cotterill, édition Fleurus

a. Citez les mots qui indiquent que Mae vient d'arriver dans la classe de Calypso. (Section 1)

b. **i.** Trouvez deux descriptions physiques de Mae (Section 1).

ii. Que faisait Calypso dans la cour ? (Section 1)

c. Pourquoi Mae avait-elle changé d'école ? (Section 2)

d. **i.** Qu'est-ce que Mae voulait faire avec la loupe ? (Section 3)

ii. D'après Calypso, que faut-il pour allumer un feu avec une loupe (deux détails) ? (Section 4)

e. Trouvez dans la cinquième section un verbe à l'infinitif.

f. What do we learn about Calypso and Mae from this extract? Refer to the text in your answers. (Two points, around 50 words total.)

GRAMMAIRE

Le comparatif et le superlatif

Le comparatif

The comparative compares something or someone with something or someone else.

In English, there are two forms of comparison depending on which adjective you are using, e.g. big, bigger; beautiful, more beautiful. The forms such as 'tall**er**', 'bigg**er**', 'bright**er**', etc. do not exist in French; you have to use the other structure.

Use these **expressions with an adjective, adverb or verb** to compare one thing with something or someone else:

Plus … que

e.g.

Il est plus grand que moi.	He is taller than me.
Le TGV va plus vite que les autres trains.	The TGV goes faster than the other trains.
Il travaille plus que le reste de sa classe.	He works more than the rest of his class.

Moins … que

e.g.

Il est moins intelligent que son frère.	He is less intelligent than his brother.

Aussi … que

e.g.

Il est aussi beau que son père.	He is as handsome as his father.

AIDE

The adjective always agrees with the first item being compared, e.g. **mes sœurs** sont plus **grandes** que moi.

In French, use the following expressions **with a noun** to compare one thing with something or someone else:

Plus de … que

e.g.

Nous avons plus de devoirs que vous.	We have more homework than you.

Moins de … que

e.g.

Il a moins de problèmes en maths qu'en science.	He has fewer problems in maths than in science.

Autant de … que

e.g.

Il reçoit autant d'argent de poche que moi. He receives as much pocket money as me.

1. Complétez les phrases avec une comparaison. Attention à l'accord !

a. On ne pourrait pas être ________________. (more different)
b. Il est ________________ que sa mère. (smaller)
c. Mon meilleur ami est ________________ en maths que moi. (better)
d. Mes parents sont ________________ que ceux de mes amis. (more generous)
e. Julien est ________________ que Florent. (sportier)
f. Elle est ________________ que sa mère. (taller)
g. Il est ________________ que sa sœur. (worse)
h. Fabienne est ________________ que toi. (prettier)
i. Je dors ________________ le week-end que pendant la semaine. (later)
j. Quand j'étais au collège, j'étais ________________ que depuis que je suis au lycée. (more free)

Le superlatif

To form the superlative ('most' and 'least'), add *le / la / les / plus / moins* as appropriate to the adjective or adverb:

le / la / les plus … de … (the most … of / in …)
le / la / les moins … de … (the least … of / in …)

e.g.

Il est le plus grand de ma famille. He is the tallest in my family.

AIDE

The forms such as 'tall**est**', 'bigg**est**', 'bright**est**', etc. do not exist in French; you always have to use the structures opposite.

Watch out for the exceptions:

Adverb	**Superlative**
bien	*le mieux*
mal	*le pire*
peu	*le moins*

2. Écrivez 10 phrases utilisant des comparatifs et des superlatifs, e.g. « Je trouve que le baccalauréat est beaucoup plus difficile que le Leaving Certificate. » Vous pouvez par exemple comparer :

- des personnes dans votre classe
- l'Irlande et la France
- des personnes dans votre famille
- vos matières scolaires
- Ariana Grande et Janelle Monáe, etc.

3. Lisez le paragraphe suivant et complétez les phrases qui suivent avec le comparatif ou le superlatif logique.

Magalie travaille une heure. Daniel travaille trois heures. Paul ne travaille que deux heures. Sophie travaille aussi trois heures.

a. Magalie travaille ____________ ____________ Daniel.
b. Daniel travaille ____________ ____________ Paul.
c. Daniel travaille ____________ ____________ Sophie.
d. Celle qui travaille ____________ ____________, c'est Sophie.
e. Sophie travaille ____________ ____________ des quatres.
f. ____________ ____________ travailleurs sont Daniel et Sophie.
g. ____________ ____________ travailleuse, c'est Magalie.

Bilan du chapitre 3

On révise le vocabulaire

1. Traduisez les mots suivants.

- **a.** To meet
- **b.** To share
- **c.** To spend
- **d.** To laugh
- **e.** To chat

2. Traduisez les mots suivants.

- **a.** Faire du lèche-vitrine
- **b.** Un pote
- **c.** Se confier à quelqu'un
- **d.** Avoir confiance en quelqu'un
- **e.** Donner des conseils

3. Traduisez les phrases suivantes.

- **a.** Mon meilleur ami s'appelle Paul, **je le connais depuis** toujours.
- **b.** Il y a 10 ans **qu'on se connait**.
- **c.** **C'est quelqu'un avec qui je peux** parler facilement.
- **d.** **On peut passer des heures** à discuter.
- **e.** **Il n'est pas facile de** rester calme.
- **f.** **Il faut prendre** le temps de vivre.
- **g.** **Je ne supporte pas** quand il crie.

4. Utilisez les structures en gras de l'exercice ci-contre pour créer vos propres phrases.

5. Traduisez le sens général des expressions suivantes.

- **a.** On est toujours fourrés ensemble.
- **b.** Mon truc à moi c'est la musique.
- **c.** Ce n'est pas mon truc.
- **d.** Il fait non de la tête.
- **e.** Je jette un coup d'œil.
- **f.** L'important c'est de s'ouvrir aux autres.

On révise la grammaire

6. Traduisez les phrases suivantes en utilisant les comparatifs et les superlatifs.

- **a.** He is taller than me.
- **b.** He is the tallest.
- **c.** I am smaller than Luke.
- **d.** I am the smallest.
- **e.** She is the best.
- **f.** I am the worst.
- **g.** We are as intelligent as Paul.
- **h.** I have more freedom than my brother.

Mes sentiments et mes opinions

À la fin de la leçon on pourra :

- exprimer ses sentiments
- exprimer ses opinions
- comprendre les questions
- comprendre le format de l'examen
- comprendre le format des compréhensions écrites
- écrire un journal intime.

Les sentiments

On s'échauffe !

1. Voici une liste de quelques sentiments. En cinq minutes, seul(e) ou à deux, traduisez un maximum de mots.

- L'amour
- L'épuisement
- La jalousie
- La stupéfaction
- La culpabilité
- La honte
- La rancune
- La compassion
- L'ennui
- La méfiance
- La colère
- La fierté
- La nervosité
- La timidité
- Le désespoir
- L'inquiétude
- Le soulagement
- Le courage
- La haine
- La panique
- La curiosité
- L'horreur
- La peur
- L'agressivité
- L'étonnement
- Le mépris
- Le souci
- La confusion
- L'impatience
- Le remords
- Le dégoût
- L'indifférence
- Le regret
- Le cafard
- La frustration
- L'optimisme
- La vengeance
- Le découragement
- La joie
- La solitude

2. Jeu de mime ! Choisissez un sentiment et essayez de le faire deviner à un autre élève sans parler.

3. Regardez ce vocabulaire et écrivez les mots dans la bonne colonne puis traduisez-les.

Nom	Adjectif	Verbe
• ~~le chagrin~~ • l'étonnement • l'épouvante • la gaieté • l'agressivité	• effrayé, épouvanté, froussard • ~~étonné, stupéfait, surpris~~ • agressif, furieux, irrité • triste, déçu, désespéré • fou de joie, ravi, joyeux	• ~~s'inquiéter, être mort de peur, avoir la chair de poule~~ • s'énerver, se fâcher, se mettre en colère, • sursauter, s'étonner, être surpris • avoir de la peine, pleurer, fondre en larmes • éclater de rire, sauter de joie, rigoler

Sentiment	Nom	Noun	Adjectif	Adjective	Verbe	Verb
La joie	la gaieté	Cheerfullness	Fou de Joie, ravi Joyeux	over Joy delighted happy	éclater de rire Sauter de Joie rigoler	Burst out laughing
La tristesse	le chagrin	*grief*	triste déçu désespéré	dissapointed dispaired sad	avoir de la peine Pleurer fonder en larmes	melt into tears
La colère	l'agressivité	~~aggressive~~ aggressive	agressif Furieux irrité		S'enerver, Se fâcher, Se mettre en colère	
La surprise	l'etonnement	Suprised	étonné, stupéfait, surpris	*astonished, stunned, surprised*	Sursauter, S'etonner, être Supris	To be Suprised
La peur	l'épouvante		effrayé épouvanté Froussard		s'inquiéter, être mort de peur, avoir la chair de poule	*to worry, to be scared to death, to have goosebumps*

4. Écrivez une définition de cinq sentiments en utilisant les adjectifs et les verbes comme dans l'exemple qui suit.

La tristesse, c'est quand on est triste, déçu ou désespéré. On a de la peine, on pleure ou on fond en larmes.

AIDE

Utilisez le nouveau vocabulaire dans des phrases et conjuguez les verbes pour mieux les apprendre.

Exprimer son opinion et ses sentiments

On s'échauffe !

5. Remplissez les pétales de fleur avec les mots de la liste en partant du plus modéré au plus fort.

Passionnément
Un peu
~~Pas du tout~~
À la folie
Beaucoup

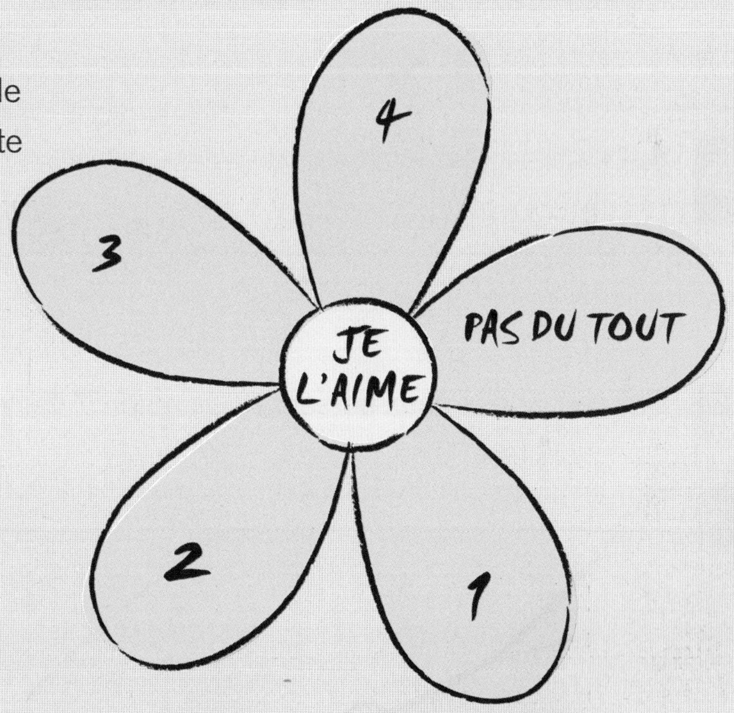

6. Complétez les phrases et expressions suivantes avec les choses que vous aimez.

J'aime un peu …
J'aime assez …
J'aime …
J'aime beaucoup …

J'aime plus que tout …
J'adore …
Ce qui me plaît le plus c'est …
Je suis passionné(e) par …

7. Que détestez-vous le plus ? Faites correspondre les expressions avec la liste de droite selon vos goûts et comparez avec quelqu'un dans la classe. Créez vos propres phrases en utilisant ces structures.

Je n'aime pas trop …	… les gens qui parlent pendant un film au cinéma.
Je déteste …	… les gens racistes.
Je ne supporte pas …	… la politique.
Je n'aime pas …	… les tâches ménagères.
Je ne supporte pas du tout …	… l'uniforme scolaire.
La pire des choses pour moi c'est …	… quand mes parents ne me laissent pas sortir le soir.

8. En utilisant les expressions ci-dessous, faites une liste des choses dont vous avez « ras le bol ».

J'en ai ras le bol du / de la / de / des …

Je déteste quand …

9. Écoutez ces deux personnes qui parlent des choses qu'elles détestent. Répondez aux questions.

Marianne

a. What do we learn about her parents?
b. What does she hate the most?
- **i.** People who are racist.
- **ii.** People who are angry all the time.
- **iii.** People who are selfish.

c. According to her, why do people become like that?
d. What does she say should happen to them?
e. What solution does she suggest to avoid the problem?

Olivier

a. How old is he?
b. What does he hate the most?
c. What does he have to do every night?
d. What time does he have to come home on Saturday night?
e. Why can't he wait to go to university?

10. Trouvez les phrases suivantes dans la transcription page 420 de l'exercice 9.

a. I look like my mother
b. We should teach them
c. To teach / educate
d. The best solution for … is …
e. I've just turned 18
f. I have no independence

11. Faites correspondre les expressions ci-dessous avec leurs équivalents.

a. Être dans une colère noire	**i.** To be fed up
b. Monter sur ses grands chevaux	**ii.** To be in a dark mood
c. Péter un plomb	**iii.** To get on your high horse
d. Piquer une colère monstre	**iv.** To be in a monstrous rage
e. En avoir marre	**v.** To blow a fuse
f. Casser les pieds à quelqu'un	**vi.** To annoy somebody

AIDE

Vous pouvez utiliser ces expressions dans vos productions écrites, surtout dans le journal intime qui est une des options de l'examen écrit, en général la question 2 (a).

12. Écoutez Lucie parler de ses problèmes de famille et répondez aux questions qui suivent.

a. How old is Lucie?
b. Who does she live with?
c. What would her mother like to have?
d. What annoys Lucie the most?
e. **i.** What happens after a big fight?
ii. What things does Lucie do to try to calm down?
f. Where is she going next year?

13. Trouvez les phrases suivantes dans la transcription page 420 de l'exercice 12.

a. The slightest comment from my mother drives me mad
b. She annoys me no end
c. She'd like to have the perfect daughter
d. What annoys me the most is when
e. I don't feel like doing it
f. We argue
g. It's hell at home
h. Going out to walk and breathe a little
i. Locking myself in my room
j. To improve

14. Avant de lire ce texte, faites correspondre les mots et expressions suivants.

a. Être en colère	**i.** Not to feel like it
b. Des griefs et doléances	**ii.** To glance
c. Un truc qui soulage beaucoup	**iii.** To be angry
d. Engueuler quelqu'un [fam.]	**iv.** To tell gossip
e. Ne pas avoir envie	**v.** Complaints and grievances
f. Jeter un œil	**vi.** To try to get the truth out of someone
g. Tricher	**vii.** A thing that relieves the pressure a lot
h. Avoir l'air triste	**viii.** To look sad
i. Raconter les potins	**ix.** To tell someone off
j. Tirer les vers du nez de quelqu'un	**x.** To cheat

15. Lisez le texte suivant et répondez aux questions qui suivent.

La narratrice s'est disputée avec son amie No. Elle va au lycée où elle rencontre son ami Lucas.

1. Quand **je suis très en colère** je parle toute seule et c'est ce que j'ai fait dans mon lit, pendant au moins une heure, l'inventaire de **mes griefs et doléances**, c'est **un truc qui soulage beaucoup**, c'est encore mieux quand on se place devant un miroir et qu'on en rajoute un peu, comme si on **engueulait quelqu'un**, mais là j'étais trop fatiguée.

2. Ce matin j'ai entendu No se lever, et puis le bruit de la douche et celui de la cafetière, j'ai gardé les yeux fermés. Depuis qu'elle travaille nous avons moins de temps à passer ensemble, alors souvent je me lève plus tôt pour la voir quelques minutes, mais aujourd'hui non, je **n'avais pas envie**.

3. Au lycée, j'ai retrouvé Lucas, il m'attendait devant l'entrée, nous avions un devoir de géographie sur table, il n'avait rien révisé. Je lui ai laissé voir ma copie, il n'y a pas **jeté un œil**. Il ne **triche** pas, n'invente pas, il dessine des personnages dans les marges d'une feuille qui reste vide, j'aime leurs cheveux en bataille, leurs yeux immenses, leurs habits merveilleux. …

4. En sortant du lycée Lucas m'a offert un coca au Bar Botté, il trouvait que **j'avais l'air triste**. Il m'a **raconté les potins** du lycée (il est au courant de tout parce qu'il connaît tout le monde), il a essayé de me **tirer les vers du nez**, mais je n'arrivais pas à parler parce que tout était emmêlé dans ma tête et je ne savais pas par quoi commencer.

— Tu sais, Pépite, tout le monde a ses secrets. Et certains doivent rester au fond, là où on les a planqués. Moi, mon secret je peux te le dire, c'est que quand tu seras grande je t'emmènerai quelque part où la musique est si belle qu'on danse dans la rue.

Extrait de : *No et moi*, Delphine Vigan, édition JC Lattès

a. i. Que fait No quand elle est en colère ? (Section 1)

> **AIDE**
>
> Attention ! Il ne faut pas citer mais transformer la phrase du texte : changez les pronoms « je » à « elle » et les verbes s'il le faut.

ii. Citez la raison pour laquelle la narratrice ne s'est pas mise devant le miroir pour faire semblant [pretend] de se disputer avec quelqu'un. (Section 1)

b. i. Que fait la narratrice juste après s'être levée ? (Section 2)

ii. Trouvez les mots qui indiquent que la narratrice fait semblant de dormir quand No se lève. (Section 2)

c. i. Où Lucas attendait-il la narratrice ? (Section 3)

ii. Que fait Lucas pendant le test de géographie ? (Section 3)

d. Trouvez un adjectif au masculin singulier dans la section 4.

e. i. Pourquoi Lucas est-il au courant de tout ce qui se passe au lycée ? (Section 4)

> **AIDE**
>
> Si la question commence par « Pourquoi » cherchez les mots « parce que » ou « car » ou encore « puisque » dans le texte.

ii. Relevez la phrase qui explique quel est le secret de Lucas. (Section 4)

f. Lucas seems to be a good friend to the narrator. Do you agree? Answer in English, giving two points and referring to the text.

16. En utilisant les expressions dans ce chapitre choisissez un des sujets suivants et écrivez 75 mots minimum.

Aujourd'hui vous êtes de mauvaise humeur à cause d'une dispute avec votre meilleur(e) ami(e). Vous avez envie de pleurer. Qu'écrivez-vous à ce sujet dans votre journal intime ? (75 mots)

Aujourd'hui vos parents vous ont annoncé que vous n'aiderez plus avec les tâches ménagères car vous devez vous concentrer sur vos études. Vous êtes très surpris(e) et ravi(e). Qu'écrivez-vous dans votre journal intime ? (75 mots)

> **AIDE**
>
> Pour de l'aide pour écrire le journal intime, regardez page 61.

GRAMMAIRE

Les questions

There are four ways to ask a question in French.

1. By **raising your voice** in a questioning manner at the end of an affirmative sentence, e.g. « *Vous avez des frères et des sœurs ?* »
2. By starting a sentence using the phrase ***Est-ce que …***, e.g. « *Est-ce que vous avez des frères et des sœurs ?* »
3. By **inverting the verb and the subject** and putting a hyphen between them, e.g. « *Avez-vous des frères et des sœurs ?* » « *A-t-il des frères et des sœurs ?* » Sometimes a *-t-* is added between them to separate the two vowels and help with the pronunciation, e.g. « *A-t-elle un animal domestique ?* »
4. By using **question words**:

Où ? (Where?)

e.g.

Où habitez-vous ?	Where do you live?

Quand ? (When?)

e.g.

Quand est-il arrivé ?	When did he arrive?

Que / Qu'est-ce que / Quoi ? (What?)

e.g.

Qu'est-ce que vous faites ensemble ?	What are you doing together?
Que fais-tu le week-end ?	What do you do at the weekend?
C'est quoi ?	What is it?

Quel / Quelle / Quels / Quelles ? (Which? – agreeing with gender and number)

e.g.

Quel âge avez-vous ?	How old are you?
Quels jours vous entraînez-vous ?	Which days do you train?

Lequel / Laquelle / Lesquels / Lesquelles ? (Which one(s)? – agreeing with gender and number)

e.g.

Il va au collège. Lequel ?	He goes to secondary school. Which one?

Combien ? (How much / many?)
e.g.
Combien ça coûte ? — How much does it cost?

Comment ? (How?)
e.g.
Comment allez-vous ? — How are you?

Pourquoi ? (Why?)
e.g.
Je préfère les maths. Pourquoi ? — I prefer maths. Why?

1. Traduisez les questions suivantes. Attention! Traduisez le sens, pas mot à mot.

a. What is your name?
b. How much do you weigh?
c. Do you wear contact lenses?
d. Where were you born?
e. When were you born?
f. What is your star sign?
g. Do you have a nickname? What is it?
h. What is your date of birth?
i. What is the colour of your eyes?
j. Are you shy?

2. Trouvez des questions aux réponses suivantes comme dans l'exemple ci-dessous.

Exemple: Réponse : Ton cartable est derrière la porte.
Question : Où est mon cartable ?

a. C'est Pierre qui parle.
b. J'arriverai en train.
c. Je ne viens pas parce que je suis fatiguée.
d. Ça coûte trente cinq euros.
e. Je vais à Paris.
f. Je préfère cette image.
g. Je fais mes devoirs.
h. Je préfère parler à mes copains.
i. Oui, il est en colère.

Bilan du chapitre 4

On révise le vocabulaire

1. Traduisez les mots suivants.
   - a. Proud
   - b. To be afraid
   - c. To be sad
   - d. To cry
   - e. To be ashamed
   - f. Être étonné(e)
   - g. Se fâcher
   - h. Se mettre en colère
   - i. Rigoler
   - j. S'inquiéter

2. Traduisez les phrases suivantes.
   - a. **Ce qui me plait le plus c'est** être avec mes amis.
   - a. **Je suis passionné(e) par** la musique.
   - b. **J'aime plus que tout** rigoler avec mes copains.
   - c. **Je ne supporte pas quand** mes parents s'inquiètent pour moi.
   - d. **La pire des choses pour moi c'est** le stress des examens.
   - e. **La meilleure solution contre** le stress **c'est de** faire du sport.

3. Utilisez les structures en caractères gras ci-contre pour créer vos propres phrases.

4. Traduisez le sens général des expressions suivantes.
   - a. Il est mort de peur.
   - b. Elle fond en larmes.
   - c. Ils éclatent de rire.
   - d. Je saute de joie.
   - e. J'en ai ras le bol / j'en ai marre !
   - f. Il est dans une colère noire.
   - g. Tu me casses les pieds !

On révise la grammaire

5. Traduisez les questions suivantes.
   - a. Do you have brothers and sisters?
   - b. Where do you go to school?
   - c. When do we arrive?
   - d. What are you doing this weekend?
   - e. How old are you?
   - f. How much does it cost?
   - g. How are you?
   - h. Why are you sad?

FOCUS EXAMEN

Le format de l'examen

The French Leaving Certificate Higher Level examination is divided into four parts:

	Marks	%
Reading comprehension	120	30%
Written expression	100	25%
Oral (speaking)	100	25%
Aural (listening)	80	20%

Les compréhensions écrites

The reading comprehensions consist of two parts, each of which is marked out of 60 – that's 120 marks in total. Allow 30 minutes for each reading comprehension.

- The first reading comprehension is an article (a journalistic text).
- The second one is an extract from a book (a literary text).

For the literary text, ask yourself these questions to help you understand the context:

- Who is speaking?
- How many characters are there?
- Where is the scene taking place, and when?
- Who is the person speaking to?
- What are their relationships?

You don't need to know every single word, but you should understand the gist of the text and develop good skills in finding answers to the questions.

The first five questions in the reading comprehension are in French. Question 6 is in English / Irish.

The golden rule is: if the questions are in French, answer in French; if the questions are in English, answer in English; if the questions are in Irish, answer in Irish.

There are several types of questions:

- Quote questions
- Multiple choice questions
- Transformation questions: Here, you have to slightly alter the text so it fits the question. For example, if the questions says:

  Qui regardait-il ?

  And the text says:

  Je regardais mon frère.

  Then your answer will be:

  ***Il** regard**ait son** frère.*
- Grammar questions: You might be asked to quote a tense, an adverb, etc. See page 447 for a reminder of the most common grammar terms.

The questions are always formulated in the same way.

Here are some words that are consistently used in exam questions:

indiquer	=	to indicate
montrer	=	to show
selon	=	according to
d'après	=	according to
la raison pour laquelle	=	the reason why
qui signifie	=	that means
qui veut dire	=	that means

You may be asked to quote:

- *un mot* = one word (just one word, not a phrase or sentence)
- *les mots* = the words (from two words to a whole sentence)
- *une expression* = an expression or phrase
- *une phrase* = a sentence

Le journal intime

The diary entry is usually **Question 2 (a)** in the Higher Level French paper. You will be asked to write **75 words** minimum.

Usually, you have to react to something very good or something very bad that has happened to you.

It is very important that you express your feelings.

You can learn lots of expressions to communicate how you feel about something. In this sense, the diary entry is probably the easiest of all the written questions.

Le plan

- Write the day and the time at the top.
- Start with « *Cher journal …* »
- End with one of the following expressions (you can use the same ones repeatedly): « *Bonne nuit !* » « *À demain.* » « *Au dodo !* »
- Below are some sentences to help you.

Vocabulaire

Pour commencer

• *Quelle journée (fantastique) !*	What a (great) day!
• *Quelle soirée (horrible) !*	What a (horrible) evening!
• *Tu ne croiras jamais ce qui m'est arrivé aujourd'hui !*	You will never believe what happened to me today!
• *Je viens juste de rentrer d'une soirée incroyable !*	I have just returned from an incredible night out!
• *Aujourd'hui c'était la pire / la meilleure journée de ma vie !*	Today was the worst / the best day of my life.
• *Je n'y crois pas !*	I can't believe it!
• *Je n'oublierai jamais cette journée !*	I will never forget this day!

Des expressions négatives

• *J'en ai marre (de) …*	I've had enough (of) …
• *J'en ai assez ! / J'en ai ras le bol !*	I've had enough!
• *Mes parents me tapent sur les nerfs.*	My parents are getting on my nerves.
• *J'ai le cafard.*	I feel low.
• *Je suis hors de moi !*	I am furious.
• *J'ai vraiment du mal.*	I really find it hard.
• *Pour couronner le tout …*	To top it all …

Des expressions positives

- *Je suis aux anges.* — I am really delighted.
- *Je suis au septième ciel.* — I am thrilled.
- *Il me tarde (de) …* — I can't wait (to) …
- *Je vois la vie en rose.* — I am an optimist.
- *Je n'en crois pas mes yeux !* — I can't belive my eyes!
- *Quelle bonne nouvelle !* — What great news!

Pour finir

- *C'est tout pour ce soir.* — That's all for tonight.
- *Il est tard, je suis crevé(e).* — It's late, I'm tired.
- *La nuit porte conseil.* — I'll sleep on it.
- *Demain j'en parlerai à …* — Tomorrow I'll talk to … about it.

Exemple

Vous venez de vous disputer avec votre mère au sujet des tâches ménagères. Qu'écrivez-vous à ce sujet dans votre journal intime ? (133 mots environ)

Cher journal, Mardi, le 15 septembre

Je n'y crois pas ! Je me suis encore disputée avec Maman. C'est de pire en pire en ce moment ! Je l'ai toujours sur le dos. Aujourd'hui, elle est en colère parce que je n'ai pas fait le ménage. Je dois ranger ma chambre, sortir les poubelles, vider le lave-vaisselle et sortir le chien. C'est vrai que ma chambre est en désordre mais c'est parce que je suis au lycée maintenant ! J'ai beaucoup de devoirs, elle ne se rend pas compte ! De toute façon, elle me critique sans arrêt ! J'en ai vraiment marre. Bon, je suppose que je peux faire un effort, mais elle aussi ! Je lui parlerai demain. La nuit porte conseil !

Bon, je suis crevée.

Bonne nuit !

Magalie

Évaluation de l'unité 1

La compréhension écrite

Lisez ce texte et répondez aux questions qui suivent.

1. Moi, je m'appelle Marina et je suis en troisième année au collège Molière. Un jour, pendant notre cours d'histoire, le principal, Monsieur Latour, entre soudain dans la salle. Il est suivi d'un garçon que nous ne connaissons pas. On ne voit jamais le principal, sauf quand il a une bonne nouvelle à annoncer. « Voici votre nouveau camarade, pour les deux mois de classe qui restent. Il s'appelle Jérémie Crew et il vient des États-Unis, de Los Angeles exactement », nous annonce-t-il.

2. Monsieur Latour s'arrête un moment et nous regarde tous. Puis, il continue à parler : « Votre professeur, Madame Grodein, qui a connaissance du dossier de Jérémie, vous en apprendra davantage. Bon, je laisse votre cours d'histoire se poursuivre. » Monsieur Latour se retourne, agrippe l'épaule de Jérémie, et le pousse devant le bureau. Puis, il s'éloigne. Mais, avant de sortir, il nous dit : « Vous vous rendez compte que votre nouveau camarade parle couramment trois langues ? Il va vous étonner. »

3. Jérémie Crew nous regarde comme si nous avions chacun deux têtes. C'est un garçon plutôt grand et plutôt maigre. Nous sommes étonnés de voir qu'il est très mal habillé. Il porte un jean déchiré, un sweatshirt gris et, aux pieds, des baskets sales et usées. Tout le monde l'observe. Nous sommes tous curieux. Pourquoi un Américain arrive-t-il dans notre quartier, dans notre lycée à mauvaise réputation ? Un mystère.

4. « Bon », dit Madame Grodein, « je vous explique la situation. Jérémie est français, même s'il arrive de Los Angeles. Sa mère est française et son père est américain. Le travail de son père a conduit Jérémie en France. Jérémie aura le temps de vous raconter ça après. N'est-ce pas, Jérémie ? » Jérémie, les mains dans les poches, continue à nous observer d'un air arrogant. Il n'a pas de sac de classe. Rien. Il ne répond pas. « N'est-ce pas, Jérémie ? », insiste la prof. « On verra », dit Jérémie. « Bon, parfait », continue Madame Grodein. « Tu t'installes rapidement. Je te prête un stylo. Choisis la place que tu veux à une table où il en reste une. » « Oui. Là. » À ma grande surprise, Jérémie désigne la chaise vide, à côté de moi.

Adapté de : *Mon Américain*, Jean-Paul Nozière, Nathan, 2013

1. a. En quelle classe est Marina ? (Section 1) la classe d'histoire, elle est en troisième ~~classe~~ année
   b. De quel pays vient Jérémie ? (Section 1) Il vient des Etats-Unis
2. a. Trouvez dans la deuxième section un verbe à l'infinitif. Parler
   b. Pourquoi Jérémie va étonner les autres élèves d'après le principal de l'école ? (Section 2) Il parle couramment trais langues
3. Trouvez deux adjectifs qui décrivent Jérémie. (Section 3) grand et maigre.

4. a. De quelle nationalité est Jérémie ? (Section 4)

   b. Citez la phrase qui explique pourquoi Jérémie a quitté les États-Unis. (Section 4)

5. Citez les mots qui indiquent que Jérémie n'a pas de matériel scolaire avec lui.

6. What do we learn about Jérémie in this extract? Answer in English, giving two points and referring to the text.

La production écrite

Répondez à 1, 2 **ou** 3.

1. Le conflit des générations n'est pas seulement la faute des parents. C'est souvent la faute des adolescents aussi.

   Donnez votre réaction.

   (75 mots environ)

2017 Leaving Certificate, HL, Section II, Q4 (b)

2. Les parents en Irlande aujourd'hui donnent trop de liberté à leurs enfants. Etes-vous d'accord?

   (75 mots environ)

3. Aujourd'hui vous vous êtes disputé(e) avec votre meilleur(e) ami(e). Après être rentré(e) à la maison, qu'est-ce que vous notez à ce sujet dans votre journal intime ?

   (75 mots environ)

UNITÉ 2

Les loisirs

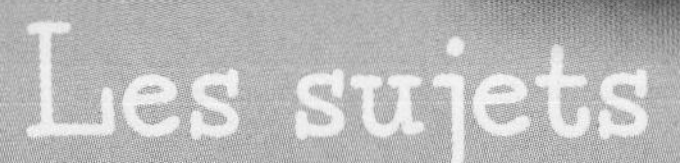

- ❑ Les loisirs
- ❑ La télévision et YouTube
- ❑ Le cinéma
- ❑ La presse
- ❑ Les faits-divers
- ❑ Le sport
- ❑ La place du sport féminin
- ❑ L'Internet
- ❑ Les réseaux sociaux
- ❑ Le portable
- ❑ La cyberviolence
- ❑ L'argent de poche
- ❑ Le petit boulot

Grammaire

- ❑ Les adverbes
- ❑ La négation
- ❑ Les prépositions
- ❑ L'impératif

Focus examen

- ❑ L'oral et le document
- ❑ La compréhension orale

Les passe-temps et les médias

À la fin de la leçon on pourra :

- parler de ses loisirs
- parler de la télévision et du phénomène YouTube
- discuter de l'effet néfaste de la télé sur les jeunes
- parler du cinéma
- parler de la presse
- comprendre des faits-divers
- comprendre les adverbes.

Les passe-temps

1. Complétez un diagramme avec un maximum de mots liés aux loisirs.

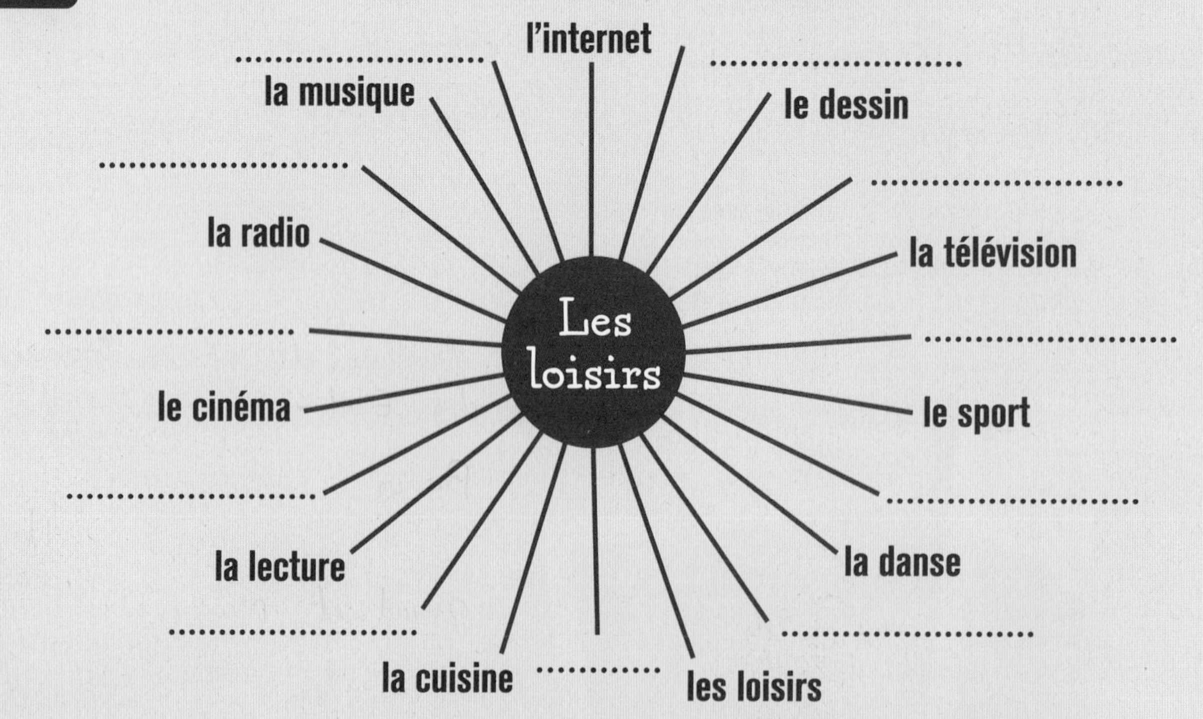

2. Écoutez ces trois jeunes parler de leurs weekends et répondez aux questions qui suivent.

Patrick

a. Why does Patrick play sports at the weekend?
b. Which sport does he prefer?
c. At what age did he start?
d. What other pastime does he have?

Danielle

a. How old is Danielle?
b. What does she do to let off steam? (One point)
c. What's her favourite genre to read?
d. What other thing does she do to relax at the weekend? (One point)

Sarah

a. Why did she have to stop playing sport this year?
b. How does she relax at the weekend?
c. What's her favourite channel?
d. What other thing does she do at the weekend?

Sébastien

a. What's his favourite pastime?
b. What would he like to study after the Leaving Cert?
c. What other pastime does he like?
d. What instrument does he play? (One point)

3. Maintenant cherchez les mots et expressions suivants dans la transcription page 421.

a. I'm a fan of
b. I need to let off steam
c. I spend two hours playing
d. When I need to unwind
e. It helps me think about something else
f. I'm a real bookworm
g. I relax (by) watching TV
h. I'm addicted!
i. I'm a fan of cinema
j. I spend an insane amount of time on Netflix

> **AIDE**
>
> C'est toujours une bonne idée de sélectionner deux ou trois expressions ou structures que vous aimez, de les apprendre mais aussi et surtout, de les utiliser à l'oral comme à l'écrit.

4. En utilisant l'exercice 2 et sa transcription, écrivez un paragraphe sur vos passe-temps. Gardez ce paragraphe car vous pourrez l'améliorer plus tard dans ce chapitre.

La télévision et YouTube

On s'échauffe !

5. Complétez ce tableau avec un maximum de mots liés à la télévision.

Nom	Verbe	Adjectif	Adverbe
Une chaîne Une émission Un programme …	Regarder Zapper Se détendre S'amuser S'instruire Passer le temps …	Amusant Violent Nul Ennuyeux …	Absolument Complètement …

AIDE

Un adverbe montre comment est fait l'action, e.g. parlez lentement = *speak slowly*. Pour réviser les adverbes, voir page 81.

6. Trouvez les titres dans le programme télé ci-contre qui correspondent aux types d'émissions ci-dessous.

a. Les actualités
b. Une émission pour la jeunesse
c. Un programme de télé-réalité
d. Un jeu télévisé
e. Une émission de sport
f. Un magazine culturel
g. Un magazine de musique
h. Un film américain
i. Un documentaire
j. Un feuilleton
k. Une série américaine

TF1	France 2	France 3	CANAL+	M6
13h00 Le journal	**12h55** Météo	**13h00** Dr House	**13h30** Un livre, un jour : Magazine littéraire	**13h00** La La Land
14h45 TFOU : Magazine jeunesse	**13h00** *Téléfilm* : Un foyer pour mes enfants	**14h30** Le maillon faible	**14h50** Match du Jour : Toulouse–Bordeaux	
15h20 Star Academy	**14h25** Automoto	**15h45** Sudokoo		**15h15** Qui veut gagner des millions ?
17h30 *Téléfilm* : Quatre mariages pour une lune de miel	**15h30** Affaire conclue : Tout le monde a quelque chose à vendre	**16h30** La cuisine de Julie	**17h00** Tout le foot	**16h30** Les secrets de l'histoire : 1968 : La révolution étudiante
18h30 Supernanny	**18h30** Castle	**18h45** Les informations nationales	**18h00** Doctor Strange	**19h45** Les actualités internationales
21h30 NRJ Music Awards	**21h00** Grey's Anatomy	**21h00** Commissaire Magellan	**20h00** The Voice : La plus belle voix	**21h00** NCIS : Los Angeles

AIDE

En France, on utilise le système des 24h pour exprimer l'heure.

7. Écoutez Charlotte et Henri qui donnent leurs opinions sur la télévision. Répondez aux questions suivantes.

a. What show does Charlotte prefer?
b. How many hours does she watch TV per day?
c. What does she think of reality TV?
d. Why?
e. How many TV sets do they have in her house?

a. Henri would rather read than watch TV. True or false?
b. What's his favourite show on TV? Why?
c. What does he think of violence on TV?
   i. It has no influence.
   ii. It is a minor problem.
   iii. It can be bad for kids.
   iv. He loves it!
d. What contains more violence, according to him?

8. Maintenant, cherchez les mots et expressions suivants dans la transcription page 421 de l'exercice 7.

a. To be glued to the screen
b. To follow a soap
c. Trash TV
d. In my opinion
e. I'm fed up with people who say

AIDE

Rappel :

- Pour l'examen d'écoute, vous entendrez les sections 1, 2, 3 et 4 trois fois (la section 5 : vous n'entendrez chaque partie que deux fois).
- Pendant la première écoute, n'écrivez rien ! Vous avez le temps.
- Lisez bien les questions et faites des « prédictions ». Pensez aux réponses possibles.
- Soulignez les mots-clés.
- Pour plus d'informations sur la compréhension auditive, regardez la section *Focus examen* page 123.

9. Reliez ces phrases simples pour en faire des phrases complexes. Utilisez les mots exprimant la cause : « comme », « car », « parce que », « à cause de », « grâce à », « pusique ».

a. La télévision est éducative. On peut s'instruire. ⟶ Grâce à la télévision, on peut s'instruire.
b. J'aime savoir ce qui se passe dans le monde. Je regarde les infos.
c. Il n'y a rien à la télé. Je lis un livre.
d. Je n'ai pas le temps de regarder la télé. Je regarde mes émissions sur ma tablette.
e. YouTube va remplacer la télé. La télé va disparaître.
f. Mes parents sont en colère. Je passe trop de temps devant la télé.

AIDE

- « Comme » est toujours au début de la phrase.
  e.g. Comme ma sœur n'aime pas les mêmes émissions que moi, on se dispute souvent pour la télécommande.
- « Parce que » ou « car » sont utilisés pour donner une explication.
  « Car » est d'un registre plus soutenu.
  e.g. Je préfère ma tablette parce qu'il n'y a pas de coupures de pub.
- « Grâce à / à la / à l' / au / aux + nom ou pronom » : pour donner une cause positive.
  e.g. Grâce à la tablette, je peux regarder mes émissions quand je veux et où je veux.
- « À cause de / du / de la / d'/ des + nom ou pronom » : pour exprimer une cause négative.
  e.g. Je suis fatiguée à cause de la télévision.
- « Puisque » est utilisé pour parler d'une cause évidente, qu'on connait, qui va de soi.
  e.g. Il ne pourra pas regarder le match puisque sa télé ne marche pas.

10. Maintenant travaillez à deux et répondez aux questions suivantes.

a. Regardez-vous beaucoup la télévision ?

b. Quelle est votre émission préférée ? Pourquoi ?

c. Qu'avez-vous regardé hier soir à la télé ?

d. Regardez-vous les actualités ?

AIDE

Vous pouvez utiliser des phrases plus longues et plus intéressantes avec :

- **des expressions**
  e.g. Je suis scotché à l'écran.
- **des adverbes** (page 81)
  e.g. souvent, vraiment, malheureusement, énormément …
- **des adjectifs** (page 13)
  e.g. J'aime regarder les nouvelles émissions qui parlent des meilleures célébrités.
- **des comparatifs** (page 45)
  e.g. J'aime plus les feuilletons que les documentaires.
- **des conjonctions**
  e.g. et, mais, parce que, car, quand, dès que …

Expressions utiles :

- Suivre un feuilleton
- Je suis accro à la / à l' / au / aux …
- Je suis fan de …
- Allumer / éteindre la télévision
- Une chaîne de télévision
- Une émission amusante / divertissante / pleine de rebondissement
- Pour me détendre / m'informer / m'instruire
- Ça ne m'intéresse pas
- Je passe 2 heures à regarder la télé / devant le petit écran

Attention ! La question **c** est au passé.

11. Écoutez ces statistiques sur le phénomène YouTube et remplissez les blancs avec les chiffres ou les mots qui manquent.

Les jeunes passent leur temps devant leur_______________. Et ce qu'ils y font de plus en __________, c'est de regarder des vidéos sur YouTube ! Mais quels _____________ regardent-ils ? Qui sont les ____________ qu'ils suivent sur YouTube ?

Quelques chiffres pour poser le tableau :

- La fréquentation de YouTube a augmenté de _________ % entre 2015 et 2016.
- Un français sur ___________ de moins de 44 ans regarde YouTube tous les jours.
- Deux-tiers d'entre eux le font plusieurs fois par _________.
- Cette consommation se fait aux _________________ depuis un smartphone.
- Chez les _________–34 ans, un quart d'entre eux attaquent et finissent leur journée sur YouTube.
- Les visiteurs se consacrent essentiellement à la _____________, au sport, aux choses de la vie quotidienne (_____________, santé-beauté, cuisine, …) et à l'____________.

12. Avant de lire le texte suivant, reliez les mots et expressions suivants avec leurs équivalents.

a. Lancer sa propre chaîne	**i.** To be paid
b. Expérimenter à fond sa passion	**ii.** To be constantly connected to social media
c. Le bouche-à-oreille	**iii.** I don't understand how people can like …
d. Être rémunéré(e)	**iv.** To start one's own channel
e. Envisager un avenir dans l'audiovisuel	**v.** To express one's passion fully
f. Je ne comprends pas l'engouement pour …	**vi.** To consider working in the media
g. Être branché(e) en permanence sur les réseaux sociaux	**vii.** Word of mouth

13. Maintenant, lisez l'article qui suit et répondez aux questions.

Garance, jeune YouTubeuse d'Offranville qui cartonne

Réseaux sociaux. Elle est collégienne et fait des vidéos diffusées sur sa chaîne YouTube. Garance compte déjà plus de 186 000 abonnés.

1. Ceux qui ignorent le vocabulaire spécifique des vidéastes amateurs ou professionnels qui évoluent sur YouTube vont avoir du mal à suivre ! Mais pour Garance, 12 ans, les mots comme « vlog » ou « swap » et encore « prank » sont des vocables usuels. Cette jeune collégienne d'Offranville **a lancé** voici 18 mois **sa propre chaîne** sur YouTube. Sous le nom « La Fille Du Web », elle filme et diffuse sur la plateforme YouTube son quotidien de jeune adolescente, ses délires avec ses copines mais aussi ses « wishlists » autour de produits et de marques qu'elle apprécie et des « room tours » pour présenter la décoration de sa chambre. « J'ai regardé ce que les autres YouTubeurs font et comme ça me plaisait, j'ai commencé à m'y intéresser vraiment et à faire moi-même des vidéos », explique tout naturellement Garance.

2. Petit à petit, elle s'est équipée en matériel : ordinateur, appareil photo, micro, fond vert pour incruster des images ou du texte sur ses vidéos, mais aussi un parapluie de studio photo pour l'éclairage et un logiciel de montage vidéo. Toute une pièce de la maison de ses parents a été transformée en véritable studio pour que Garance puisse **expérimenter à fond sa passion** pour l'audiovisuel. « Elle fait tout par elle-même. Elle filme, elle fait le montage », détaillent ses parents, admiratifs des capacités de leur fille.

3. Au début ses vidéos font quelques centaines de vues, puis plusieurs milliers. **Le bouche-à-oreille** de la toile fait le reste via les réseaux sociaux comme Snapchat. Au cours de l'été 2016, une de ses vidéos sur les coques de protection de smartphone cartonne littéralement. Plus d'un million de personnes l'ont visionnée ! « C'est la première qui a décollé. J'ai été surprise car le sujet est vraiment basique, mais je suis contente que ça plaise ».

   Aujourd'hui elle **est rémunérée** régulièrement par YouTube, sollicitée pour des collaborations commerciales par des marques, invitée à Liège par un centre commercial pour un « meet up » avec ses abonnés.

4. Elle répond quasi quotidiennement à l'imposant courrier de ses abonnés et ses fans. « Ils disent qu'ils m'aiment bien et apprécient mes vidéos. J'ai eu quelques messages pas sympas, quelques insultes aussi mais rien de bien méchant. Les vidéos je les fais avant tout pour moi. Si un jour, la chaîne ne marche plus ce n'est pas grave, je continuerai pour moi seulement » répond la collégienne. Elle **envisage** néanmoins **naturellement un avenir professionnel dans l'audiovisuel**.

5. Dans le système économique de la plateforme YouTube, une vidéo qui dépasse les 10 000 vues est monétisée car la plateforme se rémunère avec des insertions publicitaires. Garance reçoit ainsi régulièrement quelques centaines d'euros pour ses productions ! L'argent a été placé sur un compte bloqué. Quant au courrier électronique de la jeune fille, il est surveillé de près par ses parents fiers de la réussite de leur fille. « Je reçois tous ses mails en double » précise son père. « Au début je **ne comprenais pas l'engouement pour** les vidéos de Garance. Mais le monde a changé. Les jeunes **sont branchés en permanence sur les réseaux sociaux** : je pense que beaucoup de jeunes filles se retrouvent dans ce que fait Garance ».

Adapté de : Mireille Loubet *www.paris-normandie.fr*, novembre 2017

a. **i.** Depuis quand Garance a-t-elle lancé sa chaîne Youtube ? (Section 1)
ii. De quoi parle sa chaîne ? (Section 1)
iii. Trouvez un verbe à l'infinitif dans la section 1.

b. **i.** Qu'a dû acheter Garance pour produire sa chaîne ? (Section 2)
ii. Citez l'expression qui montre que les parents de Garance sont fiers d'elle. (Section 2)

c. Quel est le sujet de la vidéo qui a eu le plus de succès ? (Section 3)

d. **i.** Citez la phrase qui montre que les messages de ses abonnés ne sont pas toujours gentils. (Section 4)
ii. Dans quel domaine Garance aimerait-elle travailler plus tard ? (Section 4)

e. Que font les parents de Garance pour la protéger ? (Section 5)

f. For a 12-year-old girl, Garance shows initiative and professionalism when it comes to her YouTube channel. Do you agree? Refer to the text in support of your answer. (Two points, about 50 words in total.)

AIDE

Rappel ! Regardez la grammaire sur les questions page 56 et la section sur les compréhensions écrites page 59 pour vous aider à comprendre les questions des compréhensions écrites.

14. Répondez à la question suivante. (75 mots)

« Les jeunes sont accros à la télé ! » Êtes-vous d'accord ?

AIDE

Exprimer une opinion :

- « Je suis d'accord avec … », « je suis tout à fait d'accord avec … », « je suis complètement d'accord avec … », « je ne suis pas du tout d'accord avec … » (pour plus de phrases, voir la section *Focus examen* page 123).
- Les mots de liaison : Premièrement, deuxièmement, ensuite, de plus, en effet, etc.
- Utilisez le vocabulaire des exercices !
    - On regarde la télé pour s'instruire / s'amuser …
    - J'en ai marre des gens qui disent que …
    - C'est vrai que je regarde trop la télé …
    - Les effets néfastes de la télévision sont inquiétants.
    - Il est courant qu'enfants et adolescents soient scotchés au moins deux heures par jour à la télévision.
- Le plan est très important :
    - Faites une introduction : Je suis d'accord … parce que …
    - Donnez vos raisons.
    - Parlez de votre expérience.
    - Faites une conclusion.

Le cinéma

On s'échauffe !

15. Faites correspondre les mots et leur définition.

a. Le septième art	**i.** Un navet
b. Une récompense française décernée chaque année aux professionnels du cinéma dans diverses catégories	**ii.** Doublé
c. Un passionné de cinéma	**iii.** Le générique
d. Partie du film où sont indiqués les noms de tous ceux qui ont contribué au film	**iv.** Un téléfilm

e. Quand la bande sonore d'un film a été traduite	**v.** Une bande annonce
f. Montage d'extraits du film pour le présenter au spectateur avant sa sortie	**vi.** Le cinéma
g. Version originale	**vii.** Un César
h. Film ayant la traduction des dialogues en bas de l'écran	**viii.** Un cinéphile
i. Film réalisé pour la télévision	**ix.** V.o.
j. Un très mauvais film	**x.** Sous-titré

16. « Quel est le dernier film que vous avez vu ? » Cette question a été posée à cinq personnes. Écoutez leurs réponses, reproduisez le tableau dans votre cahier puis remplissez le en anglais.

	Type of movie	When	Opinion
Nathan			
Henri			
Coralie			
Nadine			
Patrice			

17. Maintenant, cherchez les mots et expressions suivants dans la transcription page 422 de l'exercice ci-dessus.

a. It was rubbish.

b. It wasn't bad.

c. I had a great laugh.

d. It wasn't great.

18. En vous inspirant de l'exercice 16, répondez aux questions suivantes à l'oral.

a. Préférez-vous la télévision ou le cinéma ?

b. Quel genre de film aimez-vous regarder ?

c. Quel est le dernier film que vous avez vu ?

d. De quoi parle-t-il ?

AIDE

Pour vous aider : Le dernier que j'ai vu c'était …

19. Lisez les synopsis de ces films français. Trouvez les synonymes des mots, puis trouvez les bons titres.

Demain tout commence

Samuel vit sa vie sans attaches ni responsabilités, au bord de la mer sous le soleil du sud de la France, près des gens qu'il aime et avec qui il travaille sans trop se fatiguer. Jusqu'à ce qu'une ancienne petite amie arrive avec un bébé, leur fille, qu'elle laisse avec Samuel avant de partir. Incapable de s'occuper d'un nourrisson, Samuel va à Londres pour retrouver la mère, sans succès. Huit ans plus tard, Samuel et sa fille Gloria ont fait leurs vies en Angleterre et sont inséparables. Mais un jour la mère revient …

a. une nourrisson = un b________

b. sans faire beaucoup d'effort =

c. prendre soin de =

Patients

Après un accident grave, Ben, qui rêvait de devenir basketteur professionnel, se retrouve « tétraplégique incomplet ». Aller aux toilettes, utiliser une télécommande, téléphoner … pour tout cela, il a désormais besoin d'une aide-soignante. Au centre de rééducation, il devient ami avec d'autres handicapés. Grâce à eux et à leur humour, il continue à se battre pour réapprendre à marcher. Dans les couloirs, il rencontre Samia, dont il tombe amoureux …

d. sérieux

e. souhaitait

f. il se lie d'amitié

Ma vie de Courgette

Icare, un enfant que tout le monde appelle « Courgette », a neuf ans et vit seul avec sa mère. Le jour où elle meurt, il est placé dans un orphelinat. Dans l'établissement, le petit garçon rencontre Simon, le chef de la bande des enfants, qui le harcèle. Petit à petit, Courgette commence à sympathiser avec Simon qui lui explique la raison de la présence de chaque enfant dans l'orphelinat.

g. décède

h. l'embête sans arrêt

i. s'entendre très bien avec

Les grands esprits

François Foucault, professeur de français au lycée Henri IV, mène la vie dure à ses élèves. Une suite des événements le force à accepter un poste d'enseignant d'un an dans un collège de banlieue difficile. Ses collègues, qui le trouve arrogant, n'aime pas ses méthodes. Loin de son lycée bourgeois, il tente de se faire respecter et de faire aimer la littérature à ses élèves. Il devra réapprendre à enseigner autrement, plus humainement.

j. est très sévère

k. un emploi

l. il essaie de

m. Trouvez le titre du film …

- **i.** … animé dont le héro a un surnom de légume.
- **ii.** … où le héro a eu un accident grave qui le rend handicapé physique.
- **iii.** … qui parle d'un enseignant obligé de travailler dans une école secondaire difficile.
- **iv.** … où le personnage principal devient père tout d'un coup et déménage en Angleterre avec sa fille.

20. Raconter l'histoire d'un film en français est assez difficile. Travaillez à deux. Choisissez un film que vous aimez et essayez de décrire l'histoire et votre partenaire doit deviner de quel film il s'agit. Par exemple :

C'est l'histoire de plusieurs super-héros qui essaient de sauver l'univers.

C'est un film de fantaisie. Les acteurs principaux sont …

AIDE

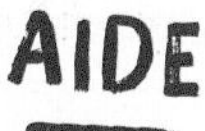

Vous pouvez consulter www.allocine.fr pour vous aider.

21. À deux, répondez aux questions suivantes.

a. Comment s'appelle le dernier film que vous avez vu ?

b. Quel genre de film était-ce ?

c. Ça vous a plu ?

d. Ça parle de quoi ?

AIDE

Vocabulaire :

Ça vous a plu ? = *Did you like it?*

Ça parle de … = *It's about …*

AIDE

Utilisez le paragraphe sur vos passe-temps que vous avez écrit au début du chapitre (exercice 4). Pouvez-vous l'améliorer ?

La presse

On s'échauffe !

22. Faites correspondre les mots et expressions suivants avec leur traduction.

a. Un quotidien	**i.** Sports report
b. Un hebdomadaire	**ii.** A daily newspaper
c. Un journal	**iii.** An advert
d. Une annonce immobilière	**iv.** The front page
e. Une offre d'emploi	**v.** A weekly magazine
f. Une recherche d'emploi	**vi.** A house advert
g. L'actualité internationale	**vii.** A job-seeking advert
h. Les faits divers	**viii.** The headlines
i. La publicité	**ix.** International news
j. Un article de presse	**x.** A job advert
k. Une chronique sportive	**xi.** Tabloids
l. Les gros titres	**xii.** A newspaper
m. La première page	**xiii.** Classified ads
n. La presse à scandale	**xiv.** A press article
o. Les petites annonces	**xv.** News in brief

23. Lisez les faits divers ci-dessous et faites correspondre les gros titres.

a. **Attention aux bras !**

b. **3 000 m² d'un entrepôt en feu**

c. **Un animal se révolte !**

d. **Vacances meurtrières**

e. **Nuits d'orages**

i.

90 pompiers tentaient lundi soir d'éteindre l'incendie qui menace de se propager à deux usines adjacentes. Il n'y aurait toutefois pas de risques de fumées toxiques.

ii.

Le début du weekend de la Toussaint a été meurtrier sur les routes de France. Dans la nuit de vendredi à samedi, à Lempdes, dans le Puy-de-Dôme, une personne est morte et une autre a été grièvement blessée dans un accident de voiture sur l'A711. L'accident, dont on ignore les circonstances, s'est produit vers 2h du matin dans le sens Clermont-Ferrand–Saint-Étienne et n'a impliqué qu'un véhicule.

iii.

Cinq départements sont placés en vigilance orange jusqu'à mercredi soir 21h. Dans la nuit de mardi à mercredi, des trombes d'eau se sont abattues dans le Gard.

iv.

Un sanglier furieux a défoncé le double vitrage de la vitrine d'une boucherie dimanche après-midi à Courchevel (Savoie), avant d'être abattu peu après par un chasseur, voisin du commerce attaqué, a-t-on appris mardi auprès du propriétaire.

v.

Un passager d'un TGV La Rochelle–Paris s'est retrouvé dimanche soir avec un bras coincé dans la cuvette des toilettes dans laquelle il avait malencontreusement laissé tomber son téléphone portable, a-t-on appris de source concordante. Cet incident a obligé le TGV à s'arrêter plus de deux heures en gare de Surgères (Charente-Maritime) afin de permettre aux pompiers de dégager le bras de la victime, âgée de 26 ans, a indiqué à l'AFP la direction régionale de la SNCF.

AIDE

Pour le vocabulaire utile à la section V de l'examen de compréhension orale, regardez la section *Focus examen* page 123.

24. Maintenant écoutez ces faits divers et répondez aux questions.

AIDE

Attention ! Vous n'entendrez ces extraits en examen que deux fois.

a. i. How old was the woman?
   ii. How far did she drive the wrong way?
   iii. What did the police officer do?

b. i. How did Marie Duchant fall?
   ii. How much compensation did she ask for?

c. i. How long is the man being sent to prison for?
   ii. What was his crime?

d. i. Who's on strike?
   ii. When did the strike start?

25. Maintenant, cherchez les mots et expressions suivants dans la transcription page 422 de l'exercice ci-dessus.

a. A driver
b. She drives
c. Lashing rain
d. Breathalyser
e. The fall
f. A broken leg
g. A plaster
h. To fall asleep
i. Strike

26. En groupe, avec le vocabulaire ci-dessus, créez un journal télévisé ou enregistrez le journal pour la radio.

Choisissez de parler …

- … d'un fait divers (accident de voiture, grève des trains, un crime – cambriolage, vol de voiture, etc.). Répondez aux questions : Qui ? Quand ? Circonstances ? Blessés ?)
- … d'un match (Quel sport ? Quels pays ? Quel score ? etc.)
- … de la météo.

Enregistrez-vous ou même filmez-vous !

AIDE

Pour trouver un exemple des actualités françaises, regardez la section *Focus examen* page 123 où vous pourrez trouver des adresses pour regarder les informations françaises à la télé ou les écouter à la radio.
Regardez page 124 pour une explication de la section V pour la compréhension orale. Entraînez-vous en écoutant les informations en français. Voilà déjà quelques sites :

- **apprendre.tv5monde.com/fr/niveaux/b1-intermediaire**
- **www.rfi.fr**
- **enseigner.tv5monde.com/fle/64-lessentiel**
- **www.1jour1actu.com**
- **www.newsinslowfrench.com**

Vous pouvez aussi utilisez des applis:

News in Slow French

France 24

RFI

Pour ralentir le son et les vidéos, vous pouvez utiliser par exemple les applis **Anytune** ou **Logiral**.

GRAMMAIRE

Les adverbes

An adverb describes the way in which something is being done. In English, most adverbs are formed by adding '**-ly**' to an adjective (slow ⟶ slow**ly**).

In French, an adverb is normally created by adding **-ment** to the feminine of the adjective.

Masculin	Féminin	Adverbe	Traduction
heureux	heureuse	heureusement	*fortunately*
lent	lente	lentement	*slowly*
fou	folle	follement	*madly*

If the adjective ends in a vowel, add **-ment** to the masculine form.
e.g.
vrai ⟶ *vraiment* (truly)
facile ⟶ *facilement* (easily)

If an adjective ends in **-ant** or **-ent**, change **-ant** to **-amment** and **-ent** to **-emment**.
e.g.
évident ⟶ *évidemment* (obviously)
récent ⟶ *récemment* (recently)
suffisant ⟶ *suffisamment* (sufficiently)

Irregular adverbs include:

Adjectif	Traduction	Adverbe	Traduction
bon	*good*	bien	*well*
gentil	*kind*	gentiment	*kindly*
mauvais	*bad*	mal	*badly*
meilleur	*better*	mieux	*better*
vite	*quick*	vite	*quickly*

Other adverbs not derived from adjectives include:

Adverbe	Traduction
bientôt	*soon*
cependant	*however*
d'habitude	*usually*
de temps en temps	*from time to time*
déjà	*already*
encore	*again*
ensuite	*then*
jamais	*never*
parfois	*sometimes*
pourtant	*however*
sinon	*otherwise*
souvent	*often*
toujours	*always*

Note: The adverb usually comes before the verb.

Changez les adjectifs entre parenthèses en adverbes.

a. Il est ___________ amoureux. (fou)

b. Parlez plus ___________. (lent)

c. Je parle ___________ le français. (courant)

d. Il roule ___________ avec sa Ferrari. (vite)

e. ___________, nous sommes arrivés à l'heure. (heureux)

f. Je pense ___________ que tu devrais m'écouter. (vrai)

g. Vous dormiez ___________. (profond)

h. Mon frère jouait ___________ dans le jardin. (sage)

i. Mon professeur m'a parlé ___________. (gentil)

j. Je lui ai répondu ___________. (calme)

Bilan du chapitre 5

On révise le vocabulaire

1. Traduisez les mots suivants.

   a. Un feuilleton b. La lecture c. Une chaîne d. Se détendre e. Les actualités

   f. La toile g. Un navet h. L'écran i. Un quotidien j. Un feu / un incendie

2. Traduisez les phrases suivantes.
   a. **Je suis fan de** foot.
   b. **J'ai besoin de** me détendre.
   c. **Je peux passer des heures à** jouer sur ma console de jeux.
   d. **Je passe un temps fou** devant mon ordinateur.
   e. **J'en ai marre des gens qui disent que** le bac est une année importante.
   f. **C'est vrai que** la télé peut influencer les jeunes.

3. Utilisez les structures en caractères gras ci-dessus pour créer vos propres phrases.

4. Traduisez le sens général des expressions suivantes.
   a. Ça me change les idées.
   b. Je suis un vrai rat de bibliothèque.
   c. Je suis accro !
   d. Je suis scotché à l'écran.

On révise la grammaire

5. Complétez le texte suivant avec les adverbes, à partir des adjectifs entre parenthèses.

   a. Je regarde __________ (rare) la télé car je m'ennuie __________ (rapide).

   b. J'ai __________ (suffisant) d'argent pour m'acheter une télé mais je préfère __________ (large) regarder mes programme sur ma tablette.

   c. Je suis __________ (sincère) désolée mais, __________ (franc), je ne peux pas vous aider.

   d. En général, il travaille __________ (sérieux) mais __________ (récent), il ne fait plus rien.

Chapitre 6

Faites-vous du sport ?

À la fin de la leçon on pourra :

- parler des sports qu'on pratique
- parler des avantages et des inconvénients du sport
- discuter de la place du sport féminin
- comprendre la négation.

Les sports

On s'échauffe !

1. Complétez ces diagrammes avec le maximum de sports.

ATTENTION ! « Je joue » ne peut être utilisé qu'avec les sports d'équipe !

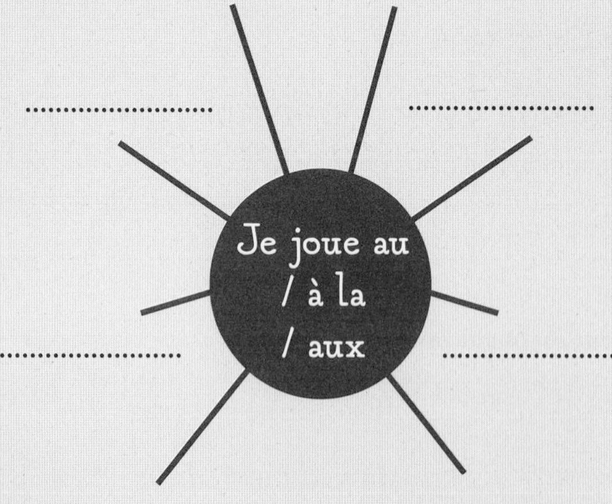

Je fais du / de la

....
....
....
....
....
....
....
....

2. Remplacez les images avec les mots corrects.

En général, pendant la semaine scolaire, je n'ai pas trop le temps de faire du sport, mais je au moins deux fois par semaine. Quand je peux, je vais à la piscine, qui est à deux pas de chez moi et je pendant une heure. Au lycée, on a une équipe et je

et je . Le week-end je avec un copain, mais je ne suis pas très douée.

3. Écrivez un paragraphe qui répond à la question : Faites-vous du sport ? Gardez ce paragraphe car vous pourrez l'améliorer plus tard dans ce chapitre.

4. Écoutez ces quatre personnes qui parlent de leurs loisirs préférés. Reproduisez le tableau ci-dessous dans votre cahier puis complétez le avec les informations.

	Activities?	Since when?	Where?	How often?	Advantages
Patricia					
Ingrid					
Sébastien					
Yannick					

5. Maintenant, cherchez les mots et expressions suivants dans la transcription page 422 de l'exercice 4.

a. My school's team
b. I train
c. I always feel more
d. The field
e. Good marks
f. I keep fit
g. I forget all my problems

6. Enfin, relisez la transcription et répondez aux questions à l'oral.

- **a.** Êtes-vous sportif / sportive ?
- **b.** Quel sport pratiquez-vous ?
- **c.** Depuis quand faites-vous ce sport ?
- **d.** Où est-ce que vous jouez ?
- **e.** Faites-vous partie d'une équipe ?
- **f.** Combien de fois par semaine vous entraînez-vous ?
- **g.** Pourquoi faites-vous du sport ?

AIDE

Pouvez-vous améliorer votre paragraphe de l'exercice 2 ?

AIDE

*'**I have been playing** since the age of 5, for 10 years.'*

En français si l'action a commencé dans le passé mais continue dans le présent, on utilise le présent : « **Je joue** depuis que j'ai 5 ans / depuis 10 ans. »

7. Avant de lire ce texte, faites correspondre les mots et expressions suivants avec leur traduction.

a. Le respect de soi	**i.** A membership
b. Réduire les risques	**ii.** Life expectancy
c. L'espérance de vie	**iii.** Self-respect
d. Balèze [fam.]	**iv.** To reduce risks
e. Une blessure	**v.** An injury
f. Un entraînement	**vi.** Training
g. Mortel	**vii.** Strong
h. Faire preuve de modération	**viii.** Costly
i. Coûteux	**ix.** Fatal
j. Un abonnement	**x.** To show some moderation

AIDE

On vous demandera souvent de parler des avantages et des inconvénients à l'oral.

Rappel : [fam.] = familier = *informal language*

8. Maintenant lisez ce texte sur le sport et faites une liste des avantages et des inconvénients cités.

Tout d'abord, les avantages : La pratique d'un sport permet une certaine forme d'éthique, avec **le respect de soi**, le respect de l'autre et le respect de la règle imposée.

Le sport permet d'entretenir une bonne condition physique : être plus fort, courir plus vite ou le plus loin possible, être endurant ou résistant. Il permet de **réduire les risques** cardio-vasculaires (crises cardiaques, etc.) et de prolonger **l'espérance de vie**. On demeure plus jeune, moins fragile et plus « **balèze** » ...

Par contre, une activité sportive excessive peut occasionner des **blessures**, lésions ou déchirures musculaires ... **Un entraînement** excessif débouche sur le surentraînement **mortel** (regardez le cas de Bruce Lee) ; il faut exercer un sport qui cadre avec ses aptitudes physiques et en **faisant preuve de modération**. De plus, le sport peut être **coûteux** (**abonnement** dans un club, matériel, vêtements ou accessoires, par exemple).

9. Regardez la vidéo « Témoignages Gymcenter : pourquoi faire du sport ? » sur YouTube et trouvez d'autres raisons de faire du sport.

10. Écoutez ces jeunes qui parlent de l'importance du sport dans leurs vies et répondez aux questions.

a. **i.** What sports did Kathie used to do last year?
ii. Why can't she do them this year?
iii. What's the only thing she can do to relax?

b. **i.** What does Ingrid do to take stay healthy?
ii. Where does she run?

c. **i.** Why does she prefer to do sport on her own?
ii. What happened last month when she could not do any sport?

d. According to the doctor, what are the benefits of doing sport? (Two details)

11. Maintenant cherchez les mots et expressions suivants dans la transcription de l'exercice 10, page 423.

a. I already had a lot of work
b. I could still do sport
c. It's impossible for me to
d. I have to concentrate completely on
e. To get fresh air
f. I take care of my health
g. If I don't do any sport, I can't relax
h. A balanced life
i. In better shape
j. That is to say

12. « Tout le monde devrait faire du sport ! » Donnez vos réactions. (75 mots)

AIDE

Regardez la section *Focus examen* page 123 qui vous aide à structurer votre réponse. Faites un plan !

- Si vous êtes d'accord avec cette déclaration, vous pouvez commencer par les arguments contre : « Il est vrai que le sport peut entraîner des blessures et que ça peut être couteux mais … »
- Puis donnez vos arguments pour en utilisant des mots de liaisons (voir *Focus examen* page 123).
- Ensuite, parlez de votre propre expérience.
- N'oubliez pas la conclusion !
- Utilisez les phrases de l'exercice 11 et de la transcription de l'exercice 10, adaptez-les !

Les femmes et le sport

On s'échauffe !

13. « Pourquoi le sport de haut niveau féminin n'est-il pas médiatisé ? » Regardez les réponses ci-dessous et décidez si vous êtes d'accord ou pas d'accord. Puis, en groupe, trouvez un maximum de réponses.

- Les femmes n'ont pas la même forme physique que les hommes donc il y a moins de rebondissements.
- Les sponsors investissent moins dans le sport féminin donc on voit moins de matchs à la télé.
- À mon avis, la place des femmes dans le sport de haut niveau reflète la place des femmes dans notre société.
- Ce n'est pas médiatisé pour la simple raison que ça n'intéresse pas le public !
- C'est juste une question d'argent ! Elles ne sont pas payées assez pour devenir professionnelles. Donc, il y a moins de femmes dans le sport, donc, c'est moins médiatisé.

14. Avant de lire l'article ci-dessus, faites correspondre les mots et expressions suivants avec leur traduction.

a. Un bonhomme [fam.]	**i.** Nothing prevents women from practising this contact sport
b. Une armoire à glace [fam.]	**ii.** There is no difference between
c. Un coup de poing	**iii.** A fellow
d. Une bagarre générale	**iv.** A punch

e. Combattre quelques stéréotypes	**v.** A new audience record
f. Un point de vue	**vi.** Every woman can do anything a man can do
g. Rien n'empêche les femmes de pratiquer ce sport de contact	**vii.** A huge fight
h. Au même titre que les hommes	**viii.** A guy built like a tank
i. Il n'y a pas une seule différence entre	**ix.** A point of view
j. Toutes les femmes peuvent faire tout ce qu'un homme peut faire	**x.** To counter some stereotypes
k. C'est l'image de la femme qui est bousculée	**xi.** The same as men
l. Forcer le respect	**xii.** It's the image of women that is turned upside down
m. Un nouveau record d'audience	**xiii.** To command respect

15. Maintenant, lisez l'article.

AIDE

Les francophones ont tendance à ne pas prononcer le « ne » à l'oral. Vous, par contre, devez le prononcer pour l'examen d'oral !

Coupe du monde féminine de rugby : quatre réponses à votre beau-père Jean-Louis, qui pense que « c'est pas un sport de filles »

1. « Le rugby, c'est un sport de bonshommes. »

   En plein repas de famille, votre beau-père Jean-Louis se lance dans un long monologue sur la Coupe du monde féminine de rugby. Il argumente : un bon match, c'est 30 **armoires à glace** bourrées de testostérone qui s'affrontent sur un terrain, des plaquages dans la boue et quelques **coups de poings** qui virent parfois à la **bagarre générale**. Bref, c'est « viril ».

   Alors regarder des femmes tenter de planter un essai … Jean-Louis, ça ne l'intéresse pas. Il ne sera pas facile de le convaincre de s'installer devant la demi-finale France-Angleterre, mais ça ne coûte rien d'essayer de **combattre quelques stéréotypes**.

2. **« Le rugby, ce n'est pas un sport de filles ! »**

   À en croire Jean-Louis, le rugby est exclusivement un sport « d'hommes ». Il n'est d'ailleurs pas le seul à avoir ce **point de vue**. Pierre Camou, ancien président de la Fédération française de rugby (FFR), estimait en 2013 que « le rugby féminin, ce n'est ni du rugby ni féminin », rappelle *L'Equipe*.

Pourtant, **rien n'empêche les femmes de pratiquer ce sport de contact**, **au même titre que** la boxe ou les arts martiaux. « Les rugbywomen sont censées être tout aussi physiques que les hommes » souligne la joueuse Tesni Phillips. « Nous jouons tous pendant 80 minutes et nous respectons tous les mêmes règles. **Il n'y a pas une seule différence entre** un match masculin et un match féminin, ce qui prouve à **toutes les femmes qu'elles peuvent faire tout ce qu'un homme peut faire**. »

Le véritable obstacle pour les rugbywomen n'est pas leur physique, Jean-Louis. Pour ce mode de pensée archaïque, c'est de manière plus large **l'image de la femme qui est bousculée**. Traditionnellement, la femme doit rester belle, séduisante, gracieuse, être bien habillée et bien coiffée.

→

3. **« On va s'ennuyer en regardant des amatrices qui jouent comme en Fédérale 3 ... »**

Certes, la plupart des joueuses de rugby à quinze sont amatrices. En France, seules celles qui sont aussi membres de l'équipe nationale de rugby à sept – discipline olympique – touchent un salaire versé par la FFR. Mais voir des femmes pratiquer un sport de très haut niveau tout en menant une carrière de front devrait plutôt **forcer le respect**.

4. **« Le rugby féminin, tout le monde s'en moque ! »**

Encore raté, Jean-Louis. Le rugby féminin est en plein essor : elles étaient plus de 2 millions dans le monde à taquiner le ballon ovale en 2015, soit 25 % du nombre total de joueurs, selon les statistiques de World Rugby. Et l'intérêt pour ce sport va croissant. En moyenne, quelque 2 000 Françaises commencent à pratiquer le rugby chaque année.

Le rugby féminin attire également les téléspectateurs. En 2014, 2,2 millions de Français ont regardé la demi-finale entre les Bleues et les Canadiennes sur France 4, remarque L'Équipe. Le match a établi **un nouveau record d'audience** pour du rugby féminin. Résultat, les sponsors commencent (doucement) à suivre.

Marie-Violette Bernard pour *France Télévisions*, le 13 août 2017

a. Quels critères constituent un bon match selon Jean-Louis ? (Section 1)

b. **i.** Trouvez un adverbe dans la deuxième section.

ii. Quel est l'image traditionnelle de la femme ? (Section 2)

c. **i.** Trouvez le mot qui indique que les joueuses de rugby n'ont pas un statut de professionnel. (Section 3)

ii. Qu'est-ce qui force le respect ? (Section 3)

d. Trouvez l'expression qui indique que le rugby féminin est en pleine progression. (Section 4)

e. **i.** Qu'est-ce qui a établi un nouveau record d'audience ? (Section 4)

ii. Trouvez une conséquence positive de la médiatisation du rugby féminin. (Section 4)

f. Jean-Louis thinks rugby should only be played by men, but this article has good arguments to convince him otherwise. Do you agree? Refer to the text in support of your answer. (Two points, about 50 words in total.)

AIDE

En utilisant ce texte, rajoutez des raisons à votre liste de l'exercice 12.

16. « Le rugby, c'est un sport de bonshommes ! » Êtes-vous d'accord ? (75 mots environ)

2017 Leaving Certificate, HL, Section II, Q3

GRAMMAIRE

La négation

- *Ne … pas* is used when you want to say 'no', 'not' or 'not a'. *Ne* and *pas* go on either side of the verb, e.g. :
  Je n'ai pas d'argent.
  I have no money.
- The following negatives also go on either side of the verb:
  ne / n' … jamais = never
  ne / n' … rien = nothing
  ne / n' … personne = nobody
  ne / n' … plus = no longer

  When you use a negative with a noun, replace *un / une / des* with *de* or *d'*, e.g. :
  J'ai un frère. ⟶ *Je n'ai pas* **de** *frère.*
  I have a brother. ⟶ I don't have a brother.
- *Ne … aucun* means 'none' or 'not a single'. *Aucun* agrees with the noun that follows it, e.g. :
  Je n'ai aucun frère. Je n'ai aucune sœur.
  I have no brother. I have no sister.
- *Ne … que* means 'only', e.g. :
  Je n'ai qu'un frère.
  I have only one brother.
- *Ne … ni … ni* means 'neither … nor' or 'not either ... or'. *Ne* goes before the verb, while *ni* goes before each word it relates to, e.g. :
  Je n'ai ni frère ni sœur.
  I have neither a brother nor a sister.

La négation et le passé composé

- In the perfect tense, *ne* goes before *avoir* or *être*. *Pas / plus / jamais / rien*, etc. go before the past participle, e.g. :

  Je n'ai pas visité Paris.
  I didn't visit Paris.
  Je n'ai jamais visité le Louvre.
  I have never visited the Louvre.

  Je ne suis plus allé en ville.
  I no longer went to town.
  Je n'ai rien compris.
  I didn't understand anything.
- If the verb is reflexive, nothing ever comes between the pronoun and the verb (*je me lève, je me suis levé(e)*). So, the negatives go before the pronoun and after the verb: *je ne me lève pas*.

  In the perfect tense of a reflexive verb, the *ne / n'* goes before the pronoun and *pas / plus / jamais / rien*, etc. go before the past participle: *je ne me suis pas levé(e)*.

- *Personne / que / ni ... ni / aucun* go after the past participle, e.g. :
  Il n'a vu personne. He didn't see anybody.
  Je n'ai vu que ce film. I have only seen that movie.

AIDE

Vocabulaire :
ne / n' ... jamais = *never*
ne / n' ... rien = *nothing*
ne / n' ... personne = *nobody*
ne / n' ... plus = *no longer*

1. Traduisez ces phrases en français.

a. I can't stand this show.
b. I no longer play football.
c. He never reads.
d. She only goes to the cinema on Sundays.
e. She never trains on Mondays.
f. I never read the newspaper.
g. He is never afraid.
h. Nobody is funnier than this actor.
i. I don't watch either the news or documentaries.
j. I have neither the time nor the money.

2. Remettez les mots dans le bon ordre pour recréer les phrases. Puis, traduisez ces phrases.

a. je | ai | jamais | de | n' | sport | fait ⟶
b. n' | nous | rien | compris | règles | avons | aux ⟶
c. ai | rencontré | personne | je | n' ⟶
d. ne | nous | nous | pas | amusé | sommes ⟶
e. l' | n' | a | équipe | gagné | ni | ni | match | le | le | tournois ⟶
f. aussi | féminin | le | n' | a | été | jamais | sport | populaire ⟶
g. ne | me | depuis | je | plus | entrainé | samedi | suis ⟶
h. jamais | a | l' | crié | n' | entraineur ⟶

Bilan du chapitre 6

On révise le vocabulaire

1. Traduisez les mots et phrases suivants.
   a. My team
   b. Self-respect
   c. To get some fresh air
   d. A balanced life
   e. To run

2. Traduisez les phrases suivantes.
   a. **I have already** finished.
   b. **I can still** come.
   c. **I** train **every** Monday.
   d. **I have been** playing for 10 years.
   e. **It's impossible for me to** concentrate.
   f. **The most popular activity is** jogging.

3. Utilisez les structures ci-dessus en caractères gras pour créer vos propres phrases en français.

On révise la grammaire

4. Traduisez les phrases négatives suivantes.
   a. I don't like game shows.
   b. We never watch this show together.
   c. He plays neither football nor rugby.
   d. I have no regrets.
   e. They only like comedies.
   f. Nobody likes this film.

5. Écrivez le contraire de ces phrases en utilisant des formes négatives comme dans l'exemple ci-dessous.
   Exemple : Je veux regarder quelque chose à la télé. ⟶ *Je ne veux rien regarder à la télé.*
   a. Nous avons déjà joué au foot. ⟶
   b. Tout le monde aime se film. ⟶
   c. Catherine finit toujours ses devoirs. ⟶
   d. Martin aime les sports d'équipes et les sports individuels. ⟶
   e. Je suis encore au college. ⟶
   f. je suis toujours impressionné par ce joueur. ⟶

Communication et nouvelles technologies

À la fin de la leçon on pourra :

- parler de l'utilisation d'Internet
- discuter des avantages et des dangers d'Internet
- parler des réseaux sociaux
- parler de l'utilisation des portables
- discuter des problèmes de la cyberviolence
- comprendre les prépositions.

Surfer sur le net

On s'échauffe !

1. Faites correspondre les mots suivants avec leur traduction.

a.	Surfer sur le net	**i.**	A password
b.	Un email / un mél / un courriel / un mail électronique	**ii.**	A monitor
c.	Chatter	**iii.**	A laptop
d.	Un écran	**iv.**	A search engine
e.	Un clavier	**v.**	To chat online
f.	Un moteur de recherche	**vi.**	To surf the web
g.	Une souris	**vii.**	A keyboard
h.	Un ordinateur portable	**viii.**	To listen to a live broadcast
i.	Un mot de passe	**ix.**	A mouse

→

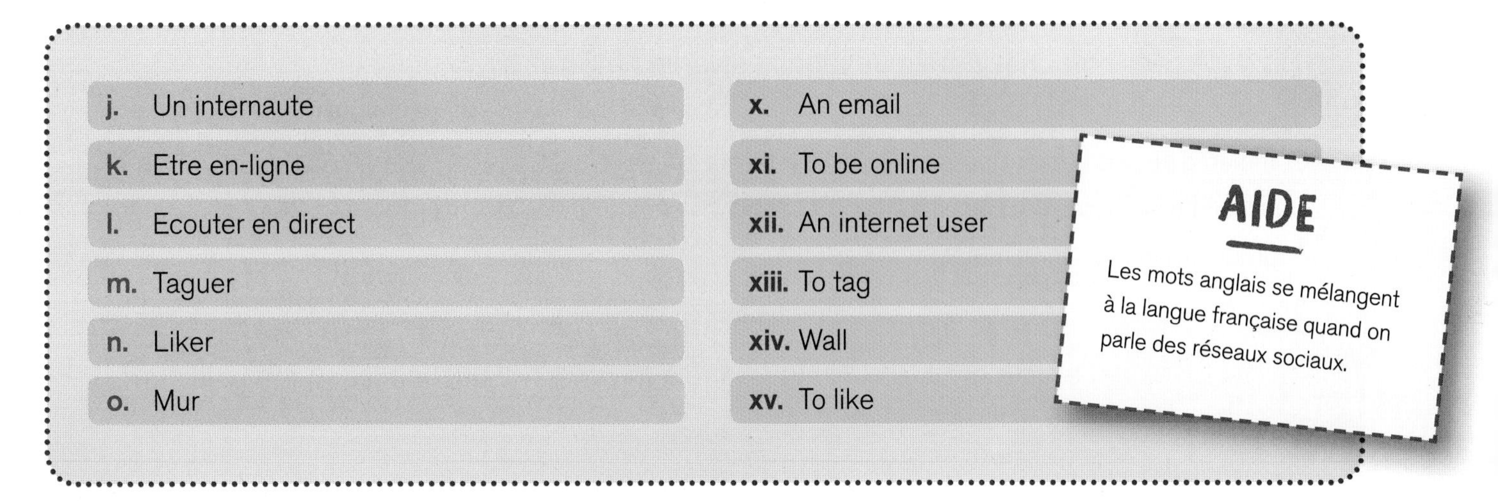

j.	Un internaute	x.	An email
k.	Etre en-ligne	xi.	To be online
l.	Ecouter en direct	xii.	An internet user
m.	Taguer	xiii.	To tag
n.	Liker	xiv.	Wall
o.	Mur	xv.	To like

AIDE

Les mots anglais se mélangent à la langue française quand on parle des réseaux sociaux.

2. Écoutez ces personnes qui parlent de l'utilisation d'Internet.

CD1 T52-54

Fabrice, 18 ans, étudiant

a. What does Fabrice use the internet for? (Two things)
b. Where does he use the internet?
c. According to him, what is the main drawback of the internet?

Marlène, 65 ans, retraitée

d. Who helped Marlène to learn how to use the internet?
e. What did she think of it at first?
f. What does she need the internet for now?

Ludmila, 14 ans, collégienne

g. When does Ludmila use the internet?
h. Name one advantage she mentions of using the internet to keep in touch with her friends.
i. What do her parents say about her using the internet a lot?

3. Maintenant cherchez les mots et expressions suivants dans la transcription page 423.

a. Research
b. To spend hours in front of the monitor
c. To set up an internet connection
d. To keep in touch
e. My parents have had enough
f. To spend a fortune

4. À deux, répondez aux questions suivantes à l'oral.

a. Combien d'heures par jour passez-vous sur Internet en moyenne ?
b. Quelles applis utilisez-vous le plus ?
c. Pourquoi allez-vous sur le net ?

5. Lisez cet article et faites la liste des raisons pour lesquelles les jeunes utilisent Internet (e.g. pour s'exprimer).

Que cherchent les jeunes sur les réseaux sociaux ?

Internet est un formidable réservoir d'information auquel ont recours les jeunes. Leurs réflexes préférées sont : Google voire Wikipédia pour l'info, Facebook, Twitter pour le suivi des communautés, et pour beaucoup YouTube – le chouchou – pour s'exprimer, voir, suivre et chercher.

Internet, les réseaux sociaux et l'usage grandissant des mobiles permettent surtout aux adolescents de se retrouver, d'échanger sur leurs expériences, de développer des relations à distance. Des applications mobiles de messagerie instantanée comme WhatsApp ou Snapchat sont clairement plébiscitées par les adolescents. Elles requièrent une connexion mais pas de forfait téléphonique et peuvent être un moyen gratuit de communication. L'exposition de soi à travers la création de son identité numérique, le passage d'une identité à l'autre, le changement d'identité en changeant de communauté semble faire partie des plaisirs recherchés sur le net et les réseaux sociaux.
La possibilité d'exprimer son adhésion et d'être suivi(e), aimé(e), sur son profil, ses publications (texte, photo, vidéo), ses événements, fait également l'objet de beaucoup d'intérêt chez certains jeunes.

Adapté d'un article de *www.cite-sciences.fr.*

Le portable et les réseaux sociaux

On s'échauffe !

CD1 T55-59

6. Quels sont les avantages et les inconvénients du portable ? Écoutez ces personnes et mettez les arguments dans l'ordre dans lequel vous les entendez.

☐ Je pense qu'avoir un portable permet d'être toujours en contact avec ses copains et sa famille.

☐ Ce qui m'énerve le plus c'est les gens qui parlent au téléphone dans les lieux publics. Je n'ai pas forcément envie d'écouter leurs conversations ! C'est vraiment impoli !

☐ Je ne comprends pas pourquoi les enfants ont des portables ! Ils n'ont pas besoin de portable à 7 ou 8 ans quand même ?! Ça leur donne de mauvaises habitudes.

☐ J'adore le portable, on peut dire que je suis accro ! Je l'ai toujours avec moi. Je me sens plus en sécurité car je peux contacter mes parents ou mes copains en cas d'urgence.

☐ Le portable nous envahit. Il est partout. Le pire c'est qu'on dépense beaucoup d'argent pour les sonneries et les jeux. Les industriels de la téléphonie ciblent les jeunes.

7. Maintenant, décidez si chaque phrase constitue un avantage ou un inconvénient au portable.

8. Avant de lire ce texte faites correspondre les mots et expressions suivants avec leur traduction.

a. Plus facile à dire qu'à faire	**i.** To be clingy / to stay although you are not wanted
b. Débrancher	**ii.** Easier said than done
c. S'incruster [fam.]	**iii.** To switch off
d. Il occupe une place importante	**iv.** To share messages
e. Ce chiffre ne cesse d'augmenter	**v.** To contact somebody
f. Joindre quelqu'un	**vi.** A messaging service
g. Une messagerie	**vii.** This number increases constantly
h. Une appli	**viii.** An app
i. Partager des messages	**ix.** To be addicted to the mobile phone
j. Etre accro au portable	**x.** To miss a call
k. Manquer un message	**xi.** It plays an important role
l. Mettre en place des règles	**xii.** To forbid the use of mobile phones
m. Interdire le portable	**xiii.** To put rules in place

9. Lisez maintenant l'article et répondez aux questions qui suivent.

Portables, partout

1. En quelques années à peine, le téléphone portable a pris une place très importante dans la vie de tous les jours, notamment chez les ados. Dans la voiture, à table, ou même sur les toilettes, le téléphone portable « **s'incruste** » tout le temps dans nos vies ... un peu trop ? Aujourd'hui, le portable est partout : 9 Français sur 10 en ont un. Le 6 février, à l'occasion de la journée mondiale sans téléphone portable, tout le monde est invité à « **débrancher** ». **Plus facile à dire qu'à faire** ... surtout pour les ados, chez qui le portable **occupe souvent une place très importante**.

2. Un portable au collège

En France, les trois-quarts des enfants de 11 à 14 ans ont leur propre téléphone portable. Et ce chiffre **ne cesse d'augmenter** ! C'est souvent au moment de l'entrée au collège qu'on obtient son premier portable. Les parents disent plus facilement « oui » parce que ça les rassure de pouvoir **joindre** leur enfant facilement ... et aussi parce que la plupart des collégiens en ont un.

3. Le portable, pour quoi faire ?

Prendre des photos, aller sur les réseaux sociaux, écouter de la musique, regarder des vidéos sur YouTube ... les ados font tout avec leur portable, sauf téléphoner ! Pour communiquer, ils préfèrent utiliser les SMS (messages courts) ou des **messageries** comme WhatsApp. Parmi les autres les plus utilisées par les ados : les réseaux sociaux Facebook et Twitter, l'appli Instagram ou encore **l'appli** Snapchat, très populaire chez les 13–19 ans, qui permet de **partager des messages** et des photos très facilement.

4. Branchés toute la journée

Les ados sont tellement **« accros » au portable** que les trois-quarts d'entre eux dorment avec leur téléphone allumé, pour être sûrs de ne **manquer aucun message** de leurs copains ! Et le soir, 1 collégien sur 2 va sur Internet dans son lit au lieu de dormir. Certains parents sont obligés de **mettre en place des règles** strictes, comme **interdire le portable** à partir du coucher, ou pendant les devoirs. Il existe même des applis comme DinnerTime, qui permettent aux parents de bloquer à distance le portable de leur enfant pour qu'il vienne à table ... ou simplement pour l'obliger à faire, de temps en temps, une pause loin de ce doudou bien encombrant !

Et toi, que représente-t-il pour toi ? Donne-nous vite ton avis !

a. i. Combien de français ont un portable ? (Section 1)
   ii. Que se passe-t-il le 6 février ? (Section 1)

b. Pourquoi les parents sont plus tentés de donner un portable à leurs enfants en sixième ? (Deux raisons) (Section 2)

c. Quelle est la chose que les ados ne font pas avec leurs portables ? (Section 3)

d. Pourquoi beaucoup d'ados dorment avec leurs portables ? (Section 4)

e. i. À quoi sert l'appli DinnerTime ? (Section 4)
   ii. Trouvez un adverbe dans la Section 4.

f. In France, the mobile phone plays an important role in the lives of teenagers. Do you agree? Refer to the text in support of your answer. (Two points, about 50 words in total.)

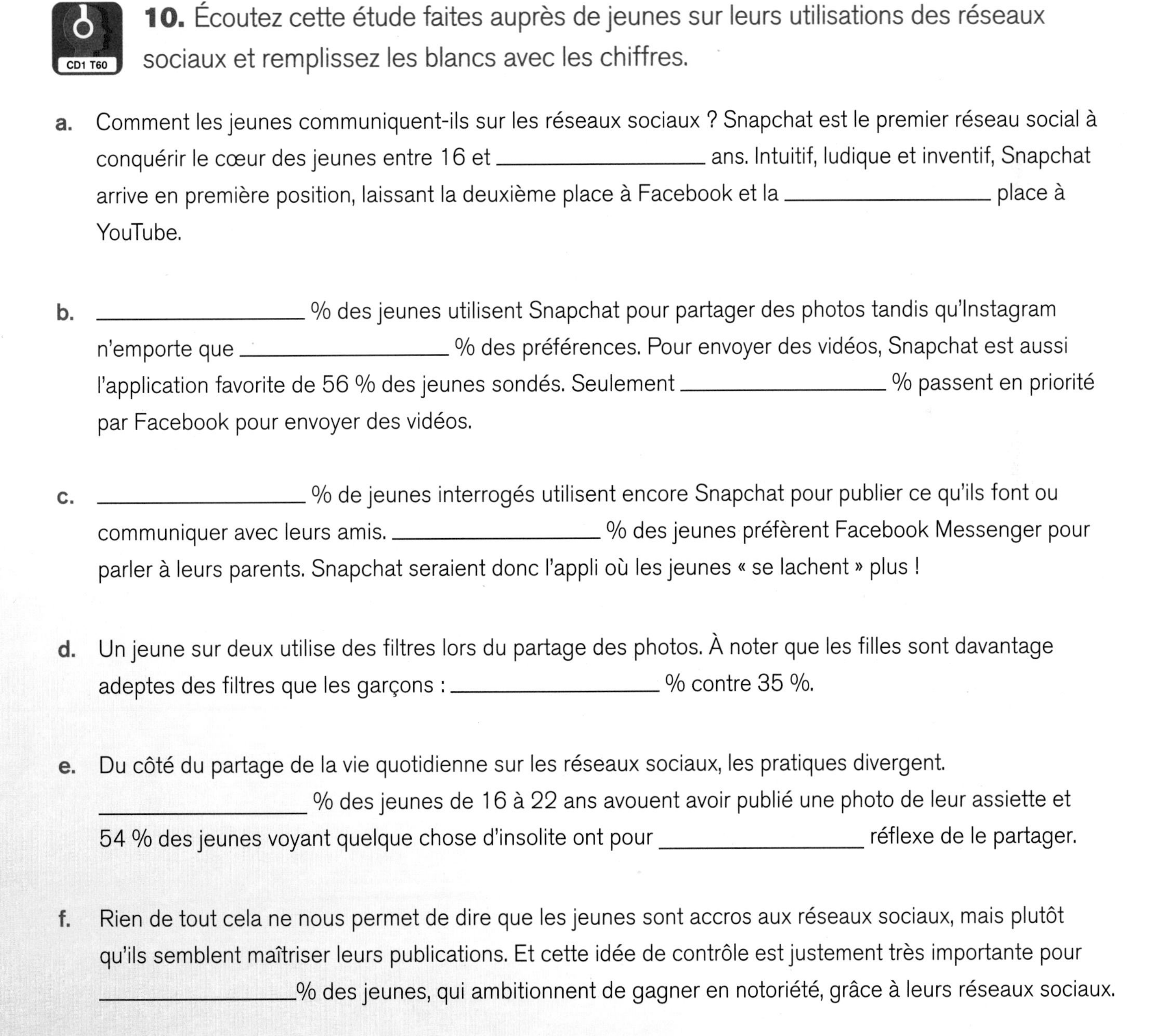

10. Écoutez cette étude faites auprès de jeunes sur leurs utilisations des réseaux sociaux et remplissez les blancs avec les chiffres.

a. Comment les jeunes communiquent-ils sur les réseaux sociaux ? Snapchat est le premier réseau social à conquérir le cœur des jeunes entre 16 et ________________ ans. Intuitif, ludique et inventif, Snapchat arrive en première position, laissant la deuxième place à Facebook et la ________________ place à YouTube.

b. ________________ % des jeunes utilisent Snapchat pour partager des photos tandis qu'Instagram n'emporte que ________________ % des préférences. Pour envoyer des vidéos, Snapchat est aussi l'application favorite de 56 % des jeunes sondés. Seulement ________________ % passent en priorité par Facebook pour envoyer des vidéos.

c. ________________ % de jeunes interrogés utilisent encore Snapchat pour publier ce qu'ils font ou communiquer avec leurs amis. ________________ % des jeunes préfèrent Facebook Messenger pour parler à leurs parents. Snapchat seraient donc l'appli où les jeunes « se lachent » plus !

d. Un jeune sur deux utilise des filtres lors du partage des photos. À noter que les filles sont davantage adeptes des filtres que les garçons : ________________ % contre 35 %.

e. Du côté du partage de la vie quotidienne sur les réseaux sociaux, les pratiques divergent. ________________ % des jeunes de 16 à 22 ans avouent avoir publié une photo de leur assiette et 54 % des jeunes voyant quelque chose d'insolite ont pour ________________ réflexe de le partager.

f. Rien de tout cela ne nous permet de dire que les jeunes sont accros aux réseaux sociaux, mais plutôt qu'ils semblent maîtriser leurs publications. Et cette idée de contrôle est justement très importante pour ________________% des jeunes, qui ambitionnent de gagner en notoriété, grâce à leurs réseaux sociaux.

11. Maintenant, répondez aux questions qui suivent.

a. Trouvez trois adjectifs qui décrivent l'appli Snapchat. (Section 1)

b. Trouvez deux utilisations de Snapchat. (Section 2)

c. Citez l'expression qui veut dire que les jeunes agissent plus librement et sans limites sur Snapchat. (Section 3)

d. Qui utilise plus les filtres sur les photos ? (Section 4)

e. Trouvez un adverbe dans la section 5.

f. Trouvez un synonyme de célébrité dans la section 6.

12. À deux, répondez aux questions suivantes et comparez vos réponses avec la classe.

a. Combien de temps passez-vous sur votre portable ?

b. À combien de réseaux sociaux êtes-vous inscrit(e) ? Lequel est votre préféré et pourquoi ?

c. Préférez-vous appeler ou texter ? Pourquoi ?

d. À part téléphoner et texter, comment utilisez-vous votre téléphone portable ?

e. Pourriez-vous vous passer de votre portable toute une journée ? Une semaine ?

AIDE

Pour la question **e**, utilisez « Je (ne) pourrais (pas) me passer de mon portable parce que … »

13. Choisissez un des sujets suivant et écrivez 75 mots environ.

a. Vous venez juste de rentrer du lycée et vous vous rendez compte que vous avez perdu votre portable. Vous êtes très contrarié(e). Qu'écrivez-vous à ce sujet dans votre journal intime ? (75 mots environ)

b. « Moi, je ne peux pas me passer de mon portable. C'est un objet indispensable de nos jours. » Qu'en pensez-vous ? (75 mots environ)

AIDE

Vocabulaire :

Je viens juste de rentrer du lycée = *I've just got home from school.*

Je viens de me rendre compte que j'ai perdu mon portable = *I've just realised that I've lost my mobile phone.*

La cyberviolence

On s'échauffe !

14. Trouvez les verbes correspondants aux mots suivants.

Exemple : Une moquerie → *se moquer*
Une confiance → *confier / se confier*

a. Le harcèlement →
b. Une intimidation →
c. Un traumatisme →
d. Une attaque →
e. L'exclusion →
f. Une injure →
g. La souffrance →
h. La protection →
i. La diffusion →
j. La participation →
k. Une punition →
l. Un commentaire →
m. Une réaction →
n. Une menace →
o. Une interdiction →
p. La tolérance →
q. Une dénonciation →

15. Trouvez la traduction des mots suivants.

a. Primordial	i. With tears in her eyes
b. Sensibiliser quelqu'un à quelque chose	ii. Painfully
c. Le cyberviolence	iii. To suffer
d. Prendre la parole	iv. A witness
e. Péniblement	v. To speak / to take the floor
f. Les larmes aux yeux	vi. To alert someone to something
g. Un calvaire	vii. Paramount
h. Subir	viii. An ordeal
i. Un appel masqué	ix. Private number
j. Un témoin	x. Cyberbullying

16. Lisez maintenant cet article et répondez aux questions qui suivent.

Sarah revient au collège pour lutter contre le harcèlement

1. « Si vous subissez un harcèlement, ce qui est **primordial**, c'est d'en parler à un adulte. » Dans la classe de 6e du collège Anne-Frank, Sarah Pussat est un peu comme chez elle. Elle a même fait partie du conseil d'administration de l'établissement. La jeune lycéenne de 16 ans, originaire de Plescop, est aujourd'hui inscrite au lycée Charles de Gaulle. En juin 2017, elle a reçu le Prix d'éducation citoyenne. Comment ? Sara Pussat intervient dans les collèges pour **sensibiliser** les élèves **aux** problèmes de harcèlement.

2. « Les points les plus fréquents sont le harcèlement physique, moral et surtout **le cyberviolence**, précise-t-elle à l'assemblée attentive. Les primaires sont une population faisant partie des plus harcelés. » Une jeune fille confirme. À son tour, elle **prend la parole** et raconte **péniblement**, **les larmes aux yeux**, **le calvaire** qu'**a subi** l'une de ses petites camarades. Sa classe reste muette. Garçons et filles sont impressionnés. Les témoignages se poursuivent.

3. Sarah raconte aussi son expérience personnelle, victime de harcèlement en 6e et 5e. « Cela peut toucher n'importe qui. Timide et réservée, je n'avais pas grande confiance en moi, j'étais donc une cible facile, raconte-t-elle. Des **appels**, d'abord **masqués**, puis des insultes, des menaces ... J'aurais pu laisser mon téléphone, mais j'avais peur. Mon père a vu mon état de fatigue et m'a retiré mon téléphone. Et là, tous les matins, des élèves complices, apportaient des lettres insultantes. Je ne voulais pas être traitée de « balance ». Et puis un jour, je raconte tout, et là, je me rends compte que cela n'est pas de ma faute, et surtout que c'est très grave, que c'est puni par la loi. Depuis ce jour, je n'ai plus été embêtée par personne. »

4. Sarah Pussat insiste aussi sur le rôle des **témoins**. «Il ne faut pas encourager le harcèlement en se moquant de la victime. En mars, vous pourrez porter le tee-shirt bleu pour la journée du Blue Shirt Day. Ce geste n'est pas neutre. Si vous choisissez de le porter, c'est un engagement. L'après-midi, les 5e ont assisté à la projection du film *L'impasse*, suivie d'un débat. Contre le harcèlement, un numéro gratuit est accessible au 3 020. »

Adapté d'un article de *www.jactiv.ouest-france.fr*, le 12 novembre 2017

a. i. D'après Sarah quelle est la chose la plus importante quand on est victime de harcèlement ? (Section 1)

ii. Pour quelle raison a-t-elle reçu le Prix d'éducation citoyenne ? (Section 1)

b. i. Citez les deux types de harcèlement qui arrivent le plus souvent d'après Sarah. (Section 2)

ii. Trouvez un adverbe dans la section 2.

c. i. Citez la phrase qui indique que tout le monde peut être victime de harcèlement. (Section 3)

ii. Relevez deux types d'harcèlement que Sarah a subis. (Section 3)

d. Que réalise Sarah après avoir enfin parlé de son problème ? (Section 3)

e. Que pourrez-vous faire en mars ? (Section 4)

f. Sarah's school years were difficult but she showed courage. Do you agree? Refer to the text in support of your answer. (Two points, about 50 words in total.)

17. Juste pour s'amuser : Prononcez ces textos. Pouvez-vous reconnaître ce qu'ils veulent dire ? Ensuite, faites les correspondre avec les phrases correctes.

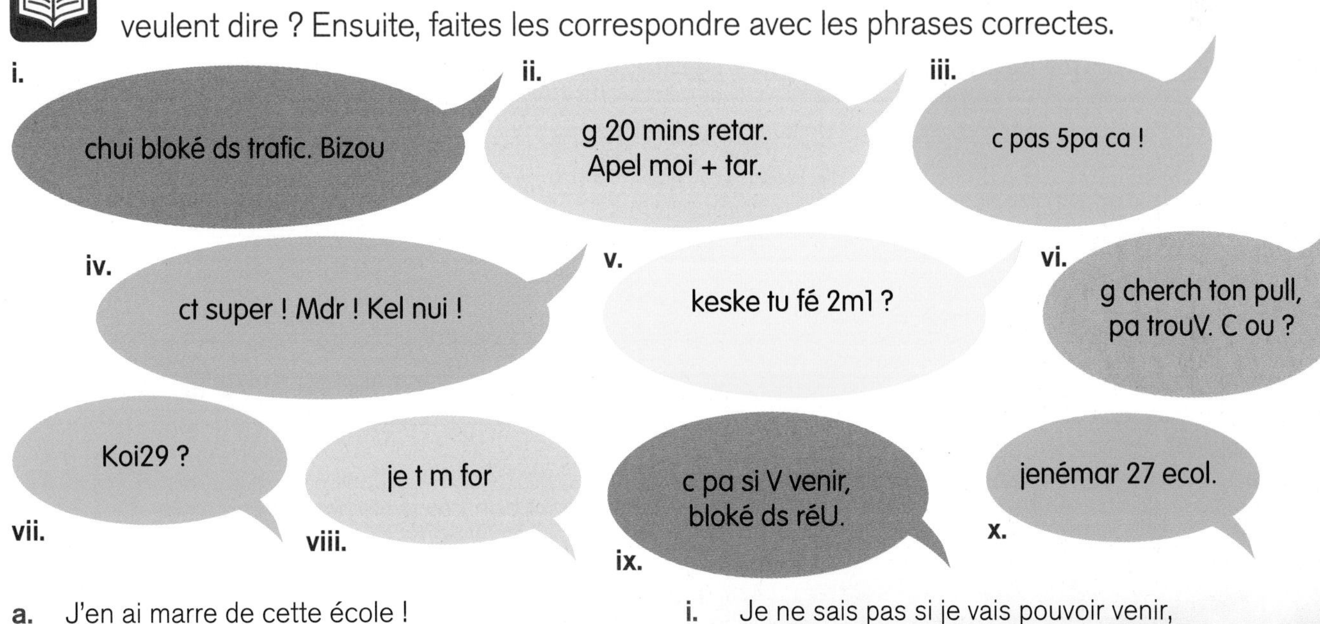

a. J'en ai marre de cette école !

b. Qu'est-ce que tu fais demain ?

c. C'est super ! Mort de rire ! Quelle nuit !

d. J'ai 20 minutes de retard. Appelle-moi plus tard.

e. Ce n'est pas sympa ça !

f. Je t'aime fort.

g. Quoi de neuf ?

h. Je suis bloqué dans les embouteillages. Bisous.

i. Je ne sais pas si je vais pouvoir venir, je suis bloqué dans une réunion.

j. Je cherche ton pull, mais je ne l'ai pas trouvé. C'est où ?

GRAMMAIRE

Les prépositions

Prepositions can be tricky, as they are not exactly equivalent in French and in English. Sometimes prepositions are used in one language but not in the other, e.g.:

regarder	*écouter*	*chercher*
to look at	to listen to	to look for

À (*at, to, in, on*)
This preposition is used:

- to tell the time, e.g.:
  *Je commence **à** 9 heures.*
  I start at 9 o'clock.
- to talk about a place, e.g.:
  *J'habite **à** Dublin.*
  I live in Dublin.

Other uses:

- *J'habite à 5 km de mon lycée.*
  I live 5 km from my school.
- *Je vais en ville **à** pied.*
  I go to town on foot.
- *C'est **à** 10 minutes.*
  It's 10 minutes away.

De (*of, from*)
This preposition is used:

- To express 'from', e.g.:
  *Il arrive **de** Paris.*
  He is arriving from Paris.
- When talking about a country.
  - If the country is masculine, use **du**, e.g.:
    *Il vient **du** Canada.*
    He comes from Canada.
  - If the country is feminine, use **de / d'**, e.g.:
    *Il arrive **de** France.*
    He is arriving from France.
  - If the country is plural, use **des**, e.g.:
    *Il téléphone **des** États-Unis.*
    He is phoning from the United States.
- In the structure **je viens de** + infinitive to express what someone has just been doing, e.g.:
  *Il vient **de** faire ses devoirs.*
  He has just been doing his homework.

Other uses:

- *C'est la montre **de** ma mère.*
  It's my mother's watch.
- *Les vacances **de** Pâques.*
  The Easter holidays.
- *Je serai disponible **de** 9h à 17h.*
  I will be available from 9 a.m. to 5 p.m.

En (*in, to, by*)

This preposition is used:

- to mean 'in' for periods of time, e.g.:
  *Je finirai ce travail **en** 5 minutes.*
  I'll finish this work in (within) 5 minutes.
  *Il terminera ses études **en** juin.*
  He will finish his studies in June.
- to describe means of transport, e.g.:
  *Je vais au lycée **en** bus.*
  I go to school by bus.
- to say **'in'** or **'to'** when talking about countries.
  - Most countries are feminine and use *en*, e.g.:
    *J'habite **en** Irlande.*
    I live in Ireland.
  - Countries that are masculine but start with a vowel also use *en*, e.g.:
    *J'ai des amis qui habitent **en** Israël.*
    I have some friends who live in Israel.
  - Otherwise countries that are masculine use *au*, e.g.:
    *Il est né **au** Portugal.*
    He was born in Portugal.
  - Countries that are plural use *aux*, e.g.:
    *Elle passe les vacances **aux** États-Unis.*
    She's spending her holidays in the United States.

Pour, pendant (*for*)

- *Pour* is used to refer to a future period, e.g.:
  *Je pars en vacances **pour** deux semaines.*
  I'm going on holiday for two weeks.
- *Pendant* is used to express something that usually happens over a period of time or, in the past tense, to express a completed action, e.g.:
  *Tous les lundis, je m'entraîne **pendant** deux heures.*
  Every Monday, I train for two hours.
  *J'ai fait mes devoirs **pendant** deux heures.*
  I did my homework for two hours.

Il y a

This is used when saying how long ago something happened, e.g.:
*J'ai déménagé **il y a** trois ans.*
I moved three years ago.

Depuis

This is used:

- when an action started in the past but is still going on in the present (use the present tense in this case), e.g.:
  *J'étudie le français **depuis** 5 ans.*
  I have been studying French for 5 years.
- to describe an action that had lasted for a certain length of time in the past until it was interrupted (use the imperfect in this case), e.g.:
  *Je regardais la télé **depuis** une heure quand je me suis endormi.*
  I had been watching TV for an hour when I fell asleep.
- with a date:
  *Je ne suis pas allé en France **depuis** 3 ans.*
  I haven't been to France for 3 years.

Common prepositions

à	*to / at*
après	*after*
avant	*with*
avec	*before*
chez	*at (the house of)*
contre	*against*
dans	*in*
de	*of / from*
depuis	*since*
derrière	*behind*
devant	*in front of*
en	*in / into / by*
entre	*between*
malgré	*despite*
par	*by*
parmi	*among*
pendant	*during*
pour	*for*
sans	*except*
sauf	*without*
selon	*according to*
sous	*under*
sur	*on*
vers	*around*

Expressions and verbs followed by prepositions

à côté de	*close to*
à cause de	*because of*
à propos de	*about*
au sujet de	*about*
en face de	*opposite*
loin de	*far from*
près de	*close to*

Common verbs followed by *à*

apprendre à	*to learn*
commencer à	*to start*
continuer à	*to continue to*
conseiller à	*to advise someone to*
s'habituer à	*to get used to*
s'intéresser à	*to be interested in*
jouer à	*to play*
se mettre à	*to start*
penser à	*to think about*
plaire à	*to please (someone)*
renoncer à	*to give up*
réussir à	*to succeed*
téléphoner à	*to call*

Common verbs followed by *de*

avoir besoin de	*to need*
avoir envie de	*to feel like*
avoir honte de	*to be ashamed of*
avoir peur de	*to be afraid of*
décider de	*to decide to*
empêcher de	*to prevent*
essayer de	*to try*
éviter de	*to avoid*
se moquer de	*to make fun of*
s'occuper de	*to take care of*
oublier de	*to forget (to)*
promettre de	*to promise*
refuser de	*to refuse (to)*
se souvenir de	*to remember*
tenter de	*to try (to)*
venir de	*to have just*

1. Complétez les phrases suivantes avec les prépositions appropriées.

a. J'ai utilisé mon portable ______________ France l'année dernière.
b. Il refuse ______________ partager son ordinateur avec sa sœur.
c. J'ai oublié ______________ t'envoyer le email.
d. Le professeur m'a interrogé ______________ toute la classe.
e. J'ai peur ______________ rater mes examens.
f. Nous sommes allés en vacances ______________ Canada.
g. L'hôtel est ______________ de la plage.
h. Notre maison est ______________ 5 km ______________ centre-ville.
i. Il a surfé ______________ trois heures sur Internet.
j. Je suis punis de portable ______________ trois jours.

2. Choisissez la bonne préposition en fonction du contexte ou du mot qui précède.

a. J'éteins mon portable **vers / en / chez** minuit.
b. Il a besoin **à / de / d'** se connecter à internet.
c. Est-ce que tu peux téléphoner **en / à / pour** ton frère ?
d. Je garde toujours mon portable à côte **à / de / d'** moi quand je dors.
e. J'aime utiliser les filtres **chez / après / pour** mes photos.
f. Est-ce que tu as envie **à / de / d'** aller au cinéma ce soir ?
g. J'ai vu ce film **à / sur / en** Netflix.
h. Je m'entraine toute la semaine, **sauf / parmi / entre** le vendredi.
i. Je vais **à / chez / pour** mon meilleur ami **à / chez / pour** 15h **à / chez / pour** étudier.

Bilan du chapitre 7

On révise le vocabulaire

1. Traduisez les mots suivants.

   a. Un clavier b. Un écran c. Rester en contact d. Dépenser une fortune
   e. Débrancher f. Joindre quelqu'un g. La cyberviolence h. Le harcélement

2. Traduisez les phrases suivantes.
   a. **Je peux passer des heures à** surfer sur Internet.
   b. **On peut dire que** je suis accro.
   c. **Ce qui m'énerve le plus c'est** les gens qui parlent au téléphone dans les lieux publics.
   d. **Je ne comprends pas pourquoi** les enfants ont des portables.
   e. Le nombre d'enfants qui ont un portable **ne cesse d'augmenter**.

3. Utilisez les structures en caractères gras ci-dessus pour créer vos propres phrases.

4. Traduisez le sens général des expressions suivantes.
   a. Je suis accro.
   b. Je chatte en ligne.
   c. Je publie des posts sur mon mur.
   d. C'est plus facile à dire qu'à faire.
   e. Il a les larmes aux yeux.

On révise la grammaire

5. Trouvez cinq verbes qui utilisent (a) la préposition **à** (b) la préposition **de**, et faites une phrase.

6. Faites correspondre les bonnes prépositions avec leurs traductions.

a. Pour	**i.** Against
b. Pendant	**ii.** Behind
c. Après	**iii.** Since
d. Avant	**iv.** During
e. Contre	**v.** After
f. Depuis	**vi.** Before
g. Derrière	**vii.** In front of
h. Devant	**viii.** For / in order to

Chapitre 8

Le travail et l'argent

À la fin de la leçon on pourra :

- réviser les numéros
- parler de l'argent de poche
- parler des petits boulots
- comprendre l'impératif
- comprendre le format de l'examen oral
- comprendre le format de la compréhension auditive.

L'argent de poche

On s'échauffe !

1. Écoutez ces extraits et complétez les phrases avec les bons numéros.

a. « Cette jupe coûte ________________. » « Oui, je sais, c'est cher, mais c'est de Yves Saint Laurent, Madame ! »

b. Seulement ________________ jeunes sur 10 reçoivent de l'argent de poche.

c. Depuis ________________ il est interdit au moins de ________________ ans de travailler plus de ________________ heures par semaine.

d. Je reçois ________________ euros par semaine. Quand j'avais 10 ans je recevais ________________.

e. La ________________ de mon argent de poche passe dans mes jeux vidéo.

f. ________________ des jeunes économisent.

g. ________________ : c'est la somme moyenne d'argent de poche donnée chaque mois aux petits Européens de ________________ à ________________ ans ! La France est l'un des pays d'Europe où les parents en donnent le moins : (________________% contre ________________% en Allemagne).

AIDE

Rappel : Attention aux numéros !
Il est important de réviser les nombres pour la compréhension orale.

20	vingt	82	quatre-vingt-deux
21	vingt-et-un	90	quatre-vingt-dix
22	vingt-deux	91	quatre-vingt-onze
30	trente	92	quatre-vingt-douze
31	trente-et-un	100	cent
32	trente-deux	200	deux cents
70	soixante-dix	205	deux-cent-cinq
71	soixante-et-onze	1 000	mille
72	soixante-douze	5 000	cinq-mille (pas de « s »)
80	quatre-vingts	10 000	dix-mille
81	quatre-vingt-un		

Français	Traduction	Français	Traduction
Un million	*One million*	Demi	*Half*
Un milliard	*One billion*	Un quart	*One quarter*
Une centaine	*Around a hundred*	Un tiers	*One third*
Il a la trentaine	*He is in his thirties*	10 pour cent	*10 percent*
La moitié	*Half*	3,5 = « trois virgule cinq »	*3.5 = 'three point five'*

Attention à la prononciation entre :

- « dix » et « dix pour cent »
- « six » et « six sports »
- « cinq » et « cinq cents »
- « huit » et « huit champions ».

Chiffre, nombre ou numéro ?

Au fait! Il n'y a que 10 **chiffres**. Ces chiffres forment les **nombres**, qui, quand ils sont placés en code, deviennent des **numéros** (e.g. numéro de téléphone).

2. Lisez le texte suivant et faites correspondre les mots (i–iv) et les définitions (a–d).

Pour utiliser votre argent, vous avez plusieurs possibilités :

a. C'est donner de l'argent en échange d'un produit (des habits) ou d'un service (le coiffeur). Si vous échangez vos CDs contre des DVDs, vous faites du troc. C'était la forme de commerce utilisée avant l'invention des pièces de monnaie en Occident, vers 650 av. J.C.

b. C'est faire une réserve d'argent. Comment ? Déposez votre argent dans votre tirelire ou à la banque si vous avez un livret d'épargne. La tirelire en forme de cochon a été inventée au 18e siècle à la campagne. À cette époque, posséder un cochon était une preuve de richesse !

c. C'est verser de l'argent à une association caritative ou à un sans-abri par exemple.

d. C'est quelqu'un vous emprunte des sous, la somme qu'il vous doit s'appelle une dette.

i. **Dépenser**

ii. **Faire un don**

iii. **Économiser**

iv. **Prêter**

3. Faites correspondre les expressions suivantes avec leurs équivalents.

a.  Jeter de l'argent par les fenêtres.

b. 

L'argent ne fait pas le bonheur.

c.  Plaie d'argent n'est pas mortelle.

d.  Le temps c'est de l'argent.

e.  Il n'y a pas de petites économies.

f.  L'argent ne pousse pas sur les arbres.

i. Même une petite somme économisée est bonne.

ii. On n'a pas besoin d'argent pour être heureux.

iii. L'argent n'est pas une source naturelle inépuisable.

iv. Un problème d'argent n'est pas si grave.

v. Dépenser sans compter.

vi. Pour faire des profits, il faut bien savoir utiliser son temps.

4. Avant de lire les textes en exercice 5, faites correspondre les mots et expressions suivants avec leur traduction.

a. C'est-à-dire	**i.** To save
b. J'ai vraiment du bol [fam.]	**ii.** I'm really lucky
c. Je n'ai jamais assez d'argent	**iii.** Tips
d. Apprendre la valeur des choses	**iv.** That is to say
e. Gérer un budget	**v.** It's well paid
f. Économiser	**vi.** To learn how much things cost
g. Être fauché(e) [fam.]	**vii.** To be broke
h. À temps partiel	**viii.** Part-time
i. Ça paie bien	**ix.** I never have enough money
j. Des pourboires	**x.** To manage a budget

5. Maintenant, lisez les commentaires de ces quatre jeunes concernant l'argent de poche.

Lucien

Moi, je ne reçois pas d'argent de poche. Mes parents me donnent de l'argent quand j'en ai besoin ... **c'est à dire** très souvent ! Je reçois entre 20 et 70 euros. Ça varie beaucoup. **J'ai vraiment du bol** ! Mais bon, je suis quand même très responsable : j'aide ma mère avec le ménage et je respecte les règles à la maison. Je rentre à l'heure et tout ça. Mais **je n'ai jamais assez d'argent** ! Je passe tout mon argent dans mes jeux vidéos. Mais ça va, je gère !

Vanessa

Quand j'étais petite, je recevais de l'argent de poche quand j'avais de bonnes notes à l'école, ou en échange d'un service rendu à la maison. Je faisais le jardinage, le ménage, des trucs comme ça. Maintenant je reçois 20 euros par semaine. Ce n'est pas beaucoup, mais c'est déjà ça ! Je pense que l'argent de poche t'**apprend la valeur des choses**, à calculer et à **gérer un budget**. Moi, j'achète des vêtements, mais je mets presque tout mon argent à la banque. J'**économise** pour la fac ! C'est méga cher !

Momo

Alors moi, par contre, je n'ai pas d'argent de poche ! Rien du tout ! Zéro ! C'est la galère quand je veux sortir avec mes copains ... et je veux sortir tout le temps ! Du coup, je me dispute avec mes parents à ce sujet. Ils m'embêtent avec ça ! **Je suis fauché** sans arrêt ! Heureusement qu'il y a les anniversaires, sinon je ne pourrais jamais aller en boîte !

Alex

Mes parents ne me donnent pas d'argent car j'ai un petit boulot. Je travaille **à temps partiel** dans un restaurant. C'est ennuyeux, mais **ça paie bien** ! Je gagne 20 euros de l'heure, sans parler **des pourboires** ! C'est suffisant pour m'acheter ce que je veux, essentiellement du matériel de peinture. On ne dirait pas comme ça mais c'est super cher la peinture, les pinceaux, les crayons, etc.

- **a.** **i.** Combien d'argent reçoit Lucien ?
  - **ii.** Que fait-il pour gagner cet argent ?
- **b.** **i.** Combien d'argent gagne Vanessa ?
  - **ii.** Que pense-t-elle de l'argent de poche ?
- **c.** **i.** Pourquoi Momo se dispute-t-il avec ses parents ?
  - **ii.** Pourquoi a-t-il besoin de cet argent ?
- **d.** **i.** Comment Alex gagne-t-il son argent ?
  - **ii.** Qu'achète-t-il avec cet argent ?

6. À deux, répondez à ces questions à l'oral.

- **a.** Recevez-vous de l'argent de poche ?
- **b.** Combien recevez-vous ?
- **c.** Comment gagnez-vous cet argent ?
- **d.** Que faites-vous avec cet argent ?
- **e.** Est-ce que vous économisez ?

AIDE

Si vous ne recevez pas d'argent de poche, vous pouvez aussi dire que vous avez un petit boulot ou que vos parents vous donnent de l'argent de poche quand vous en avez besoin.

Le petit boulot

On s'échauffe !

7. Faites correspondre les mots et expressions suivants avec leur traduction.

a. Serveur / serveuse	**i.** To work on the till
b. Travailler à la caisse	**ii.** To tidy the shelves
c. Ranger les rayons	**iii.** To serve the customers
d. Servir les clients	**iv.** To take orders
e. Prendre les commandes	**v.** To work only at weekends
f. Travailler sur l'ordinateur	**vi.** To work on the computer
g. Répondre au téléphone	**vii.** Waiter / waitress
h. Recevoir un pourboire	**viii.** To be well paid
i. Être bien payé(e)	**ix.** To answer the phone
j. Travailler seulement le week-end	**x.** To get a tip

AIDE

Où va-t-il travailler ? Combien de temps va-t-il travailler ? Que va-t-il faire avec son salaire ?

8. Regardez la vidéo « Parler de job et vacances d'été » sur YouTube et discutez en classe de ce que vous avez compris.

9. Un professeur pose des questions à ses élèves sur leurs petits boulots. Écoutez leurs réponses et répondez aux questions ci-dessous.

Amandine

a. Where does she work?
b. How many hours does she work per week?
c. Which days does she not work?
d. What does she have to do at work?
e. How much does she earn per hour?
f. What does she do with the money?

Ludivine

a. Where does she work?
b. When did she start working?
c. She hates this job. True or false?
d. What are her responsibilities?
e. What are the disadvantages of having a part-time job?
f. What does she do with the money?

George

a. Where does he work?
b. When does he work there?
c. How much does he earn per hour?
d. What does he do with the money?
e. Does he like this job? Why?
f. What does he want to do next year?

10. Maintenant cherchez les mots et expressions suivants dans la transcription page 424 de l'exercice 9.

a. Drinks
b. I need it to be able to go out
c. It's hard to …
d. To try
e. To improve my French

11. Répondez aux mêmes questions (utilisez la transcription pour vous aider à y répondre).

a. Est-ce que vous avez un petit boulot ?
b. Où travaillez-vous ?
c. En quoi consiste votre travail ?
d. Quels en sont les inconvénients et les avantages ?
e. Combien gagnez-vous ?
f. Que faites-vous avec cet argent ?

AIDE

Pour vous aider :

- Je travaille tous les weekends de 8h à 17h.
- Je gagne ___€ de l'heure.
- Le plus difficile c'est de …
  - … se lever tôt
  - … voir mes copains s'amuser pendant que je travaille
  - … supporter les clients / les collègues / le patron / les horaires.
- Je compte m'acheter …
- J'ai l'intention d'économiser pour m'acheter …

12. Choisissez un sujet et écrivez 75 mots environ.

a. « À mon avis, on ne devrait pas avoir de petit boulot pendant l'année du bac. C'est bien trop important ! Les parents devraient donner de l'argent de poche si les enfants aident avec les tâches ménagères. C'est suffisant! » Brigitte

Êtes-vous d'accord avec le point de vue de Brigitte ?

AIDE

Vous avez appris beaucoup de vocabulaires, d'expressions et de structures dans l'unité 1 et 2. Pensez à les utiliser !

- Je suis d'accord avec cette déclaration (jusqu'à un certain point = *up to a point*)
- Comme l'indique Brigitte ...
- Je pense que gagner son argent permet d'apprendre la valeur des choses, à calculer et à gérer un budget.
- Cependant, il est difficile de travailler et d'étudier pour le bac.
- Dès qu'on gagne son propre argent, on a un sentiment de fierté et d'indépendance.
- Il faut encourager les jeunes à faire des petits boulots à la maison.
- Personnellement ...
- Je reçois de l'argent de poche en retour.
- Pour conclure ...

b. Vous avez eu la chance de trouver un petit boulot dans un magasin près de chez vous. Mais la première journée de travail était difficile et vous êtes rentré(e) très fatigué(e) et déçu(e).

Qu'est-ce que vous notez dans votre journal intime ?

2012 Leaving Certificate, HL, Section II, Q2 (a)

AIDE

Vocabulaire :

- Quel cauchemar ! = *What a nightmare!*
- Je viens de [+ infinitif] = *I have just*
  e.g. Je viens de passer une journée horrible = *I've just had a horrible day*
- J'ai envie de fondre en larmes = *I feel like bursting into tears*
- Je suis crevé(e) = *I am wrecked*
- Quoi faire ? = *What should I do?*
- J'ai décidé de démissionner sur le champ = *I decided to quit on the spot*
- Je suis fauché(e) = *I'm broke*

Utilisez **l'impératif** pour expliquer ce que le patron vous a ordonné de faire :

- Il m'a dit / crié / ordonné :
  - Range les rayons !
  - Répond au telephone !
  - Dépêche-toi !
  - Vide les poubelles !

Pour réviser l'impératif, regardez page 121.

Pour finir :

- Enfin = *Anyway*
- Espérons que demain soit une meilleure journée = *Let's hope tomorrow is a better day*

13. Traduisez ces phrases.

Exemple :

I've just come back home from work and I am absolutely wrecked! ⟶ Je viens juste de rentrer du travail et je suis absolument crevé(e) !

a. It was [*C'était*] my first day of work in the clothes shop.

b. It was a real nightmare. I'm fed up and I'm so disappointed.

c. My collegues are awful and my boss is so strict.

d. I started a part-time job this morning.

e. The customers were [*étaient*] very rude but I had to [*j'ai dû*] smile all the time.

f. The boss told me off [*m'a engueulé(e) (fam.)*].

g. There you go – I'm broke, yet again !

h. My parents give me money when I need it, but it's not enough [*assez*].

i. I'm going to have to [*je vais devoir*] look for a new part-time job.

14. Avant de lire l'article qui suit, faites correspondre les mots et expressions avec leurs traductions.

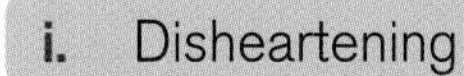

a. Postuler	**i.** Disheartening
b. Un entretien	**ii.** An interview
c. Apprendre le métier sur le tas	**iii.** To quit / resign
d. Démissioner	**iv.** To apply
e. Se débrouiller	**v.** To be paid
f. Le moral en prend un coup [fam.]	**vi.** To learn on the job
g. Être embauché(e)	**vii.** To warn
h. Prévenir	**viii.** To do a one-hour drive
i. Faire une heure de route	**ix.** To be hired
j. Être rémunéré(e)	**x.** To cope

15. Lisez cet article et répondez aux questions qui suivent.

Témoignages : Ils racontent leurs pires jobs d'été

1. Justine, 23 ans : « L'été 2013, j'ai décidé de **postuler** en restauration. Après **un entretien**, j'ai été prise pour la saison en tant que serveuse dans un restaurant sur la côte en Bretagne. Dès le premier jour et à ma grande surprise, je me suis retrouvée à travailler en cuisine et à confectionner environ 150 plats de pâtes par jour. Je cuisinais avec une autre employée qui **m'apprenait le métier sur le tas**. Mais c'était sans compter sur ma patronne qui hurlait d'aller plus vite à chaque fois qu'elle entrait dans la cuisine. Par ailleurs, en début de service, je faisais le ménage et à la fin, la montagne de vaisselle m'attendait.

2. Un mois et demi s'est écoulé ainsi et pas une seule fois je n'ai servi une assiette. Mi-août, j'ai décidé de **démissionner** et de la laisser **se débrouiller** seule puisqu'elle me faisait bien comprendre à quel point j'étais incompétente. Faute de personnel, ce restaurant a dû fermer quelques jours plus tard. Jamais plus je n'ai eu de nouvelles de cette femme qui m'a ruiné mon été sans le moindre remords. »

3. Margot, 23 ans : « Un été, j'ai travaillé pendant tout le mois d'août pour une grande chaîne de fast-food près de chez moi. Travailler dans ce type de restaurant n'est pas très agréable, entre les horaires décalés, le service à table alors que les gens ne sont pas très aimables, le nettoyage des cuisines avec l'odeur de friture à 1 h du matin ou encore le ramassage des poubelles ... **Le moral en prend parfois un coup**. Mon pire moment pendant ce job s'est passé un soir de « rush » non prévu, alors que je ne travaillais que depuis dix jours. Ce soir-là, nous étions seulement cinq personnes au lieu de 15 pour gérer le restaurant. Le stress est donc monté très rapidement. Ce n'est pas la pression de mon manager qui m'a le plus affectée, mais plutôt celle des clients qui ont commencé à m'insulter car leurs commandes n'arrivaient pas assez vite à leur goût. Heureusement, ce travail n'a duré qu'un mois, car je n'aurais pas supporté plus longtemps. »

4. Carole, 25 ans : « **J'ai été embauchée** dans un hôtel de luxe à Deauville durant l'été 2016. Ils m'ont proposé un contrat sur deux mois, en juin et en juillet. Il s'agissait d'un job à la journée en tant qu'animatrice d'un club enfants dans l'hôtel. J'ai débuté fin juin mais il n'y avait aucun enfant et donc rien à faire. J'étais parfois appelée à la dernière minute mais c'était finalement annulé une heure avant car il n'y avait pas d'enfant dans l'hôtel. Et bien sûr, je n'étais pas payée. Ils oubliaient parfois aussi de me **prévenir** donc je **faisais une heure de route** pour qu'on m'annonce que je pouvais rentrer chez moi. La situation devenait vraiment pesante. Au bout de deux ou trois semaines à ne rien faire et pas **rémunérée**, j'ai décidé de démissionner fin juin. Quitte à ne pas gagner d'argent, autant ne pas bloquer mes journées et profiter du temps libre. »

Adapté de : Capucine Gilbert pour *jactiv.ouest-france.fr*, le 4 août 2017

a. i. Quel était le travail pour lequel Justine avait postulé ? (Section 1)
   ii. Quel travail a-t-elle vraiment fait ? (Section 1)

b. Citez ce que devait faire Justine avant et après son service. (Section 1)

c. Trouvez dans la deuxième section :
   i. un verbe pronominal à l'infinitif
   ii. un verbe pronominal au passé composé.

d. i. Trouvez deux inconvénients à travailler dans un magasin de restauration rapide d'après Margot. (Section 3)
   ii. Relevez la phrase qui indique qu'il n'y avait pas assez de personnel pour le bon fonctionnement du service ce soir-là. (Section 3)
   iii. Qu'est-ce qui a le plus affecté Margot ? (Section 3)

e. i. En quoi consistait le travail de Carole ? (Section 4)
   ii. Dans la quatrième section, on apprend que :
   - Carole était payée à ne rien faire ❑
   - ses employeurs oubliaient de la payer ❑
   - elle n'était pas payée puisqu'il n'y avait rien à faire ❑
   - elle ne supportait pas les enfants du club. ❑

f. This article shows that having a summer job can turn out to be a bad experience. Do you agree? Refer to the text in support of your answer. (Two points, about 50 words in total.)

16. Avant de lire le texte page 120, faites correspondre les mots et expressions suivants avec leur traduction.

a. Un hospice	**i.** To come across
b. Manquer	**ii.** A retirement home
c. Avoir envie de	**iii.** To feel like
d. Un banc	**iv.** To supervise
e. Un porte-monnaie	**v.** Despite myself
f. Un concierge	**vi.** To miss / to lack
g. S'asseoir	**vii.** To sit down
h. Surveiller	**viii.** A wallet
i. Malgré moi	**ix.** The next day
j. Raconter	**x.** A caretaker
k. Croiser	**xi.** To tell
l. Glisser	**xii.** To slide
m. Le lendemain	**xiii.** A bench

17. Maintenant, lisez ce texte littéraire puis répondez aux questions qui suivent.

1. Il faisait beau et à **l'hospice** le travail ne **manquait** pas. Les vieux **avaient très envie** en ce moment **de** se promener dans le parc. L'été leur faisait du bien. Ils souriaient, ils tenaient mieux sur leurs jambes que pendant l'hiver. Ils arboraient des écharpes en couleur et des chapeaux antiques. Ils me payaient bien mieux que les jours où il faisait mauvais. Mon travail consistait à leur tenir le bras et à me promener avec eux dans le parc de l'hospice. Nous faisions une ou plusieurs fois le tour des grands arbres au fond du parc, et revenions vers les **bancs**. Je les aidais à se rasseoir, et c'est alors qu'ils me payaient. Je n'avais pas de tarif, ils me donnaient ce qu'ils voulaient. Parfois ils n'avaient pas d'argent sur eux, leur **porte-monnaie** était resté dans leur chambre. Ils étaient désolés et je leur disais que ça ne faisait rien. Parfois ils pensaient à me payer le **lendemain**, parfois non.

2. Qu'ils me paient tout de suite ou non, je retournais ensuite chez Borgman, **le concierge**. J'allais **m'asseoir** dans sa petite maison à l'entrée de l'hospice. Depuis la fenêtre, je **surveillais** les bancs installés autour d'un jardin rond qui était planté de fusains et d'arbustes à fleurs. Les vieux savaient que j'étais là. Ils regardaient vers la fenêtre de Borgman quand ils voulaient aller faire le tour des grands arbres, et ils me faisaient signe de venir. [...] Les vieux, je les aimais tous bien. Mais ceux qui me payaient le mieux la promenade, je finissais **malgré moi** par les aimer un peu plus que les autres. Ils avaient tous beaucoup de choses à me **raconter**, et parfois c'était intéressant de les écouter. [...]

3. Pendant la promenade, nous **croisions** d'autres vieux qui marchaient seuls et dignement. Ils semblaient **glisser** au ralenti sur le gravier. Leur indépendance, leurs bonnes jambes étaient pour moi un manque à gagner. Mais ils savaient, comme je le savais, qu'un jour ou l'autre, fatalement, ils auraient besoin que je leur tienne le bras. En fin d'après-midi, tous rentraient dîner. Borgman fermait sa maison et la porte de l'hospice. Il allait aider aux cuisines pour le service du soir, et moi je rentrais à la maison.

Adapté de: *La dernière neige* par Robert Mingarelli, édition du Seuil, 2000

a. **i.** Trouvez l'expression dans la section 1 qui indique que le narrateur avait beaucoup de travail.

ii. Que voulaient faire les personnes âgées quand il faisait beau ? (Section 1)

b. En quoi consistait le travail du narrateur ? (Section 1)

c. Quel est le métier de M. Borgman ? (Section 2)

d. Que pensait le narrateur des personnes âgées ? (Section 2)

e. **i.** Trouvez l'expression qui veut dire « une perte d'argent ». (Section 3)

ii. Quand rentrait-il chez lui ? (Section 3)

iii. Trouvez dans la section 3 :

A. un verbe à l'infinitif

B. un adjectif féminin pluriel

C. un adverbe.

f. The narrator is not interested in money. Justify this statement by making two points, referring each time to the text. (50 words)

GRAMMAIRE

L'impératif

The imperative is used to **give orders, instructions or advice and make suggestions**.

The imperative is formed by taking the **tu**, **nous** and **vous** forms of the present tense, then dropping the **tu**, **nous**, **vous** (as well as the **-s** at the end of the verb for **-er** verbs only).

Présent	Impératif	Traduction
Tu joues	Joue !	*Play!*
Tu finis	Finis !	*Finish!*
Tu apprends	Apprends !	*Learn!*
Nous partons	Partons !	*Let's go!*
Vous allez	Allez !	*Go!*

If the verb is reflexive, change the pronoun as follows:

*Tu **t'**habilles* → *Habille-**toi*** Get dressed

*Nous **nous** débrouillons* → *Débrouillons-**nous*** Let's cope

*Vous **vous** levez* → *Levez-**vous*** Stand up

Irregular verbs in the imperative include the following:

	Être	Avoir	Savoir
Tu	Sois … = *Be …*	Aie … = *Have …*	Sache = *Know …*
Nous	Soyons … = *Let's be …*	Ayons = *Let's have …*	Sachons = *Let's know …*
Vous	Soyez … = *Be …*	Ayez = *Have …*	Sachez = *Know …*

Traduisez ces phrases en français.

a. Be on time on your first day. (tu)
b. Dress correctly for your interview. (tu)
c. Ask for advice if you are lost. (vous)
d. Let's go!
e. Don't argue with the customers. (tu)
f. Don't go on Facebook while working. (vous)
g. Be nice! (vous)
h. Have faith! (vous)
i. Let's go and ask your parents for pocket money.
j. Go to town if you want to spend money. (tu)

Bilan du chapitre 8

On révise le vocabulaire

1. Traduisez les mots suivants.
   - a. He is in his 30s
   - b. To lend
   - c. To save
   - d. Part-time
   - e. To receive tips
   - f. Travailler à la caisse
   - g. Ranger les rayons
   - h. Servir les clients
   - i. Postuler
   - j. Démissionner

2. Traduisez les phrases suivantes.
   - a. **J'en ai besoin pour** pouvoir sortir.
   - b. **C'est dur d'**avoir un petit boulot et d'étudier pour le bac.
   - c. **Il est difficile de** ne pas être faigué(e).
   - d. **Dès qu'**on gagne de l'argent, on se sent plus indépendant.
   - e. **Grâce à** l'argent qu'on reçoit, on n'a plus besoin de dépendre des parents.
   - f. **Il faut encourager les jeunes à** trouver un petit boulot.

3. Utilisez les structures en caractères gras ci-dessus pour créer vos propres phrases.

4. Traduisez le sens général des expressions suivantes.
   - a. Il jette l'argent par les fenêtres.
   - b. L'argent ne fait pas le bonheur.
   - c. Le temps c'est de l'argent.
   - d. Il n'y a pas de fausses économies.
   - e. L'argent n'a pas d'odeur.
   - f. Je suis fauché(e) !

On révise la grammaire

5. Changez les phrases en utilisant l'impératif comme dans l'exemple qui suit.

   Exemple : Tu dois **travailler** plus vite. ⟶ Travaille plus vite !
   - a. Nous devons **être** à l'heure. ⟶
   - b. Vous devez **ranger** les rayons. ⟶
   - c. Tu dois **te lever** tôt. ⟶
   - d. Vous devez **vous habiller** correctement. ⟶
   - e. Il ne faut pas **être** en retard. ⟶

FOCUS EXAMEN

L'oral et le document

L'examen

The oral exam is worth 25% of the total marks. The marking scheme is split as follows:

Pronunciation and intonation	20 marks
Vocabulary	20 marks
Structures	30 marks
Communication	30 marks

The oral exam lasts roughly 12 minutes. Although the actual exam is easy and quite predictable, there is a lot of preparation involved. If you prepare early and learn regularly, you will do well.

One part, which is compulsory, is where you are asked questions in the present, the past and the future tenses. Every student doing French must do this part. It is easy to predict the questions insofar as you are sure you are going to be asked, for example, 'What do you do / did you do / will you do at the weekend or during the holidays?'. Thus, by preparing long paragraphs, you can easily spend four to six minutes answering these questions.

Another important thing is to take control of the exam. The examiner will never start with a specific question. For example, they will never ask you specifically about your father's job. You must bring the conversation around to the topic. Ask yourself, 'What questions would I ask about myself?'. Start off with your family and work from there, so that you can steal the initiative away from the examiner.

Be aware that you get 30 marks for communication; the more you talk, the better you will do. Give two or three pieces of information in each answer.

The examiner won't normally quiz you on very difficult abstract topics. But you can lead the examiner to ask you questions about, for example, smoking, if you have prepared this topic thoroughly.

Remember: The oral is a normal conversation, so it will not start with difficult questions about the environment, etc.

Le document

- An excellent way to take control is to bring a document with you to the oral exam. It is an option – it is up to you if you want to bring one.
- You can bring any document as long as there is no language other than French on it: a picture or several pictures on the same topic, a text, an article. You cannot bring objects.
- You can expand from that document and talk about it in much detail.
- The oral is a very difficult exam from the point of view of nerves. It is not like the written exam when you can settle yourself. But if you go into the oral exam with something tangible that you know about and have prepared very well, you can overcome a lot of these nervous problems.
- Prepare your document extremely well. The best thing to do is to ask people you know what they would ask you about this document. Use these questions as a basis for your answers.
- The earlier you choose your document, the better. Preparing a document can be very time consuming.

La compréhension orale

L'examen

The listening part of the exam in worth 80 marks (20%) and lasts 40 minutes.

There are five sections. You will hear each of Sections I to IV three times: first all the way through, then in parts and then all the way through again. Section V, which is shorter, contains news items. There are three of them and you hear each one twice only.

You must answer all questions in English or Irish.

Comment se préparer

- Work on this section of the exam in school and at home. Listen to as much French as possible on top of the exercises done in class. You are not expected to understand everything, but listening regularly to French will 'train your ears' to the language, and you will get better at figuring out what the piece is about.

  Here are some ideas on how to do this:

  - Listen to French radio stations: there are apps that will help you do this – just search for 'French radio'. Alternatively, go into your internet browser and visit:
    - **www.skyrock.fr** (mainly rap and pop music)
    - **www.franceinfo.fr** (news and current affairs)
    - **www.nrj.fr** (pop music).

  - Watch or listen to French television: TV5 is available if you have satellite TV, and there are plenty of free catch-up services online.
  - Watch or listen to French series or movies: some are available on Netflix. You can also change the language to French on some DVDs and streaming sites.

- Use French exercises from the internet, e.g.:
  - **www.zut.org.uk** (free to use before 9 a.m. and after 4 p.m.)
  - **lyricstraining.com/fr** (French music and videos)
  - **platea.pntic.mec.es/cvera/hotpot/chansons/index.htm** (exercises on French music).
- Read and listen to recorded texts in French: use the CD from this textbook, or the app Beelinguapp.
- Listen and watch music videos and do the exercises with the app LyricsTraining.

- Keep a record of the vocabulary that appears in the listening you do in class and revise the vocabulary from the Junior Cycle.

La section V

Section V is different from the other sections as it deals with news items. The recordings are short. You hear them twice only. Here is a list of vocabulary to help you deal with this section:

Les accidents de la route

Un feu / un incendie	*A fire*
Brûler	*To burn*
Un pompier	*A fireman*
Un camion	*A lorry*
Un poids lourd	*A truck*
Un conducteur	*A driver*
Conduire	*To drive*
Le volant	*The steering wheel*
La vitesse	*Speed*
Une limitation de vitesse	*Speed limit*
Une camionnette	*A van*
Un accident	*An accident*
Un accident de la route	*A road accident*
La fumée	*Smoke*
Un blessé	*An injured person*
Un mort	*A dead person*
Une grève	*A strike*
Une émeute	*A riot*
Un bouchon [fam.]	*A traffic jam*
Un embouteillage	*A traffic jam*
Un ralentissement	*A delay (traffic is heavy but moving)*

La météo

Au présent : il fait + adjectif

Il fait chaud	*It's hot*
Il fait froid	*It's cold*
Il fait beau	*It's nice weather*
Il fait mauvais	*It's bad weather*

Au passé : il faisait …

Au futur : il fera …

Au présent : il y a du / de la / des + nom

Il y a du soleil	*It's sunny*
Il y a du vent	*It's windy*
Il y a du brouillard	*It's foggy*
Il y a du verglas	*There's black ice*
Il y a du tonnerre	*There's thunder*
Il y a de la bruine	*It's drizzling*
Il y a des orages	*It's stormy*

Il y a des éclaircies	*There are sunny spells*	Il pleut	*It's raining*
Il y a des éclairs	*There is lightning*	Il neige	*It's snowing*
Il y a des averses	*There are showers*	Il vente	*It's windy*
Il y a des nuages	*It's cloudy*	Il gèle	*It's freezing*
Il y a des intempéries	*There is bad weather*	Il grêle	*It's hailing*
Au passé : il y avait ...		Les prévisions	*Forecast*
Au futur : il y aura ...		Une inondation	*A flood*
		Un raz-de-marée	*A tsunami*
		Une marée	*A tide*
		Une vague de chaleur	*A heat wave*
		En hausse	*Increasing*
		En baisse	*Decreasing*
		Les températures	*Temperatures*

Voici des exemples de faits divers :

1. Hier, vers 2h du matin, le conducteur d'une camionnette a brûlé un feu rouge et a perdu le contrôle du véhicule en dérapant sur le verglas. Il a heurté un piéton de plein fouet. Le conducteur s'est ensuite enfui sans vérifier si le piéton allait bien. Ce dernier a été tué sur le coup. La police fait un appel à témoin.

2. Un avion de la compagnie FlyAir a failli s'écraser ce matin. L'appareil en provenance de Paris et à destination de Dublin a perdu le contrôle juste avant d'atterrir. Les passagers ont vu de la fumée sortir du moteur droit. Le pilote a réussi à faire un atterrissage forcé. Incroyablement, ni les membres de l'équipage, ni les passagers n'ont été blessés.

3. Un cambrioleur a été arrêté la nuit dernière alors qu'il avait fini de voler les bijoux et l'équipement électronique dans une maison de la banlieue de Bordeaux. L'alarme silencieuse a été activée sans que le malfaiteur s'en rende compte. Il aurait eu le temps de s'échapper s'il n'avait pas fait « une pause pipi ». Il était en effet sur les toilettes quand la police est arrivée. Il a plus tard annoncé qu'il était malade et « que ça ne pouvait pas attendre ».

4. Un magasin du centre de Paris s'est trompé dans les prix de leurs sacs Yves Saint Laurent. Ce n'est qu'après trois jours de ventes que le responsable a remarqué la faute. Les sacs se vendaient en effet pour 10 euros au lieu de 100. L'erreur a été corrigée depuis, il est donc trop tard pour faire une bonne affaire !

5. Le temps sera mitigé demain dans la matinée. Il y aura des éclaircies dans le sud de la France avec quelques averses sur la Corse. Il pleuvra sur toute la partie nord du pays. Les températures seront normales pour la saison.

Évaluation de l'unité 2

La compréhension écrite

Lisez le texte et répondez aux questions qui suivent.

Jacques et Pierre sont deux frères qui habitent dans les quartiers pauvres et vont à la même école.

1. Pendant la journée de classe la séparation était abolie. Les tabliers pouvaient être plus ou moins élégants, ils se ressemblaient. Les seules rivalités étaient celles de l'intelligence pendant les cours et de l'agilité physique pendant les jeux. Dans ces deux sortes de concours, les deux enfants n'étaient pas les derniers. La formation solide qu'ils avaient reçue à la communale leur avait donné une supériorité qui, dès la sixième, les plaça dans le peloton de tête.

2. Quant aux jeux, il s'agissait surtout de football, et Jacques découvrit dès les premières récréations ce qui devait être sa passion de tant d'années. Les parties se jouaient à la récréation. Pour Jacques, il n'était pas question de goûter. Avec les mordus de football, il se précipitait dans la cour cimentée encadrée sur les quatre côtés d'arcades à gros piliers (sous lesquelles les forts en thème et les sages se promenaient en bavardant), longée de quatre ou cinq bancs verts, plantée aussi de gros ficus protégés par des grilles de fer.

3. Deux camps se partageaient la cour, les gardiens de but se plaçaient à chaque extrémité entre les piliers, et une grosse balle de caoutchouc mousse était mise au centre. Point d'arbitre, et au premier coup de pied les cris et les courses commençaient. C'est sur ce terrain que Jacques, qui parlait déjà d'égal à égal avec les meilleurs élèves de la classe, se faisait respecter et aimer aussi des plus mauvais, qui souvent avaient reçu du ciel, faute d'une tête solide, des jambes vigoureuses et un souffle inépuisable.

4. Là, il se séparait pour la première fois de Pierre qui ne jouait pas, bien que naturellement adroit. Jacques, lui, tardait à grandir, ce qui lui valait les gracieux surnoms de « Rase-mottes » et de « Bas du cul », mais il n'en avait cure et, courant éperdument la balle au pied, pour éviter l'un après l'autre un arbre et un adversaire, il se sentait le roi de la cour et de la vie. Quand le tambour résonnait pour marquer la fin de la récréation et le début de l'étude, il tombait réellement du ciel, arrêté pile sur le ciment, haletant et suant, furieux de la brièveté des heures […].

Adapté de : *Le Fils ou le premier homme* d'Albert Camus, Gallimard, 1994 (publication posthume)

Vocabulaire

1. Tabliers = l'uniforme de l'époque
2. La communale = école du village, de la commune
3. Les forts en thème = les élèves intelligents (qui sont forts pour traduire le Latin)
4. Point d'arbitre = Pas d'arbitre
5. Il n'en avait cure = il s'en moquait / ça lui était égal
6. Le tambour = La sonnerie

1. Quelles étaient les deux seules différences entre les élèves pendant la journée d'école ? (Section 1)
2. a. Trouvez la phrase qui indique que les frères étaient forts dans ces deux domaines. (Section 2)
   b. Quel est le sport joué à la récréation ? (Section 2)
3. a. Citez l'expression qui montre que Jacques était fan de foot. (Section 2)
   b. Que faisaient les élèves qui ne jouaient pas au foot ? (Section 2)
4. Trouvez dans la section 3 :
   a. un verbe à l'infinitif
   b. un adjectif féminin pluriel.
5. a. Dans la section 4 on apprend que:
      i. Jacques était petit ❑
      ii. Pierre était maladroit ❑
      iii. Jacques ne gagnait jamais ❑
      iv. Pierre jouait parfois avec les autres. ❑
   b. Quand la récréation était finie, que ressentait Jacques ? (Section 4)
6. Both brothers, Jacques and Pierre, are similar but they differ when it comes to sport. Find similarities and differences for both characters. Refer to the text in support of your answer. (Two points, about 50 words in total.)

L'écrit

Répondez à 1, 2 ou à 3.

1. Les sports féminins sont presque invisibles dans les médias. 80 % du temps consacré au sport sur les chaînes de télévision ne montre que des hommes. C'est de la discrimination !

   Donnez votre réaction.

   (75 mots environ)

   2017 Leaving Certificate, HL, Section II, Q3

2. Accro au téléphone portable !

   La Nomophobie : c'est une nouvelle phobie, liée à la peur excessive d'être séparé de son téléphone mobile. Beaucoup de gens sont paniqués à l'idée d'être privés de leurs portables, même pendant une journée.

   Souffrez-vous de cette phobie ou connaissez-vous des gens qui en souffrent ?

   (75 mots environ)

   2015 Leaving Certificate, HL, Section II, Q3 (a)

3. « À mon avis, les ados devraient gagner leur argent de poche plutôt que d'en demander à leurs parents ! Par exemple, ils pourraient trouver un petit boulot, rendre des petits services supplémentaires à leurs parents, ou aider leurs voisins. Comme ça, ils apprécieraient la valeur de l'argent. » Béatrice, 17 ans

   Êtes-vous d'accord avec le point de vue de Béatrice ?

   2015 Leaving Certificate HL, Section II, Q3 (b)

Ma ville

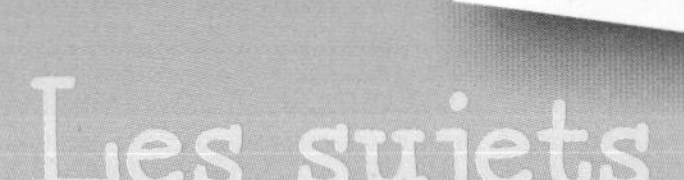

- ❑ La maison
- ❑ La chambre
- ❑ Le quartier
- ❑ La ville
- ❑ La ville ou la campagne
- ❑ Les objets ménagers
- ❑ Les problèmes de la ville et les solutions
- ❑ Le recyclage
- ❑ La pollution

Grammaire

- ❑ Le passé composé
- ❑ L'imparfait
- ❑ Le conditionnel
- ❑ Le participe présent

Focus examen

- ❑ La production écrite : exprimer son opinion

Où habitez-vous ?

À la fin de la leçon on pourra :

- parler de sa maison
- parler de sa chambre
- parler de son quartier
- s'exprimer au passé composé.

Ma maison

On s'échauffe !

1. Ces trois personnes ont déménagé. Les textes A décrivent leur ancienne maison, les textes B décrivent leur nouvelle maison. Faites correspondre les textes avec les images.

Suzanne

A. J'ai déménagé l'année dernière. Avant, j'habitais à Saint Jean de Maurienne à la montagne en Savoie. Notre maison était typique de cette région : une grande bâtisse en pierre et en bois à deux étages avec un balcon en fer forgé. Il y avait un grand jardin à l'arrière et un garage.

B. Maintenant j'habite à Bordeaux. La nouvelle maison est très différente, très moderne. Il y a un jardin devant et derrière ainsi qu'un garage. C'est une maison individuelle.

Lyonnel

A. Nous avons déménagé de Paris il y a deux ans parce que mon père a trouvé un nouveau boulot. Avant, on vivait en banlieue dans une cité HLM. Notre immeuble était assez gris et triste, en béton. Notre appartement était au sixième étage.

B. Maintenant nous habitons à Nice, près de la campagne. Quel changement ! On habite une ferme. C'est très spacieux et très calme. Ça a été difficile de s'adapter, mais maintenant ça va. Il y a même une écurie pour nos trois chevaux.

Nina

A. Nous, on habitait dans une maison jumelée au centre-ville de Rouen. Il n'y avait ni jardin, ni garage et c'était dur de trouver une place pour se garer. Mais la maison était assez grande et c'était pratique d'être si près de tout.

B. Maintenant on a déménagé dans un bungalow à Toulouse, dans la banlieue. C'est dans un lotissement très calme et les voisins sont très sympas. Il y a un grand jardin et des arbres.

2. Écoutez ces cinq personnes qui donnent leurs opinions sur leur quartier et leur maison. Notez dans votre cahier le type de maison, si l'opinion est positive ou négative ainsi que la raison.

3. Cherchez les mots et expressions suivants dans la transcription page 425 de l'exercice ci-dessus.

a. I find it too calm, in fact
b. Bright
c. Absolutely huge
d. I have to share my room
e. It's the perfect place for me
f. Old-fashioned

4. Seul(e) ou à deux, traduisez un maximum de mots de la liste de pièces suivante.

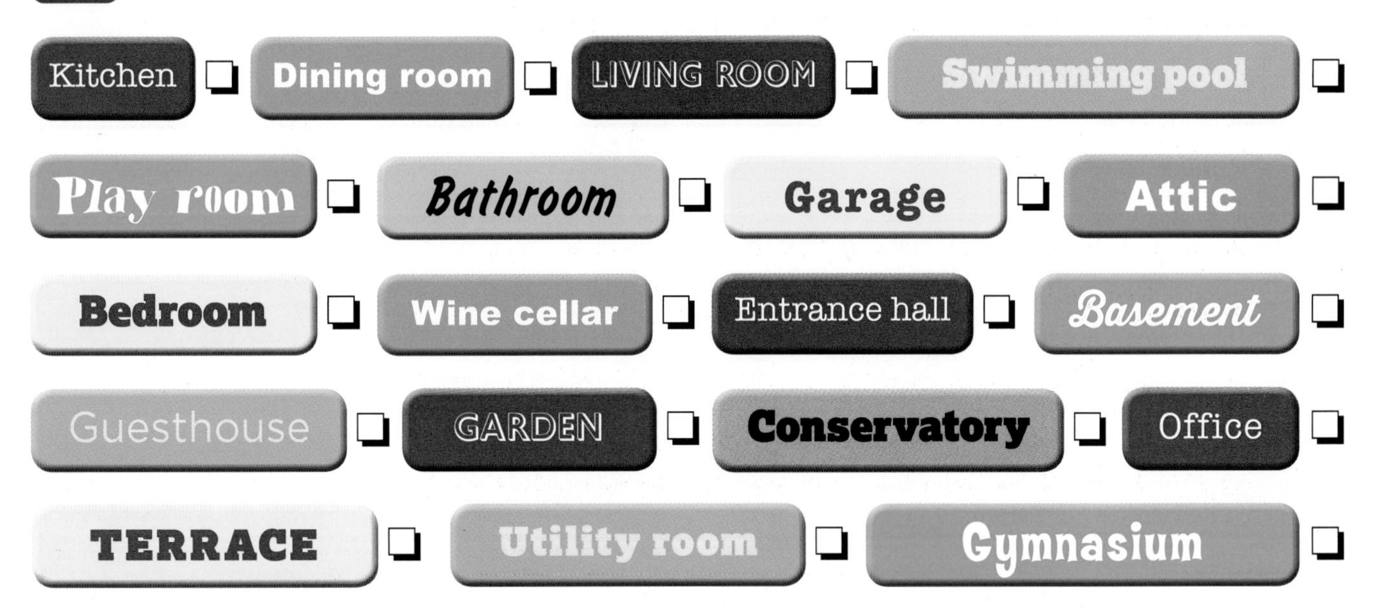

5. Écoutez la description de cette maison de star. Cochez les pièces mentionnées dans la liste ci-dessus.

6. Cherchez les mots et expressions suivants dans la transcription page 425 de l'exercice ci-dessus.

- **a.** From the outside, you can see
- **b.** At the back
- **c.** When you go in
- **d.** Which leads to
- **e.** On the ground floor
- **f.** For the guests

7. En vous aidant de la transcription de l'exercice 5 page 425, répondez aux questions suivantes à l'écrit, puis apprenez ces phrases par cœur pour l'oral.

- **a.** Où habitez-vous ?
- **b.** C'est une maison ou un appartement ?
- **c.** Combien de pièces y a-t-il ?
- **d.** Quelle est votre pièce préférée ? Pourquoi ?
- **e.** Avez-vous un jardin ? Qui s'en occupe ?
- **f.** Est-ce que vous aidez à la maison ? (Relisez page 23 « Les tâches ménagères ».)

AIDE

N'attendez pas que l'examinateur vous demande combien de pièces il y a dans votre maison. Ajoutez trois ou quatre informations à chaque réponse.

AIDE

Gardez ce paragraphe et comparez-le à celui que vous écrirez plus tard dans ce chapitre.

8. Faites correspondre le début des phrases avec leur fin logique.

a. J'habite dans la banlieue …	**i.** … il y a un vestibule et la salle à manger sur la droite.
b. C'est à 10 minutes du …	**ii.** … je lave la vaisselle et de temps en temps je passe l'aspirateur.
c. J'habite dans une maison individuelle …	**iii.** … à deux étages.
d. Il y a un garage ainsi …	**iv.** … c'est une maison lumineuse et chaleureuse.
e. C'est mon père qui s'occupe du jardin mais je …	**v.** … de Dublin, dans l'est de l'Irlande.
f. Quand vous entrez …	**vi.** … qu'un grand jardin derrière.
g. J'aime y habiter parce que …	**vii.** … centre-ville et de mon lycée. C'est bien pratique !
h. Pour aider à la maison …	**viii.** … l'aide de temps en temps surtout au printemps et en été.

9. You are writing on behalf of your neighbour who wants to do a house swap for the summer. Include the following in your email.

- Say that you are writing on behalf of your neighbour, who does not speak French very well.
- Say that they would like to do a house swap from 1st to 30th of July.
- Describe your neighbour's house in detail.
- Talk about what you can do in the area.
- Ask them to send some photos of their house.

de:

à:

objet:

Bonjour,

Je vous écris de la part de mes voisins qui ne parlent pas très bien le français. Ils ont découvert une annonce dans le journal qui disait que vous aimeriez faire un échange de maison cet été du premier au trente juillet. Ils sont très intéressés car ils veulent découvrir votre région.

Ils habitent ...

Leur maison est ...

Comme ce village est touristique, il y a beaucoup de ...

Pourriez-vous m'envoyer ... ?

Je suis à votre disposition si vous avez des questions.

Cordialement,

M. / Mme Humphrey

Ma chambre

On s'échauffe !

10. Regardez cette image et cochez les objets qui sont présents dans cette pièce.

Un lit ❐	Un bureau ❐	Un fauteuil ❐	Un lecteur CD ❐
Un porte-manteau ❐	Un tableau ❐	Un poster ❐	Un drap ❐
Un tapis ❐	Un ordinateur ❐	Une plante ❐	Une couverture ❐
Une table ❐	Une fenêtre ❐	Une étagère ❐	Une chaise ❐
Une télévision ❐	La moquette ❐	Le papier peint ❐	Des rideaux ❐

11. Regardez encore une fois l'image ci-dessus et répondez aux questions en utilisant les comparatifs et les superlatifs (pour les explications de ce point de grammaire, regardez page 45). Faites des phrases complètes !

Exemple : Est-ce que votre chambre est aussi grande ?

Non, ma chambre est plus grande. / Oui, ma chambre est aussi grande. / Non, ma chambre est plus petite que cette chambre.

a. Est-ce que votre chambre est moins confortable ?

b. Est-ce que votre table est moins bien rangée ?

c. Est-ce que votre lit est mieux ? Pourquoi ?

d. Est-ce que vous avez moins de tableaux sur vos murs ?

AIDE

Pour une explication complète du comparatif et du superlatif, voir *Grammaire* page 45.

12. Écoutez ces deux personnes qui décrivent leurs chambres et décidez si ces phrases sont vraies ou fausses. Si elles sont fausses, corrigez-les !

Gaston

- **a.** Gaston shares his room with his younger brother.
- **b.** He loves sharing his room.
- **c.** The room is always a mess.
- **d.** Gaston is going to university next year.
- **e.** He will share a flat with some friends.

Béatrice

- **a.** Béatrice shares her room with her elder sister.
- **b.** She is very tidy and hates the mess.
- **c.** She loves reading and listening to music in her room.
- **d.** The view from her window is great.
- **e.** The main problem is that the room is too small for all her things.

13. Maintenant, cherchez les mots et expressions suivants dans la transcription page 425 de l'exercice ci-dessus.

- **a.** I have to
- **b.** And so am I
- **c.** Untidy
- **d.** University
- **e.** That's another story
- **f.** Not bad
- **g.** Noise
- **h.** The worst
- **i.** My things

14. Avant de lire ces textes, faites correspondre les mots et expressions suivants avec leur traduction.

- **a.** À fond
- **b.** On n'a rien en commun
- **c.** Il est collant [fam.]
- **d.** Ça me rend dingue
- **e.** Elle fouille dans mes affaires
- **f.** Le papier peint
- **g.** La moquette
- **h.** Se plaindre

- **i.** He is clingy
- **ii.** To complain
- **iii.** We have nothing in common
- **iv.** Full blast
- **v.** She goes through my things
- **vi.** It drives me crazy
- **vii.** The wallpaper
- **viii.** The carpet

15. Faites correspondre les problèmes (a–d) avec les solutions (i–iv).

Chère Annie, j'ai un problème…

a. J'aime écouter de la musique **à fond** dans ma chambre et mes parents ne supportent pas ça ! On se dispute tout le temps à ce sujet !
Anaïs, 15 ans, Marseille

b. Je partage ma chambre avec mon petit frère qui a 10 ans ! **On n'a rien en commun, il est collant** et j'aimerais vraiment avoir ma propre chambre, mais notre maison est bien trop petite ! Je n'en peux plus !
Fabrice, 17 ans, le Mans

c. Mes parents estiment que, tant que je suis sous leur toit, je dois respecter leurs règles ! Je suis d'accord, mais ma chambre devrait être mon domaine, chez moi ! Ma mère vient ranger ma chambre presque tous les jours et **ça me rend dingue ! Elle fouille dans mes affaires**, j'en suis sûr !
Olivier, 16 ans, Nantes

d. Ma chambre est trop vieille, la couleur **du papier peint** est affreuse, le lit n'est pas confortable, je n'ai ni télé, ni ordinateur, **la moquette** est préhistorique ! Bref, je déteste vraiment ma chambre ! Mes parents disent qu'on n'est pas assez riche pour la redécorer.
Julie, 15 ans, Villelongue

i. **Tu te plains** parce que ta mère range ta chambre ? Tu as quel âge ? Si j'étais ta mère, je passerais toutes tes affaires par la fenêtre ! Je suis sûre qu'elle respecterait ton intimité si tu faisais un peu plus preuve de maturité et que tu rangeais ta chambre régulièrement !

ii. Tu n'as jamais entendu parler des écouteurs ?

iii. Tu pourrais peut-être trouver un petit boulot quand tu auras 16 ans et économiser pour refaire ta chambre à ton goût. Si c'est toi qui paies, tes parents devraient te laisser choisir la déco !

iv. Ne t'inquiète pas, dans un an, tu partiras à l'université et tu auras sûrement ta propre chambre et je suis sûre que ton petit frère te manquera.

16. À deux, répondez aux questions suivantes.

a. Parlez-moi de votre maison.
b. Avez-vous votre propre chambre ?
c. Décrivez votre chambre ? Qu'est-ce qu'il y a dans votre chambre ?
d. Aimez-vous votre chambre ? Pourquoi ?
e. Qui range votre chambre ?
f. Qu'aimez-vous faire dans votre chambre ?

AIDE

Utilisez le paragraphe de l'exercise 7 et améliorez-le.

Mon quartier

On s'échauffe !

17. En groupe, écrivez un maximum de mots liés à la description de votre quartier.

Adjectifs	Infrastructures	Verbes	Autre
Mort Animé Pittoresque	Des magasins Un parc	On peut se promener On va au restaurant	Il y a trop de circulation Les voisins sont sympas

18. Avant de lire le texte ci-contre, faites correspondre les mots et expressions suivants avec leur traduction.

a. En dehors de la ville	**i.** Lively
b. La banlieue	**ii.** An area
c. Un lotissement	**iii.** An estate
d. Une cité HLM	**iv.** Outside the town
e. Un quartier	**v.** A block of council flats
f. Ça tombe bien	**vi.** The suburbs
g. Animé	**vii.** That's fortunate

19. Lisez les quatre textes ci-contre qui décrivent des différents quartiers et faites correspondre les images avec chaque texte. Attention : un texte peut avoir plusieurs images !

Quentin

J'habite dans un quartier tranquille un peu en dehors de Perpignan, dans la banlieue. Mon lotissement est juste à côté d'un grand jardin public. J'y retrouve mes amis après l'école. Il n'y a pas beaucoup de magasins dans mon quartier. Il y a un petit supermarché et une librairie. Ce que j'aime c'est que tout le monde se connait. Les voisins sont gentils et ils gardent notre chien quand on part en vacances. Les transports en commun sont assez bons, donc je ne suis jamais très loin du centre-ville.

Béatrice

Moi, j'habite une cité HLM dans la banlieue de Paris. C'est un quartier « à problème » comme on dit. Il y a beaucoup de violence et de drogue, des trucs comme ça. Je pense que c'est surtout parce qu'il n'y a rien à faire pour les jeunes. C'est mort ! Il n'y a ni parc, ni aires de jeux pour les enfants. Il n'y a aucun magasin. Ah oui, il y a une épicerie qui est ouverte 7 jours sur 7. Pour aller au lycée, je dois prendre le bus et ça met 25 minutes. Il me tarde de partir de ce quartier.

Vincent

Mon village est à 5 kilomètres de Narbonne. C'est au bord de la mer et comme j'adore pêcher, ça tombe bien ! C'est un village très touristique car on a une grande plage, une belle église romane et même un château. Dans mon quartier, il y a toutes sortes de magasins : un bureau de tabac, des magasins de vêtements, un boucher. Il y a aussi une école primaire et un collège juste à côté. Si vous aimez le sport, il y a un centre sportif et un stade à deux pas de chez moi. J'y fais du foot avec une équipe. J'ai de la chance d'habiter ici.

Luis

Alors moi, j'habite une ville du nord de la France qui s'appelle Reims. C'est une ville universitaire, donc ça bouge bien. Il y a plein de choses à faire pour les jeunes. On peut aller en boîte, sortir au cinéma. Il y a aussi plein de bons restaurants. Moi, j'habite en face de la grande place. Le mercredi et le vendredi matin il y a un marché animé où on peut acheter des produits frais. C'est très populaire. Il y a aussi un centre culturel et un club de jeunes où on peut rencontrer beaucoup de monde et faire du théâtre, de la danse, de la musique.

20. Maintenant, relisez les textes ci-dessus et répondez aux questions suivantes.

a. Qui habite dans un quartier agréable et calme ?

b. Qui habite dans une ville animée ?

c. Qui habite dans un quartier où il n'y a rien à faire pour les jeunes ?

d. Qui habite dans un quartier où tout est à portée de main ?

e. Qui habite dans un quartier dangereux ?

21. Répondez à l'écrit à cette question : « Êtes-vous fier / fière de votre quartier ? » (75 mots environ)

22. Écoutez les quatre personnes suivantes qui répondent à la question « Que pensez-vous de votre quartier ? » et répondez aux questions qui suivent.

Kylian

a. Where does Kylian live?

b. Name three things you can do in his area.

c. What problem is there in his area?

Nathalie

d. Where does she live?

e. Name two things you can do in her area.

f. What is the problem about her area?

Nadine

g. Where does she live?

h. Where does she meet up with her friends?

i. Why doesn't she like it?

Hamed

j. How far does Hamed live from the facilities in his area?

k. What are these facilities?

l. What problem does he identify in his area?

23. Trouvez les expressions suivantes dans la transcription de l'exercice 22 page 425.

a. There are a lot of things to do

b. Traffic jam

c. I like it

d. There aren't enough buses

e. There's nothing to do

24. Maintenant répondez à cette même question en vous inspirant de la transcription de l'exercice 22 page 425.

a. Que pensez-vous de votre quartier ?

b. Qu'est-ce qu'on peut y faire ?

c. Est-ce qu'il y a des problèmes dans votre quartier ?

25. « Mon quartier n'offre rien pour les jeunes. Je dois prendre le bus pour aller en ville si je veux faire quoi que ce soit. » Et vous, que pensez-vous de votre quartier ? Est-ce qu'il y a assez d'activités pour les jeunes ? (75 mots)

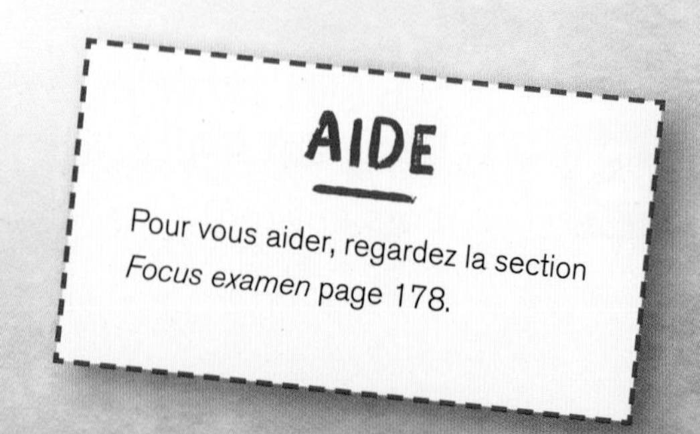

GRAMMAIRE

Le passé composé

The perfect tense – *le passé composé* – is used to describe what has happened, what someone has done or what happened in the past, e.g. *j'ai mangé* = I ate, I have eaten.

How to form it

You need to remember that there are two parts to a perfect tense verb – the auxiliary verb (*avoir / être*) and the past participle. To create the perfect tense of regular verbs, use *avoir* in the present tense, then add the past participle.

For **-er** verbs, the past participle is created by dropping the **-er** and adding **-é**.

Travailler = *Travaill**é***

*J'ai travaill**é*** = I worked

*Tu as travaill**é*** = You worked

*Il a travaill**é*** = He worked

*Nous avons travaill**é*** = We worked

*Vous avez travaill**é*** = You worked

*Ils ont travaill**é*** = They worked

For **-ir** verbs, take the **-ir** off the end of the infinitive and add **-i**. e.g.:

*Nous avons chois**i*** = We chose

*Elles ont fin**i*** = They finished

Form **-re** verbs by replacing the **-re** of the infinitive with **-u**, e.g.:

*Ils ont perd**u*** = They lost

Irregular past participles

Some past participles do not follow this pattern and are irregular. Learn the common irregular past participles by heart. Here are **some common irregular past participles** with their meanings.

<table>
<tr><td rowspan="2">J'ai</td><td rowspan="13">+</td><td>compris</td><td>understood</td></tr>
<tr><td>couru</td><td>ran</td></tr>
<tr><td rowspan="2">Tu as</td><td>dit</td><td>said</td></tr>
<tr><td>dû</td><td>had to</td></tr>
<tr><td rowspan="2">Il / elle / on a</td><td>écrit</td><td>wrote</td></tr>
<tr><td>fait</td><td>did/made</td></tr>
<tr><td rowspan="2">Nous avons</td><td>lu</td><td>read</td></tr>
<tr><td>mis</td><td>put</td></tr>
<tr><td rowspan="2">Vous avez</td><td>pris</td><td>took</td></tr>
<tr><td>pu</td><td>could/was able to</td></tr>
<tr><td rowspan="3">Ils / elles ont</td><td>reçu</td><td>received</td></tr>
<tr><td>voulu</td><td>wanted</td></tr>
<tr><td>vu</td><td>saw</td></tr>
</table>

Verbes irréguliers avec « être » au passé composé

Some irregular verbs in the perfect tense use *être* instead of *avoir*. There is a list of irregular verbs using être that you need to learn (see page 143).

When *être* is used, the past participle must 'agree with' who did the action. So if the person was female you must add an -e to the end of the past participle, e.g. *elle est partie* (she left). If two or more females did the action you must add -es, e.g. *elles sont parties* (they left). If the person who did the action was male, then the past participle does not change, e.g. *il est parti* (he left). If two or more males or one or more males and females did the action, add -s, e.g. *ils sont partis* (they left). If *on* refers to more than one person, the past participle must be plural, e.g. *on est allé(e)s* (we went).

Examples:
Je suis parti (m.) = I left.
Il est allé = He went.
Elle est arrivée = She arrived.
Es-tu entré (m.) ? = Did you go in?
Ils sont retournés = They returned.
On est sorti(e)s = We went out.
Je suis allée (f.) = I went.

MRS VAN DER TRAMP will help you remember the *être* verbs!

Monter (*to go up*)	Je suis monté(e)
Rester (*to stay*)	Je suis resté(e)
Sortir (*to go out*)	Je suis sorti(e)
Venir (*to come*)	Je suis venu(e)
Arriver (*to arrive*)	Je suis arrivé(e)
Naître (*to be born*)	Je suis né(e)
Descendre (*to go down*)	Je suis descendu(e)
Entrer (*to enter*)	Je suis entré(e)
Revenir (*to come back*)	Je suis revenu(e)
Tomber (*to fall*)	Je suis tombé(e)
Retourner (*to return*)	Je suis retourné(e)
Aller (*to go*)	Je suis allé(e)
Mourir (*to die*)	Je suis mort(e)
Partir (*to leave*)	Je suis parti(e)

Note that **all reflexive verbs use *être*** in the perfect tense, e.g.: *Je me suis levée à 6 heures* = I got up at 6 o'clock.

1. Choisissez le bon auxiliaire « avoir » ou « être ».

a. Je ____________ monté.
b. Je ____________ allé.
c. Tu ____________ fait.
d. Il ____________ pris.
e. Nous nous ____________ réveillés tôt.
f. Elle ____________ tombée de son lit.
g. Nous ____________ donné de l'argent.
h. Didier ____________ lu un livre fantastique.
i. Je me ____________ disputé avec ma mère hier.
j. Il ____________ déménagé dans le sud de la France.

2. Mettez les verbes entre parenthèses au passé composé.

a. Elle ____________ ranger sa chambre. (devoir)
b. Il ____________ son repas devant la télévision. (prendre)
c. On ____________ une véranda. (construire)
d. Marie ____________ en écoutant de la musique dans ma chambre. (se détendre)
e. Mes parents ____________ de redécorer ma chambre. (décider)
f. Qu'est-ce que tu ____________ comme film hier soir au cinéma ? (voir)
g. Kévin et Paul ____________ au téléphone pendant une heure. (parler)
h. Enfin, on ____________ l'exercice. (terminer)

Bilan du chapitre 9

On révise le vocabulaire

1. Traduisez les mots suivants :
   a. Déménager
   b. Un étage
   c. Une maison individuelle
   d. Une maison jumelée
   e. En désordre
   f. Traffic jam
   g. Busy
   h. Noise
   i. In the suburbs
   j. A building

2. Traduisez les phrases suivantes.
   a. **Le problème c'est** le bruit.
   b. **Le pire c'est que** je n'ai pas de place pour mes trucs.
   c. **C'est à** 10 minutes à pied de ma maison.
   d. **J'aime y habiter parce qu'**il y a beaucoup de choses à faire.
   e. Il y a cinq chambres **dont** deux au deuxième étage.
   f. **Je suis obligé(e) de** partager ma chambre.

3. Maintenant, utilisez les structures en caractères gras ci-dessus pour créer vos propres phrases.

4. Traduisez le sens général des expressions suivantes.
   a. J'écoute de la musique à fond.
   b. Il est collant.
   c. Elle fouille dans mes affaires.
   d. C'est une ville qui bouge.
   e. On n'a rien en commun.
   f. C'est une autre histoire.
   g. Ça me rend dingue.
   h. Il y a un bazar monstre dans ma chambre.
   i. Il y a des bouchons du matin au soir, c'est infernal !
   j. C'est mal desservi.

On révise la grammaire

5. Complétez ces verbes avec six participes passés irréguliers.
   a. J'ai ____________
   b. Tu as ____________
   c. Il a ____________
   d. Nous avons ____________
   e. Vous avez ____________
   f. Ils ont ____________

6. Écrivez les 14 verbes qui prennent être au passé composé (MRS VAN DER TRAMP) puis faites une phrase au passé composé pour chacun.

Chapitre 10

Ville ou campagne ?

À la fin de la leçon on pourra :

- parler de sa ville ou de son village
- comparer les avantages et les inconvénients de la ville et de la campagne
- apprendre le vocabulaire des objets ménagers
- s'exprimer à l'imparfait.

Avantages et inconvénients de la ville et de la campagne

On s'échauffe !

1. Regardez les adjectifs suivants et décidez s'ils décrivent la ville ou la campagne.

bruyante isolée *qui bouge* **mort(e)** VIVANT(E) ennuyeuse

dangereuse SALE **polluée** laide grisâtre **verdoyante**

CALME animée pittoresque amicale surpeuplée anonyme

2. Écoutez ces jeunes qui donnent leurs opinions sur la ville et sur la campagne. Décidez pour chaque personne où ils préféreraient habiter et pourquoi.

	Ville	Campagne	Raison
Violette			
Grégory			
Solange			
Fatima			

3. Trouvez dans la transcription de l'exercice 2 page 426 l'équivalent français des mots et expressions suivants.

a. Everybody takes the time to live.
b. Everybody knows each other.
c. The public transport is bad.
d. The traffic is bad in the rush hour.
e. To live in the countryside would be a real nightmare.
f. I'm lucky.

4. Maintenant, écrivez un paragraphe qui répond à la question suivante : « Préféreriez-vous vivre à la campagne ou en ville ? » Gardez ce paragraphe. Vous aurez une chance de l'améliorer et de le comparer avec celui que vous écrirez plus tard dans ce chapitre.

5. Avant de lire les textes ci-dessous, faites correspondre les mots et expressions suivants avec leur traduction.

a.	Des soucis	**i.**	It's far from everything
b.	Un dilemme	**ii.**	To be depressed
c.	À proximité	**iii.**	To breathe
d.	Être déprimé(e)	**iv.**	Worries
e.	Les transports en commun	**v.**	A dilemma
f.	Emménager	**vi.**	Public transport
g.	Briser la solitude	**vii.**	To avoid getting lonely
h.	Respirer	**viii.**	To move in
i.	C'est loin de tout	**ix.**	We have everything to hand
j.	On a tout sous la main	**x.**	Near

6. Maintenant lisez cette page du blog de Nadine et faites l'exercice qui suit.

Accueil Sélection Archives Abonnez-vous

À propos de moi

NADINE

OCT 12

Habiter en ville ou à la campagne ? J'ai déjà parlé sur ce blog de mes **soucis** de recherche d'appartements. Pour résumer, je cherche un super appartement sur la région de Grenoble. Je pensais être sûre de vouloir vivre en ville, mais j'ai visité une maison à la campagne, loin de mon travail, c'est vrai, mais elle est immense ! Je me retrouve devant **le dilemme** : vivre en ville, avoir tout **à proximité** et être à 15 minutes à pied de mon travail OU vivre à la campagne, avoir un jardin et de l'espace, mais être un peu isolée, et avoir entre 30 minutes et 1 heure de transport pour aller travailler ... Des conseils ?

Sandrine OCT 12

Salut Nadine ! On dit souvent que les gens des villes sont stressés et parfois même **déprimés** car ils doivent parfois passer du temps dans **les transports en commun**. C'est vrai que c'est exténuant. Pour moi, je ne peux pas imaginer passer une heure en voiture pour aller bosser. J'habite donc très près de mon travail. Mon appartement est peut-être petit, mais je ne déprime pas, moi !

Pierre OCT 12

Moi, je viens d'**emménager** en ville. Je ne connaissais personne et c'est vrai qu'on est parfois seul dans la foule d'une grande ville, mais il est facile de **briser cette solitude** en adhérant à différents clubs, en pratiquant toutes sortes d'activités. C'est alors plus facile de rencontrer des gens et de faire de nouvelles connaissances.

Bill OCT 12

Personnellement, j'aime la campagne, l'air est pur et frais, c'est bon pour la santé. On peut **respirer**, il y a moins de pollution et moins de danger. C'est calme et tranquille. La vie y est plus détendue, moins stressante. Le bonheur quoi !

Lili OCT 12

Bonjour ! Je découvre votre blog ! Moi, j'ai fait mon choix, j'habite dans un petit village à 20 minutes de Grenoble, et c'est merveilleux de pouvoir sortir dans le jardin, ou même d'étendre le linge dehors ... À la campagne, on peut profiter des plaisirs de la nature et de tous ses charmes. On peut faire de la randonnée, aller à la pêche, observer la nature.

Benjamin OCT 12

Je vais à l'université en ville, mais je rentre chez mes parents à la campagne le weekend. Je peux donc comparer les deux maintenant. À la campagne, on **est loin de tout**. Si on a besoin d'aller chez le docteur ou même faire les courses, c'est une vraie expédition ! En ville, **on a tout sous la main**. On peut profiter d'un grand nombre de distractions de toutes sortes, on peut sortir le soir. C'est beaucoup plus varié qu'à la campagne. L'un dans l'autre, la ville est quand même mieux quand on est jeune.

Faites correspondre le résumé des opinions avec la personne qui convient.

a. Dites non à l'anonymat des villes, inscrivez-vous à des clubs.

b. Bougez ! Vivez en ville !

c. La campagne a beaucoup à offrir.

d. Respirez ! Vivez à la campagne !

e. Habitez près de votre travail !

7. Maintenant, relisez les textes de l'exercice 6 et trouvez au moins cinq avantages et cinq inconvénients de vivre en ville ou à la campagne.

8. Jeu en classe: Ping-pong verbal

1. La classe est divisée en deux, ceux qui préfèrent la ville, et ceux qui préfèrent la campagne. Chaque groupe doit préparer des arguments en faveur de leur préférence et contre l'autre.
2. Tous les membres du groupe doivent parler (1 point en moins par personne silencieuse !).
3. Les critères de réussite peuvent être décidés ensemble avant le jeu. Le prof pourrait décider du nombre de points en fonction de la complexité de l'argument.

Par exemple :

- La ville, c'est bruyant. (Un point)
- Je pense que la ville est bruyant. (Deux points)
- La campagne est peut-être trop tranquille mais je pense que la ville, elle, est trop bruyante. (3 points)
- Je ne suis pas du tout d'accord avec cet argument ! La campagne est peut-être trop tranquille, comme tu le dis, mais la ville, elle, est beaucoup trop bruyante ! C'est l'enfer ! (100 points !)

9. Écrivez un commentaire pour le blog de Nadine pour l'aider à choisir entre la ville ou la campagne.

AIDE

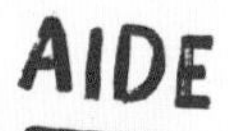

Comparez ce paragraphe avec celui que vous avez écrit dans l'exercice 4.

10. Choisissez l'un des sujets suivants et écrivez 75 mots environ. Attention à bien réfléchir à ce qui est demandé.

a. « Vos parents viennent de vous annoncer que vous allez tous déménager à la campagne, dans une maison assez isolée. Exprimez vos sentiments à ce sujet dans votre journal intime. »

b. « Moi, je pense que la ville n'a aucun avantage ! La pollution, la violence, le bruit ! Il faut être fou pour vivre en ville ! »

AIDE

Pour vous aider :

- Je vais devoir dire au revoir à mes copains.
- Ils vont me manquer.
- Ce n'est pas juste !
- Il est vrai que …
- Il est vrai qu'on respire mieux à la campagne mais …
- C'est loin de tout.
- Ça bouge.

11. Travaillez à deux et répondez à ces questions.

a. Où habitez-vous exactement ? En ville ? À la campagne ? En banlieue ?
b. Que pensez-vous de votre quartier ?
c. Qu'est-ce qu'on peut faire dans votre quartier ?
d. Qu'est-ce qu'il y a à faire pour les jeunes ?
e. Si vous aviez le choix, préféreriez-vous vivre à la campagne ou en ville ?
f. Quels sont, d'après vous, les avantages et les inconvénients de vivre à la campagne ? En ville ?

AIDE

Attention : C'est quel temps ?
« Si j'avais le choix, je pense que je préférerais … »

12. Allez – Un peu de grammaire ! Lisez ce poème de Georges Perec et mettez les verbes à la première personne du singulier à l'imparfait. →

AIDE

Déménager → je déménageais.
Il n'y a qu'un seul verbe irrégulier à l'imparfait : être → j'étais.
Voir *Grammaire* page 153 pour une explication de l'imparfait.

Déménager

Quitter un appartement. Vider les lieux.
Décamper. Faire place nette. Débarrasser le plancher.
Inventorier, ranger, classer, trier.
Éliminer, jeter, fourguer [flog].
Casser.
Brûler.
Descendre, desceller, déclouer, décoller, dévisser, décrocher.
Débrancher, détacher, couper, tirer, démonter, plier, couper.
Rouler.
Empaqueter, emballer, sangler [strap up], nouer, empiler, rassembler, entasser, ficeler, envelopper, protéger, recouvrir, entourer, serrer.
Enlever, porter, soulever.
Balayer.
Fermer.
Partir.

Georges Perec

13. Pouvez-vous faire un poème de ce style, en utilisant des verbes à l'infinitif ? Voilà quelques titres potentiels pour vous inspirer !

- Passer une bonne journée
- Aller à l'école
- Se lever
- Marcher dans mon quartier
- Partir

14. Avant de lire le texte littéraire ci-contre faites correspondre les mots et expressions suivants avec leur traduction.

a. Mais en dehors de	**i.** Stripes
b. Mes habits	**ii.** My make-up
c. Mon maquillage	**iii.** Not only … but also
d. Il y a déjà longtemps que	**iv.** My clothes
e. Les murs	**v.** Who knows?
f. Du bois	**vi.** The walls
g. Écarquiller les yeux	**vii.** To open one's eyes wide
h. Non seulement … mais en plus	**viii.** Made of wood
i. Les rayures	**ix.** For a long time (now)
j. Qui sait ?	**x.** But beside

15. Lisez ce texte et répondez aux questions qui suivent.

1. Elle note sur la première page « Nouvelle VIE » ... puis l'arrache délicatement pour écrire, cette fois : « My new life, by Karine ». En anglais, ça fait mieux. Elle sourit. Réfléchit. J'ai un appartement, **mais en dehors** de mes habits, de mes chaussures et de **mon maquillage**, je n'ai rien à moi. Elle attrape un catalogue posé sur le bureau. **Il y a déjà longtemps qu'**elle a commencé à entourer ce qui l'intéresse. Elle imagine déjà le résultat. **Les murs** seront clairs. Elle veut du **bois**, des meubles simples mais qui donnent un sentiment de confort et de nature, si c'est possible. Oui, de nature. Du bois, du vert, du bleu. Ils ont tout ça, c'est merveilleux. **Elle écarquille les yeux** à chaque page. Son rêve prend forme, petit à petit. **Non seulement** elle a un chez elle bien à elle, **mais en plus**, il va lui ressembler. Elle aime tous les verts. Ils en ont. Tous les bleus. Ils en ont aussi.
2. Paul a dit un jour, au téléphone : « Avec du bleu, je suis radieux ». Radieux, oui c'est vrai, souvent il rayonne. Paul a toujours l'air ensoleillé ... même sous la pluie. Elle aime aussi sa façon de dire qui il est, par petites touches de peinture. Elle connaissait son goût pour le rock. Elle y a donc ajouté le goût pour le bleu, **les rayures**, le jaune et le blanc des œufs au plat, le rouge aux joues comme une tomate, le vert des arbres qui lui manqueraient s'il quittait la Bretagne (mais **qui sait ?** Peut-être serait-il capable de faire l'effort de vivre à Paris si c'était pour découvrir avec « quelqu'un » le bleu nuit du ciel, le blanc argenté des étoiles ou le vert tendre des feuilles de marronnier). Alors ok, elle sera radieuse, elle aussi.
3. Progressivement, Karine fait sa liste et imagine chaque pièce. Cuisine, salon-salle à manger, chambre, salle de bain.

   Pour la cuisine : **table** pliante, **2 tabourets**, **2 assiettes, 2 verres, 2 couteaux**, **2 fourchettes**, **2 cuillères à café**, **2 cuillères à soupe**, **1 casserole**, **1 poêle**.

   Pour le séjour : **canapé-lit**, **fauteuil**, **table** basse, **étagères**.

   Pour la chambre : **lit 2 places**, **matelas**, **couette**, **housse de couette**, **2 oreillers**, **2 taies d'oreiller**, **table de chevet**, **bureau**, **chaise**.

   Pour la salle de bain : **2 serviettes de bain**, **2 gants de toilette**, **tapis de bain**, **rideau de douche**, **miroir**, **armoire de salle de bain**.

   Partout : **lampes, ampoules**, peinture blanche, peinture bleue.

   Autres : **rideaux**.
4. La liste s'allonge. Il va falloir calculer le prix de tout ça. Et puis aïe ! Elle a oublié l'entrée. Il faudrait quelque chose dans l'entrée : de quoi ranger ses chaussures, son manteau, son parapluie et de quoi se regarder avant de partir. Elle ajoute : meuble à chaussures, portemanteau, porte-parapluie, miroir. Est-ce que j'aurai assez d'argent pour tout ça ? Karine a des doutes.

Kidi Bebey,
Enfin chez moi, édition Didier

a. Trouvez deux détails qui indiquent la façon dont Karine envisage son appartement. (Section 1)

b. Citez la phrase qui montre que Paul est toujours de bonne humeur. (Section 2)

c. Trouvez dans la deuxième section un verbe au futur simple.

d. i. Combien de pièces y-a-t-il dans l'appartement de Karine ? (Section 3)

ii. De quelles couleurs va-t-elle peindre son appartement ? (Section 3)

e. Qu'est-ce qui préoccupe Karine ? (Section 4)

f. Karine seems to be excited to move into her new flat. Do you agree? Refer to the text in support of your answer. (Two points, about 50 words in total.)

16. Maintenant, à l'aide d'un dictionnaire, trouvez si les mots en caractère gras dans la section 3 sont masculin (un) ou féminin (une) puis traduisez les.

17. Imaginez une nouvelle ville …

a. En groupe de trois ou quatre, imaginez un quartier pour une nouvelle ville. Chaque quartier aura un thème original (quartier des sports, quartier écologie, quartier de la musique, quartier bleu, quartier gastronomique …).

b. Chaque groupe dessine sur une feuille son quartier et écrit une présentation.

c. Chaque groupe présente son quartier au reste de la classe.

d. Chaque équipe vote pour son quartier préféré. L'équipe qui a le plus de votes, gagne.

Exemple: Notre quartier est dédié au sport. Il y a des pistes cyclables et des terrains de tennis. Le parc a des tables pour jouer aux échecs et au ping-pong. On ne peut se déplacer qu'à pied, en vélo ou en roller. Les voitures sont interdites. Il y a une maison des jeunes où on peut aller à la gym, faire du yoga ou danser.

(Idée originale : La grammaire en jeux, edition FLE PUG par Y.Patitmengin, C. Fafa)

GRAMMAIRE

L'imparfait

The imperfect is a past tense which is used to describe what something was like, what used to happen, what happened frequently, or what someone was doing in the past.
e.g. *Il portait toujours un pull bleu quand il était en deuxième année.*
He always used to wear a blue pullover when he was in the second year.
Je jouais dans le jardin quand la cloche a sonné.
I was playing in the garden when the bell rang.

To create the imperfect, take the *nous* form of the present tense, drop the ending **-ons** and add the endings in bold below to the verb stem (***nous jouons*** ⟶ ***jou-***).

*Je jou**ais***	*Nous jou**ions***
*Tu jou**ais***	*Vous jou**iez***
*Il / elle / on jou**ait***	*Ils / elles jou**aient***

Don't forget the **i** in the endings **-ions** and **-iez**; otherwise it's the present tense!

There is only one irregular verb, ***être***.

J'étais	*Nous étions*
Tu étais	*Vous étiez*
Il / elle / on était	*Ils / elles étaient*

1. Complétez le tableau suivant.

Verbe	Radical	Imparfait	Traduction
Repasser	Nous repassons ⟶ repass-	Je repassais	*I ironed / I was ironing*
Avoir	Nous avons ⟶ av-	J' ___	___
Faire	Nous faisons ⟶ fais-	Tu ___	___
Partir	Nous partons ⟶ part-	Il ___	___
Mettre	Nous mettons ⟶ mett-	Elle ___	___
Entrer	Nous entrons ⟶ entr-	On ___	___
Aller	Nous allons ⟶ all-	Nous ___	___
Rester	Nous restons ⟶ rest-	Vous ___	___
Vendre	Nous vendons ⟶ vend-	Ils ___	___
Jouer	Nous jouons ⟶ jou-	Elles ___	___

2. Écrivez ces phrases à l'imparfait.

a. Il fait beau.
b. C'est une ville fantastique.
c. Je prends le bus.
d. J'écoute de la musique et je me détends en lisant un livre.
e. Il n'y a pas de parc.
f. Nous allons au collège en bus.
g. Je suis habitué au bruit de la ville.
h. Il fait les magasins au centre-ville.

3. Écrivez les verbes entre parenthèses à l'imparfait.

a. Quand j'________ (avoir) dix ans, j'________ (aimer) la musique classique.
b. Autrefois j'________ (adorer) vivre à la campagne car je ________ (pouvoir) respirer l'air pur.
c. Quand j'________ (être) petit, je ________ (faire) beaucoup de jardinage avec mon père.
d. Quand j'________ (habiter) à Dublin, je ________ (sortir) beaucoup.
e. Quand mon père ________ (être) en primaire, il ________ (vouloir) devenir vétérinaire.
f. Quand je ________ (vivre) à la campagne, ma vie ________ (être) plus saine.
g. Je ________ (détester) vivre en ville car il y ________ (avoir) trop de bruit.
h. Quand je ________ (partir) chez mes grands-parents, j'________ (apprécier) le grand air.

4. Traduisez les phrases suivantes.

a. When I was little, I used to live in the countryside.
b. I used to hate the countryside because of the smell.
c. When I was on holiday, I used to go to the beach every day.
d. My brother used to read a lot, but now he doesn't read as much [autant].
e. My best friend was called Paul. He was nice.
f. What was your town like forty years ago?
g. We used to take care of the garden together.
h. Teenagers used to play outside [*dehors*].

Bilan du chapitre 10

On révise le vocabulaire

1. Traduisez les mots suivants.
   - a. Bruyant
   - b. Sale
   - c. Isolé
   - d. Pittoresque
   - e. Verdoyant
   - f. To be depressed
   - g. Public transport
   - h. To move in
   - i. To move out
   - j. The walls

2. Traduisez les phrases suivantes.
   - a. Vivre à la campagne **serait mon pire cauchemar**.
   - b. **J'ai de la chance de** vivre à la campagne.
   - c. **Je vais devoir** dire au revoir à mes copains.
   - d. **Il est vrai que** vivre en ville peut poser des problèmes.
   - e. **Non seulement** la circulation est horrible **mais en plus** le bruit est infernal.

3. Maintenant, utilisez les structures en caractères gras ci-dessus pour créer vos propres phrases.

4. Traduisez le sens général des expressions suivantes.
   - a. Il faut briser le silence.
   - b. C'est loin de tout.
   - c. On a tout sous la main.
   - d. Qui sait ?
   - e. C'est une ville qui bouge.
   - f. C'est mort ici.

On révise la grammaire

5. Transformez ces phrases à l'imparfait.
   - a. Je préfère la ville à la campagne.
   - b. C'est une question d'habitude.
   - c. Il fait beau.
   - d. Il n'y a pas de transports en commun.
   - e. Je ne supporte pas le bruit de la ville.

Chapitre 11

Les problèmes urbains

À la fin de la leçon on pourra :

- parler des problémes dans sa ville
- parler des solutions
- s'exprimer au conditionnel présent.

Les problèmes urbains

On s'échauffe !

1. Cherchez un maximum de mots liés aux problèmes urbains.

Les problèmes urbains
- La délinquance
- Le bruit
- Les SDF

AIDE

Ces sujets seront développés dans les unités à venir. Ils sont aussi utiles pour l'oral. Quand vous parlez de votre ville, de votre quartier, vous pouvez introduire des sujets plus « abstraits » et plus difficiles à discuter.

2. Faites correspondre les titres avec les textes qui correspondent à certaines causes des problèmes dans les villes et les banlieues défavorisées françaises.

a. Les stupéfiants	**i.** Il n'y a rien à faire pour les jeunes ! C'est mort ici ! Pas de terrains de sport, pas de clubs de jeunes, même pas de magasins ! C'est la zone.
b. La précarité	**ii.** Je vois souvent des jeunes qui font du trafic. Ils revendent des drogues pour se faire de l'argent.
c. La pollution sonore	**iii.** Il y a beaucoup de gens qui n'ont pas de travail dans ma ville et quand tu fais des études, il n'y a aucun débouché.
d. Les SDF	**iv.** On n'est jamais sûr de ce que l'avenir nous réserve ! Mais surtout, on n'est pas sûr de garder son emploi. Il y a beaucoup de contrats de travail très courts, mais pas beaucoup de CDI, contrats à durée indéterminée. Avec ce genre de contrat, tu as la sécurité de l'emploi.
e. La délinquance	**v.** Dans certains quartiers de la banlieue parisienne par exemple, il est très dangereux d'y aller seul. Il y a beaucoup de violence et de criminalité.
f. La circulation	**vi.** Il y a tellement de bruit dans ma ville qu'on ne s'entend plus penser ! Entre les voitures, les bouchons et la sortie des bars, ça devient vraiment invivable pour les riverains.
g. Le chômage	**vii.** Beaucoup de gens vivent dans la rue et font la manche pour gagner un peu d'argent pour manger. Les sans-abris sont à chaque coin de rue.
h. Les déchets	**viii.** Pour aller travailler le matin, il faut une heure à cause des bouchons. La circulation est terrible !
i. Le logement	**ix.** Il n'est pas rare de voir des détritus par terre dans ma ville. Les gens n'ont aucun respect ! Ils ne jettent pas les déchets dans les poubelles et, à cause de ça, nos rues deviennent des poubelles !
j. Le manque d'infrastructures	**x.** Il n'y a pas assez de logements décents pour tout le monde. Des familles entières doivent partager des petites maisons, des appartements ou même vivre à l'hôtel ! Tout le monde n'a pas les moyens de s'acheter une maison. C'est un vrai problème.

3. Classez ces problèmes par ordre d'importance pour les villes irlandaises. Quel est le problème le plus important selon vous ? Partagez avec votre classe.

AIDE

Trouvez les phrases qui correspondent le mieux à votre ville, adaptez les puis apprenez les par cœur pour l'oral et pour l'écrit.

4. Reliez le début de ces phrases avec la fin. Relisez les textes ci dessus pour vous aider

a. En Irlande, il y a des banlieues difficiles …	**i.** … de forces de l'ordre.
b. Dans certains quartiers, il n'y a pas assez …	**ii.** … où je n'aimerais pas vivre.
c. Dans mon quartier, il y a beaucoup de jeunes …	**iii.** … qui a un effet néfaste sur la jeunesse.
d. La violence des jeunes est dûe à la télévision …	**iv.** … qui traînent dans les rues.

5. Écoutez maintenant les témoignages de quatre personnes qui parlent des problèmes dans leurs villes et répondez aux questions qui suivent.

Rachid, 16 ans

a. Where does Rachid live?
b. How do most of the young people spend their time?
c. What do some of these young people steal? (Two examples)
d. Rachid has given up school. True or false?

Bernard, retraité

e. Where does Bernard live?
f. What did his neighbour discover when they came back from holiday?
g. How did the robbers get into the house?
h. What does he do now when he leaves the house?

Annie, 31 ans

i. Where does Annie live?
j. Annie used to love her area. True or false?
k. What can't she stand any more?
l. What's her dream?

Fatima, 45 ans

m. How does Fatima describe her town?
n What does she do every weekend with a group of people?
o. How many bags do they fill per weekend?
p. What does she say at the end that we should try to do?

6. Trouvez les mots et expressions suivants dans la transcription page 425 de l'exercice 5.

a. There's nothing to do
b. We have a great laugh
c. It intimidates people
d. My friends gave up school
e. Burglary
f. I can't stand all the noise
g. They fight
h. The residents
i. I don't have enough money
j. To change mentalities

Des solutions

On s'échauffe !

7. En utilisant les structures ci-dessous, complétez les phrases suivantes. À quels problèmes correspondent ces solutions ? Pouvez-vous en trouvez d'autres ?

On devrait **Il faudrait** **Il faut** **Le gouvernement doit** **Il est important de / d'**

_____________ rénover les bâtiments et construire des espaces verts, des parcs et des centres sportifs pour que les jeunes puissent s'amuser et arrêter de traîner dans la rue à ne rien faire.

_____________ faire plus de prévention dans les écoles sur les dangers de la drogue.

_____________ aider les jeunes à trouver la bonne formation pour pouvoir être compétitif dans le marché de l'emploi.

_____________ interdire les voitures dans les centres-villes pendant les heures de pointe ou bien construire plus de pistes cyclables.

_____________ multiplier les amendes pour les gens qui jettent les déchets par terre.

8. Écrivez un paragraphe qui répond à la question suivante de l'exercice 5.

Quels sont les problèmes les plus importants dans votre ville et quelles sont les solutions possibles ?

AIDE

Choisissez des phrases ou des structures des exercices 2 et 4 ainsi qu'une solution de l'exercice 7. Adaptez-les pour votre paragraphe. Gardez-le car vous pourrez l'améliorer plus tard dans ce chapitre.

9. Regardez la campagne de prévention « Ne fermez plus les yeux : ma ville plus propre, ma ville plus belle » sur YouTube et cochez les déchets que vous avez vus.

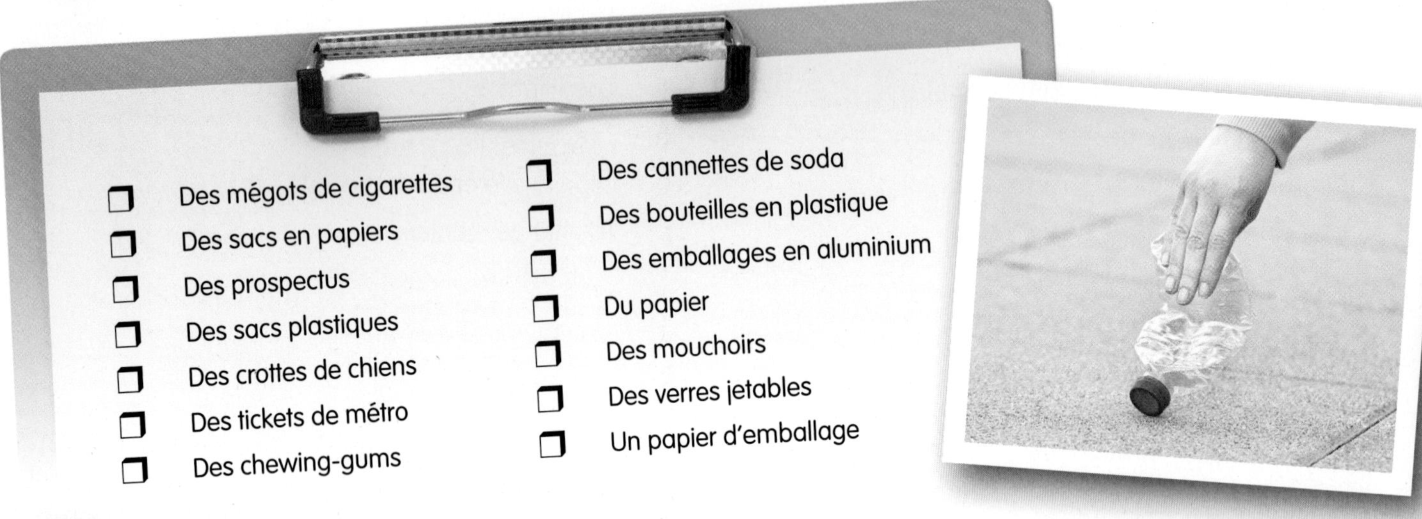

- ❒ Des mégots de cigarettes
- ❒ Des sacs en papiers
- ❒ Des prospectus
- ❒ Des sacs plastiques
- ❒ Des crottes de chiens
- ❒ Des tickets de métro
- ❒ Des chewing-gums
- ❒ Des cannettes de soda
- ❒ Des bouteilles en plastique
- ❒ Des emballages en aluminium
- ❒ Du papier
- ❒ Des mouchoirs
- ❒ Des verres jetables
- ❒ Un papier d'emballage

10. Votre ville est-elle aussi sale ? Que pensez-vous de cette campagne de prévention ? Est-elle efficace selon vous ? Partagez vos opinions avec la classe.

11. Avant de lire le texte de l'exercice 12, faites correspondre les mots avec leurs définitions.

a. Une amende	**i.** Des attitudes ou des actions qui manquent de civilité, de politesse
b. Des incivilités	**ii.** Se battre pour que les villes soient propres
c. Un contrevenant	**iii.** Une personne qui n'a pas respectée le règlement
d. Verbaliser quelqu'un	**iv.** Par manque d'argent
e. Lutter pour la propreté	**v.** Dès maintenant / désormais
f. Qui lui colle à la peau	**vi.** Une image de ville sale dont elle n'arrive pas à se débarrasser
g. S'il vous prenait l'envie de	**vii.** Une somme d'argent à payer en cas d'infraction à la loi
h. Payer le prix fort	**viii.** Payer au-dessus du prix / trop payer
i. Franchir le pas	**ix.** Se décider à faire quelque chose après beaucoup d'hésitations
j. Faute de moyens	**x.** Si tout à coup vous aviez envie de
k. Prendre quelqu'un en flagrant délit	**xi.** Surprendre quelqu'un alors qu'il est en train de commettre une infraction
l. D'ores et déjà (prononcez dorzédéja)	**xii.** Les ordures jetées illégalement dans la nature
m. Les dépôts sauvages d'ordures	**xiii.** Donner une amende à quelqu'un

12. Lisez ce texte et répondez aux questions qui suivent.

Des amendes pour des rues plus propres à Annemasse

Depuis le 1er janvier, Annemasse a mis en place une brigade ***incivilités****-propreté. Elle aura pour mission de rappeler les règles mais aussi de sanctionner les* ***contrevenants*** *en les verbalisant.*

1. Après la prévention, place à la répression ! C'est une étape supplémentaire que vient de franchir la commune dans sa **lutte pour la propreté**. Ayant cette image de ville sale **qui lui colle à la peau**, Annemasse s'est dotée depuis le 1er janvier dernier d'une brigade incivilités-propreté (le nom reste encore à définir).

   Alors oui, s'il vous **prenait l'envie de** jeter votre mégot de cigarette par terre, le papier d'emballage du gâteau que vous venez de manger, de ne pas ramasser les déjections de votre chien ou encore de déposer un vieux meuble sur le trottoir, vous **paierez désormais le prix fort**. Bien que le cadre législatif existe et qu'il soit plutôt sévère en la matière, peu de villes en France **franchissent le pas, faute de moyens**.

2. Au nombre de quatre, ces agents de la brigade travailleront par binôme sur le terrain et seront appuyés, si besoin, par la police municipale. Il s'agira notamment de **prendre les gens en flagrant délit** et pour cela ces agents pourront s'appuyer sur leur connaissance de la ville et de ses « points noirs » en matière de propreté. « Tout cela est cartographié, ciblé par nos services. Ces incivilités se répètent toujours aux mêmes endroits », rappelle Agnès Cuny, l'adjointe en charge des espaces publics au quotidien. « Ce sont de petites déviances quotidiennes avec toujours les mêmes gens mais qui sont très visibles. »

3. La mairie s'est **d'ores et déjà** fixé des priorités : les **dépôts sauvages d'ordures** pour commencer, puis les déjections canines mais aussi les mégots aux abords des lycées et des terrasses, ou encore le tri des déchets à la fin des marchés de la ville.

   Bientôt assermentée, cette brigade pourra **verbaliser** immédiatement, en établissant un procès-verbal électronique (PVE) ou un procès-verbal blanc sur papier, dans les cas plus complexes, qui sera ensuite transmis au commissariat. Ces agents auront aussi pour mission d'enquêter sur des dépôts sauvages et ainsi de remonter aux propriétaires.

   Christian Dupessey, le maire, se laisse 6 mois pour dresser un premier bilan de cette brigade, avec un objectif en tête : donner à Annemasse l'image d'une ville propre.

Adapté d'un article par Julia Chevet dans *L'Essor Savoyard*, le 17 janvier 2018

a. **i.** Trouvez l'expression qui indique que la ville d'Annemasse est toujours vue comme une ville sale. (Section 1)

ii. Dans la première section nommez deux choses que les gens jettent dans la ville d'Annemasse.

iii. Trouvez un verbe pronominal au passé composé dans la section 1.

b. Citez les mots qui indiquent pourquoi certaines villes n'appliquent pas la loi déjà existante sur ce genre d'infractions ? (Section 1)

c. **i.** De combien de personnes ces brigades seront-elles constituées ? (Section 2)

ii. Qui pourra aider ces brigades ? (Section 2)

d. Que remarque Agnès Cuny par rapport …

i. … aux lieux où les gens jettent les déchets ? (Section 2):

ii. … aux gens qui jettent ces déchets ? (Section 2)

e. **i.** Trouvez une priorité pour la mairie. (Section 3)

ii. Où trouve-t-on le plus de mégots de cigarettes ? (Section 3)

f. The town of Annemasse is doing as much as possible to change its image of being a town full of litter. Do you agree?

13. Lisez ces messages sur Twitter et répondez aux questions qui suivent.

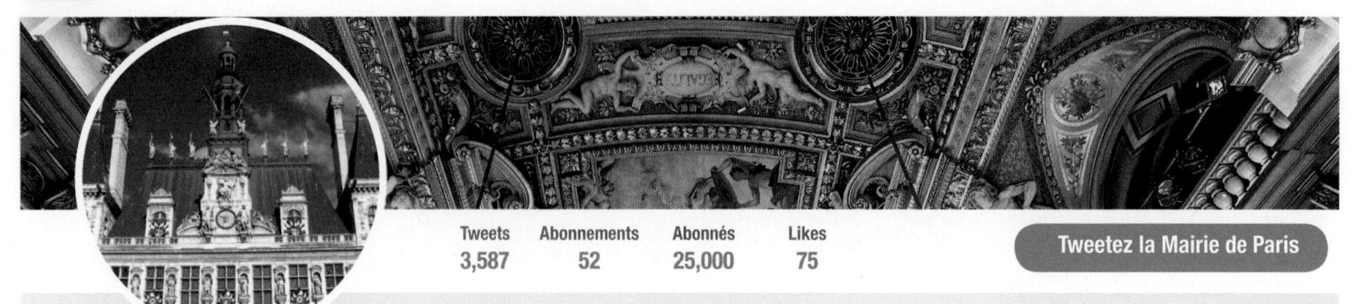

Tweets 3,587 | Abonnements 52 | Abonnés 25,000 | Likes 75

Tweetez la Mairie de Paris

Mairie de Paris
@mairie_de_paris

16 photos

Tweets | **Tweets et réponses** | **Média**

Mairie de Paris @mairie_de_paris • 14h
En matière de lutte contre la #pollution, 2050 a déjà commencé à #Paris. Voici quelques-unes des mesures prévues dans notre #PlanClimat pour changer de braquet dans l'amélioration de la qualité de l'#Air. #ConseilDeParis #Mobilité

Nouveau Plan Climat Air Énergie de Paris
https://www.paris.fr/actualites/nouveau-plan-climat-500-mesures-pour-la-ville-de-paris-5252

- Rendre accessible au public des espaces de respiration d'ici 2024 dans tous les arrondissements et au moins 300 îlots de parcours fraîcheur à Paris d'ici 2030
- Objectif sortie des véhicules diesel en 2024 et des véhicules essence en 2030
- Une ville 100% cyclable en 2020
- Disposer de transports en commun propres d'ici 2025

Marc Novice @mnovice • 2h
"Des espaces de respiration", des parcs quoi ! Et vous allez les construire où ces parcs ? Il n'y a plus d'espace à Paris ! Pensez plutôt à empêcher la circulation des poids lourds dans les centre-villes !

Sophie Gonzales @sophieg • 2h
Avant d'éliminer les voitures à essence, il faudrait améliorer les voitures électriques et les bornes pour les recharger ! Multipliez plutôt les Autolib' !

Marie Kasparov @mariek • 3h
Il faudrait que tous les transports en commun soient gratuits ou alors qu'on baisse le prix du Vélib' ! Ça encouragerait les gens à prendre le vélo plutôt que la voiture !

Richard Martin @richard_martin • 3h
Ça suffit ! Entre la limitation de vitesse en ville, la circulation alternée, les vélos qui nous envahissent, vous rendez la conduite à Paris infernale !

Samuel Jamet @samjam • 3h
Le recul de la voiture dans les villes au profit d'autres modes de déplacement n'est pas une question idéologique ou politique. C'est un impératif de #santé publique. Investissons MAINTENANT dans l'aménagement des pistes cyclables !

Fabien Tibot @fabienvraiment • 4h
Si 150 villes européennes parvenaient à faire en sorte que 25 % des trajets quotidiens se fassent à vélo, plus de 10 000 décès prématurés seraient évités chaque année.

a. Citez deux mesures que fait la mairie de Paris pour réduire la pollution atmosphérique.

b. Qui …

i. … pense que la conduite à Paris est un enfer ?

ii. … pense qu'on devrait interdire les camions en villes ?

iii. … pense que le vélo est la solution aux problèmes de pollution francilienne ?

iv. … pense qu'on ne devrait pas payer les transports en commun ?

v. … pense que l'amélioration des pistes cyclables devraient être une priorité ?

14. Lisez ce Tweet et imaginez qu'il s'agit de votre ville. Écrivez un commentaire sous forme de Tweet.

Mairie de Paris
@mairie_de_paris

Tweetez la Mairie de Paris

Tweets **Tweets et réponses** Média

Mairie de Paris @mairie_de_paris • 2h
Pour lutter contre la #pollution, la préfecture limite la vitesse au centre-ville à 30 km/h et réduit l'abonnement aux locations de vélos pendant un mois #protègetaville #santé #mobilité

15. À deux, répondez aux questions suivantes.

a. Que pensez-vous de votre ville ?

b. Quels problèmes y-a-t-il dans votre ville

c. Que feriez-vous pour améliorer votre ville si vous étiez maire ?

AIDE

Pour la question **c**, utilisez le conditionnel. Vous trouverez les explications du conditionnel page 164. Vous pouvez aussi utiliser les structures suivantes :
Si j'étais maire de ma ville …
… j'améliorerais les pistes cyclables.
… je construirais plus de parcs et d'espaces verts
… je réduirais le prix des transports en commun.

16. « On dit que nos villes irlandaises sont devenues plus agréables, plus belles, plus propres aussi ces dernières années. » Qu'en pensez-vous ?
(75 mots environ)

AIDE

Utilisez et comparez votre paragraphe de l'exercice 8.

GRAMMAIRE

Le conditionnel présent

The present conditional is used to express a wish or make a suggestion, to make a polite request or to refer to an action which depends on another event or situation.

The conditional tense follows exactly the same rules as the future tense, i.e. it uses the same stem as the future tense, but with different endings. The conditional tense and the future tense share the same irregular verbs.

The conditional in English is formed by using 'would' and the verb. In French, the conditional of regular verbs is formed by using the infinitive and adding the following endings (the same endings as the imperfect tense):

*Je joue**rais***	*Nous joue**rions***
*Tu joue**rais***	*Vous joue**riez***
*Il / elle / on joue**rait***	*Ils / elles joue**raient***

Be careful not to forget the **i** for the ***nous*** and ***vous*** forms of the conditional; otherwise it becomes the future tense, e.g.:

Nous jouerons = We will play
Nous jouerions = We would play

As in the formation of the future tense, for regular **-re** verbs drop the final **-e** before adding the ending, e.g.:
vendre ⟶ *vendr-* ⟶ *il vendrait.*

Remember not to drop the **-er** / **-ir** / **-r(e)** or the verb will be in the imperfect tense, e.g.:
Je jouais = I used to play
*Je jou**er**ais* = I would play

For the conditional of irregular verbs, it is important to learn the ***je*** form of the verb stem, as the endings are the same as for regular verbs. Once you have learnt the stem and the endings, you will know the whole verb.

Here is a list of common irregular verbs and the conditional (*je* form, excluding *falloir*):

aller	⟶	*j'irais*	*devoir*	⟶	*je devrais*
avoir	⟶	*j'aurais*	*dire*	⟶	*je dirais*
boire	⟶	*je boirais*	*écrire*	⟶	*j'écrirais*
croire	⟶	*je croirais*	*envoyer*	⟶	*j'enverrais*

être	⟶	*je serais*	*rire*	⟶	*je rirais*
faire	⟶	*je ferais*	*savoir*	⟶	*je saurais*
lire	⟶	*je lirais*	*tenir*	⟶	*je tiendrais*
mettre	⟶	*je mettrais*	*venir*	⟶	*je viendrais*
pouvoir	⟶	*je pourrais*	*voir*	⟶	*je verrais*
prendre	⟶	*je prendrais*	*vouloir*	⟶	*je voudrais*
recevoir	⟶	*je recevrais*			

1. Conjuguez les verbes entre parenthèses au conditionnel présent.

a. Je ne ___________ (pouvoir) pas utiliser les transports en commun toute ma vie !
b. Tu ___________ (devoir) recycler systématiquement.
c. Si j'étais le maire de ma ville je ___________ (mettre) plus de poubelles dans les rues.
d. Est-ce qu'il ___________ (être) possible de vivre sans polluer ?
e. Ne pensez-vous pas qu'on ___________ (pouvoir) faire quelque chose ?
f. Je ___________ (vouloir) réduire ma consommation d'énergie cette année.
g. Il ___________ (aimer) faire plus pour l'environnement.
h. Si vous refusiez les emballages, ce ___________ (être) plus facile de recycler.
i. Je ___________ (être) ravi de faire partie d'un groupe pour nettoyer ma ville.

2. Un peu de poésie ! Complétez ces phrases selon votre humeur.

Si j'étais une fleur, je serais une rose.
Si j'étais un animal, je serais …
Si j'étais un moyen de locomotion, …
Si j'étais un objet, …
Si j'étais une couleur, …
Si j'étais un personnage célèbre, …
Si j'étais un vêtement, …
Si j'étais une saison, …
Si j'étais un livre, …
Si j'étais un film, …
Si j'étais une profession, …
Si j'étais un sentiment, …
Si j'étais un instrument de musique, …
Si j'étais un aliment, …
Si j'étais une boisson, …
Si j'étais un pays, …
Si j'étais une ville, …

Bilan du chapitre 11

On révise le vocabulaire

1. Traduisez les mots suivants.
   a. Les SDF
   b. Les bouchons
   c. Traîner dans les rues
   d. Rubbish
   e. Traffic
   f. To fight for
   g. To fight against

2. Traduisez les phrases suivantes.
   a. **Il n'est pas rare de voir** des jeunes traîner dans la rue tard le soir.
   b. **C'est le rôle du gouvernement de** faire quelque chose pour changer cette situation.
   c. **On devrait** faire de la prévention dans les écoles.
   d. **S'il vous prenait l'envie de** jeter quelque chose par terre, vous recevriez une amende.

3. Maintenant utilisez les structures en caractères gras ci-dessus pour créer vos propres phrases.

4. Traduisez le sens général des expressions suivantes.
   a. Je veux que le public ouvre les yeux sur ce grave problème.
   b. Ma ville ? C'est mort.
   c. Il faudrait interdire les voitures dans le centre-ville pendant les heures de pointe.
   d. Si on avait plus de policiers dans les rues, il serait plus facile de prendre les gens en flagrant délit quand ils jettent des déchets par terre.
   e. Ma ville a une image de ville sale qui lui colle à la peau.

On révise la grammaire

5. Transformez les verbes entre parenthèses au conditionnel présent.
   a. On __________ (devoir) tout recycler dans les écoles.
   b. Il __________ (falloir) éduquer les enfants dès leurs plus jeunes âges.
   c. Ma ville __________ (être) plus agréable s'il y avait plus d'espaces verts.
   d. La violence en ville n'__________ (avoir) pas un tel impact si les jeunes ne buvaient pas autant le week-end.
   e. Si j'étais maire de ma ville je __________ (construire) plus de pistes cyclables.

Chapitre 12

Protégeons la planète

À la fin de la leçon on pourra :

- parler du recyclage
- parler de la pollution
- parler de ce que vous faites pour protéger la planète
- comprendre le participe présent
- comprendre la production écrite à l'examen et savoir exprimer son opinion.

Le recyclage

On s'échauffe !

1. Aidez une famille à faire le tri de leurs déchets. Attention – certains produits ne peuvent pas être recyclés !

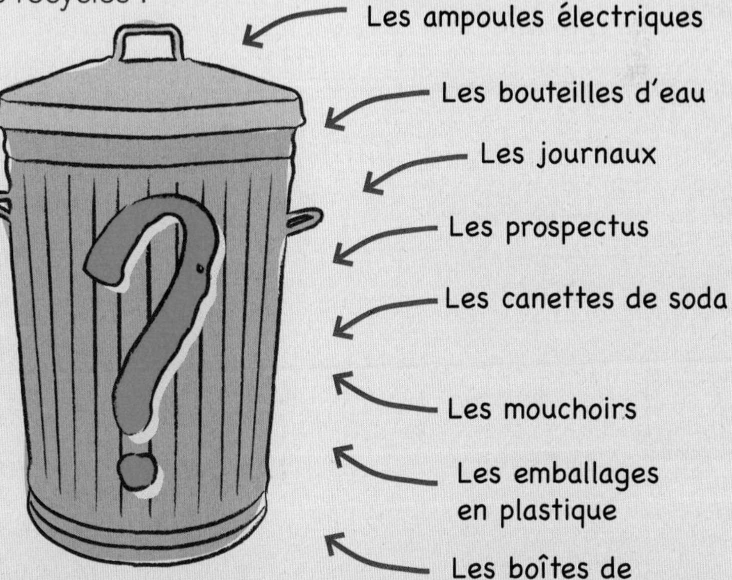

Le verre	Le papier	Le carton	Le plastique	Autre déchets (non-recyclable)

2. Écoutez le témoignage de Béa Johnson, auteure du livre *Zéro déchet*, et répondez aux questions qui suivent.

a. What did Béa do after the baccalaureate?

b. **i.** What did they have to do when they moved to a smaller house?

ii. What did they realise?

c. **i.** Name two things that Béa started doing to reduce the waste.

ii. How many litres does Béa say her rubbish amounted to per week?

d. Name one piece of advice Béa gives to anyone who would like to reduce their residual waste.

3. Trouvez les mots et expressions dans la transcription de l'exercice 2 page 427.

a. A life without waste

b. To reduce

c. We lived better with less stuff

d. I started reducing what I bought

e. To compost

f. I decided to no longer buy plastic bottles

g. Wrapping

h. Re-use

4. Faites un sondage dans votre classe en répondant aux questions suivantes.

a. Est-ce que vous recyclez chez vous ?

b. Que recyclez-vous ?

La pollution et les gestes écologiques

On s'échauffe !

5. Pollution ou solution ? Classez ces mots selon qu'ils décrivent une solution ou une pollution. Pouvez-vous en trouver d'autres ?

Pollution	Solution

→

Les gaz d'échappement · Une poubelle · Le réchauffement climatique · Polluer · La protection de l'habitat · La pollution de l'eau · Une marée noire · Les émissions de CO_2 · Le bruit · Trier le carton, le verre, le papier · Une éolienne · Une énergie renouvelable · L'effet de serre · Le trou de la couche d'ozone · Le covoiturage · Prendre les transports en commun · La circulation · Les déchets ménagers · Le recyclage (du carton / du papier / du plastique / du verre) · Les produits recyclables · Gaspiller l'eau · Les produits jetables

6. Quiz : est-ce que vous êtes un vrai « citoyen de la terre » ?

Êtes-vous écolo ? Éteindre la lumière, trier les déchets, prendre le bus plutôt que la voiture … Cela vous arrive d'y penser ? C'est une habitude ? Une perte de temps ? Testez votre « éco-citoyenneté » avec ce quiz !

Quiz

Votre douche le matin dure … :

a. Aussi longtemps qu'il faut pour vous réveiller.
b. Juste le temps de vous savonner et de vous rincer.
c. Rien du tout, vous ne prenez que des bains.

Vous allez faire une course à 300 mètres de chez vous.

a. Vous prenez la voiture, ça va plus vite.
b. Vous y allez à pied, il ne faut pas abuser.
c. Vous vous faites livrer, c'est tellement plus pratique !

Arrivé au magasin, vous avez oublié votre panier ou votre cabas.

a. Ce n'est pas grave ! Vous achetez des sacs plastiques.
b. Vous achetez un cabas à un euro que vous laissez dans la voiture.
c. Cabas ? Quel cabas ? Est-ce que j'ai une tête à utiliser un cabas !

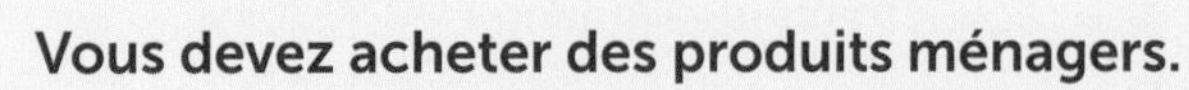

Vous devez acheter des produits ménagers.

a. Vous achetez le produit vaisselle que vous avez vu dans la pub à la télé.
b. Vous achetez le produit vert, c'est plus cher mais vous avez bonne conscience !
c. C'est quoi, les produits verts ?

La bouteille de lave-vaisselle en plastique est finie.

a. Vous la mettez dans la poubelle avec tous les produits à recycler.
b. Vous n'achetez pas le lave-vaisselle en bouteille !
c. Vous la mettez dans la poubelle. Simple, non ?

C'est le matin, vous vous brossez les dents.

a. Vous ne laissez pas couler l'eau du robinet.
b. Vous utilisez un dentifrice écologique et vous ne laissez pas couler l'eau.
c. Vous vous brossez les dents, l'eau coule, trop endormi pour l'éteindre !

Quand vous sortez d'une pièce où il n'y a plus personne :

a. Vous n'éteignez pas, vous allez y retourner bientôt !
b. Vous éteignez les lumières systématiquement, ce n'est pas le 14 juillet !
c. Vos parents éteindront pour vous.

Pour aller au lycée à un kilomètre :

a. Vous prenez le bus.
b. Vous y allez à pied ou en vélo.
c. Vous y allez en voiture.

Le soir avant d'aller vous coucher :

a. Votre télé, ordinateur et chaîne hifi sont en veille.
b. Vous pensez à éteindre complètement votre équipement électrique.
c. Vous laissez votre portable allumé toute la nuit à côté de votre lit.

Vous avez fini votre plat à emporter, il n'y a pas de poubelle dans la rue.

a. Vous jetez les déchets par terre, pour une fois ! Ça ne va pas tuer la planète !
b. Vous gardez les déchets dans la main et quand vous trouverez une poubelle, vous les jetterez.
c. Vous jetez tout toujours par terre, ce n'est pas votre problème, il y a des gens payés pour ramasser tout ça !

Résultat :

Plus de « a » : Pas facile de changer ses mauvaises habitudes de consommateur, mais vous essayez. À chaque nouvelle déclaration alarmiste des scientifiques, vous prenez de bonnes résolutions. Éteindre la lumière avant de partir de chez vous est presque devenu une habitude. Vous avez encore du mal à éteindre l'écran de votre ordinateur et de la télé, mais vous essayez d'y penser ! Vous optez encore pour le confort de votre voiture, mais vous êtes sur la bonne voie !

Plus de « b » : Pas besoin de prêcher un converti à l'éco-responsabilité ! Pour vous, la lutte contre le réchauffement climatique doit commencer à la maison, chaque jour. Éteindre la lumière dans les pièces inoccupées est devenu un réflexe. Vous préférez la marche, le vélo ou les transports collectifs quand vous pouvez éviter de prendre votre voiture (en plus, c'est bon pour la forme), et vous êtes devenu un vrai pro du tri sélectif. Il ne reste plus qu'à convaincre vos amis !

Plus de « c » : Le réchauffement climatique ça vous dit bien quelque chose, mais pas question de changer votre mode de vie ! L'électroménager et la voiture, ça sert à simplifier la vie, non ? Alors pourquoi s'en priver. Vous ne pensez qu'à vous et le reste de la planète ne vous intéresse pas du tout ! Vous ? Écolo ? Jamais !

7. Regardez cette liste. Quelles cinq solutions entendez-vous ?

- **a.** Je mets mon bureau près de la fenêtre pour utiliser la lumière du jour au maximum.
- **b.** Je choisis bien mon éclairage en utilisant des lampes à basse consommation.
- **c.** Je prends le réflexe d'éteindre la lumière.
- **d.** Je coupe la veille des appareils électriques.
- **e.** Je baisse la température du chauffage.
- **f.** J'évite d'utiliser les produits jetables.
- **g.** Je trie mes déchets.
- **h.** Je bois l'eau du robinet.
- **i.** J'économise l'eau en utilisant le lave-vaisselle une fois par jour seulement.
- **j.** Je ne laisse pas l'eau couler quand je me brosse les dents.

8. Pouvez-vous rajouter quelques idées à cette liste ?

9. Travaillez à deux. Répondez à ces questions en utilisant les structures proposées. Celui ou celle qui écoute devra juger si les critères sont atteints en cochant les cases dans la liste qui suit.

a. Que pourriez-vous faire pour réduire vos déchets ménagers ?

b. Que pourriez-vous faire pour aider la protection de l'environnement ?

Les critères

❐ Utilisez le conditionnel :
- Je pourrais …
- Je devrais …
- Il faudrait [+ infinitif]

❐ Utilisez des structures complexes :
- Il est vrai que je pourrais …
- Il me serait facile de [+ infinitif]
- Ce que je pourrais faire, c'est …
- Ce qui réduirait ma consommation d'énérgie ce serait de [+ infinitif]

❐ Utilisez le participe présent :
- En réduisant mes déchets, je pourrais …
- En éteignant la lumière quand je sors d'une pièce, je …
- En évitant d'utiliser des produits jetables, je …

❐ Utilisez les expressions idiomatiques :
- Il faut y mettre du sien (il faut faire des efforts)
- Il faut mettre les bouchées doubles (il faut aller plus rapidement, accélérer l'action)
- Ce n'est pas la mer à boire (ce n'est pas difficile)

10. Un professeur demande à trois de ses élèves de parler de l'environnement. Écoutez ce qu'ils disent, puis répondez aux questions.

Alain

a. What does he do to avoid wasting energy?

b. Name another thing he does to protect the environment.

c. What scares him the most about the future?

Ludovic

d. Why doesn't he want to take the bus from his village?

e. What solution has he found?

f. Name two advantages of this solution.

Béatrice

g. Name two things she does to protect the environment.

h. What annoys her the most?

i. What should we give these people?

11. Maintenant, trouvez les mots et expressions suivants dans la transcription page 427 de l'exercice ci-dessus.

a. We do our best to
b. It's the little things that count
c. We have to do something; it's our responsibility
d. Car sharing
e. We share the cost
f. We have to react before it's too late
g. It's disgusting

12. Écrivez un paragraphe expliquant ce que vous faites pour protéger l'environnement.

AIDE

Gardez ce paragraphe pour l'oral ! Vous aurez l'occasion de comparer et d'améliorer ce paragraphe plus tard dans ce chapitre.

Le changement climatique et ses solutions

On s'échauffe !

13. Reproduisez le table ci-dessous dans votre cahier, puis classez ces phrases dans la bonne colonne.

Causes	Effets	Solutions

Réduction de gaz à effet de serre · Émission de gaz à effet de serre · Réchauffement climatique · Préservation des écosystèmes · Inondations et sécheresses accrues · Pollution en augmentation · Trafic automobile accru · Développement durable · Événement météorologiques extrêmes · Utilisation intensive des sols · Montée du niveau de la mer · Contrôle de la pollution · Modes de consommation très élevée · Disparition de la vie sauvage · Développement non durable · Coopération internationale · Disparition des écosystèmes

14. Faites correspondre les titres avec les bons textes, puis répondez aux questions qui suivent.

A. Émission de gaz à effet de serre

B. Montée du niveau de la mer

C. D'où vient le changement climatique ?

D. Sécheresse et désertification

E. Événements météorologiques extrêmes

i. Il y a toujours eu des changements climatiques sur terre, et les hommes ont dû s'adapter. Mais, depuis la première et la seconde révolution industrielle, la croissance économique des hommes dépend de l'énergie fossile (charbon, gaz, pétrole). La consommation de ces ressources, associée à la déforestation et à l'agriculture intensive, augmente l'émission de gaz à effet de serre dans l'atmosphère.

ii. Tout comme le cycle du carbone, l'effet de serre est un phénomène naturel : les gaz atmosphériques retiennent la chaleur produite par le rayonnement solaire. Mais il y a aujourd'hui trop de gaz à effet de serre dans l'atmosphère. Le gaz à effets de serre sont dégagés par les usines, la combustion du charbon ou les moteurs de voiture.

iii. Le dérèglement climatique se traduit par une hausse (augmentation) des températures. Cela accélère la désertification des zones arides. Les périodes de sécheresse sont plus longues et plus fréquentes, même en Amérique du Nord et en Europe. De nombreux fleuves, lacs, mers intérieures sont asséchés. De nombreux pays d'Amérique, d'Afrique et du Moyen Orient connaissent des pénuries d'eau potable. Les ressources en eau baissent. Cela diminue également les ressources agricoles, entraînant des famines.

iv. La fonte des glaces des glaciers et de la banquise, ou calotte glaciaire, augmente l'absorption du rayonnement solaire par la terre, et donc sa chaleur. On parle désormais de dérèglement climatique. De plus, la fonte des glaces et des neiges éternelles produit une hausse (élévation) du niveau des mers, qui peut provoquer des inondations. Les petits états insulaires du Pacifique (les îles) risquent de disparaitre. Une grande partie du littoral européen est aussi menacée.

v. Le dérèglement climatique provoque une augmentation des événements climatiques extrêmes, comme les cyclones, typhons, tempêtes, inondations ou tsunamis. On parle parfois de « catastrophes naturelles ». Les victimes de ces événements deviennent des réfugiés climatiques lorsqu'ils sont obligés de quitter leur domicile pour s'installer ailleurs, souvent dans les grandes villes moins menacées.

a. Depuis quand y-a-t-il une augmentation de gaz à effet de serre? (Section 1)

b. Trouvez trois causes de gaz à effet de serre dans la deuxième section.

c. **i.** Quelles sont les conséquences de la sécheresse selon la troisième section ?

ii. Trouvez un participe présent dans la section 3.

d. Que provoque la fonte des glaces ? (Section 4)

e. **i.** Citez trois exemples d'événements climatiques extrêmes. (Section 5)

ii. Qui appelle-t-on les réfugiés climatiques ? (Section 5)

Regardez la section *Grammaire* page 176 pour une explication du participe présent.

15. Écoutez cet extrait qui parle des mesures de prévention au changement climatique et répondez aux questions qui suivent.

a. By what percentage must we reduce greenhouse gas emissions to reverse global warming?

b. What must political powers do to reduce greenhouse gas emissions?

c. **i.** What must each of us do to have a positive impact on climate change?

ii. Name three things we could do to limit global warming.

d. What is said about 'small gestures' at the end of this extract?

16. Maintenant, cherchez le vocabulaire suivant dans la transcription de l'exercice 15 page 428.

a. In order to limit global warming

b. To enforce significant changes

c. It is essential

d. To be committed to reducing

e. To develop renewable energies

f. Sustainable development

g. To assume their responsibilities

h. An impact on our climate

i. To change one's habits

j. Think global, act local

17. Écrivez 75 mots environ sur le sujet suivant.

« Le réchauffement climatique ? Ce n'est pas mon problème ! »
Didier, lycéen, 16 ans

Donnez vos réactions.

AIDE

Utilisez votre paragraphe de l'exercice 12 et améliorez-le. Faites un plan ....

- Dans l'introduction :
  - Commencez en disant si vous êtes d'accord ou non avec cette déclaration.
  - Exposez votre point de vue.
- Trouvez trois ou quatre arguments pour prouver votre point de vue.
- Incluez un paragraphe pour exposer ce que vous faites pour protégez l'environnement.
- Trouvez des solutions.
- Faites une conclusion qui rappelle le sujet.

GRAMMAIRE

Le participe présent

The present participle of the verb (the '-ing' form in English) is formed by taking the ***nous*** form of the present tense, dropping the **-ons** ending and adding **-ant** to the stem, e.g.:
donner ⟶ nous donnons ⟶ donn- ⟶ donnant

There are three exceptions:
avoir ⟶ *ayant* = having
être ⟶ *étant* = being
savoir ⟶ *sachant* = knowing

You might be asked to quote a present participle as part of the grammar question in the reading comprehension. In which case, look for a verb finishing with **-ant**.

The present participle is used to:

- indicate that two actions are going on at the same time ('while' / 'on doing something'), e.g.:
  Je regarde la télé ***en mangeant****.*
  I watch TV while eating.
- say how something is done ('by doing' something), e.g.:
  Vous réussirez les examens ***en révisant*** *régulièrement.*
  You will do well in the exams by revising regularly.
- explain the reason for the cause of something, e.g.:
  Étant *fatigué, je me suis endormi devant la télé.*
  Being tired, I fell asleep in front of the TV.
- replace the relative pronoun (**qui / que**) in a sentence, e.g. :
  Il travaille avec des élèves ***ayant*** *des difficultés scolaires. (qui ont des ...)*
  He works with students who have problems at school.

G Complétez ces phrases en mettant le verbe entre parenthèses au participe présent.

a. On peut protéger la planète ____________ (faire) du recylage.
b. Il ne faut pas se brosser les dents ____________ (laisser) couler l'eau.
c. ____________ (être) conscient des problèmes d'énergie, j'éteins les lumières quand je sors d'une pièce.
d. ____________ (baisser) la température du chauffage, on peut aider à protéger l'environnement.
e. La ville a décidé d'utiliser des bus électriques ____________ (réduire) ainsi la pollution par le bruit.

Bilan du chapitre 12

On révise le vocabulaire

1. Traduisez les mots suivants.
   - a. Réduire les déchets ménagers
   - b. Jeter dans la poubelle
   - c. Composter
   - d. Un emballage
   - e. To waste
   - f. Exhaust fumes
   - g. Renewable energy
   - h. Car sharing

2. Traduisez les phrases suivantes.
   - a. **J'ai décidé de ne plus** acheter de bouteilles plastiques.
   - b. **Je prends le réflexe d**'éteindre la lumière.
   - c. **J'évite d**'utiliser les produits jetables.
   - d. **Ce que je pourrais faire c'est** éteindre la lumière quand je sors d'une pièce.
   - e. **Ce qui réduirait ma consommation d'énergie ce serait de** ne pas laisser les appareils électriques en veille.
   - f. **Pour limiter le réchauffement de la planète, nous devrions** recycler.

3. Maintenant utilisez les structures en caractères gras ci-dessus pour créer vos propres phrases.

4. Traduisez le sens général des expressions suivantes:
   - a. Ce n'est pas grave !
   - b. Il faut y mettre du sien.
   - c. Il faut mettre les bouchées doubles.
   - d. Ce n'est pas la mer à boire.
   - e. Ce sont les petits gestes qui comptent.
   - f. Nous devons prendre nos responsabilités.

On révise la grammaire

5. Complètez les phrases suivantes avec le participe présent, en utilisant les verbes entre parenthèses.
   - a. Nous changerons les choses en __________ (réduire) nos déchets systématiquement.
   - b. Il se douche pendant une heure __________(chanter). Quel gaspillage !
   - c. On pourrait réduire notre consommation d'énergie en __________ (éteindre) la lumière quand on sort d'une pièce.
   - d. En __________ (éviter) d'acheter des produits jetables, on fait un geste pour la planète.
   - e. Elle utilise du maquillage n'__________ (avoir) jamais été testé sur les animaux.

FOCUS EXAMEN

L'expression écrite

L'examen

The written section of the exam is worth **100 marks** (25% of the total).

There are four questions in the written section, each of which has two options: a and b. You must produce three pieces of written work. One has to be (a) OR (b) from Question 1, which is compulsory. You then choose two more, but not from the same section – you have to choose (a) OR (b).

Question 1 is linked to the reading comprehensions. Usually, Q1 (a) will be on a general topic based on the journalistic text and Q1 (b). will be a *récit* where you tell a story about something that happened to you (real or imaginary). Question 1 is worth 40 marks (20 marks for communication and 20 marks for language; see marking scheme on page 454) and you have to write 90 words minimum.

Questions 2, 3 and 4 are worth 30 marks each and you have to write 75 words minimum. Question 2 (a) is usually a diary entry and Q2 (b), letter / email (you can choose a or b). Questions 3 (a or b) and 4 (a or b), are 'opinion pieces' also called by some 'reaction pieces', where you are asked to give your opinion about a topic or your reaction to a statement, a picture, a cartoon or a graph.

For the timing, it's up to you but the recommendation is 30 minutes for Question 1, then 20 minutes each for your chosen questions.

Vocabulaire

Pour donner son avis

Je suis d'accord avec cette déclaration	*I agree with this statement*
Je suis tout à fait / entièrement d'accord avec	*I completely agree with*
Je ne suis pas d'accord avec cette personne	*I don't agree with this person*
Je ne suis pas du tout d'accord avec	*I completely disagree with*
Je suis très surpris(e) / choqué(e) / indigné(e) par cette image / photo / ces statistiques	*I am surprised / shocked by this image /picture / these statistics*
Ce document me fait penser à	*This document makes me think of*

Pour exprimer son opinion

Selon moi À mon avis À mon sens	*In my opinion*
Quant à moi	*As for me*
Pour ma part	*For my part*
Il me semble que	*It seems to me that*

Je considère que	*I believe that*
Je dirais que	*I would say that*
Je soutiens que	*I maintain that*
Il parait que [+ subjunctive]	*It would seem that*
Ce qui me frappe le plus, c'est	*What strikes me particularly is*
En ce qui me concerne	*As far as I am concerned*
Non seulement … mais aussi	*Not only … but also*
D'une part … d'autre part	*On the one hand … on the other*
D'un côté … de l'autre côté	*On the one hand … on the other*
Dans une certaine mesure	*To some extent*
De toute façon	*In any case*
Il y a le revers de la médaille	*There's another side to the question*
C'est une question épineuse	*It's a thorny issue*
Qu'on le veuille ou non	*Whether you like it or not*
Notamment	*In particular*
Nul ne saurait nier que	*No one could deny that*
Par contre	*On the other hand*
Il va de soi que	*It goes without saying that*
Voilà pourquoi	*That's why*

Des mots de liaison

Tout d'abord	*First of all*
D'abord	*First*
Pour commencer	*To start with*
En premier lieu	*First*
En deuxième lieu	*Second*
En plus / de plus	*Besides*
Ensuite	*Next / then*
Donc	*Therefore / thus / so*
En ce qui concerne …	*As far as … is concerned*
En revanche Pourtant Cependant	*However*
Pour conclure	*To conclude*
Pour finir	*To finish*
En conclusion	*In conclusion*
Enfin	*Finally*
Finalement	*Finally*
En fin de compte	*At the end of the day*

Exemple

Voilà un exemple de production écrite pour vous aider à voir le vocabulaire de cette unité et de la section *Focus examen* en contexte.

AIDE

L'exemple ici est très long pour vous montrer le vocabulaire en contexte. Cependant, pour l'examen, n'écrivez pas seulement 75 mots ! Essayez d'en écrire plus de 100.

« En ce qui concerne la protection de l'environnement, c'est aux gouvernements de faire quelque chose, pas moi ! » Ingrid, 17 ans
Qu'en pensez-vous ?

(75 mots environ)

Je ne suis pas du tout d'accord avec cette personne que je trouve irresponsable et égoïste. Au contraire ! Nos petits gestes peuvent entraîner de grandes conséquences sur notre environnement et sa protection. Quand on se promène en Irlande, il n'est pas rare de voir des mégots de cigarettes, des sacs plastiques ou des emballages. Nous en sommes responsables. Pour résoudre ce problème, il y a pourtant des solutions simples.

Tout d'abord, on devrait verbaliser les gens qui jettent leurs déchets par terre. Comme il est difficile de prendre les gens en flagrant délit, il faut avoir plus de policiers dans les rues.

Deuxièmement, il y a des gestes simples que l'on peut faire chez soi, comme trier le papier, le plastique, le verre et le carton. De plus, en prenant les bons réflexes d'éteindre les lumières quand on sort d'une pièce, ou d'éviter de gaspiller l'eau, on peut réduire les effets négatifs sur l'environnement.

Personnellement, je recycle, je ne jette rien par terre et j'ai récemment décidé de ne plus acheter de bouteilles plastiques. Il n'est pas facile de changer ses mauvaises habitudes de consommateur, mais il faut y mettre du sien pour sauver notre planète.

Pour conclure, même s'il n'est pas possible de vivre sans polluer, nous pouvons tous devenir écoresponsables en changeant nos habitudes. Nous devons agir avant qu'il ne soit trop tard.

Évaluation de l'unité 3

La compréhension écrite

Lisez ce texte et répondez aux questions qui suivent.

Nicolas Hulot, le narrateur, et son ami sont face à un vaste étang à nénuphars de l'Okavango situé au nord du Botswana en Afrique.

1. « Qu'est-ce qu'ils sont beaux, ces nénuphars ... leurs corolles ... leurs fleurs blanches ... »
– À ton avis, dans combien de temps les nénuphars auront-ils envahi toute la surface ?
L'ami hésite. Question saugrenue, dit son silence. Je lis dans ses pensées. Comment savoir ? J'ai oublié de lui fournir une donnée essentielle.
– Je t'aide. J'ai lu quelque part que la multiplication végétative de certains nénuphars offrirait une caractéristique particulière. Sa progression pourrait être géométrique. C'est-à-dire que la surface des feuilles doublerait chaque jour. 2, 4, 8, 16 ... D'où une colonisation rapide des surfaces aquatiques. Prenons cette hypothèse pour une certitude. Dans combien de temps auront-ils tout recouvert, selon toi ? Un sacré bout de temps, hein ? C'est ce que tu crois ?

2. Il bafouille. Mon assurance sape ses certitudes. Il commence à soupçonner la réponse évidente, celle à laquelle on ne songe jamais. Il hésite, puis lâche.
– Sans doute. Des semaines, des mois ?
J'ai bien choisi mon interlocuteur. Les maths ne sont pas son point fort.
– Demain.
– Quoi ?
– Demain. Regarde : les nénuphars couvrent déjà la moitié de l'étang. Et puisqu'ils doublent de surface chaque jour, la réponse est : ils auront tout recouvert demain. Il réfléchit quelques secondes. La réponse devient évidente.

3. – Bien sûr. Donc, demain, plus d'étang ?
– Plus d'étang.
Il a du mal à accepter la rigueur des chiffres. Les nénuphars paraissent si petits et fragiles ; comment imaginer qu'ils puissent envahir des centaines de mètres carrés en quelques heures ? L'étang ne mérite pas un tel sort. Il veut seulement vivre et rester lui-même. On aimerait bien le sauver de cette lente asphyxie.
– Demain, plus d'étang devant nous. Plus de temps devant nous.
Ma formule lui fait froncer les sourcils.
– Comment ça, plus de temps ? De quoi tu parles ?

4. Alors des exemples d'envahissement inéluctable me viennent en tête. J'en livre quelques-uns à mon ami. La ville qui gagne sur la campagne. Les déchets qui dégradent les terrains vacants. Les milliers de voitures qui bouchent les autoroutes le vendredi soir dans un sens, le dimanche soir dans l'autre. Les gaz à effet de serre qui surchargent l'atmosphère. Et ainsi de suite. Toutes ces cellules cancéreuses qui envahissent des organismes sains.
Des évidences, certes ; mais auxquelles une partie de nous-même continue de résister. Nous regardons la surface de miroir impeccable, et nous pensons : encore des semaines, voire des mois. Nous regardons l'état de notre planète et nous nous rassurons : encore des décennies, voire des siècles.
Et si tel était le message de ces nénuphars : cet ordre qui vous paraît éternel est éphémère ; tout est fragile, en sursis ? Car demain sera trop tard. C'est aujourd'hui qu'il faut agir.

Adapté du livre *Le Syndrome du Titanic*, Nicolas Hulot, édition Calmann-Lévy

1. a. Que cherche à savoir Nicolas Hulot ?
   i. Ce que pense son ami sur les nénuphars ❑
   ii. Si les nénuphars vont recouvrir l'étang ❑
   iii. Le temps qu'il faudrait pour que les nénuphars recouvrent l'étang ❑
   iv. Si son ami est bon en maths. ❑

   b. Citez le mot qui indique que l'ami de Nicolas Hulot trouve sa question bizarre. (Section 1)
2. D'après Nicolas Hulot, dans combien de temps l'étang sera-t-il recouvert de nénuphars ? (Section 2)
3. a. Trouvez deux adjectifs qui décrivent les nénuphars dans la troisième section.

   b. Relevez un verbe au conditionnel dans la troisième section.
4. À quoi Nicolas Hulot compare la multiplication des nénuphars ? (Deux exemples Section 4)
5. Citez la phrase qui montre que nous pensons avoir du temps pour régler les problèmes de la terre. (Section 4)
6. Nicolas Hulot makes a comparison between waterlilies suffocating a pond and humans suffocating the Earth. Do you think this is a fair comparison? (Make two points, referring to the text in your answers.)

L'écrit

Répondez à 1, 2 ou 3.

1. « Avec les magasins, les distractions, les copains, il est beaucoup plus agréable d'habiter en ville qu'à la campagne. » Marie-Hélène

   Êtes-vous d'accord avec Marie-Hélène?

   (75 mots environ)

2. Vos parents viennent de vous annoncer que vous allez passer le mois d'août chez votre tante qui habite à la campagne, au milieu de nulle part. Qu'écrivez-vous dans votre journal intime ?

   (75 mots environ)

3. Les écologistes défendent l'idée qu'il faut « penser global et agir local » : de petits gestes peuvent entrainer de grandes conséquences pour limiter le réchauffement climatique de notre planète.

   Êtes-vous d'accord?

   (75 mots environ)

UNITÉ 4

Les études et le français

Les sujets

- ❑ L'école
- ❑ Les matières scolaires
- ❑ L'emploi du temps
- ❑ La journée typique
- ❑ Le règlement
- ❑ La mixité
- ❑ Le système scolaire français
- ❑ Le système de points
- ❑ Les échanges scolaires
- ❑ Les projets d'études après le bac
- ❑ La francophonie
- ❑ L'apprentissage du français
- ❑ Les voyages linguistiques
- ❑ La pression du bac

Grammaire

- ❑ Le passé composé ou l'imparfait ?
- ❑ Le futur proche
- ❑ Le futur simple
- ❑ Le passé récent

Focus examen

- ❑ L'email informel
- ❑ La lettre informelle

Chapitre 13

Mon lycée

À la fin de la leçon on pourra :

- parler de ses matières scolaires
- décrire son emploi du temps
- décrire une journée typique
- parler de son école
- parler du règlement scolaire
- exprimer son opinion sur la mixité
- comprendre le système scolaire français
- parler du système de points
- parler des échanges scolaires
- savoir choisir entre le passé composé et l'imparfait.

Mes matières scolaires

On s'échauffe !

1. Seul(e) ou à deux, traduisez un maximum de matières scolaires en moins de cinq minutes.

L'anglais	L'allemand	L'espagnol	L'histoire
La géographie	L'instruction civique	L'EPS / le sport	L'éducation religieuse
L'informatique	L'irlandais / le gaélique	Le français	Le commerce
Le dessin / les arts plastiques	La physique	La chimie	La comptabilité
La biologie	La musique	La technologie	Les arts ménagers
Les maths			

AIDE

Bien qu'on les étudie pour le *Leaving Cert* en Irlande, les matières suivantes ne sont pas enseignées en France.

2. En utilisant le début des phrases suivantes, écrivez un paragraphe sur les matières que vous étudiez.

- Les matières obligatoires au Leaving Certificate sont le français, …
- J'ai choisi d'étudier aussi …
- Je fais du / de la / de l' / des … au niveau supérieur
- J'étudie … au niveau ordinaire

AIDE

Attention d'utiliser l'article partitif « du / de la / de l' / des » avec le verbe « faire » uniquement, pas avec le verbe « étudier ».

Garder ce paragraphe car vous aurez l'occasion de l'améliorer plus tard dans ce chapitre.

3. Écoutez Julie qui décrit deux journées de son emploi du temps, le lundi et le jeudi, et complétez ces journées dans l'emploi du temps ci-dessous.

Emploi du temps de Julie DUPUIS

	LUNDI	MARDI	MERCREDI	JEUDI	VENDREDI	SAMEDI
8h 00		Maths	Histoire-géo		Espagnol LV2	Français
9h 00		Études	Maths		Maths	Humanités scientifiques et numériques
10h 00	RÉCRÉATION	RÉCRÉATION	RÉCRÉATION	RÉCRÉATION	RÉCRÉATION	RÉCRÉATION
10h 20		Français	Français		Enseignement moral et civique	Enseignement moral et civique
11h 20		Français	Français			Anglais LV1
12h 20	DÉJEUNER	DÉJEUNER	DÉJEUNER	DÉJEUNER	DÉJEUNER	DÉJEUNER
13h 20		Études			Enseignement scientifique	
14h 20		Histoire-géo			Histoire-géo	
15h 35		Physique-chimie		Études	Histoire-géo	
16h 45		Physique-chimie		Études	Humanités scientifiques et numériques	

4. Maintenant cherchez les mots et expressions suivants dans la transcription page 428 de l'exercice 3.

a. If I finish earlier, I can go home
b. The day I hate the most is
c. It's hard to
d. We have an hour to eat
e. Break
f. Lunch break

5. Complétez ces phrases en regardant l'emploi du temps page 185.

a. Bonjour, je m'appelle __________.
b. Normalement, le collège commence à __________ et finit à __________.
c. Il y a une récréation à __________. Elle dure __________ minutes.
d. La pause de midi est à __________. Nous avons __________ pour manger.
e. D'habitude on a __________ cours le matin et __________ l'après-midi.
f. Le matin un cours dure __________ minutes.
g. Comme matières j'ai __________.

AIDE

Gardez ce paragraphe car vous pourrez l'améliorer plus tard dans ce chapitre.

6. En utilisant les phrases ci-dessus, écrivez un paragraphe sur une journée typique à l'école.

AIDE

Évitez les phrases simples et pensez plutôt à utiliser des phrases complexes, originales et du vocabulaire riche !

7. Faites correspondre les commentaires simples avec ceux un peu plus complexes.

a. C'est facile.
b. C'est intéressant.
c. Le prof est sympa.
d. Je suis forte en maths.
e. C'est super.
f. C'est difficile.
g. C'est ennuyeux.
h. Le prof est trop sévère.
i. Je suis nulle en maths.
j. C'est inutile.

i. Les cours sont parfois vraiment captivants. Ça me plaît beaucoup parce que c'est toujours très intéressant.
ii. Le prof est toujours là pour nous, il est à l'écoute, en plus il est assez cool.
iii. Les maths ? C'est ma bête noire ! Je n'ai jamais réussi à avoir la moyenne !
iv. Je trouve cette matière assez abordable. Je n'ai jamais de problème à comprendre.
v. C'est formidable, vraiment fantastique ! Je dirais même excellent et merveilleux !
vi. Je trouve cette matière assez compliquée. C'est dur mais en révisant on y arrive.
vii. C'est pénible ! J'ai tendance à m'endormir en cours tellement c'est ennuyeux !
viii. On a un prof qui n'est vraiment pas commode : si on a oublié ses devoirs (ça arrive à tout le monde), il ne cherche pas à comprendre ! Hop ! Une heure de colle ! C'est fou !
ix. Je ne vois pas l'intérêt d'apprendre cette matière ! Je ne pense pas m'en servir un jour, ça ne sert à rien.
x. Je suis super douée en maths.

8. À deux, répondez aux questions suivantes.

a. Comment s'appelle votre lycée ?
b. Que faites-vous comme matières ?
c. Quelle est votre matière préférée ? Pourquoi ?
d. Quelle est la matière que vous aimez le moins ? Pourquoi ?
e. À quelle heure commencent les cours ?
f. À quelle heure est la récréation ? La pause déjeuner ?
g. À quelle heure finissent les cours ?

Une journée typique

On s'échauffe !

9. Maintenant écoutez et lisez la description d'une journée typique au lycée et remettez la journée dans l'ordre logique.

a. En général, je mange des céréales et je bois du café et du jus d'orange. Ensuite je vais dans la salle de bains et je me lave, je me douche et je me brosse les dents.

b. En général, les cours finissent à 5h 45 et je rentre enfin chez moi. À la maison, je fais mes devoirs tout de suite, puis on dine en famille et je regarde la télé pour me détendre. En général, je révise encore un peu avant d'aller dormir. Je me couche vers 22h 30.

c. Je m'habille. Je porte un jean et un pull en général, comme tous les copains. Je quitte la maison à 7h 30.

d. Je suis en première dans le lycée Jean-François Champollion à Montpellier. Je dois me lever très tôt.

e. Quand j'arrive, je vais dans la cour et je bavarde avec mes copains. On parle de ce qu'on a fait le weekend, des trucs comme ça.

f. Les cours commencent à 8h. Une leçon dure une heure et nous avons quatre cours le matin. D'abord j'ai une heure de maths, après je n'ai rien donc je vais en salle d'études et je fais mes devoirs, je révise et tout ça.

g. Le matin je me lève à 6h 30 et je vais directement à la cuisine où je mange mon petit déjeuner.

h. Je prends le bus pour aller au lycée. C'est un bus scolaire. Le trajet dure 20 minutes.

i. Nous avons une cantine où je mange tous les jours. On a une heure et demie de pause déjeuner. À 1h 20, je vais en salle d'études, puis j'ai histoire-géo et enfin, j'ai mon option, la physique-chimie.

j. La récréation est à 10h. On a 20 minutes et d'habitude, j'ai un petit creux donc je mange un fruit. Après ça, j'ai deux heures de français. Puis c'est enfin l'heure de manger !

10. En regardant l'emploi du temps de l'exercice 3, d'après vous quel jour est décrit ?

11. En adaptant le texte page 188, répondez aux questions suivantes pour votre situation.

AIDE

Révisez les verbes pronominaux page 32.

- **a.** À quelle heure vous levez-vous le matin ?
- **b.** À quelle heure quittez-vous la maison ?
- **c.** Comment allez-vous à l'école ?
- **d.** Ça prend combien de temps ?
- **e.** Le lycée commence et finit à quelle heure ?
- **f.** Vous avez combien de cours par jour ?
- **g.** Un cours dure combien de temps ?
- **h.** Quels jours allez-vous au lycée ?
- **i.** Quelles sont vos matières ?
- **j.** Que faites-vous quand vous rentrez chez vous le soir ?

AIDE

Pouvez-vous améliorer vos phrases de l'exercice 8 ?
Pour aller plus loin : essayez de décrire votre journée d'hier. Cela vous fera travailler votre passé composé !
Pour travailler sur les temps, vous pouvez écrire votre propre journal intime en décrivant plusieurs fois par semaine :

- ce que vous avez fait hier
- ce que vous faites aujourd'hui
- ce que vous allez faire demain.

Le règlement scolaire

On s'échauffe !

12. Le règlement … Trouvez les bonnes images pour chaque règle.

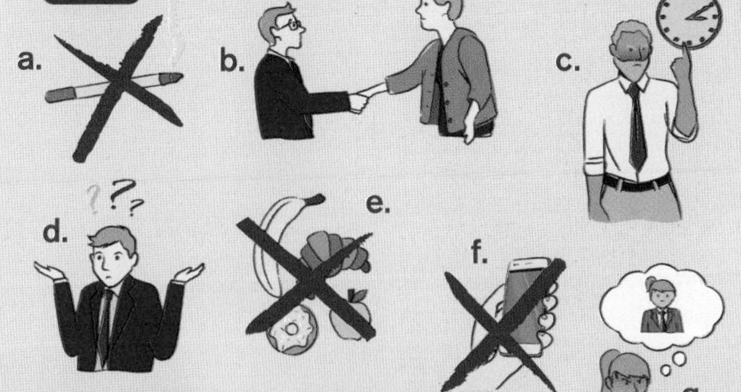

- **i.** Il est interdit de fumer.
- **ii.** On doit demander quand on ne comprend pas.
- **iii.** Il faut respecter les élèves et les professeurs.
- **iv.** On n'a pas le droit de porter des bijoux.
- **v.** Il faut arriver à l'heure.
- **vi.** Les portables sont interdits.
- **vii.** On n'a pas le droit de manger en classe.
- **viii.** Il faut porter un uniforme scolaire.
- **ix.** Il faut faire ses devoirs.
- **x.** On est traité comme des enfants!

13. En utilisant le tableau qui suit, décrivez votre uniforme et donnez votre opinion sur l'uniforme scolaire. Puis, à deux, pouvez-vous trouver plus de raisons ?

Je porte …					
… un pantalon	rayé(e)(s)	À mon avis	c'est	un peu	confortable
… un pull	bleu(e)(s)	Selon moi		vraiment	moche
… un t-shirt	rouge(s)	D'après moi		absolument	pratique
… un écusson	vert(e)(s)	Je trouve que		pas du tout	démodé(e)
… une jupe	jaune(s)				ringard(e)
… une robe	rose(s)				
… une chemise	violet(te)(s)				
… une cravatte	blanc(he)(s)				
… une veste	noir(e)(s)				
… des chaussures	orange				
… des chaussettes	marron				
	foncé(e)(s)				
	clair(e)(s)				
	à pois				

Raisons :

On ne peut pas exprimer sa personnalité

Ça cache les inégalités

Tout le monde est pareil

On n'a pas besoin de réflechir à ce qu'on doit mettre le matin

…

AIDE

Révisez le vocabulaire du *Junior Cycle*.

14. Reproduisez le tableau ci-dessous dans votre cahier, puis écoutez ces trois lycéens qui parlent de leur lycée et remplissez le tableau en anglais.

	Coralie Lycée Charles Renouvier	Léa Lycée Mittérrand	Mathieu Lycée Georges Pompidou
Age			
Class			
Number of students			
Number of teachers			
Other details			
Subjects			
Reason 1			
Reason 2			

15. Maintenant, trouvez les mots et expressions suivants dans la transcription de l'exercise 14 page 429.

a. I have just turned 17
b. I can't stand
c. It's my pet hate
d. It opened my mind
e. I'm good at
f. What I find really hard is
g. I need to unwind
h. I'm bored to death
i. I can't wait

16. Que pensez-vous de votre lycée ? Trois personnes répondent à cette question. Lisez ces textes et répondez aux questions.

Damien

16 ans, première L, Lycée Saint Louis

Alors moi, je déteste mon lycée. Il est tout petit et il n'y a pas de gymnase, ni de terrain de sport. C'est vrai qu'étant au centre-ville, c'est bien pratique pour les transports en commun, mais on n'a même pas de cantine ! Vous imaginez ? On doit s'acheter des sandwichs dans le magasin d'à côté. Ça me coûte une fortune et tout mon argent de poche y passe ! Le règlement est beaucoup trop sévère dans mon lycée. On n'a le droit de rien faire ! Pas de portable, pas de bijoux, pas de goûter ! On doit porter un uniforme horrible, bleu marine et jaune ! Ça gratte, c'est moche et je ne pense pas que ça cache les différences sociales ! On voit bien qui est riche avec les marques des sacs, des trousses, etc. Mais le pire c'est que ce n'est pas une école mixte ! Il n'y a que des garçons ! Ce n'est pas naturel ! On ne devrait pas nous séparer comme ça ! Comment voulez-vous qu'on apprenne à vivre ensemble ? Et surtout, comment voulez-vous que je drague ! Sortez-moi de là ! Je n'en peux plus !

Magalie

17 ans, terminale S, Lycée Jean Vilar

Mon lycée est assez grand et ce que j'aime le plus c'est qu'on a beaucoup d'installations. C'est un établissement très moderne avec une salle de gym, un grand terrain de sport, des laboratoires de sciences, un labo de langues. On a aussi plein de tableaux interactifs, des projecteurs et des ordinateurs dans toutes les salles de classe ! Comme les profs sont motivés et utilisent ces nouvelles technologies, ça rend la matière vivante et ça donne envie d'étudier. Les professeurs respectent les élèves. Ils ne nous traitent pas comme des enfants. Si on ne fait pas ses devoirs, on a une heure de colle. Il est interdit de fumer et il y a des élèves qui ont été exclus parce qu'ils fumaient dans les toilettes. Moi je pense que c'est normal. Quant à l'uniforme, c'est vrai que ce n'est pas très glamour mais bon, c'est pratique ! Je passe 5 minutes le matin à m'habiller. C'est un bon lycée et j'ai de la chance d'y être élève.

18 ans, terminale STT, Lycée François Rabelais

Le lycée où je suis élève depuis trois ans est assez bien. Il y a beaucoup d'installations comme le CDI (centre de documentation et d'information) où on peut emprunter des livres, mais aussi des revues ou des DVDs. Il y aussi une salle d'ordinateurs avec accès à internet si on veut faire des recherches. Le cadre est agréable car c'est une école pleine d'histoire. Elle a plus de cent ans ! Les professeurs sont vraiment à l'écoute et nous offrent des cours particuliers si on est en difficulté scolaire. Il n'y a pas trop de règlement. C'est toujours les mêmes trucs : il est interdit de manger en classe, de courir dans les couloirs, d'arriver en retard. On doit respecter les élèves ainsi que les profs. Il y a des choses qu'on pourrait quand même améliorer. Par exemple, je pense que la cantine laisse à désirer. Les repas ne sont pas très équilibrés et la santé est très importante pour moi. On pourrait aussi construire un meilleur terrain de sport. Dans l'ensemble, c'est quand même un bon lycée.

a. Quel est le lycée le plus moderne ?
b. Quel lycée est très ancien ?
c. Quel lycée n'a aucune installation ?
d. Quel lycée propose des cours en plus pour aider les élèves ?
e. Dans quel lycée peut-on emprunter un film ?
f. Qui pense que le règlement est trop sévère ?
g. Qui est contre l'uniforme scolaire ?
h. Qui pense que l'uniforme est pratique ?
i. Donnez deux règles à respecter dans le lycée de Thomas.
j. Donnez deux règles dans le lycée de Magalie.

17. Que pensez-vous de votre lycée ? Écrivez une réponse à cette question en vous inspirant des textes de l'exercice 16 et en incluant votre opinion sur le règlement et l'uniforme scolaire.

La mixité

On s'échauffe !

18. En groupe, trouvez un maximum d'arguments pour et contre la mixité et faites un débat.

19. Regardez ces phrases simples et essayez de les transformer en phrases complexes en utilisant des conjonctions de la liste suivante ou d'autres que vous connaissez.

quand	parce que	comme	**en effet**	*premièrement*
puis	ENSUITE	**et**	mais	de l'autre
quand même	d'ailleurs	ensuite	**de plus**	donc
enfin	*non seulement … mais encore*		d'un côte …	

Exemple :

« L'atmosphère dans mon école est horrible. Il n'y a que des filles. Avec des garçons, l'ambiance serait meilleure. Avec des garçons dans la classe, ça crée des rivalités et des compétitions. C'est quand même plus naturel avec des garçons et des filles dans une même classe. »

L'atmosphère dans mon école est horrible parce qu'il n'y a que des filles. Je pense qu'avec des garçons, l'ambiance est meilleure. Quand il y a des garçons et des filles dans la même classe, ça crée des rivalités et des compétitions mais c'est quand même plus naturel.

AIDE

N'utilisez pas tout le temps « donc » !

Maintenant à vous …

« Mon école est mixte. Je n'aime pas ça. Les garçons sont une distraction. On devrait être séparés. Les filles sont plus mûres, plus calmes et réussissent mieux à l'école. Les garçons sont trop compétitifs ou trop décontractés. Je vois mes copains garçons après l'école. Je n'ai pas besoin de l'école pour m'apprendre à vivre ensemble. »

20. À deux, répondez aux questions suivantes.

a. Que pensez-vous de la mixité ?

b. Quelle est votre opinion sur l'uniforme scolaire ?

Le système scolaire français et irlandais

On s'échauffe !

21. Regardez ce prospectus qui décrit le système scolaire français, puis répondez aux questions qui suivent.

Études supérieures ← Choix → Vie active [labour market]

Âge			
17–18 ans	Terminale	Contrôle continu et examen du bac oral et écrit	Lycée professionnel terminale (18–19 ans)
16–17 ans	$1^{\text{ère}}$	Examen du bac français	$1^{\text{ère}}$ professionnelle (17–18 ans)
15–16 ans	2de générale ↑	Choix des matières majeures, mineures et optionnelles	2de (16–17 ans) ↑
14–15 ans 13–14 ans	Voie académique **Collège** $3^{\text{ème}}$ $4^{\text{ème}}$ $5^{\text{ème}}$ $6^{\text{ème}}$	← Examen du brevet →	**CAP** **BEP** (15–16 ans) Choix de voie professionnelle
10–11 ans 9–10 ans 8–9 ans 7–8 ans 6–7 ans	**École primaire** CM2 (cours moyens deuxième année) CM1 (cours moyens première année) CE2 (cours élémentaires deuxième année) CE1 (cours élémentaires première année) CP (cours préparatoires)		
3–6 ans	Maternelle		

a. Si vous avez 11 ans vous entrez en sixième. Vous étiez en primaire et maintenant vous êtes au ________.

b. Si vous avez 15 ans, vous êtes en ________ et vous passez l'examen qui s'appelle ________.

c. C'est en ________ que vous choisissez quelles matières vous voulez faire pour le bac.

d. En première, vous passez l'examen du bac de ________.

e. Après le bac, vous pouvez entrer dans la ________ ________ ou bien faire des études supérieures.

f. L'équivalent de « sixth form » c'est la ________.

AIDE

Le saviez-vous ? Il n'y a pas de système de points au bac en France mais il y a quand même un système de sélection pour les études supérieures (appelé Parcoursup). Les élèves font plusieurs vœux d'orientation et, en fonction de leurs dossiers scolaires et de leurs notes à l'examen, ils sont acceptés ou refusés. Les élèves sont jugés sur les notes du bac et sur un contrôle continu (qui vaut 40 % !).

22. Décidez si ces arguments sont pour ✓ ou contre ✗ le système de points en Irlande.

- ☐ **a.** Le système de points existe depuis plusieurs décennies. Pourquoi changer quelque chose qui fonctionne très bien !?
- ☐ **b.** Le système de points met beaucoup trop de pression sur les élèves. On se concentre trop sur l'examen final. Il est temps de changer !
- ☐ **c.** Ce système est archaïque et doit être changé pour un système plus juste.
- ☐ **d.** Avec cette sélection, les élèves sont beaucoup mieux préparés pour continuer leurs études ou rentrer dans la vie active.
- ☐ **e.** Le système de points n'est pas un système équitable !
- ☐ **f.** Si on arrive à bien apprendre par cœur on peut réussir. Ce n'est pas juste pour ceux qui n'y arrivent pas !
- ☐ **g.** On dit souvent que ce système favorise le « bachotage » [cramming] mais ce n'est pas vrai. Il faut travailler dur et avoir un esprit critique pour réussir, pas seulement apprendre par cœur !
- ☐ **h.** Si encore les points ne changeaient pas d'année en année mais ce n'est jamais la même chose. On ne sait pas si on aura assez de points pour faire le cours qu'on a choisi !
- ☐ **i.** Moi qui souffre du trac pendant les examens, je préfèrerais avoir un examen qui tient en compte mes notes dans l'année.
- ☐ **j.** Je préfère le système de points car, s'il n'y avait pas de sélection, l'examen n'aurait plus aucune valeur.

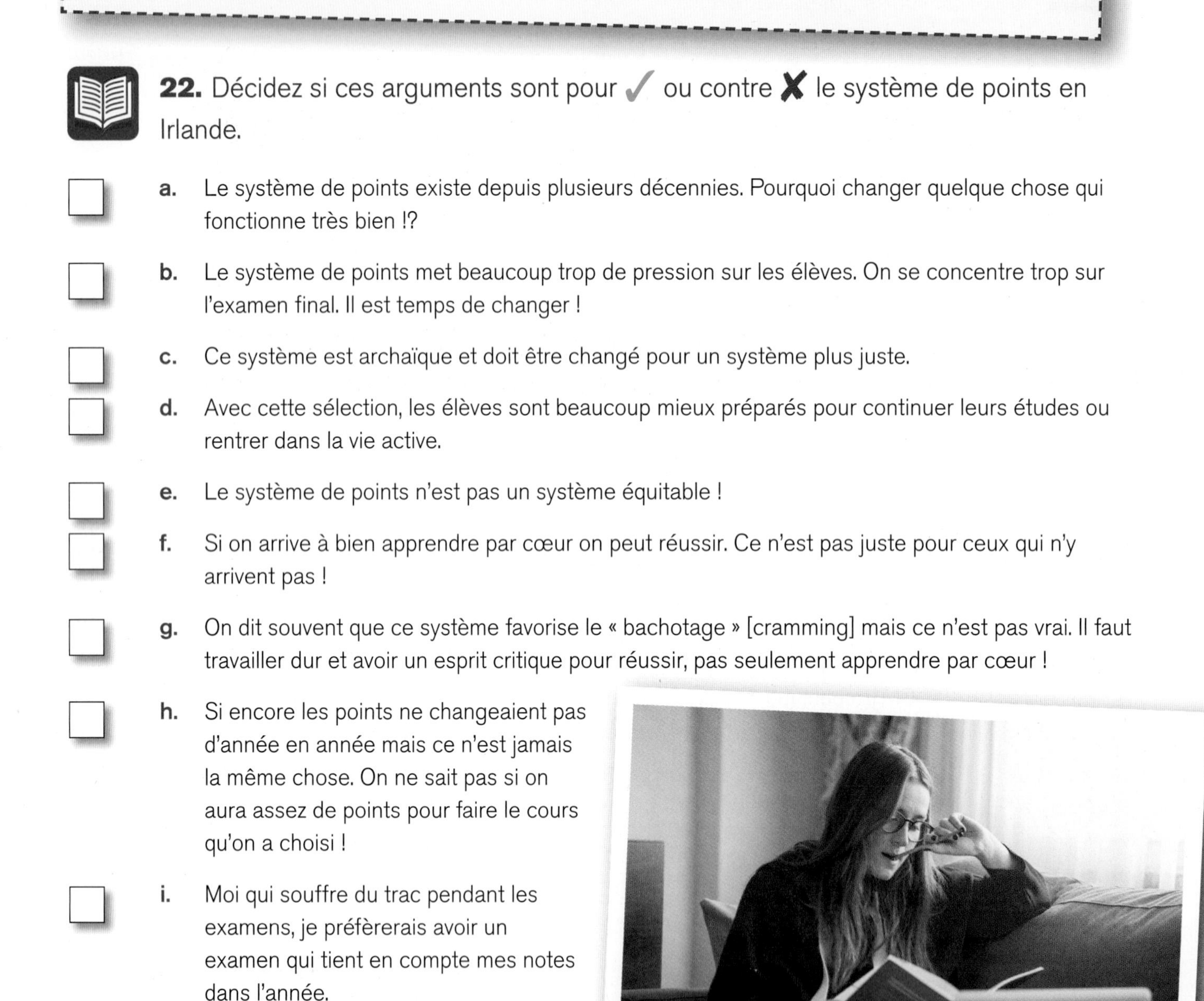

23. À deux, puis avec votre classe, pouvez-vous trouver d'autres arguments pour ou contre le système de points ? Quelle est votre opinion sur le système de points ?

Regardez la section *Focus examen* page 236 pour vous aider à exprimer votre opinion.

24. Votre amie Paula vous a envoyé le courrier électronique suivant.

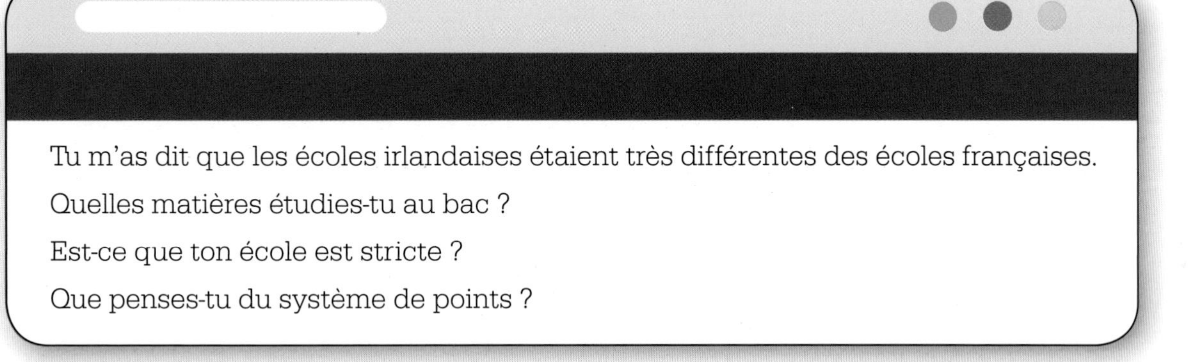

Tu m'as dit que les écoles irlandaises étaient très différentes des écoles françaises.

Quelles matières étudies-tu au bac ?

Est-ce que ton école est stricte ?

Que penses-tu du système de points ?

Écrivez un courrier électronique à Paula dans lequel vous répondez à ses questions. (75 mots environ)

Les échanges scolaires

On s'échauffe !

25. Faites correspondre le début des phrases avec la fin qui y correspond.

a. Pour mon voyage scolaire, je suis allé(e) …	**i.** … super sympa et on a fait énormément de choses ensemble après l'école.
b. Je suis resté(e) dans une famille…	**ii.** … inoubliable.
c. C'était une expérience …	**iii.** … amélioré mon français.
d. Malheureusement, je ne me suis pas entendu(e) avec …	**iv.** … à Paris pour deux semaines.
e. Mon correspondant était …	**v.** … dans l'école de mon correspondant et c'était vraiment différent.
f. Pendant la journée, j'étais …	**vi.** … mon correspondant qui n'a fait aucun effort pour me parler ou sortir avec moi.
g. J'ai beaucoup …	**vii.** … d'accueil dans le 5e arrondissement de Paris.

26. Cet élève parle de son échange scolaire. Lisez et répondez aux questions qui suivent.

Quand j'étais au collège, en troisième il y a deux ans, j'ai fait un échange en Irlande, à Dublin. On est restés là-bas deux semaines. C'était excellent. Mon correspondant s'appelait Aidan. Il était très sympa, toujours le sourire ! Sa famille m'a accueilli les bras ouverts ! Je me suis senti chez moi tout de suite. J'ai eu de la chance, je pense. Quand on est allé au lycée d'Aidan, il y a des tas de trucs que j'ai trouvés différents : par exemple, on s'est levé tard ! Les cours ne commencent qu'à neuf heures ici ! Ils n'ont pas de cantine non plus, c'est bizarre ! Ils mangent des sandwichs à midi. C'est mauvais pour la santé ça ! Ensuite, ils portent tous l'uniforme. J'ai bien rigolé quand j'ai vu Aidan avec sa cravate violette, son pantalon violet, sa veste violette et sa chemise rose ! La honte ! C'est moche comme couleur ça ! Aidan trouve que c'est pratique mais moi je pense qu'on devrait pouvoir exprimer sa personnalité et porter ce qu'on veut. Après l'école, on faisait des tas de trucs avec Aidan : on allait au cinéma, on visitait la région, on a rencontré ses amis aussi. Il m'a même amené dans un pub où on a écouté de la musique traditionnelle. Avec ma classe, on faisait des activités plus culturelles : on a visité la cathédrale et l'université, et on a vu le livre de Kells. C'était vraiment un super échange et mon niveau d'anglais s'est nettement amélioré.

a. Où est-il parti en échange ?
b. Combien de temps est-il resté ?
c. Que dit-il à propos de son correspondant Aidan ?
d. Quelles différences a-t-il remarqué dans l'école d'Aidan ?
e. Qu'est-ce qu'il a fait avec son correspondant ?
f. Qu'est-ce qu'il a fait avec sa classe ?

27. Maintenant, en vous inspirant de l'exercice ci-dessus, répondez aux questions suivantes à l'oral.

a. Avez-vous déjà fait un échange scolaire ? C'était où exactement ?
b. Vous y êtes resté(e) combien de temps ?
c. Vous vous êtes bien entendu(e) avec le garçon / la fille de votre échange ?
d. Qu'est-ce que vous avez fait ensemble ? Avec la classe ?
e. Est-ce que vous avez aimé votre échange ? Pourquoi ?

28. Votre mère vous a annoncé que le garçon / jeune fille avec qui vous avez fait un échange scolaire en France l'été dernier, et avec qui vous vous êtes très mal entendu(e), vient chez vous pour deux semaines. Qu'est-ce que vous notez à ce sujet dans votre journal intime ?

AIDE

- Posez-vous la question : Quelles seraient mes vraies réactions ? Ne racontez pas votre échange ! Ce n'est pas le but de cet exercice. Vous devez exprimer vos sentiments !
- Choisissez un nom pour votre correspondant : « Sophie / Ludovic revient ! C'est comme un film d'horreur ! Sophie / Ludovic, le retour ! »
- Utilisez les expressions page 197 ainsi que celles qui suivent :
  - Non !
  - Pas lui / Pas elle!
  - Il / elle est casse-pieds !
  - Il / elle me prend la tête. [fam.]
  - Il / elle est ennuyeux / ennuyeuse à mourir.
  - On n'a rien en commun.
  - Je suis furieux / furieuse.
  - Je suis hors de moi !
  - On n'a pas les mêmes goûts.
  - Je n'ai jamais connu quelqu'un de si ennuyeux / barbant / énervant.
  - C'est le garçon / la fille le / la plus … que j'aie jamais connu(e).
  - Il n'y a pas plus … que lui / qu'elle.
  - La musique qu'il / elle aime est terrible.
  - Ce qui m'énerve le plus c'est …
  - Au secours !
- Pensez à utiliser les adverbes : Il est vraiment casse-pieds ! On n'a absolument pas les mêmes goûts.
- Révisez les superlatifs et comparatifs page 45.
  - C'est la fille la plus immature que j'aie jamais vue.
  - Elle est plus embêtante que mon frère, c'est pour vous dire !
  - Plus barbante qu'elle ? Impossible !
- Et toujours une petite formule pour finir : Bon, il est tard. Je sens que je vais faire des cauchemars ce soir !

GRAMMAIRE

Le passé composé ou l'imparfait ?

It is sometimes difficult to decide whether to use the perfect or the imperfect tense. Remember that you will use the perfect tense more often than the imperfect, but when not sure, look at the following rules.

Use the perfect tense if you are talking about one particular event which took place at a particular time in the past, e.g.:
Je suis allé en France cet été.
I went to France this summer.
Hier, à 3h15, un homme est entré dans la maison et a volé tous les bijoux.
Yesterday, at 3.15, a man entered the house and stole all the jewels.

Use the imperfect if you want to talk about what used to happen or what was happening, or about something that happened regularly over a period of time, e.g.:
J'habitais à la campagne avant.
I used to live in the countryside.
Je faisais mes devoirs quand …
I was doing my homework when …
J'allais en ville le lundi.
I went into town every Monday.

Also use the imperfect if you are describing something in the past or if you want to give your opinion about something in the past, e.g.:
L'hôtel était près de la plage.
The hotel was close to the beach.
C'était une journée fantastique.
It was a fantastic day.

Choisissez entre le passé composé et l'imparfait en fonction du contexte.

a. C'__________ (était / a été) vraiment ennuyeux.
b. J'__________ (étais / ai été) en train de parler quand le professeur __________ (entrait / est entré) dans la classe.
c. Je __________ (finissais / ai fini) mes devoirs quand mon père __________ (arrivait / est arrivé).
d. Je __________ (étais / suis allé) au lycée à pied ce matin.
e. Avant d'acheter notre voiture, nous __________ (allions / sommes allés) en ville en bus.
f. Il __________ (a été / était) malade hier.
g. Il __________ (s'est endormi / s'endormait) quand le téléphone __________ (sonnait / a sonné) et l'a réveillé.
h. Elle __________ (se cassait / s'est cassée) la jambe en jouant au foot.

Bilan du chapitre 13

On révise le vocabulaire

1. Traduisez les mots suivants.
   a. Doué(e)
   b. La récréation
   c. Une heure de colle
   d. To fail the Leaving Cert
   e. Infrastructure
   f. To pass an exam

2. Traduisez les phrases suivantes.
   a. **Il est difficile de** choisir ce qu'on veut faire plus tard.
   b. **J'ai tendance à** préférer les matières scientifiques.
   c. **Il est temps de** prendre tes études au sérieux.
   d. **Ce que je trouve vraiment dur c'est** la physique.
   e. **Ce serait une bonne idée si** tu m'aidais à faire mes devoirs.
   f. **Ce qui m'énerve le plus c'est** qu'on nous traite comme des enfants.

3. Maintenant, utilisez les structures en caractères gras ci-dessus pour créer vos propres phrases.

4. Traduisez le sens général des expressions suivantes.
   a. Il est à l'écoute.
   b. C'est ma bête noire.
   c. Je m'ennuie à mourir en cours.
   d. Il me tarde !
   e. Ils m'ont accueilli les bras ouverts.
   f. Ça me plaît beaucoup.

On révise la grammaire

5. Transformez les verbes au passé en faisant attention de bien choisir entre le passé composé et l'imparfait selon les contextes.

   L'année dernière, Elle ____________ (déménager). Elle ____________ (devoir) changer d'école, quitter ses copains. C'____________ (être) difficile pour elle. Dans son ancienne école, il y ____________ (avoir) des installations modernes. On ____________ (pouvoir) apprendre avec des tablettes en classe. Elle ____________ (aimer) son école. Mais, après quelques mois dans sa nouvelle école, elle ____________ (se rendre compte) qu'il y ____________ (avoir) des bons côtés. Elle ____________ (faire) plus de sport.

Chapitre 14

Après le bac

À la fin de la leçon on pourra :

- parler de ses préférences pour un métier
- parler de ses projets d'études
- s'exprimer au futur proche.

Que faire après le bac ?

On s'échauffe !

1. Qu'aimez-vous faire, étudier, réaliser … ? Voilà une liste de 10 phrases illustrant des centres d'intérêt. Vous devez les faire correspondre aux 10 métiers qui correspondent le mieux à ces centres d'intérêt.

a. Travailler au contact de la nature m'intéresse.	**i.** Je voudrais devenir professeur.
b. Je suis intéressé(e) par les travaux de comptabilité.	**ii.** J'ai l'intention d'étudier pour devenir architecte paysagiste.
c. J'aime pratiquer les langues.	**iii.** Je veux être infirmier / infirmière.
d. J'aime m'occuper des autres et les aider.	**iv.** J'aimerais devenir traducteur / traductrice.
e. J'aime développer mes talents artistiques.	**v.** J'adorerais travailler comme programmateur de jeux vidéos.
f. J'aime travailler de mes mains avec des outils.	**vi.** Je voudrais exercer le métier de comptable.
g. J'aimerais travailler dans un laboratoire.	**vii.** Le travail de mécanicien me convient parfaitement.
h. L'enseignement me plaît.	**viii.** Je vais faire un stage comme laborantin(e).
i. Je porte un vif intérêt à l'informatique.	**ix.** Mon rêve serait de devenir entraîneur / entraîneuse de sport.
j. J'éprouve de l'intérêt à faire du sport et à être un bon athlète.	**x.** Si je ne deviens pas un peintre célèbre, je travaillerai comme professeur de dessin.

AIDE

Voilà un site sympa pour aider à l'orientation avec de bonnes expressions dans la deuxième partie du test : tufaisquoiapreslebac.fr.

2. Lisez ces messages postés sur le forum du site internet « L'étudiant moderne », trouvez les traductions, puis répondez aux questions.

Fatima

Orientation ! Aidez-moi !

J'aurais besoin de votre aide et de votre expérience professionnelle. Voilà, je suis en terminale scientifique spécialisée dans la physique-chimie et, je croise les doigts, je vais avoir mon bac … Mais ce mois est consacré à la préinscription. Cependant je ne sais pas encore quoi faire … J'ai peur de me tromper et de m'inscrire dans une filière qui ne m'intéresse pas vraiment et j'ai peur de perdre une année pour rien ! Je ne veux pas faire des études très longues, pas plus de cinq ans, mais je voudrais un métier intéressant qui me permettra de bien gagner ma vie et bien sûr, qui serait en rapport avec le bac que je prépare cette année ! Dites-moi ce que vous faites dans votre vie, comment ça se passe ?… Faites-moi part de votre expérience et de vos conseils … Je vous en remercie d'avance !

Trouvez les équivalents des mots suivants :

- *I need your help*
- *Fingers crossed*
- *I don't know what to do yet*
- *I'm afraid of making a mistake*
- *To earn a good living*

Hervé

Re: **Orientation ! Aidez-moi !**

Bonjour Fatima ! Je te conseille d'en parler avec tes profs. C'est ce que j'ai fait pour ma part. En effet, à la suite de mon bac économique et social, je ne savais pas quoi faire. Je me suis renseigné auprès d'un prof en particulier que j'avais eu les trois années de lycée et il m'a dit qu'il me verrait bien en Droit. Aujourd'hui, je suis en cinquième année de Droit en partie grâce à lui. Je n'y avais pas pensé avant. Sinon, demande à tes camarades de classe ce qu'ils veulent faire, ça peut t'éclairer. En tout cas, si tu ne veux pas d'études longues je te déconseille la fac de médecine ou de pharmacie. En cinq ans, si tu veux, tu peux viser ingénieur mais en quoi ? C'est à toi de voir ! Voilà, je ne prétends pas avoir trouvé la solution mais j'espère t'avoir aidée à travers ce message car je sais que c'est un choix à ne pas faire à la légère. En tout cas, bon courage et tiens nous au courant !

Trouvez les équivalents des mots suivants :

- *Law*
- *Thanks to him*
- *I advise against medicine*
- *It's up to you*
- *It's not a choice to be made lightly*

George

Re: **Orientation ! Aidez-moi !**

Coucou Fatima ! Ne t'inquiète pas ! Si tu te trompes de filière, ce n'est pas grave. Surtout si ça te donne la possibilité de vraiment savoir ce que tu veux faire dans la vie. À mon avis, il faut surtout éviter les choix précipités. Pour t'aider dans tes choix, il faudrait que tu te renseignes le plus possible auprès d'un maximum de personnes. Tu peux rencontrer le conseiller d'orientation au lycée ou bien faire le point avec ton professeur principal. Bien sûr, tu dois en parler aux gens autour de toi : les amis de tes frères et sœurs, tes parents, tes professeurs. N'oublie pas non plus qu'il y a des salons sur les études et les métiers dans chaque ville où tu pourras poser des questions directement aux étudiants. Il y a aussi des journées portes ouvertes organisées par les universités. Bon courage Fatima, j'espère que tu vas trouver la solution.

Trouvez les équivalents des mots suivants :

- *Don't worry*
- *It's OK*
- *The careers advisor*
- *You must talk to the people around you*
- *Good luck*

Maintenant, répondez aux questions.

Fatima

a. Fatima ne sait pas quoi faire après son bac. Vrai ou faux ?

b. Citez une chose qui l'inquiète.

c. Trouvez la phrase qui décrit le genre de travail que Fatima voudrait avoir.

Hervé

d. À qui Hervé conseille-t-il Fatima de parler ?

e. Hervé est en faculté de Droit. Vrai ou faux ?

f. Hervé conseille à Fatima de devenir ingénieur. Vrai ou faux ?

George

g. Trouvez un synonyme de « rapide ».

h. À qui George conseille-t-il Fatima de parler ?

i. D'après George, où peut-elle aussi trouver conseil ?

3. Écoutez ces lycéens qui parlent de leurs projets après le bac. Recopiez puis remplissez ce tableau en anglais.

	Plans	Points needed	Other details
Armande			
Hubert			
Momadou			
Yohan			
Ingrid			

4. Maintenant, lisez la transcription de l'exercise 3 page 429 et trouvez les mots et expressions suivants.

a. I need around 400 points

b. I would like to specialise in

c. It's better paid

d. I don't know yet

e. Later on

5. En utilisant la transcription de l'exercice 3 page 429, répondez aux questions suivantes.

a. Que voulez-vous faire après le bac ?
b. Vous avez besoin de combien de points ?
c. Que voulez-vous faire après l'université ?

AIDE

Révisez le futur proche page 211.

Pensez aussi à utiliser le conditionnel dans des phrases plus complexes avec les structures qui suivent :

- Si j'ai le bac à la fin de l'année, j'aimerais aller à la fac.
- Comme je voudrais un poste qui satisfait mes ambitions, je compte devenir …

6. Écoutez ces trois personnes qui parlent de leur métier. Répondez aux questions qui suivent.

Agnès

a. What's her job?
b. Name one advantage and one disadvantage of her job.
c. What is her main task?
d. Name one quality she needs for her job.

Céline

e. What's her job?
f. What is the main advantage of doing her job?
g. Name two disadvantages of her job.
h. What advice does she give to anyone wanting to do the same job as her?

Djamila

i. What's her job?
j. Why did she choose this job?
k. What is the most difficult thing about her job?
l. Name two qualities she needs for her job.
m. What does she advise people interested in doing this job to do?

7. Maintenant, trouvez dans la transcription de l'exercice 6 page 430, les mots et expressions suivants.

a. I wouldn't change it for the world
b. On the other hand
c. Available
d. To be good at French is not enough
e. I have always wanted to be
f. What attracted me the most
g. Timetable
h. Better to not worry too much
i. It's a good idea to do a training course

8. Écrivez un courriel à votre correspondant en expliquant vos projets après le bac. Dites-lui ce que vous voulez faire, pourquoi, les points dont vous avez besoin, vos peurs et vos espoirs.
(75 mots environ)

AIDE

Pour l'email / le mail / mél / courriel, vous pouvez commencer comme ceci :

à :

de :

objet :

Si vous écrivez à un / une ami(e), pensez à utiliser « tu ». Vous pouvez utiliser des expressions que vous avez apprises pour le journal intime.

AIDE

Utilisez ce que vous avez appris dans l'exercice 7. Pour vous aider :

- Je voudrais travailler comme
- J'ai besoin de … points
- J'ai vraiment peur de
- Quitter mes amis
- Râter mes examens
- J'espère [+ verbe]
- Réussir mes examens
- Les examens blancs
- Avoir de bonnes notes

9. Avant de lire l'article qui suit, faites correspondre les phrases suivantes avec leurs équivalents.

a. Tenter l'expérience	**i.** Plus attirant
b. Attaquer un cursus universitaire	**ii.** Quelqu'un qui ne sait pas encore ce qu'il veut faire ou qui il est
c. Un truc	**iii.** Commencer ses études à la faculté
d. À mon sens	**iv.** Ce sera plus instructif
e. Ce sera plus enrichissant	**v.** Plus de la moitié veut partir
f. Revenir bilingue	**vi.** Revenir en sachant parler parfaitement deux langues
g. Il faut se démarquer	**vii.** Il faut être différent pour se faire remarquer
h. La majorité a envie de partir	**viii.** Quelque chose
i. Des frais de scolarité	**ix.** À mon avis
j. Ne pas se sentir à l'aise	**x.** Ne pas être détendu(e)
k. Quelqu'un qui se cherche un peu	**xi.** Essayer de faire quelque chose de nouveau
l. Plus attrayant	**xii.** Le coût de l'inscription à l'université

10. Maintenant, lisez cet article et répondez aux questions qui suivent.

Après le bac, ils ont choisi l'étranger

1. Les étudiants français ne désertent pas en masse les universités de leur pays, mais ils sont de plus en plus nombreux à **tenter l'expérience** et quitter la France pour **attaquer un cursus universitaire** à l'étranger. Pour les accompagner, Marie Blaise a fondé, il y a un an et demi, une société qui aide les étudiants à trouver un point de chute loin de la France. « C'est parti d'**un truc** tout simple : en France, 80 % des étudiants veulent partir à l'étranger mais ils ne sont que 2 % à le faire », assure-t-elle. Les choses semblent tout de même en passe de changer. Le départ n'est plus réservé aux étudiants avec les meilleurs dossiers. « Il y en a pour tous les niveaux. Il y a des universités qui s'adressent aux plus brillants, comme Cambridge, qui va demander un excellent dossier. Mais tant qu'on a son bac on peut partir à l'étranger. Un étudiant qui vient me voir avec 10 de moyenne, **à mon sens**, pour lui, **ce sera plus** enrichissant de partir à l'étranger, même dans une fac moyenne. De voir autre chose, de **revenir bilingue**. Plutôt que d'intégrer une école un peu bof, ou la fac … C'est plus valorisant sur le CV. »

2. « Ces étudiants veulent vivre quelque chose de nouveau. Aujourd'hui tout le monde a le même CV, mais à un moment **il faut se démarquer un peu** avec une expérience personnelle. Les parents ont plus de mal que les enfants, ça reste hyper-dur de laisser partir un enfant de 17-18 ans, mais ça change. Les jeunes, eux, n'ont pas peur. **La majorité a envie de partir**, alors même que certains n'avaient jamais voyagé, jamais pris l'avion » raconte Marie Blaise. Prévoir est tout de même indispensable car partir à l'étranger a forcément un coût : il faut se loger, se nourrir …

Cependant, Il est possible d'aller à l'étranger et d'avoir **des frais de scolarité** gratuits : « Environ 50 % de nos étudiants partent dans des universités gratuites, reprend Marie Blaise. Mais on envoie des gens dans des universités où le coup du logement est comparable à Rennes ou Nantes, donc rien à voir avec Paris. »

3. Enfin, le format en lui-même de certains cursus à l'étranger a de quoi séduire les étudiants français. « En France, dès l'âge de 15 ou 16 ans il faut choisir sa voie et s'y tenir, les étudiants **ne se sentent pas forcément à l'aise** dans ce système, assure Marie Blaise. Aux États-Unis, on peut faire des études un peu à la carte : un peu d'ingénieur, d'art plastique, de musique et de biologie. Tout cela n'a rien à voir mais c'est possible. Pour **quelqu'un qui se cherche un peu**, ce système-là est plus flexible et à mon sens **plus attrayant**. » Au bout du compte, si l'option de l'étranger ne concerne encore que « des gens qui sortent du lot », « dans trois ans, ce sera démocratisé », conclut Marie Blaise.

Adapté de www.bfmtv.com, le 13 juin 2018

→

a. i. Qu'est-ce que les étudiants français font de plus en plus ? (Section 1)

ii. Trouvez la phrase qui indique que partir étudier à l'étranger n'est plus reservé aux meilleurs élèves. (Section 1)

b. Citez deux avantages à étudier à l'étranger pour un élève moyen. (Section 1)

c. Trouvez dans la section 2 :

i. un verbe pronominal à l'infinitif

ii. un adjectif féminin singulier

iii. un participe passé.

d. i. Nommez une des dépenses à prévoir quand on part étudier à l'étranger. (Section 2)

ii. Quelles universités la moitié de ces étudiants choisissent ? (Section 2)

e. Dans la troisième section on apprend que certains étudiants :

i. ne savent pas quoi étudier et râtent donc leurs années d'études ❑

ii. préfèrent le système d'éducation plus flexible qu'offre certains pays étrangers ❑

iii. réalisent qu'ils ne se sentent pas à l'aise dans le nouveau système éducatif étranger ❑

iv. rentre en France au bout de trois ans. ❑

f. According to Marie Blaise, choosing to study abroad can have a lot of advantages. Do you agree? Refer to the text in support of your answer. (Two points, about 50 words in total.)

11. Avant de lire l'extrait littéraire ci-contre, faites correspondre les mots français et anglais.

a. Avoir son bac par miracle	i. It allowed me [+ infinitive]
b. Ne pas être doué(e) en [+ matière]	ii. To make the most of life
c. Profiter de la vie	iii. To miraculously pass the Baccalaureate
d. Trouver un boulot	iv. Life is not always a bed of roses
e. Se rendre compte de / que	v. To realise
f. Également	vi. To be bad at [+ subject]
g. La vie n'est pas toujours un long fleuve tranquille	vii. Also
h. Retrousser ses manches	viii. To surpass oneself
i. Se dépasser	ix. To roll up one's sleeves
j. Ça m'a permis de [+ infinitf]	ix. To find a job

12. Maintenant, lisez le texte ci-dessous et répondez aux questions qui suivent.

1. Ce qui est important en début de carrière ou quand vous commencez votre vie active, c'est de multiplier et de diversifier vos expériences professionnelles. Après mon bac, je n'avais absolument aucune idée de ce que je voulais faire dans la vie, ni même de ce que je pouvais. **J'avais eu mon bac par miracle** et que **je n'étais douée en** rien de particulier. J'étais incapable de me concentrer sur quoi que ce soit, la seule chose qui m'intéressais vraiment était de **profiter de la vie**. J'ai donc décidé de faire un BTS de secréteriat : des études courtes pour **trouver un boulot** facilement.

2. Après mon BTS, je ne voulais plus être secrétaire ni assistante et j'ai préféré m'essayer à d'autres métiers qui m'attiraient plus. Je me suis donc retrouvée vendeuse en boutique pour 3 mois, commerciale pour agence de rencontre pour 6 mois, hôtesse d'accueil, commerciale grands comptes dans l'industrie, caissière et serveuse chez Quick ... pour **me rendre compte** qu'aucun de ces métiers ne me correspondait vraiment.

3. J'ai pris conscience **également** en exerçant ces métiers de la dureté de la vie. C'est en exerçant des métiers difficiles au début de sa carrière que l'on se rend compte que **la vie n'est pas toujours un long fleuve tranquille**. Moi qui ai eu une enfance privilégiée avec une nounou et femme de ménage, grande maison et week-ends à la mer, ces métiers même si je ne les ai pas exercés sur une très longue période, m'ont aidé à devenir adulte, à me rendre compte que j'allais devoir **retrousser mes manches** si je ne voulais pas avoir une vie difficile et exercer un métier usant moralement et physiquement.

4. Ainsi, mon expérience dans la restauration rapide par exemple a été très instructive car j'étais obligée de faire le ménage et la plonge dans des conditions difficiles. Cette expérience m'a « réveillée » et m'a donné envie de **me dépasser** pour accéder à quelque chose de plus intéressant. Ces expériences successives ont été très bénéfiques car elles **m'ont permis de** me rendre compte à quel point ces métiers étaient durs, peu intéressants, très stressants et peu rémunérateurs. Je ne savais toujours pas ce que je voulais faire de ma vie, mais je savais très bien, après ces expériences, ce que je ne voulais pas.

Adapté de : *Mon chemin vers la réussite*, Elise Franck, Maxima Laurent du Mesnil, 2014

→

a. i. Qu'est-ce qui est utile quand on commence à travailler ? (Section 1)
   ii. Trouvez les mots qui indique que la narratrice a réussi son bac de justesse. (Section 1)

b. Pourquoi la narratrice a-t-elle choisi un BTS de secrétariat ? (Section 1)

c. Citez deux travaux que la narratrice a fait après son bac. (Section 2)

d. Trouvez l'expression qui indique que la narratrice vient d'une famille riche. (Section 3)

e. i. Pourquoi la narratrice pense-t-elle que d'avoir fait ces différents travails était une bonne expérience ? (Section 4)
   ii. Trouvez dans la section 4 :
   A. un verbe au passé composé
   B. un verbe à l'imparfait.

f. The narrator thinks that doing different jobs, even for a short period, can be beneficial. Do you agree? Refer to the text in support of your answer. (Two points, about 50 words in total.)

13. Votre amie française Nadine vous a envoyé le courrier électronique suivant.

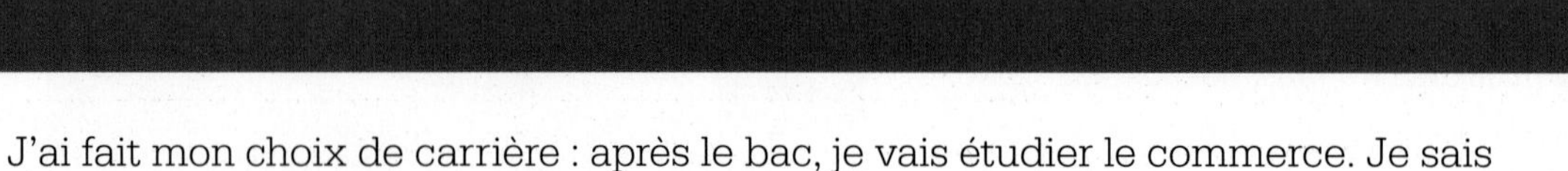

J'ai fait mon choix de carrière : après le bac, je vais étudier le commerce. Je sais que toi, tu as aussi décidé récemment ce que tu vas faire à l'avenir.

- Quelle carrière as-tu choisie, et pour quelle raison ?
- Comment est-ce que le conseiller d'orientation dans ton école t'a aidé(e) ?
- Qu'est-ce que tes parents pensent de ton choix ?
- As-tu l'intention de rester en Irlande après avoir fini tes études ?

Écrivez un courrier électronique à Nadine dans lequel vous répondez à ses questions. (75 mots environ)

2017, Leaving Certificate HL, Section II, Q2 (b)

AIDE

N'oubliez aucun élément de la question et faites très attention à votre grammaire. Comme cette production écrite est « guidée » par des questions, vous devez soigner vos temps, vos structures, etc. Regardez *Focus examen* page 236 pour vous aider.

Le futur proche

As in English, the near future is used for expressing one's intentions, things one plans to do, or events likely to happen soon, e.g.:
Qu'est-ce que tu vas faire demain ?
What are you going to do tomorrow?
Je vais organiser une fête avec mes amis.
I'm going to organise a party with my friends.
To form the near future, use the **present tense** of ***aller*** and **add the infinitive**.

	Aller	+	Infinitif	Traduction
Je	vais		jouer	*I'm going to play*
Tu	vas		donner	*You're going to give*
Il / elle / on	va		finir	*He / she's going to finish*
Nous	allons		prendre	*We're going to take*
Vous	allez		parler	*You're going to speak*
Ils / elles	vont		lire	*They're going to read*

If the infinitive verb is reflexive, remember to adapt the pronoun:

Je	*vais*	***me***	*lever*	*Nous*	*allons*	***nous***	*lever*
Tu	*vas*	***te***	*lever*	*Vous*	*allez*	***vous***	*lever*
Il	*va*	***se***	*lever*	*ils*	*vont*	***se***	*lever*

In the negative form, *n' / ne* … pas goes either side of the verb *aller*:
*Je **ne** vais **pas** me lever tôt ce weekend.*

There are no irregular verbs in the near future!

Traduisez ces phrases.

a. I'm going to work hard to get the points I need.

b. He's going to fail if he doesn't start studying.

c. We're going to sit the exam tomorrow.

d. Are you (pl.) going to travel after the Leaving Cert?

Bilan du chapitre 14

On révise le vocabulaire

1. Traduisez les mots suivants.
   a. To earn a living
   b. To do manual work
   c. Work experience
   d. To fail an exam
   e. A mock exam
   f. Registration fees

2. Traduisez les phrases suivants.
   a. **Mon rêve serait de** devenir médecin
   b. **J'ai l'intention** d'étudier le Droit à la fac.
   c. **Quand j'aurai fini ma licence, j'ai l'intention de** voyager pendant un an.
   d. **Comme je voudrais** travailler avec les animaux, je compte devenir vétérinaire.
   e. **J'ai envie d'avoir un métier qui me permette de** travailler de mes mains.
   f. **J'ai besoin de** 500 points.

3. Maintenant, utilisez les structures en caratères gras ci-dessus pour créer vos propres phrases.

4. Traduisez le sens général des expressions suivantes.
   a. Je croise les doigts !
   b. C'est à toi de voir.
   c. C'est un choix à ne pas faire à la légère.
   d. J'ai eu l'examen par miracle !
   e. Attaquer un cursus universitaire.
   f. À mon sens, la vie n'est pas un long fleuve tranquille.
   g. Il faut retrousser ses manches pour y arriver !

On révise la grammaire

5. Reproduisez le tableau suivant dans votre cahier, ajoutez « aller » au présent, choisissez des verbes à l'infinitif, puis écrivez des phrases au futur proche.

Aller	Verbes	Phrase
Je ______	______	______
Tu vas	manger	Tu vas manger au restaurant avec ta famille ?
Il / elle / on ______	______	______
Nous ______	______	______
Vous ______	______	______
Ils / elles ______	______	______

Chapitre 15

La francophonie

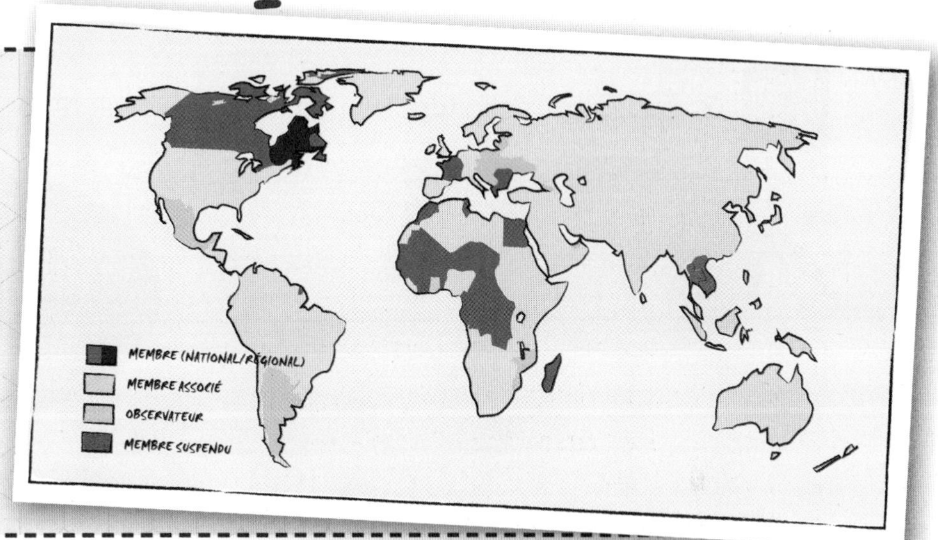

À la fin de la leçon on pourra :

- comprendre ce qu'est la francophonie
- donner son opinion sur l'apprentissage du français
- parler des voyages linguistiques
- s'exprimer au futur simple.

La Francophonie

On s'échauffe !

1. La francophonie avec un « f » minuscule c'est l'ensemble des locuteurs de français (les francophones). La Francophonie, avec un « F » majuscule, c'est l'organisation qui s'occupe des relations entre les pays francophones. Alors, on vous dit « francophone », à quoi pensez-vous ?

a. Trouvez le nom d'un politicien francophone.

b. Trouvez le nom de deux chanteurs / chanteuses francophones.

c. Trouvez le nom de trois acteurs / actrices francophones.

d. Trouvez le nom de quatre villes francophones.

e. Trouvez le nom de cinq pays francophones.

Faites des prédictions :

f. Combien de personnes parlent français dans le monde ? (+/– 5 millions)

g. Sur combien de continents est-ce qu'on parle français ?

h. Sur quel continent est-ce qu'on parle le plus français ?

i. Quel est le rang du français parmi les langues du monde ?

Comparez avec le reste de la classe.

f: 274 millions / g: 5 continents / h: l'Afrique / i: 5e rang (derrière le mandarin, l'anglais, l'espagnol et l'arabe-hindi)

2. Regardez la vidéo « Parle-t-on français ailleurs dans le monde ? 1 jour, 1 question » sur YouTube et discutez de ce que vous avez compris avec votre classe.

3. Faites correspondre les questions avec les réponses.

a. Qu'est-ce que la francophonie ?

b. Qu'est-ce que la Francophonie ?

c. À peu près combien de pays font partie de la Francophonie ?

d. Quel est le but de la Francophonie ?

e. Combien y a-t-il de francophones de part le monde ?

f. Quel est le logo de la Francophonie ?

i. C'est une organisation qui regroupe les pays qui ont des liens historiques avec la France et la langue française. Cette organisation est donc semblable au Commonwealth.

ii. C'est un cercle jaune, bleu, rouge, violet et vert qui représente les cinq continents.

iii. C'est l'ensemble des pays où l'on parle français.

iv. Environ 70 millions de personnes !

v. Du Maroc au Canada en passant par Madagascar : 55 états et gouvernements répartis sur les cinq continents ont le français pour langue officielle.

vi. Cette organisation s'est fixée plusieurs objectifs : promouvoir la langue française et la diversité culturelle, promouvoir la paix, la démocratie et les droits de l'homme, appuyer l'éducation et la recherche, développer la solidarité et promouvoir le développement durable.

4. Lisez ces textes qui parlent de pays francophones et répondez aux questions.

Le Québec

Le Québec est une province du Canada qui se distingue de ses voisins par le fait que le français y est la seule langue officielle. Sur une population de près de 7,7 millions d'habitants, 8 Québécois sur 10 sont de langue maternelle française. Le français y est la langue officielle, comprise et parlée par près de 95 % de la population. Les francophones représentent 21 % de la population nationale. Les Québécois défendent la francophonie face à la prépondérance de la langue anglaise. Une Charte protège la langue française au Québec. Par exemple, l'éducation primaire et secondaire se fait obligatoirement en français. La Charte réglemente aussi la publicité qui doit être en français. Si particulier à l'oreille des Français, l'accent québécois a son histoire. Au 18e siècle, les Français ne parlaient pas tous couramment le français que l'on connaît aujourd'hui, ils sont partagés entre plusieurs langues : le provençal, le breton, le normand, le basque, l'alsacien, l'occitan, le flamand et même le catalan. En Nouvelle-France, la majorité des premiers colons français étaient originaires de la côte atlantique. L'accent québécois est en fait un mélange du normand et du breton.

Le Bénin

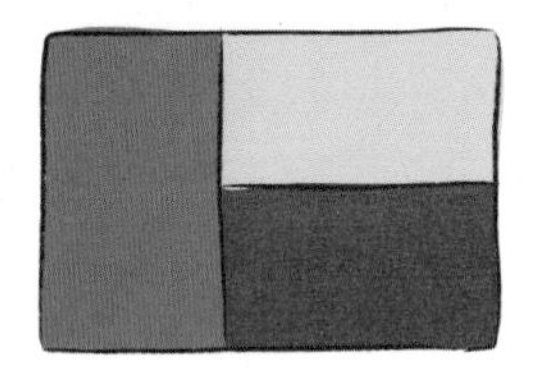

Au Bénin, le paradoxe du français en Afrique est poussé à l'extrême. Dans ce pays surnommé « Le quartier latin de l'Afrique », qui compte environ 7,5 millions d'habitants, les francophones ne représentent que 9 % de la population. Pourtant le français est aujourd'hui l'unique langue officielle du Bénin. Ce faible pourcentage s'explique par la composition de la population en de nombreuses ethnies, la plupart ayant sa propre langue. En fait, les Béninois pratiquent d'avantage les dialectes (le fongbé, le yoruba, le bariba, le gougbé ou la xlagbé, le ditamari, le tem, le dendi, et le peul !).

Le Luxembourg

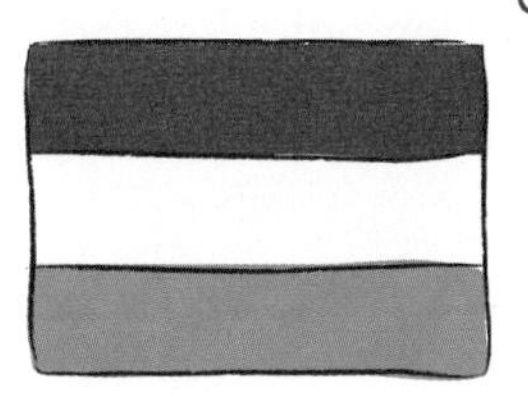

Au Luxembourg, le français, l'allemand et le luxembourgeois sont les langues officielles, mais c'est le luxembourgeois qui est la langue nationale. Le français est enseigné à l'école dès l'âge de 7 ans. Il est utilisé par l'administration et la justice concurremment avec l'allemand et reste la seule langue pour la rédaction des lois. L'ensemble du service d'information routier est en français. Le luxembourgeois et le français sont les langues les plus utilisées dans le pays.

La Belgique

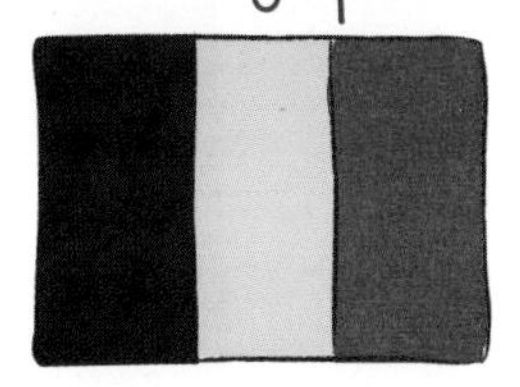

L'allemand, le français et le néerlandais sont les trois langues officielles de la Belgique. Environ 41 % de la population parle le français. Parmi les différentes régions, seule la Région de Bruxelles-Capitale est officiellement bilingue, français et néerlandais. La région wallonne, située au sud, est officiellement unilingue francophone.

→

La Suisse

La Suisse est quadrilingue : allemand, français, italien et romanche (langue romane parlée par une petite minorité). À la croisée de plusieurs grands pays européens qui ont influencé sa culture, la Suisse a une longue tradition de neutralité politique et militaire, et abrite de nombreuses organisations internationales. La plupart des Suisses parlent plus d'une langue, mais l'usage de l'allemand standard est limité aux situations les plus formelles. Le français est parlé dans l'ouest du pays, région généralement appelée la Suisse romande. La majorité des formations supérieures ne sont enseignées que dans deux langues, l'allemand et le français.

L'Algérie

Certains pays, par leur histoire, leur colonisation ou « par amitié », n'ont pas le français pour langue officielle mais sont membres de la Francophonie. C'est le cas de l'Algérie, où le français est répandu, avec près de 16 millions de locuteurs (47 % de la population), mais n'est plus reconnu officiellement. La conquête française de l'Algérie fut longue et progressive. Jusqu'en 1962, la colonisation a enraciné le français qui y a conservé une certaine influence. En effet, certains mots employés par les Algériens sont d'origine française, alors que ces mêmes mots ont leur équivalent arabe. Le français est extrêmement répandu : avec près de 16 millions de locuteurs (47 % de la population), l'Algérie est le deuxième plus grand pays francophone au monde après la France.

Attention, un pays peut être utilisé deux fois !

a. Quel pays a le français comme langue officielle bien que moins de 10 % de la population parlent cette langue ?

b. Quel pays n'a pas le français comme langue officielle ?

c. Quel lieu protège la langue française contre l'anglais ?

d. Quel pays a quatre langues officielles ?

e. Quels sont les deux pays qui ont trois langues officielles ?

f. Quel est le deuxième plus grand pays francophone après la France ?

g. Quel pays a une capitale officiellement bilingue ?

Le français

On s'échauffe !

5. Connaissez-vous ces mots très communs en anglais ? Donnez leur définition en anglais.

Adieu	Déjà vu	Joie de vivre	Soirée
À la carte	Encore	Mot juste	Souvenir
À la mode	Fait accompli	Petite	Toilette
Au contraire	Faux pas	Prêt-à-porter	Touché
Bon appétit	Force majeure	Rendez-vous	Voilà !
Bon voyage	Gauche	Risqué	
Brunette	Haute-couture	Sang-froid	
C'est la vie	Je ne sais quoi	Savoir-vivre	

6. Le français que vous apprenez est celui que l'on parle en France. Mais il y a une vraie diversité linguistique. Chaque pays francophone a ses propres expressions. Regardez par exemple ces mots québécois et devinez leur équivalent en français.

Les mots québécois	Les mots français
a. Magasiner	**i.** Faire de l'auto-stop
b. Quioute	**ii.** Petit ami
c. Faire du pouce	**iii.** Faire les magasins
d. Chum	**iv.** Pas du tout
e. Pantoute	**v.** Mignon

AIDE

Pour des expressions idiomatiques francophones, allez sur ce site : http://focus.tv5monde.com/expressions-imagees/voir-les-expressions

7. Pourquoi apprendre le français ? Écoutez ces six personnes qui donnent leurs avis sur le français. Parmi la liste suivante, quelles opinions avez-vous entendues ?

- **a.** Personnellement, je pense que le fait de parler une langue étrangère et surtout le français, m'ouvrira des portes dans le monde du travail ! ❑
- **b.** J'apprends le français depuis cinq ans et je trouve que c'est une langue très intéressante et riche. En plus, c'est une langue qui est parlée sur les cinq continents ! ❑
- **c.** Le français, c'est ma bête noire ! J'ai beau essayé, je n'y comprends rien ! Ce que je trouve le plus difficile, c'est la grammaire. ❑
- **d.** J'ai de la chance, je suis doué pour les langues car j'ai l'oreille musicale. J'ai choisi d'étudier le français plutôt que l'allemand parce que j'aime la mélodie de cette langue. ❑
- **e.** Je vais en France régulièrement et je pense que c'est la moindre des choses que de parler la langue du pays que l'on visite. ❑
- **f.** Je pense qu'on ne devrait pas être obligé d'apprendre une langue étrangère au bac. Ça prend beaucoup de temps et d'énergie qu'on pourrait consacrer à des matières plus importantes comme les maths et l'anglais. ❑
- **g.** J'ai besoin du français pour aller à la fac mais après le bac, c'est fini ! Je ne parlerai plus un mot de français, ras le bol de cette langue. ❑
- **h.** Pour moi, le français est la langue de la culture et de la diplomatie. Ça me permet de m'ouvrir l'esprit sur une culture différente. ❑
- **i.** Plus de 175 millions de personnes parlent français sur cinq continents. C'est la langue la plus utilisée après l'anglais. C'est une bonne raison pour apprendre cette langue, non ? ❑
- **j.** Tout le monde parle au moins un peu anglais, donc je ne vois pas du tout pourquoi on doit apprendre le français. Ça ne me servira à rien après le bac ! ❑

8. Quand vous avez fini, travaillez à deux et classez ces opinions selon qu'elles sont positives ou négatives.

AIDE

Utilisez ces phrases pour l'oral !

9. Voici quelques raisons d'apprendre le français. Faites correspondre les textes avec leurs titres.

a. La langue de l'amour et de l'esprit	**i.** Plus de 200 millions de personnes parlent français sur les cinq continents. La Francophonie regroupe 68 états et gouvernements. Le français est la langue étrangère la plus largement apprise après l'anglais et la cinquième langue la plus parlée dans le monde. C'est également la seule langue avec l'anglais que l'on peut apprendre dans tous les pays du monde.
b. La langue de la culture	**ii.** Parler français et anglais est un atout pour multiplier ses chances sur le marché international de l'emploi. La connaissance du français ouvre les portes des entreprises françaises en France comme à l'étranger dans tous les pays francophones.
c. Une langue pour trouver un emploi	**iii.** Le français est la langue internationale pour la cuisine, la mode, le théâtre, les arts visuels, la danse et l'architecture. Connaître le français, c'est avoir accès en version originale aux grands textes de la littérature française et francophone, mais également au cinéma et à la chanson.
d. Une langue parlée dans le monde entier	**iv.** La France est le pays le plus visité au monde avec plus de 70 millions de visiteurs par an. Avec des notions de français, il est tellement plus agréable de visiter Paris et toutes les régions de France mais aussi de comprendre la culture, les mentalités et l'art de vivre à la française. Le français est tout aussi utile lorsqu'on visite l'Afrique, la Suisse, le Canada, Monaco, les Seychelles …
e. Une langue pour voyager	**v.** Parler français permet notamment de poursuivre ses études en France dans des universités réputées classées parmi les meilleurs établissements supérieurs en Europe et dans le monde. Les élèves maîtrisant le français peuvent bénéficier de bourses du gouvernement français pour suivre un troisième cycle d'études en France.
f. Une langue pour étudier dans les universités françaises	**vi.** Apprendre le français, c'est d'abord le plaisir d'apprendre une belle langue, riche et mélodieuse qu'on appelle souvent la langue de l'amour. Le français est aussi une langue analytique qui structure la pensée et développe l'esprit critique, ce qui est très utile dans les discussions ou des négociations. (www.diplomatie.gouv.fr)

10. « Aujourd'hui, nous sommes plus de 274 millions de personnes à parler français au quotidien, pour nos études, pour notre travail ... Mais on peut faire mieux ! »

En groupe, créez l'affiche qui va donner envie à des jeunes de votre âge de parler français. La Francophonie compte sur vous !

11. Écoutez et lisez ce texte et complétez les phrases avec les mots qui manquent.

Chaque semaine, nous avons ____________ cours de français. Nous faisons beaucoup de ____________ écrites. On doit lire des ____________ journalistiques et littéraires et on doit ____________ aux questions. C'est assez difficile, mais si on apprend le ____________ par cœur et régulièrement, ça va. Notre professeur nous donne beaucoup de ____________. Chaque semaine nous devons faire une compréhension écrite et ____________ un paragraphe, sans parler du vocabulaire, de la ____________. Nous sommes surchargés de boulot ! Ce que je trouve le plus ____________, c'est la grammaire et surtout les temps. J'aime quand nous parlons en ____________ ou à deux. J'ai de la chance parce que ma voisine est ____________ et je peux lui parler français en dehors de la classe. Avant les vacances, nous regardons parfois un ____________ en français, mais c'est rare.

devoirs **film** **compréhensions** **française**
grammaire **textes** **quatre** **écrire** **répondre**
vocabulaire **dur** **groupe**

12. Et vous ? Répondez aux questions suivantes à l'oral.

a. Pourquoi avez-vous choisi le français ?
b. Quel aspect trouvez-vous le plus intéressant ? Le plus difficile ?
c. Est-ce que vous pensez qu'il est important d'apprendre une langue étrangère ?
d. Qu'est-ce que vous avez fait cette année en cours de français ?

13. Regardez et trouvez d'autres bonnes raisons d'apprendre le français dans la vidéo « Pourquoi apprendre le francais.avi » sur YouTube. Pourquoi ne pas créer votre propre vidéo ?

14. « Moi, je trouve que c'est vraiment stupide d'apprendre le français ! » Didier, 16 ans

Qu'en pensez-vous ? (75 mots environ)

AIDE

C'est une bonne idée d'apprendre trois ou quatre arguments en faveur de l'apprentissage des langues vivantes. Vous pourrez vous en servir durant l'oral ou pour un exercice écrit comme celui-ci. Quand vous rédigez votre réponse, attention à ne pas faire un catalogue de raisons ! Pensez encore et toujours :

- à écrire une bonne introduction
- aux mots de liaison
- aux phrases complexes
- à une bonne conclusion.

C'est aussi une bonne idée de parler de votre expérience personnelle, particulièrement pour ce sujet.

15. Avant de lire le texte littéraire qui suit, faites correspondre les mots avec leurs traductions.

a. Méridional	i. A corner
b. D'ailleurs	ii. From the south of France
c. Attrapper un accent	iii. To dive into one's studies
d. Se plonger dans les études	iv. From elsewhere / by the way
e. Si j'ose dire	v. To fill
f. En effet	vi. To get an accent
g. Troublant	vii. Troubling / disturbing
h. Un recoin	viii. A gap
i. Un vide	ix. If I dare say
j. Remplir	x. Indeed

16. Maintenant, lisez ce texte et répondez aux questions qui suivent.

1. — Akira, tu parles un français ! ... Excuse-moi, je suis obligé de le dire ... Je perçois, de temps à autre, une pointe d'accent **méridional**, c'est tout. Je te dirai **d'ailleurs** que c'est très agréable. Comment se fait-il que tu n'aies pas d'accent comme les autres ?
— Oui, j'ai vécu un peu plus de deux ans à Montpellier. C'est là que j'ai dû **l'attraper**. Le japonais n'est pas une langue que j'ai choisie. Le français, si. Heureusement on peut choisir sa langue ou ses langues. Le français est la langue dans laquelle j'ai décidé, un jour, de me **plonger**. J'ai adhéré à cette langue et elle m'a adopté ... C'est une question d'amour. Je l'aime et elle m'aime ... **si j'ose dire** ...
2. On me l'a dit, **en effet**, et combien de fois :
« C'est **troublant** que tu parles comme ça sans accent ... » Combien de fois ! On m'a souvent pris aussi pour un Vietnamien né en France ou un Chinois issu de l'immigration, grandi en France. Chaque fois, j'ai dû expliquer et préciser :
— Non, je suis un pur produit japonais ...
Un jour, mon père m'a montré un petit arbre généalogique qui remontait au moins à quatre ou cinq générations. Pas un seul étranger apparemment. Personne qui soit venu **d'ailleurs**.
3. J'ai commencé à apprendre le français à l'âge de dix-neuf ans, à l'université. Le français, c'était purement et simplement une langue étrangère, totalement étrangère au départ. Ma vie se divise en deux portions de durée inégale : mes dix-huit premières années monolinguistiques, même si j'ai appris l'anglais au collège et au lycée (l'anglais chez moi a toujours gardé le statut de langue étrangère, c'est-à-dire extérieure à moi) ; la suite de mon existence, de la dix-neuvième année à aujourd'hui, placée sous la double appartenance au japonais et au français.
4. L'un a surgi en moi ; il s'est ensemencé au fond de moi; d'une certaine manière, il était toujours déjà là ; il est, **si j'ose dire**, de constitution verticale. L'autre, c'est la langue vers laquelle j'ai cheminé avec patience et impatience tout à la fois ; je me suis déplacé vers elle ; c'est celle que je suis allé recueillir tandis qu'elle m'a accueilli en elle ; elle m'est venue de loin, avec un retard considérable de dix-huit ans. Elle est de nature horizontale, d'une étendue immense qui conserve toujours des **recoins** inexplorés, des vides à **remplir**, des espaces à conquérir.
Je pourrais maintenir mes interlocuteurs français un certain temps dans l'illusion de se trouver face à un francophone natif ... Mais assez vite ils s'apercevraient que je ne suis pas de leur pays.

Extrait de : *Une langue venue d'ailleurs*, d'Akira Mizubayashi, Gallimard, 2011

a. i. Akira parle avec quel accent ? (Section 1)
ii. Pourquoi a-t-il cet accent ? (Section 1)

b. i. De quelle nationalité est-il ? (Section 2)
ii. Trouvez dans la section 2 :
A. un verbe à l'imparfait
B. un adverbe.

c. Où a-t-il appris le français ? (Section 3)

d. Dans la section 3, Akira explique :
A. qu'il ne considère plus le français comme une langue étrangère ❏
B. que l'anglais est la langue qu'il préfère ❏
C. qu'il lui a fallu 18 ans pour apprendre le français. ❏

e. Trouvez les mots qui indiquent qu'Akira pense qu'il a encore des choses à apprendre du français. (Section 4)

f. Akira's French is exceptionally good. Do you agree? (Make two points, referring to the text to support your answers, 50 words.)

Les voyages linguistiques

On s'échauffe !

CD2 T31-34

17. Écoutez ces élèves qui parlent de leurs voyages linguistiques, puis recopiez et remplissez le tableau suivant en anglais.

	Age	Country visited	How long spent there	Positive point	Negative point
Nicole					
Vincent					
Antonio					
Hamed					

18. Maintenant trouvez les mots et expressions suivants dans la transcription page 431.

a. I didn't want to go back
b. I made lots of great friends
c. It was enough for me
d. Very bad weather
e. I improved so much in French
f. I am fluent
g. I was lucky to meet lots of people

19. Students from the Lycée Jean-Monnet in Toulouse have written to your school. They want to hear about Irish students' experience of learning French. You email them back, making the following points.

- Say that your teacher has asked you to reply to their enquiry, and that you are delighted to do so.
- Say how long you have been learning French, and the standard you have reached.
- Say what you like and dislike about learning French.
- Describe how French has been useful to you outside the classroom.
- Ask them to email you, telling you about their experience of learning English in the classroom.

AIDE

Regardez la section *Focus examen* page 236 pour vous aider.

- Ce que je ne peux pas supporter c'est …
- Ma bête noire c'est …
- … me donne du fil à retordre.
- Je n'ai aucune difficulté à parler français / avec la grammaire française.
- Ce que je préfère c'est bien …

GRAMMAIRE

Le futur simple

There are two future tenses in French, same as in English: the *futur proche*, which describes what is going to happen (*je vais jouer* : I'm going to play) and the *futur simple*, which is used to describe what will happen in the future (*je jouerai* : I will play). For regular **-er** and **-ir** verbs, it is formed by adding the following endings to the infinitive form:

*Je joue**rai***	*Nous joue**rons***
*Tu joue**ras***	*Vous joue**rez***
*Il / elle / on joue**ra***	*Ils / elles joue**ront***

For regular **-re** verbs, drop the final **-e** before adding the ending, e.g.:
vendre ⟶ *vendr-* ⟶ *il vendr**a***

Tip: note that the endings are the same as those for the present tense of the verb *avoir*:

*J'**ai***	*Nous av**ons***
*Tu **as***	*Vous av**ez***
*Il **a***	*Ils **ont***

For the future tense of **irregular verbs**, it is important to learn the ***je*** form of the verb stem, as the endings are the same as for regular verbs. Once you have learnt the stem and the endings, you will know the whole verb.

Here is a list of common irregular verbs and their future tense forms:

Aller	⟶	J'irai	Lire	⟶	Je lirai
Avoir	⟶	J'aurai	Mettre	⟶	Je mettrai
Boire	⟶	Je boirai	Pouvoir	⟶	Je pourrai
Envoyer	⟶	J'enverrai	Prendre	⟶	Je prendrai
Croire	⟶	Je croirai	Recevoir	⟶	Je recevrai
Devoir	⟶	Je devrai	Savoir	⟶	Je saurai
Dire	⟶	Je dirai	Tenir	⟶	Je tiendrai
Écrire	⟶	J'écrirai	Venir	⟶	Je viendrai
Être	⟶	Je serai	Voir	⟶	Je verrai
Faire	⟶	Je ferai	Vouloir	⟶	Je voudrai

The most important ones are included in the following grid:

	Aller (to go)	Avoir (to have)	Être (to be)	Faire (to do)	Pouvoir (to be able)
Je / j'	irai	aurai	serai	ferai	pourrai
Tu	iras	auras	seras	feras	pourras
Il / elle / on	ira	aura	sera	fera	pourra
Nous	irons	aurons	serons	ferons	pourrons
Vous	irez	aurez	serez	ferez	pourrez
Ils / elles	iront	auront	seront	feront	pourront

1. Conjuguez ces verbes au futur simple puis au futur proche comme l'exemple ci-dessous.

Exemple : Je (aller) → j'irai; je vais aller

a. Tu (faire)

b. Il (partir)

c. Elle (jouer)

d. On (être)

e. Nous (pouvoir)

f. Vous (dire)

g. Ils (devoir)

h. Elles (avoir)

2. Conjuguez les verbes entre parenthèses au futur simple.

a. Nous ____________ (partir) vivre en Espagne dans dix ans.

b. Je ____________ (voir) mes grands-parents qui habitent à Dublin.

c. Nous ____________ (prendre) le train vers huit heures du matin.

d. Ils ____________ (passer) son permis de conduire dans trois ans.

e. Elle ____________ (avoir) des devoirs à faire.

f. Vous ne ____________ (pouvoir) pas y arriver.

g. Elles ____________ (faire) de la planche à voile cet été.

h. Nous ____________ (être) très contents de vous recevoir.

i. Il ____________ (finir) ses études de médecine dans dix ans.

j. Ils ____________ (aller) à l'étranger après le bac.

Bilan du chapitre 15

On révise le vocabulaire

1. Traduisez les mots suivants.
   - a. Apprendre par cœur
   - b. D'ailleurs
   - c. Attrapper un accent
   - d. I didn't want to go back
   - e. I improved so much in French
   - f. I am fluent

2. Traduisez les phrases suivantes.
   - a. **Je pense que le fait de** parler une langue étrangère est bénéfique.
   - b. **Je pense qu'on ne devrait pas être obligé d**'apprendre le français.
   - c. **J'ai besoin du** français pour aller à l'université.
   - d. **Ça me permet de** communiquer plus facilement quand je vais en France.
   - e. **Je ne vois pas du tout pourquoi** le français est obligatoire.

3. Maintenant, utilisez les structures en caratères gras ci-dessus pour créer vos propres phrases.

4. Traduisez le sens général des expressions suivantes.
   - a. Les langues ouvrent l'esprit
   - b. C'est ma bête noire
   - c. J'ai l'oreille musicale
   - d. Je me suis plongé dans mes études
   - e. C'est la moindre des choses que de parler la langue du pays qu'on visite.

On révise la grammaire

5. Complétez le tableau suivant avec les verbes irréguliers au futur simple.

	Aller (to go)	Avoir (to have)	Être (to be)	Faire (to do)	Pouvoir (to be able)
Je / j'	irai				
Tu					
Il / elle / on					
Nous					
Vous					
Ils / elles					

Chapitre 16

La pression des examens

À la fin de la leçon on pourra :

- parler de la pression que subissent les jeunes
- parler de la pression des examens
- exprimer ses sentiments par rapport aux études après le bac
- s'exprimer au passé récent.

La pression du bac

On s'échauffe !

1. À deux, écrivez un maximum de mots pour décrire des sentiments négatifs ou des émotions négatives. Connaissez-vous aussi des expressions idiomatiques ? Partagez avec votre classe.

2. Écoutez les opinions suivantes et répondez aux questions.

Quentin, 17 ans

a. According to Quentin, what is the main pressure on young people?
b. Does he have good marks?
c. What is he scared of?

Jean-François, 16 ans

d. According to Jean-François, what is the main pressure on young people?
e. Why was he bullied?
f. Why is he OK now?

Nadine, 17 ans

g. According to Nadine, what is the main pressure on young people?
h. Give two expectations for young people.
i. What does she think of these expectations?

Youssef, 16 ans

j. What is the main pressure on young people according to Youssef?
k. Why do young people do that?
l. What should be done systematically according to him?

3. Maintenant, cherchez les mots et expressions suivants dans la transcription page 432 de l'exercice 2.

a. To study for the Leaving Cert
b. School success
c. As for me
d. I'm scared of failing
e. Bullying
f. Two guys
g. I have lots of mates
h. To look for a way out
i. To turn to soft or hard drugs
j. To do as the others do
k. To be very fashionable
l. Labels

4. Répondez aux questions suivantes à l'oral.

a. D'après vous, quelle est la pression la plus importante sur les jeunes ?
b. Pourquoi ?
c. Que peut-on faire contre ça ?

AIDE

Vocabulaire :

- Je pense que la pression la plus importante est …
- Les jeunes subissent trop de pression à cause de …
- Ils veulent faire comme les autres
- C'est à cause des parents
- On pourrait …
- Il faut apprendre à se détendre

5. Avant de lire le texte suivant, faites correspondre les mots et expressions suivants avec leurs traductions.

a. Décevoir	**i.** To get average marks
b. Avoir la moyenne	**ii.** Well-being
c. Subir	**iii.** At all cost
d. L'entourage	**iv.** To suffer / endure
e. À tout prix	**v.** To disappoint
f. Il n'est pas rare de voir des gens [+infinitif]	**vi.** It's not unusual to see people [+ infinitive]
g. La pression exercée par	**vii.** Pressure exerted by
h. La pression exercée sur	**viii.** To push to the max
i. Le bien-être	**ix.** Pressure put on
j. Pousser au maximum	**x.** People around you

6. Maintenant, lisez le témoignage de Rosemarie Guénette, une jeune canadienne, et répondez aux questions qui suivent.

Trop de pression sur les jeunes?

1. J'ai toujours peur de **décevoir** mes parents. **J'ai des moyennes** de plus de 90 % dans toutes les matières, je travaille tous les soirs après l'école dans une pharmacie, je remets toujours mes devoirs à temps, je ne prends pas de drogue, mais je me dis très souvent que je peux faire mieux pour montrer à mes parents que je suis la meilleure et que je peux performer. Performer, un mot très important pour moi et la majorité des jeunes de mon âge. Mais peut-être que les jeunes **subissent** trop de pression de **leur entourage**.

2. Depuis plusieurs générations dans ma famille, les jeunes sont poussés à faire leur maximum en tout temps. Mes grands-parents paternels étaient tous les deux premiers de classe. Mon grand-père a fait un baccalauréat en chimie. Mon père a manqué le dernier spectacle de Pink Floyd au Canada pour lequel il avait des billets, car il a préféré étudier pour un examen de physique au cégep*. Ma mère jouait à Génies en herbe et ses parents étaient déçus quand elle obtenait moins de 90%. Ma grande sœur se situait, l'an dernier, au 99e percentile en français. Ma vie était donc vite devenue une sorte de compétition avec les membres de ma famille … et tous les autres.

3. Plusieurs adolescents, surtout les filles, sont incapables de supporter cette pression de devoir performer **à tout prix**, et tout ce stress a des effets négatifs sur eux. Comme par exemple, tout ce stress peut apporter des problèmes d'anxiété. Par la suite, ces jeunes doivent prendre des antidépresseurs et des anxiolytiques et d'après moi, il n'est pas naturel de prendre ce genre de médicament à un si jeune âge. Aussi, lors des sessions d'examens, **il n'est pas rare de voir des gens** vomir, tout cela causé par **la pression exercée par** les professeurs, les parents et parfois par eux-mêmes. Si c'est comme ça au secondaire, comment sera-t-il au cégep* ou à l'université ? Au cours des 10 dernières années, il y a eu une hausse de 65 % du nombre de jeunes de moins de 18 ans qui consomment des antidépresseurs.

4. En conclusion, **cette pression exercée sur** les jeunes pour qu'ils réussissent a des effets négatifs. Les adultes, ainsi que les jeunes – il en va de leur **bien-être** – devront apprendre à ne pas dépasser leur capacité, à gérer leur stress et apprendre où et quand il faut **pousser au maximum**.

* Cégep : Collège d'enseignement général et professionnel au Québec.

Adapté d'un article de Rosemarie Guénette sur www.letudiantoutaouais.ca, le 14 janvier 2017

→

a. i. De quoi a pour Rosemarie ? (Section 1)
   ii. Quel est le petit-boulot de Rosemarie après l'école ? (Section 1)

b. Qu'est-ce qui est très important pour Rosemarie et les jeunes de son âge ? (Section 1)

c. i. Pourquoi son père a-t-il raté un concert de rock ? (Section 2)
   ii. Trouvez un verbe pronominal à l'imparfait dans la section 2.

d. i. Citez deux exemples de conséquences négatives du stress sur les jeunes. (Section 3).
   ii. Qui exerce la pression sur les jeunes ? (Section 3)

e. i. À quoi correspond le chiffre 65 % ?
   ii. Que devront apprendre les jeunes pour leur bien-être ?

f. Rosemarie has a lot of pressure to succeed from her family. Do you agree? (Refer to the text in support of your answer. Two points, about 50 words in total)

AIDE

Vocabulaire :

- À mon avis ...
- Les tracas quotidiens
- Faire des choix importants
- Le système de points
- La pression extérieure
- L'obligation de performance
- La peur d'échouer aux examens
- L'ambiance familiale
- Les conflits familiaux

7. Aujourd'hui il y a trop de pression sur les jeunes. Qu'en pensez-vous ? Écrivez 75 mots à ce sujet.

AIDE

Vous pouvez utiliser les phrases que vous avez apprises pour l'oral dans l'exercice 4. Utilisez aussi les exercices de lecture et d'écoute ci-dessus.

8. Avant de lire le texte qui suit, faites correspondre les mots et expressions suivants avec leurs traductions.

a. Avoir le cœur qui bat	**i.** How do you say / how can I say
b. Comment dire	**ii.** I'm starting to wonder if ...
c. Intenable	**iii.** Send out (of the class)
d. Je commence à me demander si ...	**iv.** As for
e. Avoir le niveau pour réussir au bac	**v.** Just great
f. Quant à	**vi.** I'm trying not to worry too much
g. Faire prendre la porte	**vii.** You'll get it, don't worry
h. Que de joie	**viii.** To have palpitations
i. J'essaie de ne pas trop m'inquiéter	**ix.** To be good enough to pass the exam
j. Tu l'auras, t'inquiète	**x.** Unbearable

9. Maintenant, lisez ce texte et répondez aux questions qui suivent.

Bac sous pression

« Le bac, c'est bien, avec une mention*, c'est mieux. » Au début, ça m'a fait rire. Maintenant, j'ai la pression. » Raphaëlle raconte.

1. **J'ai le cœur qui bat**, des insomnies régulières, une appréhension totale ... Je ne vais pas me marier dans quelques jours, juste passer mon bac, dans quelques mois. Plus précisément, il m'en reste moins de trois pour apprendre, entre autres, le nom et la localisation des cinquante États américains, les noms des dirigeants successifs de la Chine depuis l'époque de Mulan, et surtout tous les verbes forts allemands.

2. Il se trouve que ça fait sept ans que j'essaie d'apprendre cette langue, et sept ans que je sais dire uniquement « chien » et « salade de pommes de terre » ; alors l'oral de dix minutes pour le bac, **comment dire**, je le vois venir avec un peu d'appréhension. Et si seulement il n'y avait que l'allemand. Le bac entier me fait peur.

3. Je sais bien, comme mes amis, que je l'aurai, mon bac. Mais la pression que l'on nous met est assez **intenable**, parfois. « Passe ton bac d'abord », « Tu veux faire de la musique ? OK, on verra après ton bac », et autres. « Le bac, c'est bien, avec une mention*, c'est mieux » sont des phrases que, j'imagine, des milliers de terminales entendent tous les jours. Au début, ça m'a fait rire. Et puis **je commence à me demander si** je vais vraiment l'avoir, cette mention, avec un huit en histoire au bac blanc.

4. Pour nous donner une idée de nos chances de réussite, nos profs font des appréciations. Pour celles du deuxième trimestre – qui vient de se terminer – on peut lire, par exemple, que ma prof de littérature n'est « pas du tout optimiste pour le bac. Presque aucun élève de la classe n'**a le niveau pour réussir au bac** ». Mon prof principal pense que pratiquement tous les élèves de la classe ont des problèmes psychologiques ou sont malades. **Quant à ma prof d'allemand**, elle menace de me faire « **prendre la porte** » quand je ne trouve pas la réponse à sa question. **Que de la joie**, de la bonne humeur, de l'encouragement ! **J'essaie de ne pas trop m'inquiéter**, puisque le bac, tout le monde dit que c'est « super facile » et que « **tu l'auras, t'inquiète** ». Alors je l'aurai. Enfin, j'espère. Enfin, peut-être ...

*La mention : En France, si vous avez une note globale entre 12 et 14/20 au bac, vous avez une mention « assez bien », entre 14 et 16/20 vous avez une mention « bien », entre 16 et 20/20, vous avez une mention « très bien ».

Adapté de *psychologies.com*, écrit par Raphaëlle, lycéenne, 2013.

→

a. i. Citez un des symptômes du stress que subit la narratrice à cause du bac. (Section 1)
   ii. Combien de temps reste-t-il exactement avant qu'elle ne passe son bac ? (Section 1)
   iii. Trouvez un des sujets qu'elle doit étudier dans la première section.

b. i. Depuis combien de temps apprend-elle l'allemand ? (Section 2)
   ii. Pourquoi a-t-elle peur de passer l'oral d'allemand ? (Section 2)

c. i. Trouvez un verbe au futur simple dans la section 3.

d. Pourquoi pense-t-elle qu'elle n'aura peut-être pas la mention au bac ? (Section 3)

e. Dans la section 4, on apprend que :
   i. les profs de la narratrice sont là pour l'aider à apprendre et à réviser ❑
   ii. les appréciations des profs de la narratrice la mettent de bonne humeur car elles sont encourageantes ❑
   iii. les appréciations des profs de la narratrice ne l'encouragent pas du tout ❑
   iv. les appréciations des profs sont bonnes et mauvaises

f. This student feels a lot of pressure a few months before the exam. Do you agree? Refer to the text in support of your answer. (Two points, about 50 words in total.)

10. Votre correspondant, Julien, vous écrit un mail pour vous dire qu'il arrête ses études pour rentrer dans la vie active. Vous lui écrivez un mail en retour pour lui donner des conseils afin qu'il change d'avis.
(75 mots environ)

AIDE

Regardez la section *Focus examen* page 236.

La pression de l'université

On s'échauffe !

11. Écoutez les témoignages de ces trois étudiants qui parlent de leurs premières journées à l'université et répondez aux questions.

Léo, 18 ans

a. What was the main problem for Léo when he arrived at university?
   i. He felt lost, ill prepared. ❑
   ii. He missed his family. ❑
   iii. He hated his studies. ❑
   iv. He had no friends. ❑

b. What helped him?

c. What does he say this experience helped him do?

Nina, 19 ans

d. Name one problem that Nina had when arriving at university.

e. What did she decide to do instead of staying in her room?

f. Why does her mother tell her off now?

Juliette, 18 ans

g. How did Juliette feel before leaving for university?
h. What did she realise she needn't do any more?
i. What does she still miss?

12. Trouvez les mots et expressions suivants dans la transcription page 432 de l'exercice 11.

a. I wasn't feeling well at all
b. What helped me is
c. It's normal to feel lost
d. This tiny room
e. The good places to go out
f. No need to … any more
g. I made the most of my new freedom

13. Choisissez un des sujets suivants.

a. C'est la veille du départ. Demain, vous irez à l'université pour la première fois. Vous avez beaucoup d'émotions et de craintes mais il vous tarde vraiment ! Qu'écrivez-vous à ce sujet dans votre journal intime ? (75 mots)
b. « À mon avis, le système de points crée trop de pression sur les jeunes. C'est même la plus grande source de stress ! » Paul, 18 ans
Qu'en pensez-vous ? (75 mots)

AIDE

Regardez la section *Focus examen* page 236 pour vous aider.

GRAMMAIRE

Le passé récent : Je viens de …

To say that you just did or have just done something, use the present tense of ***venir*** + ***de ma infinitif***.

Je viens	*de*	*[+ infinitif]*
Tu viens	*de*	*[+ infinitif]*
Il / elle / on vient	*de*	*[+ infinitif]*
Nous venons	*de*	*[+ infinitif]*
Vous venez	*de*	*[+ infinitif]*
Ils / elles viennent	*de*	*[+ infinitif]*

If the verb is reflexive, change the pronoun accordingly but keep the verb in the infinitive form, e.g.:
Je viens de ***me*** *disputer avec ma mère.*
I've just had an argument with my mother.

1. Traduisez ces phrases en français.

a. I have just finished my exams and I'm exhausted.
b. I've just decided to go to France.
c. He has just left his parents to go to college.
d. We have just realised that we have a test this afternoon.
e. They have just arrived in Paris.

2. Traduisez les phrases suivantes.

a. I've just realised that I've lost my mobile phone.
b. I have just talked to Annie; she is not happy.
c. My friends and I have just had the best party.
d. My mother just told me that I can't go to the concert.
e. He's just left.
f. I have just argued with my mother.

Bilan du chapitre 16

On révise le vocabulaire

1. Traduisez les mots suivants.
   a. La réussite scolaire
   b. Décevoir
   c. Le bien-être
   d. Gronder
   e. S'instruire
   f. Bullying
   g. To have an average mark
   h. The fear of failing exams

2. Traduisez les phrases suivantes.
   a. **Il n'est pas rare de voir** des gens être malade à cause du stress.
   b. **On n'a pas les moyens de** partir en vacances.
   c. **Ce qui m'a aidé c'est que** j'étais très organisé.
   d. **Pour ma part**, je suis très stressé le matin des examens.
   e. **Il a l'air** malade.

3. Maintenant, utilisez les structures en caractères gras ci-dessus pour créer vos propres phrases.

4. Traduisez le sens général des expressions suivantes.
   a. Je n'ai pas eu la moyenne.
   b. Je dois réussir cet examen à tout prix.
   c. J'ai pleuré toutes les larmes de mon corps.
   d. … C'est original !
   e. Si tu continues à faire du bruit en classe, tu vas **prendre la porte** !
   f. Il faut que je réussisse **à tout prix** !

On révise la grammaire

5. Traduisez les phrases suivantes avec le passé récent.
   a. I have just returned from my holiday in France.
   b. I have just spoken to my mother.
   c. We have just realised that the exam is tomorrow.
   d. They have just failed their exams.
   e. He just left.

FOCUS EXAMEN

L'email informel

The 'email' written production usually comes in Question 2 (b) is therefore not compulsory. It is worth 30 marks, and if you choose this question you should write a minimum of 75 words.

You should show that you are familiar with the layout of an email:

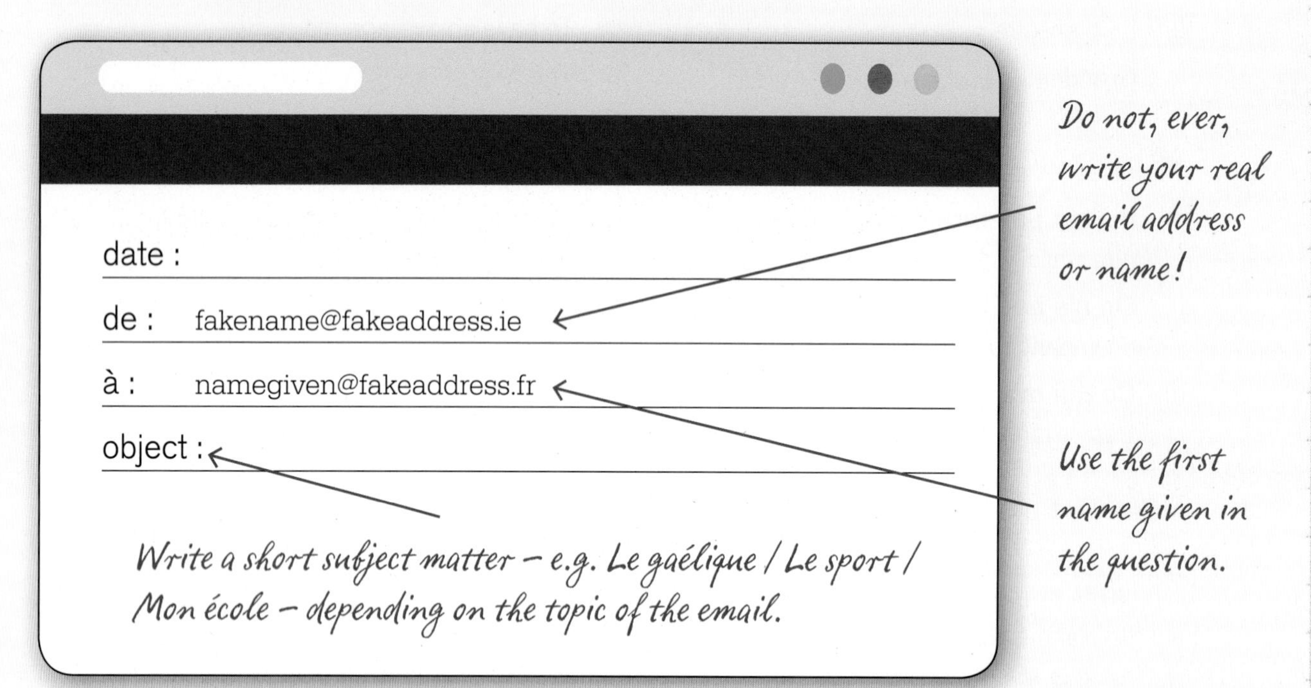

You will be given a context and up to five bullet points to deal with. Make sure you deal with all the points given. If you don't, even if your French is excellent, you will not reach the top mark.

If you are writing to a person you do not know or someone you need to be polite with, use the 'vous' form and keep your tone formal. (See the section *Focus examen* page 294.) If you are writing to a friend, keep an informal tone.

La lettre informelle

The 'informal letter' written production usually comes in Question 2 (b) and is therefore not compulsory. It is worth 30 marks, and if you choose this question you should write a minimum of 75 words.

You will be given a context and up to five bullet points to deal with. Make sure you deal with all the points given. If you don't, even if your French is excellent, you will not reach the top mark. Aim for four sentences for each point.

Remember, you are writing to a friend so you have to keep an informal tone. However, as you are writing a letter, it is important that you include the following:

- the place and the date in the right-hand corner (start the date with *le*, no capital letter for the months)
- the greeting (*cher, chère, chers*)
- a formula to sign off (choose the one you like from the list on page 240 and use it every time you write an informal letter).

Vocabulaire : email et lettre informelle

Pour commencer

Merci pour ta lettre que je viens de recevoir.	*Thank you for your letter which I have just received.*
Merci de ta lettre que j'ai reçue aujourd'hui / ce matin.	*Thank you for your letter which I received today / this morning.*
Je te remercie de ta lettre que j'ai reçue hier / ce matin.	*Thank you for your letter which I received yesterday / this morning.*
J'ai été content(e) d'avoir de tes nouvelles.	*I was glad to hear your news.*
Ta lettre m'a fait très plaisir.	*I really enjoyed your letter.*
Je viens de recevoir ta lettre qui m'a fait super plaisir.	*I loved your letter, which I've just received.*
Excuse-moi de ne pas avoir répondu plus tôt à ta dernière lettre mais …	*Sorry for not replying to your letter sooner but …*
… j'ai été malade	*… I've been ill.*
… j'ai eu énormément de travail.	*… I've had loads of work to do.*
… j'étais en vacances.	*… I was on holiday.*
Tu me demandes …	*You asked me…*
… ce que je vais faire.	*… what I'm going to do.*
… si je viens.	*… if I'm coming.*
… quand je viens.	*… when I'm coming.*
… comment je viens.	*… how I'm coming.*

Invitations

Je t'écris pour te demander si tu peux venir passer une semaine / une quinzaine chez moi.	*I'm writing to ask if you can come to spend a week / a fortnight with me.*
Ça me ferait vraiment plaisir de te voir.	*I'd love to see you.*
J'ai très envie de passer quelques jours avec toi.	*I'd really like to spend a few days with you.*

Ce serait chouette si tu pouvais venir !	*It would be great if you could come!*
Mes parents et moi t'invitons à venir en vacances avec nous.	*My parents and I invite you to come on holiday with us.*
Pendant ton séjour …	*During your stay …*
… nous irons en ville faire des courses.	*… we'll go into town to do some shopping.*
… nous irons en boîte le weekend.	*… we'll go to a nightclub at the weekend.*
… nous irons boire un pot avec des copains.	*… we'll go and have a drink with some friends.*
… nous irons au bord de la mer pendant deux ou trois jours.	*… we'll go to the seaside for two or three days.*
… nous ferons des promenades dans les montagnes près de Dublin.	*… we'll go walking in the hills around Dublin.*

Accepter / refuser une invitation

Je te remercie beaucoup de ton invitation. J'aimerais beaucoup te rendre visite !	*Thank you very much for your invitation. I would very much like to visit you!*
Je te promets que je viendrai te voir dès que je pourrai.	*I promise to come and visit you as soon as I can.*
J'aurais beaucoup aimé venir te rendre visite mais, malheureusement, je ne pourrai pas parce que …	*I would have loved to visit you, but unfortunately I won't be able to because …*
… j'ai un petit boulot pendant deux mois.	*… I've got a part-time job fo two months.*
… mes parents ont réservé un séjour à l'étranger.	*… my parents have booked a holiday abroad.*
… ma famille des États-Unis vient passer l'été chez nous.	*… my relatives from the United States are coming to spend the summer with us.*

Exprimer ses sentiments

Je suis content de savoir / d'apprendre que …	*I am glad to know / to hear that …*
Je suis tellement déçu(e) de ne pas pouvoir venir te voir.	*I am so disappointed that I can't come and visit you.*
J'ai été très soulagé(e) d'apprendre que ta mère allait mieux.	*I was very relieved to hear that your mother is feeling better.*
J'ai été bouleversé(e) par tes nouvelles.	*I was very upset by your news.*
Vivement [+ nom] :	

Vivement le week-end !	*Can't wait for the weekend!*
Heureux de [+ infinitif] :	
Je suis heureux / heureuse d'avoir reçu votre lettre.	*I'm happy to have received your letter.*
Triste de [+ infinitif] :	
Je suis triste de les quitter.	*I'm sad to leave them behind.*
Fatigué de [+ infinitif]:	
Je suis fatigué(e) de répéter toujours la même chose.	*I'm tired of always repeating the same thing.*
Être fâché :	
Elles sont fâchées.	*They don't talk to each other.*
Être en colère :	
Il est en colère parce qu'il a raté son train.	*He is angry because he has missed his train.*
J'en ai marre.	*I'm fed up.*
J'en ai assez.	*I've had enough.*

Demande de renseignements

Si cela ne te fait rien / si cela ne te gêne pas …	*If you don't mind …*
J'aimerais savoir si …	*I would like to know if …*
Pourrais-tu [+ infinitif] :	
Est-ce que tu pourrais me dire si …	*Could you please let me know if …*
Est-ce que tu pourrais me rendre un petit service ?	*Could you please do me a little favour?*

Autres expressions utiles

Tu as de la chance de …	*You are lucky to …*
Dis-moi ce que tu en penses.	*Tell me what you think.*
Au fait / À propos …	*By the way …*
Ne t'en fais pas / Ne t'inquiète pas.	*Don't worry.*
N'oublie pas de me passer un coup de fil.	*Don't forget to give me a call.*
J'ai l'intention de … / Je compte …	*I intend to…*

Pour finir la lettre

Voilà, c'est tout pour le moment.	*That's it for the moment.*
J'attends avec impatience ta prochaine lettre.	*I can't wait for your next letter.*
J'espère que tout le monde va bien chez toi.	*I hope everybody is keeping well.*
Écris-moi vite.	*Write to me soon.*
N'oublie pas de m'écrire.	*Don't forget to write to me.*
J'espère que tu me donneras bientôt de tes nouvelles.	*I hope to hear from you soon.*
Donne le bonjour à tes parents de ma part.	*Say 'hello' to your parents for me.*
Meilleures pensées à toute ta famille.	*Best wishes to all your family.*
Je vais te quitter maintenant en espérant que tout va bien et en espérant te voir bientôt.	*I'm going to leave now, hoping that you're keeping well and hoping to see you soon.*

Enfin

À bientôt	*See you soon*
Je t'embrasse	*Hugs and kisses*
Grosses bises	*Love / Lots of love*
Amicalement	*Yours*
Salut	*Greetings*
Amitiés	*Best wishes*

Voilà un exemple de production écrite :

Votre ami français, Jean-Luc, vous a envoyé le courrier électronique suivant :

« Dans ton dernier courriel tu m'as dit que, dans les écoles en Irlande, tout le monde apprend l'irlandais. Pourquoi étudier cette langue ?Tu aimes cette matière ? »

Écrivez un courrier électronique à Jean-Luc dans lequel vous répondez à ses questions. (75 mots environ)

date : Mardi, le 15 février

de : eoinmac@icloud.ie

à : jeanluc435@gmail.fr

objet : L'irlandais

Salut Jean-Luc !

Merci de ton dernier email. Je suis content de savoir que tout le monde va bien chez toi. Je suis désolé de ne pas t'avoir écris plus tôt mais je suis débordé avec la révision du bac blanc. C'est dans une quinzaine de jours !

Pour répondre à ta question, le gaélique est une matière obligatoire donc tout le monde va passer l'examen en juin. En général, on commence à l'apprendre vers l'âge de douze ans mais il y a des écoles gaéliques où on apprend toutes les matières par le biais de l'irlandais, donc on peut commencer à l'apprendre plus tôt. Il y a plusieurs raisons pour lesquelles on apprend l'irlandais : premièrement, c'est obligatoire donc on n'a pas le choix ! Beaucoup de mes amis n'aiment pas cette langue et préféreraient ne pas l'étudier ! Deuxièmement, et surtout, ça fait parti de notre héritage. Quand on apprend l'irlandais, on apprend la langue, la littérature, la poésie. Moi, c'est pour ça que j'adore cette langue ! En plus, j'ai la chance d'avoir un prof excellent et d'aller passer mes vacances dans les « gaeltacht », c'est-à-dire les régions d'Irlande où on parle irlandais. Je ne veux pas m'envoyer de fleurs mais je pense que je suis super doué en irlandais !

Et toi ? Tu m'as dit qu'on apprend deux voire trois langues étrangères en France ? Lesquelles as-tu choisies ? Tu pourrais m'expliquer comment ça marche ?

Je retourne à mes révisions.

Slán ! (Ça veut dire « au revoir » en irlandais !)

Écris moi vite !

Amitiés

Eoin Mac Unfraidh

Évaluation de l'unité 4

La compréhension écrite

Lisez ce texte et répondez aux questions qui suivent.

Camille, jeune lycéenne, est en terminale. Dans cet extrait, elle parle de son école et surtout d'un de ses camarades de classe, qui s'appelle Tibor qui a une idée assez spéciale pour faire annuler un examen de maths.

1. Ce matin, on commence par une heure d'histoire avec Mme Gerfion. Elle nous parle des grandes guerres du Moyen Âge. À 8h 37 du matin ! Certains élèves regardent par la fenêtre. D'autres prennent des tonnes de notes sans comprendre un mot. D'autres encore finissent leurs maths pour le cours d'après. Dans un quart d'heure on a un examen de maths. Personne n'est prêt parce qu'on n'a pas eu le temps de réviser. Tibor dit qu'il a la solution et qu'il ne faut pas s'inquiéter. Il nous assure que l'examen n'aura pas lieu grâce à son plan infaillible. Tibor est un garçon à part. C'est un génie en maths et en physique. Ça ne l'empêche pas du tout d'être gentil, au contraire. Malgré cela, aucune de nous n'a jamais eu le courage de le choisir comme petit ami car lorsqu'une idée folle lui traverse l'esprit, vous avez intérêt à courir vous mettre à l'abri.

2. On était déjà en classe ensemble l'année dernière. Comment l'oublier ? La première fois, en labo de chimie, Tibor avait électrocuté son voisin parce qu'il ne le trouvait pas assez réveillé. La deuxième fois, il avait marqué « question stupide » à côté d'un problème posé par la prof de physique en contrôle. Elle lui avait retiré des points pour insolence. Tibor est aussitôt monté debout sur sa table en criant « Ce n'est pas juste ! » Toute l'année n'a été ensuite qu'un festival d'actes insensés surgis de l'esprit de Tibor. Cette année, Tibor ne s'est pas vraiment calmé. Au premier trimestre, il s'est déjà mis le feu aux cheveux pour protester contre la nourriture à la cantine. Imaginez la situation : un type hurlant qui traverse le réfectoire avec la tête en feu. Forcément, ça m'a coupé l'appétit.

3. Quand on s'est installés en salle de maths pour l'examen, Tibor n'était pas là. Je n'étais pas la seule à me demander ce qu'il préparait en secret, d'autant plus que Léo a vu Tibor juste avant de monter, et ses derniers mots ont été : « Je vais vous sauver ». Mme Serben, la prof, sort les sujets de son sac. Je ne vois pas bien ce qui pourrait nous éviter cet examen. J'ai peur. Les garçons attendent le feu d'artifice avec impatience. Lucie dessine des cœurs, Mélissa se remet de la crème sur les mains. La prof distribue les feuilles. Au premier coup d'œil, ça a l'air coton. Tout à coup, la porte de la salle de classe s'ouvre brutalement. Un homme apparaît. Il porte une écharpe rose et jaune qui lui cache le visage, et un imperméable dans les poches duquel il semble pointer deux armes. – C'est une prise d'otages !

4. L'accent pseudo sud-américain est pathétique. Un mélange de stupeur et de joie incrédule se répand dans la classe. L'homme continue :
–J'exige la libération immédiate de tous les prisonniers politiques du monde, et j'exige aussi que vous reportiez cet examen, disons à jeudi prochain !
Mme Serben sourit et répond :
–Tibor, vous faites perdre du temps à vos camarades. Retirez-moi ce déguisement ridicule et installez-vous vite.
–Mais madame, je suis un combattant de la liberté !
–Tibor, ne m'obligez pas à hausser la voix. Vous avez du travail. Dépêchez-vous. Si vous continuez, je vous retire cinq points.

Adapté de *Et soudain tout change*, Gilles Legardinier, 2013
2017, Leaving Certificate HL, Section I, Q1

a. i. Quelle est la matière que Madame Gerfion enseigne à 8h 37 ? (Section 1)
   ii. Relevez une phrase qui indique que quelques élèves ne font pas attention en classe (Section 1)
b. i. D'après la première section,
   A. Camille dit que Tibor manque souvent de courage ❑
   B. Tibor s'inquiète à cause de l'examen de maths ❑
   C. les élèves veulent copier les solutions de Tibor ❑
   D. Camille pense que Tibor est un garçon sympa. ❑
   ii. Citez l'expression qui explique pourquoi Tibor avait fait du mal à un autre élève. (Section 2)
c. i. Comment Tibor avait-il été sanctionné en cours de physique ? (Section 2)
   ii. Pourquoi Camille n'a-t-elle pas eu envie de manger un jour ? (Section 2)
d. i. Pour Camille et pour d'autres élèves dans la classe, que signifiait l'absence de Tibor ? (Section 3)
   ii. Les élèves ne peuvent pas voir la figure de l'homme qui entre. Pourquoi ? (Section 3)
e. i. Quelle est la deuxième demande que l'homme fait à Madame Serben ? (Section 4)
   ii. Trouvez dans la quatrième section un verbe à l'infinitif.
f. Apart from Tibor, the other students in Camille's class are not very interested in school. Do you agree? Refer to the text in support of your answer. (Two points, about 50 words in total.)

AIDE

Manipulez bien le texte ici pour répondre à la question d.i. Vous devez rajoutez des mots.

L'écrit

Répondez à a, b ou c.

a. Dans les écoles en Irlande, on attache plus d'importance aux mathématiques et aux matières scientifiques qu'aux langues étrangères. Êtes-vous d'accord ?

(90 mots environ)

2016, Leaving Certificate HL, Section II, Q1 (a)

b. C'est le mois de septembre et vous êtes en terminale. Votre école vient d'introduire un nouvel uniforme scolaire. Vous le détestez et vous refusez de le porter. Pourtant, l'école insiste. Qu'est-ce que vous notez à ce sujet dans votre journal intime ?

(75 mots environ)

2015, Leaving Certificate HL, Section II, Q2 (a)

c. Votre ami français, Matthieu, vous a envoyé le courrier électronique suivant : « Tu m'as dit que tu n'as pas encore visité la France. Pourtant, tu étudies la langue et la culture françaises depuis cinq ans.

- Pourquoi as-tu choisi d'étudier le français pour le Leaving Cert ?
- Parle-moi un peu de la partie de la culture française (la cuisine, l'art, le cinéma, l'histoire, la musique, la littérature, etc.) qui t'intéresse le plus.
- Quelle ville ou région en France voudrais-tu visiter, et pourquoi ? »

Écrivez un courrier électronique à Matthieu dans lequel vous répondez à ses questions.

(75 mots environ)

2015, Leaving Certificate HL, Section II, Q2 (b)

UNITÉ 5

On y va ?

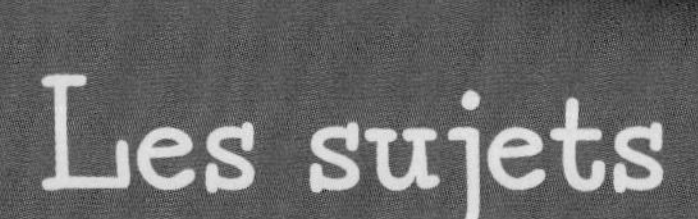

Les sujets

- ❑ Les vacances
- ❑ Décrire une photo
- ❑ Raconter un souvenir
- ❑ Les transports
- ❑ Le tourisme local
- ❑ Le tourisme humanitaire

La grammaire

- ❑ Les pronoms
- ❑ L'objet direct et l'objet indirect
- ❑ Le pronom d'objet direct
- ❑ Le pronom d'objet indirect
- ❑ Le pronom « y »
- ❑ Le pronom « en »
- ❑ La position des pronoms

Focus examen

- ❑ L'email formel
- ❑ La lettre formelle

Chapitre 17

Les vacances

À la fin de la leçon on pourra :

- parler de ses vacances au présent
- parler des vacances au passé
- parler des vacances au futur
- reconnaître les temps dans une question
- reconnaître les différents pronoms
- comprendre ce qu'est un objet direct ou indirect
- savoir utiliser le pronom d'objet direct
- savoir utiliser le pronom d'objet indirect.

Les passe-temps

On s'échauffe !

1. Seul(e), puis à deux et enfin avec la classe, trouvez un maximum de mots liés aux vacances et un maximum de verbes liés aux vacances.

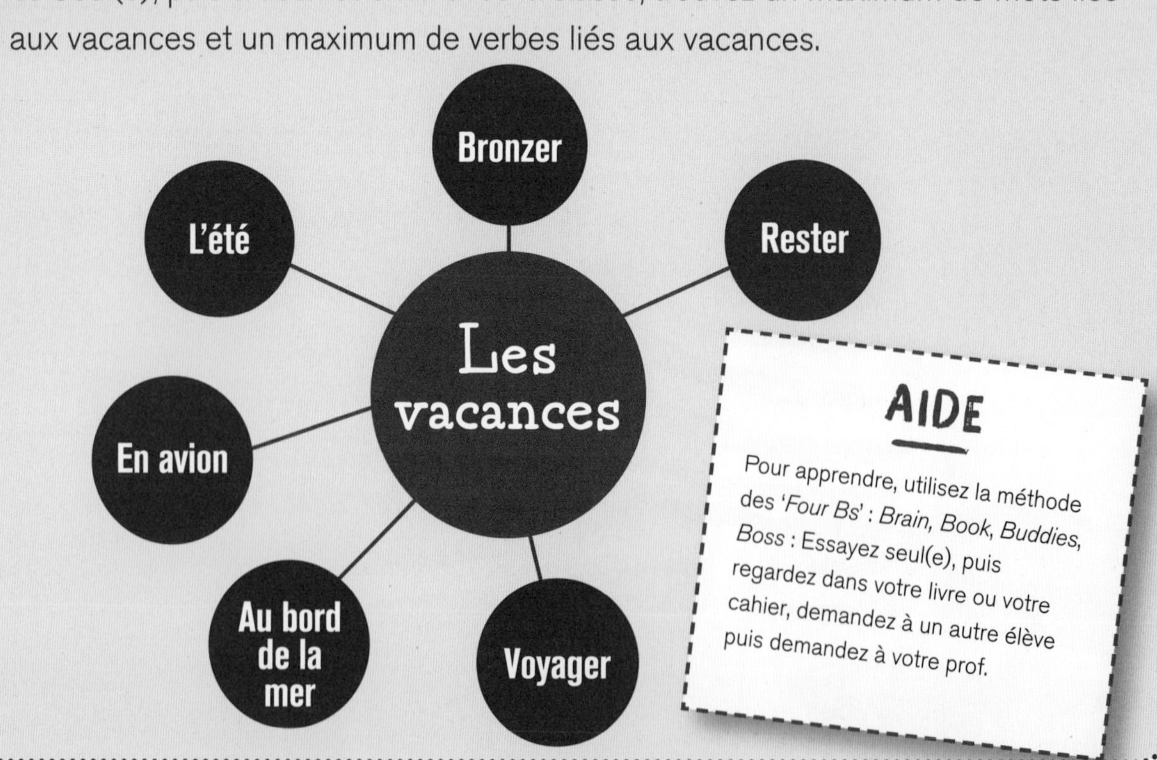

AIDE

Pour apprendre, utilisez la méthode des *'Four Bs'* : *Brain, Book, Buddies, Boss* : Essayez seul(e), puis regardez dans votre livre ou votre cahier, demandez à un autre élève puis demandez à votre prof.

2. Maintenant, à deux remplissez le tableau qui suit avec les verbes qui manquent aux temps indiqués.

Présent	Passé composé	Futur simple	Conditionnel
Je vais Nous ________	Je suis allé(e) Nous ________	J' ________ Nous irons	J'irais Nous ________
Je reste Nous ________	Je ________ Nous ________	Je resterai Nous ________	Je ________ Nous ________
Je ________ Nous partons	Je suis parti(e) Nous ________	Je ________ Nous ________	Je partirais Nous ________
Je passe Nous ________	J' ________ Nous avons passé	Je ________ Nous ________	Je passerais Nous ________
Je prends Nous ________	J' ________ Nous avons pris	Je prendrai Nous ________	Je ________ Nous prendrions
Je ________ Nous voyageons	J' ________ Nous ________	Je ________ Nous voyagerons	Je ________ Nous ________
Je vais Nous ________	J' ________ Nous ________	Je ________ Nous ________	Je ferais Nous ________
C' ________	C'était	Ce ________	Ce serait
Il y ________	Il y ________	Il y aura	Il y aurait

AIDE

À l'oral, le sujet des vacances est important car l'examinateur peut vous poser des questions au présent, au passé, au futur et même au conditionnel. Vous devez bien préparer ce sujet et réviser les temps. Faire un tableau de grammaire en mettant les verbes que vous utilisez le plus souvent en parlent des vacances peut vous aider. Ayez-le toujours devant vous quand vous pratiquez l'oral.

3. Regardez ces trois vidéos sur trois destinations (YouTube). Laquelle préférez-vous ? Pourquoi ? Comparez avec votre partenaire puis avec toute la classe.

- Corse – Les incontournables du Routard (0:36)
- Alpes – Les incontournables du Routard (0:36)
- Poitou-Charentes – Les incontournables du Routard (0:36)

4. Regardez ce sondage et posez les questions à quelqu'un dans la classe, puis comparez vos résultats. Avez-vous les mêmes goûts ? Pourriez-vous partir ensemble ? Vous pouvez choisir jusqu'à deux réponses.

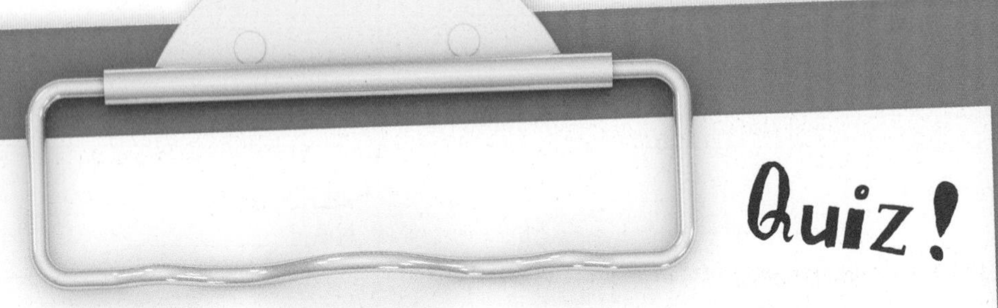

Pourquoi partez-vous en vacances l'été ?

Je pars en vacances …

a. pour faire des découvertes
b. pour me retrouver en famille
c. pour me retrouver entre amis
d. pour me détendre
e. pour me reposer
f. pour me dépayser
g. pour profiter du soleil.

Avec qui préférez-vous partir en vacances ?

Je préfère partir …

a. seul(e)
b. avec des copains
c. avec ma famille.

À quelle période de l'année préférez-vous partir en vacances ?

Je préfère partir pendant …

a. les vacances scolaires de Toussaint (octobre)
b. les vacances scolaires de Noël (décembre)
c. les vacances scolaires d'hiver (février)
d. les vacances scolaires de printemps (avril)
e. les grandes vacances (juillet / août).

Quelle est la durée générale de vos vacances d'été ?

Mes vacances durent en général …

a. un week-end prolongé (quatre jours)
b. une semaine
c. deux semaines
d. trois semaines
e. un mois
f. deux mois
g. plus de deux mois.

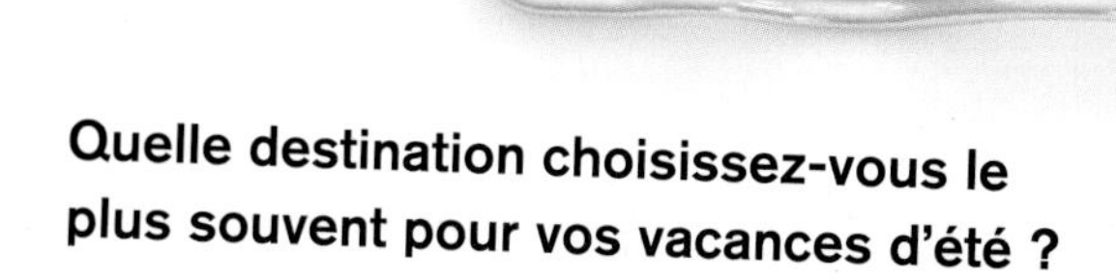

Quelle destination choisissez-vous le plus souvent pour vos vacances d'été ?

Je préfère …

a. rester en Irlande
b. partir à l'étranger

Que faites-vous pendant vos vacances ?

J'aime …

a. me bronzer sur la plage
b. faire des activités sportives
c. rencontrer de nouvelles personnes
d. aller en boîte tous les soirs
e. découvrir la région
f. découvrir une culture différente
g. me retrouver en famille
h. ne rien faire
i. skier
j. visiter des musées et des monuments historiques.

Pour vos séjours d'été vous préférez …? (un choix seulement !)

a. la mer
b. la campagne
c. les montagnes
d. les grandes villes.

Comment aimez-vous voyager ?

J'aime voyager …

a. en bus
b. en car
c. en bateau
d. en avion
e. en voiture.

Où préférez-vous rester ?

Je préfère rester …

a. dans un hôtel
b. dans un camping
c. dans une auberge de jeunesse
d. dans une maison de location
e. dans un camp de vacances
f. chez un ami ou la famille
g. dans un chalet.

Écrivez les réponses de votre partenaire et comparez-les avec les vôtres.

5. En utilisant le sondage ci-dessus, écrivez un paragraphe sur ce que vous faites en général pour les vacances.

AIDE

Gardez ce paragraphe car vous pourrez l'améliorer plus tard dans ce chapitre.

AIDE

À l'oral, l'examinateur vous demandera sûrement de parler de vos vacances.
Essayez d'ajouter trois ou quatre détails en plus à votre réponse. Par exemple, à la question : « Où allez-vous en vacances en général ? » Dites :

- où vous allez
- avec qui
- pour combien de temps
- où vous restez
- ce que vous faites comme activités.

N'attendez pas que l'examinateur vous pose la question ! Développez !

Vocabulaire :

- En général je passe mes vacances à … en …
- Je suis allé(e)
- Cet été, j'irai
- Je préfère partir
- Je passe toujours Noël avec
- À Pâques, je vais
- Je suis déjà allé(e) en France
- J'y suis allé(e) en avion / en bateau
- Je suis resté(e) dans un hôtel / une auberge de jeunesse / un camping / une maison de location
- Ce que j'ai le plus aimé c'était
- Ce que je n'ai pas aimé / ce qui m'a déplu
- La plus grande différence que j'ai remarquée c'est
- Si j'avais la chance d'aller à Paris
- J'aimerais voir / faire / monter / manger

6. Ces trois jeunes nous parlent de leurs vacances. Cherchez les traductions des phrases puis répondez aux questions.

Dinora

Pour moi les vacances c'est d'abord l'évasion. J'ai besoin d'oublier le quotidien, de faire des trucs nouveaux, de me dépasser. C'est pour ça que je choisis la montagne. Je peux faire de l'escalade, du kayak, des randonnées. On ne s'ennuie jamais. Je pars toujours seule car je pense que c'est le meilleur moyen de faire de nouvelles connaissances. Les gens qui rôtissent au soleil sur la plage en ne faisant absolument rien, je ne les ai jamais compris ! L'année dernière, je suis partie dans les Alpes pour faire du ski. Je suis restée dans une auberge de jeunesse et je me suis fait plein de copains. Pendant la journée, on skiait sur les pistes et le soir, on se retrouvait pour faire la fête. Des vacances comme je les aime ! Cet été, après le bac, je vais m'offrir des vacances un peu différentes, des vacances de rêve ! Je vais partir en safari au Kenya. J'ai toujours voulu aller en Afrique et je pense que c'est le moment ou jamais. Après, c'est la fac et j'aurai trop de boulot. Il me tarde, vous ne pouvez même pas imaginer à quel point !

a. For me, holidays are mostly about
b. I need to forget everyday life
c. It's the best way to meet people
d. I made lots of friends
e. It's now or never

Caoimhín

Je suis assez bon élève au lycée, mais ça ne vient pas comme ça, je dois travailler comme un dingue pour pouvoir avoir les points nécessaires pour faire médecine. En général, quand je pars en vacances c'est plutôt en famille. On reste en Irlande parce qu'on a une maison secondaire à West Cork. Mais l'année dernière je suis parti avec ma famille chez mes grands-parents qui ont déménagé dans un trou perdu au centre de la France. Je me suis ennuyé à mourir et en plus il a plu sans arrêt. Je préfère rester en Irlande, là-bas au moins j'avais tous mes copains. Alors cette année, adieu les parents, je pars avec mes potes à Ibiza. On va louer une maison. Le programme c'est : plage, soleil, sorties, boîte de nuit et tequila ! Olé ! Depuis que je suis en terminale, je ne sors plus trop et il me tarde les vacances scolaires pour me défouler, j'en ai vraiment besoin.

- **f.** In the middle of nowhere
- **g.** I was bored to death
- **h.** It rained all the time
- **i.** I can't wait for the school holidays to let off some steam
- **j.** I really need it

Fabrice

Mon type de vacances préféré, c'est les voyages linguistiques. Non seulement on apprend une langue étrangère mais en plus, tout est organisé pour vous : les sorties culturelles, les activités sportives, la nourriture … Comme ce sont des gens du même âge qui y participent, c'est facile de se faire de nouveaux copains. Je suis parti dans un camp de vacances en France l'année dernière et c'était excellent. Le matin, on avait cours et l'après-midi on allait à la mer faire du ski nautique, des sorties en bateau. On a visité la région. C'était vraiment excellent. Le seul truc difficile c'était qu'on devait parler français tout le temps. Ça, c'était dur, mais je ne regrette pas d'y être allé car j'ai vraiment amélioré mon français. L'été prochain je vais aller en Allemagne chez un copain que j'ai rencontré dans ce camp justement. Il est vraiment sympa et il habite à Berlin. Je vais essayer de parler allemand le plus possible. On verra !

- **k.** Not only … but also
- **l.** It's easy to make new friends
- **m.** The only difficult bit was …
- **n.** I don't regret having gone there
- **o.** I really improved my French

p. Trouvez qui :

i. préfère les vacances actives.
ii. parle deux langues.
iii. est parti chez ses grands-parents l'année dernière.
iv. va en Afrique l'année prochaine.
v. va rester dans une maison de location cet été.
vi. est resté dans une auberge de jeunesse l'année dernière.
vii. aime avoir des vacances organisées.
viii. part en famille en général.
ix. part seule.
x. veut devenir médecin.

AIDE

Tous les exercices peuvent enrichir votre vocabulaire. Choisissez quatre ou cinq phrases que vous aimez et apprenez les, mais surtout, utilisez les à l'oral comme à l'écrit !

7. En utilisant les phrases de l'exercice 6, améliorez les phrases suivantes qui sont trop simples comme dans l'exemple qui suit.

Exemple : J'aime les vacances à la mer. Je nage et je bronze. J'aime le soleil.

Réponse : *Pour moi les vacances c'est d'abord le soleil. J'ai besoin d'oublier la pluie ! En général je pars dans le sud de la France. Non seulement on peut nager mais en plus, on peut se bronzer !*

a. Je suis parti(e) en France. C'était difficile de parler Français. J'ai rencontré beaucoup de monde.
b. Je vais en Espagne avec mes amis. Je veux oublier les examens. Il me tarde !
c. Je suis allé(e) chez mes grand parents. C'était ennuyeux. Il a plu.

8. Travaillez seul(e) ou à deux. En vous inspirant des textes de l'exercice 6, écrivez des paragraphes en répondant aux questions suivantes.

a. Qu'est-ce qui est le plus important pour vous dans les vacances ?
b. Où êtes-vous allé(e) l'année dernière ?
c. Où irez-vous l'année prochaine ?

AIDE

- Habituez-vous à reconnaître le temps des questions. Est-ce le présent ? Le passé ? Le futur ? Si vous n'êtes pas sûr(e), demandez !
- Gardez ces paragraphes car vous pourrez les améliorer plus tard dans ce chapitre.

9. Faites correspondre le début des questions suivantes avec les fins possibles.

Qu'est-ce que …	vous avez fait …	ce matin ?	hier ?
		ce soir ?	pendant la pause- déjeuner ?
	vous faites …	ce week-end ?	l'année dernière ?
	vous ferez / vous allez faire …	le week-end dernier ?	demain ?
		l'été prochain ?	pendant les vacances prochaines ?

10. Écoutez les neuf questions suivantes et décidez si elles sont posées au présent, au passé ou au conditionnel.

11. Maintenant, travaillez à deux et répondez aux questions suivantes à l'oral.

a. Comment est-ce que vous passez vos vacances normalement ?

b. Qu'avez-vous fait l'année dernière pendant les grandes vacances ?

c. Qu'est-ce que vous allez faire cet été ?

d. Préférez-vous passer vos vacances tout(e) seul(e), en famille ou avec un ami ?

e. Qu'est-ce que vous faites pendant les vacances de Noël ?

f. Que faites-vous normalement pendant les vacances de Pâques ?

g. Avez-vous déjà voyagé à l'étranger ? Où êtes-vous allé(e) ? Avec qui ?

h. Comment avez-vous voyagé ? Décrivez le voyage.

i. Où êtes-vous resté(e) ? Combien de temps ?

j. Qu'est-ce que vous avez fait pour vous amuser ?

k. Qu'est-ce que vous avez aimé pendant votre séjour ? Pourquoi ?

l. Qu'est-ce qui vous a déplu ? Pourquoi ?

m. Quelles différences avez-vous remarquées entre l'Irlande et la France / l'Espagne … ?

n. Qu'est-ce que vous avez vu d'intéressant ?

o. Si vous alliez à Paris, qu'est-ce que vous voudriez y voir ?

AIDE

- Pensez que vous êtes parti(e) deux, trois semaines parfois même un mois en vacances. Vous avez fait beaucoup de choses ! Faites une liste des activités.
- Essayez d'éviter les banalités ! Inspirez-vous des exercices précédents qui décrivent les vacances.

  Bof : Je suis allé en Espagne pendant deux semaines avec mes copains.

  Mieux : Alors l'année dernière, j'ai fait quelque chose de spécial avec mes copains. On a organisé deux semaines de rêve en Espagne sur la Costa del Sol.

  Bof : Je me suis bronzé, j'ai nagé dans la mer. C'était super.

  Mieux : J'ai passé deux semaines à me bronzer, à nager, à prendre le soleil le plus possible. Il n'y a rien de mieux d'après moi pour des vacances réussies !
- Utilisez vos réponses pour améliorer les paragraphes que vous avez écrits dans les exercices 7 et 8.

12. Écoutez ce journaliste qui parle des habitudes des français en vacances et répondez aux questions.

a. For their holidays, the great majority of French people …
   i. stay in France
   ii. travel within Europe
   iii. travel outside Europe.

b. i. What percentage of tourist offices thought 2018 was a bad year?
   ii. During which month did people go on holiday the most?
   iii. Name two nationalities of people who travel to France.

c. What part of France had more tourists in 2009?

d. Where specifically do most French people prefer to stay for their holidays?

13. Trouvez les mots et expressions suivants dans la transcription de l'exercice ci-dessus page 438.

a. Varied
b. It depends on
c. Young children
d. Abroad
e. Despite the weather
f. Heat wave
g. Bookings
h. Whereas

14. Avant de lire l'article ci-dessous, faites correspondre ces mots et expressions suivants avec leur synonyme.

a. Ne s'attendait pas à	**i.** A place where
b. Parcourir le globe	**ii.** It's only a matter of getting used to
c. Il n'est pas forcément nécessaire de / d'	**iii.** You don't have to
d. Il suffit de	**iv.** To breathe deeply
e. Les routiers	**v.** Was not expecting
f. Un endroit où …	**vi.** Truck drivers
g. Ce n'est qu'une question d'habitude	**vii.** A passer-by
h. Le logement	**viii.** It's worth it
i. Un passant	**ix.** Accommodation
j. Respirer à plein poumons	**x.** Hitchhiking
k. L'auto-stop	**xi.** You simply have to
l. Cela vaut le coup	**xii.** To globe-trot

15. Maintenant, lisez ce texte et répondez aux questions.

Une bloggeuse russe donne ses conseils pour voyager à moindre coût

Manger des croissants au pied de la Tour Eiffel, puis s'envoler pour les îles paradisiaques ou faire une escale en Norvège vous semble-t-il impossible ? Néanmoins, c'est ce que fait cette bloggeuse russe qui confie comment s'offrir des vacances de rêve sans se ruiner.

1. En faisant ses études pour devenir professeur de langues étrangères, cette jeune fille russe **ne s'attendait certainement pas à** ce que son rêve de **parcourir le globe** devienne un jour réalité. Aujourd'hui, Nelly, âgée de 24 ans, a déjà visité plus de 30 pays et elle enseigne l'anglais aux enfants en Chine. Passionnée de voyages, de nature et d'aventure, Nelly a commencé à voyager lorsqu'elle était encore étudiante. Selon elle, pour s'offrir des vacances de rêve, **il n'est pas forcément nécessaire d'**avoir une grosse fortune. Loin de là ! **Il suffit d'**avoir avec soi quelqu'un qui partage la même passion. Pour le reste, **ce n'est qu'une question d'habitude** et de goût personnel.
2. Par ailleurs, avec le temps et l'expérience, Nelly a su établir son propre « guide de survie » pour préparer un voyage pas cher. « Tout dépend de l'âge et de la zone de confort. Ceux qui adorent le camping peuvent épargner de l'argent sur **le logement**. Les gens peuvent se demander comment on prend une douche? C'est simple! En Europe, par exemple, il existe des douches, installées pour **les routiers** sur les routes, dans les gares ou dans les salles de gymnastique. Il suffit d'en avoir envie », plaisante-t-elle.
3. Un autre moment important et très plaisant en voyage, c'est le repas. Selon Nelly, il y a pratiquement partout des **endroits où** l'on peut déguster de la cuisine traditionnelle à des prix raisonnables. Comment **les** trouver ? En se débrouillant un peu avec les langues étrangères, on peut s'adresser aux **passants**, en leur demandant gentiment d'indiquer une petite brasserie où l'on peut déguster les plats traditionnels tout en évitant les touristes.
4. Et comment se déplacer à l'intérieur du pays pour s'éloigner des sentiers touristiques et **respirer à pleins poumons** le parfum de l'aventure ? Nelly en a également quelques astuces. « Il faut envisager les choses sous différents aspects. Si votre objectif consiste à voir un maximum de choses, on peut louer une petite voiture pour un faible budget. Si vous êtes en groupe, la location revient encore moins chère. Il y a aussi des sociétés de transport en car qui ont des offres intéressantes. Le moyen le moins cher reste, tout de même, **l'auto-stop**. Mais c'est réservé à ceux qui ont de la patience. On trouve partout des personnes sympathiques qui ne refuseront pas votre compagnie », explique-t-elle.
5. Pour Nelly et son copain, les voyages sont devenus une partie de leur vie. Bien sûr, quand on s'installe dans un pays étranger pour une période assez longue, on affronte de nombreuses difficultés. Par exemple, comme l'indique Nelly, il est difficile de laisser sa famille, de s'habituer à de nouvelles personnes et à des différences de mentalité. Mais, selon elle, avec les émotions que l'on ressent, **cela vaut le coup**. « Un mois de voyages vaut une année quand on ne bouge pas. Les émotions, les gens qu'on rencontre, l'expérience qu'on vit, tout cela fait tourner la tête », avoue la jeune fille.

Adapté de : Nadine Gordienko pour *fr.sputniknews.com*

a. i. De quelle nationalité est Nelly ? (Section 1)

ii. Trouvez la phrase qui indique que, d'après Nelly, on n'a pas besoin d'avoir beaucoup d'argent pour faire un voyage incroyable. (Section 1)

iii. D'après Nelly, que faut-il pour faire un voyage de rêve ? (Section 1)

b. Qui peut faire des économies sur le logement ? (Section 2)

c. i. Pour le pronom **les**, trouvez le nom auquel il se réfère. (Section 3)

ii. À qui peut-on demander conseil pour manger par cher dans le pays où on voyage ? (Section 3)

d. i. D'après Nelly, quel est l'avantage de louer une voiture ? (Section 4)

ii. Citez dans la section 4 le moyen le plus économique pour se déplacer à l'étranger d'après Nelly.

e. Relevez deux problèmes que l'on peut rencontrer quand on fait un long voyage dans un pays étranger.

f. Nelly gives good advice on how to travel often and at low cost. Do you agree? Refer to the text in support of your answer. (Two points, about 50 words in total.)

AIDE

Pour une explication des pronoms, regardez page 257.

16. You are helping to organise a holiday in France in July for your neighbours and their friends. The two families want to book one night's accommodation in the Hôtel L'Occitanie in Sète, France. Write an email in which you:

- say there will be two families: one with two adults and three children, the other with two adults and two children
- say that you want to book two family rooms for the night of 5th July only
- ask if the hotel has a restaurant and, if not, can the hotel recommend a suitable one nearby
- ask if there is a crèche or anything organised to entertain the children
- ask the hotel to confirm the booking and send a price list.

(approx. 75 words)

AIDE

Pour vous aider regardez la section *Focus examen* page 294 et révisez comment poser une question page 56.

Vocabulaire :

- deux enfants en bas âge
- une crèche
- un club pour les enfants
- quelque chose d'organisé pour amuser les enfants

GRAMMAIRE

Les pronoms

A pronoun is a word that is used to replace a noun, a phrase or an idea, usually in order to avoid repetition. There are many different types of pronouns.

A quick reminder:

- **le pronom sujet** = subject pronoun (***je*** *parle* = **I** speak)
- **le pronom d'objet direct** = direct object pronoun (*je* ***le*** *mange* = I eat **it** ; page 258)
- **le pronom d'objet indirect** = indirect object pronoun (*je* ***lui*** *donne la pomme* = I give **him** the apple; page 259)
- **les pronoms « y » et « en »** = pronouns **y** and **en**
  (*Je vais à Paris. J'****y*** *vais samedi.* = I am going to Paris. I am going **there** on Saturday. In other examples, **y** can also mean 'in it', 'on it', 'to it', 'at it', 'in them'; page 272)
  (*Je mange du pain. J'****en*** *mange.* = I eat some bread. I eat **some of it**. In other cases, **en** can mean *'any', 'of it', 'of them'*; page 282)
- **le pronom possessif** = possessive pronoun (*il a perdu son argent et j'ai trouvé* ***le mien*** = he lost his money and I found **mine**; page 312)
- **le pronom interrogatif** = interrogative pronoun (***qui*** *a téléphoné ?* = **who** called?)
- **le pronom relatif** = relative pronoun (*où est la valise* ***que*** *j'ai laissée ici ?* = where is the case **that** I left here? page 325)
- **le pronom réfléchi** = reflexive pronoun, where the action is being done to oneself (*elle* ***s****'habille* = she is dressing **herself**)
- **le pronom démonstratif** = demonstrative pronoun (***celle*** *que vous voyez* = **the one** that you see)
- **le pronom disjonctif** = disjunctive pronoun (*Qui est là? **Moi.*** = Who is there? **Me.**)

Objet direct ou indirect ?

To understand this rule that follows, you need to identify the object in a sentence and decide if that object is direct or indirect. If the object is introduced by the preposition **à**, the object is indirect.

For example, in the sentence:

Une lettre is the direct object
(What do I give? A letter)

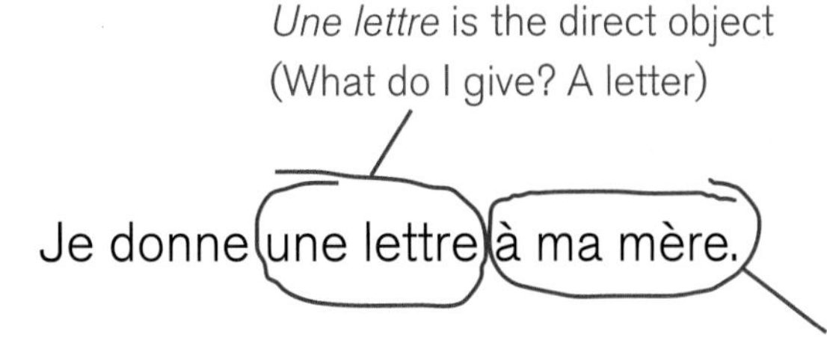

Ma mère is also an object but this time it's indirect (Who do I give it to? To my mother). The object is linked to the verb by the preposition *à*

It is direct (It has the action of the verb done to it 'directly')

1. In the simple sentences that follow, underline the direct object in one colour and the indirect object in another colour.

a. Internet offre des vacances bon marché à ses internautes.

b. Les voyages donnent à la jeunesse une opportunité de s'ouvrir l'esprit.

c. Il n'a envoyé qu'une seule carte postale à ses parents.

d. J'ai vu les résultats et j'ai téléphoné tout de suite à mes parents.

e. Nous avons réservé une chambre double, pas une simple. Je veux parler au directeur !

Le pronom d'objet direct

The direct object pronoun replaces the noun that is the direct object of the verb in the sentence, e.g.:
*Je mange **une pomme*** ⟶ *Je **la** mange*

You need to choose the correct direct object pronoun according to whether the direct object is feminine, masculine, singular or plural. e.g.:
Je déteste mon prof de maths ⟶ if the teacher is a man : *Je **le** déteste* = I hate **him**
⟶ if the teacher is a woman : *Je **la** déteste* = I hate **her**

The direct object pronoun goes before the verb in French:
*Je mange **le sandwich*** ⟶ *Je **le** mange*
*J'ai mangé **le sandwich*** ⟶ *Je **l'**ai mangé*
*Je n'a pas mangé **le sandwich*** ⟶ *Je ne **l'**ai pas mangé*

Here are all the direct object pronouns. Those in bold are the ones you will use the most.

me = me
te = you
le (l') = **him / it**
la (l') = **her / it**
se (s') = **himself / herself / itself**
nous = us
vous = you (plural)
les = **them**

AIDE

In most cases, the past participle when used with avoir as an auxiliary never changes but when the direct object of the verb is placed **before** the verb, the past participle **has to agree with the object**. When you replace the direct object by an object pronouns *(le / la / l' / les)*, it moves before the verb and the past participle has to agree.

J'ai donné les bonbons ⟶ ***les bonbons*** is the object of ***ai donné*** but it's behind, so no agreement is needed.

*Je **les ai donnés*** ⟶ ***les*** replaces ***les bonbons*** (masculine, plural) and is before the verb, so the agreement is needed.

2. Underline the direct object and then replace it with the correct direct object pronoun.

Exemple : Je fais mes devoirs tous les soirs. = Je les fais tous les soirs.

a. Je déteste mon prof d'anglais.

b. Je trouve les ordinateurs très utiles pour faire ses devoirs.

c. Comme j'ai été malade, je dois rattraper les cours.

d. Après le bac, j'étudierai le commerce à l'université.

e. Je connais Paul depuis mon enfance.

f. Mes profs aident mes copains et moi avec nos devoirs.

g. J'écoute souvent la radio française.

h. J'aime aussi regarder les films français.

Le pronom d'objet indirect

The indirect object pronoun replaces the noun that is the indirect object of the verb in the sentence, e.g.:
Je parle ***à mon copain*** ⟶ *Je* ***lui*** *parle*

You need to choose the correct indirect object pronoun according to whether the indirect object is feminine, masculine, singular or plural. The indirect object pronoun goes before the verb, e.g.:
Je donne un livre ***à mon frère*** ⟶ *Je* ***lui*** *donne un livre*

Here are all the indirect object pronouns. Those in bold are the ones you will use the most.

me (m') = to me
te (t') = to you
lui = **to him / her / it**
se = to himself / herself / itself
nous = to us
vous = to you
leur = **to them**

Be careful – some verbs take an indirect object in French but not in English, e.g.:
Je ***téléphone à*** *ma sœur.*
I am **phoning** my sister.

3. Underline the indirect object and then replace it with the correct indirect object pronoun.

a. Mon professeur de français donne trop de devoirs à la classe.

b. Ma mère a parlé à la directrice de mes résultats scolaires.

c. Les profs sont sympas, on peut parler aux profs facilement.

d. J'ai demandé à mes parents si je pouvais avoir une année sabbatique après le bac.

e. L'élève a répondu à son professeur et a été tout de suite renvoyé.

f. Je fais confiance à mon frère et à ma sœur.

g. Je souhaite à Henri bonne chance pour son bac.

h. Il ressemble à son père comme deux gouttes d'eau !

i. Il a dit à Martine et moi qu'il arrêtait ses études.

j. Vous racontez des histoires aux enfants quand vous faites du baby-sitting ? Oui, je …

Bilan du chapitre 17

On révise le vocabulaire

1. Traduisez les mots suivants.
   a. To relax
   b. To go clubbing
   c. A youth hostel
   d. To discover a region
   e. To meet new friends
   f. Abroad
   g. Hitchhiking
   h. Next summer

2. Traduisez les phrases suivantes.
   a. **J'ai besoin d'**oublier le quotidien.
   b. **C'est le meilleur moyen de** se faire des amis.
   c. **Non seulement** c'est au bord de la mer **mais en plus** la montagne est à 20 kilomètres.
   d. **Le seul truc difficile c'était quand** il a fallu parler français.
   e. **Il n'est pas forcément nécessaire de** partir à l'étranger pour passer de bonnes vacances.
   f. **Je ne regrette pas d'**y être allé.

3. Maintenant, utilisez les structures en caractères gras ci-dessus pour créer vos propres phrases.

4. Traduisez le sens général des expressions suivantes.
   a. C'est maintenant ou jamais.
   b. Ils habitent dans un trou perdu.
   c. Je me suis ennuyé à mourir.
   d. Il me tarde les vacances pour me défouler.
   e. J'aime respirer à plein poumons.
   f. Je voudrais parcourir le globe.

On révise la grammaire

5. Traduisez ces phrases en faisant attention aux pronoms d'object direct.
   a. You help **me**
   b. I help **you** (s.)
   c. She loves **him**
   d. The teacher helps **us**
   e. Can I help **you**? (pl.)
   f. I like **them**

6. Traduisez les phrases suivantes avec les pronoms d'object indirect.
   a. I am giving the book to you.
   b. She explains the homework to him.
   c. He talked to us about the exam.
   d. I speak to them.

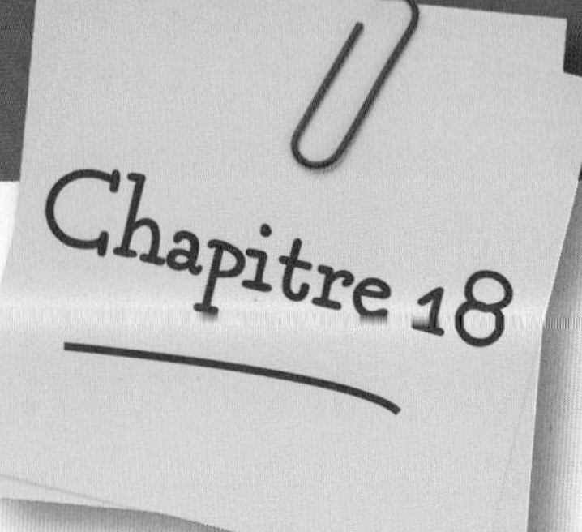

Les souvenirs de vacances

À la fin de la leçon on pourra :

- décrire une photo
- raconter un souvenir
- raconter un souvenir négatif
- savoir comment faire une réclamation
- savoir utiliser le pronom « y ».

Raconter un souvenir

On s'échauffe !

1. Seul(e) ou à deux, faites correspondre le récit des vacances avec les photos qui conviennent.

i. Quand j'étais petite, nous partions en vacances à la Baule. Je me souviens de la plage interminable, infinie ! Je n'avais que cinq ans à l'époque et je portais un maillot de bain une pièce. La fille avec moi c'est ma sœur, Nadine. Quand on partait en vacances, même si ce n'était qu'à 100 kilomètres de là où on habitait, c'était toujours une grande aventure ! J'avais un peu peur de l'eau, mais j'adorais le sable.

ii. Sur cette photo on peut voir ma mère quand elle était encore très jeune. C'était les années 80 je crois. Elle porte un tee-shirt et un chapeau à larges bords. Quel look ! La photo a été prise dans un camping où on allait tous les étés. J'adorais faire du camping. On se sentait en sécurité et la plage n'était qu'à deux minutes. C'était le bon temps !

→

iii. Sur cette photo, on peut voir ma famille en train de manger un pique-nique dans un parc. C'était il y a treize ans et moi, je suis assise entre mes parents, à côté de mon frère. Au fond on peut voir la forêt. Il faisait un temps magnifique ! C'est un de mes meilleurs souvenirs.

iv. Cette photo a été prise en Espagne l'année dernière pendant une soirée dans une boîte de nuit. Ma copine Andréa danse comme une folle avec un verre à la main. Ça ne se voit pas trop, mais elle avait bien bu déjà ! C'est moi qui ai pris la photo. La boîte était fabuleuse. Ils ferment à 6 heures du matin là-bas. Incroyable, non ?

2. À deux, racontez deux anecdotes sur votre vie. L'une sera vrai, l'autre sera un mensonge. Votre partenaire devra deviner.

Exemple :

a. Quand j'avais 5 ans, je me suis cassé la jambe.

b. J'ai appris à nager à l'âge de 10 ans.

AIDE

Dans ce chapitre vous aurez besoin de réviser l'imparfait et le passé composé. Voir pages 141 et 153.

AIDE

N'oubliez pas les « *Four Bs* » ! Travaillez seul(e), avec un partenaire, avec le livre ou demandez de l'aide à votre professeur.

3. Regardez ces photos et choisissez-en une. En utilisant le vocabulaire ci-dessous, décrivez-la à votre partenaire.

- Au premier plan on peut voir …
- À droite, il y a …
- À gauche de / du / de la / de l' / des
- Au fond / à l'arrière-plan
- Au milieu / au centre
- En haut à gauche
- En bas à droite

AIDE

Pour l'oral, vous pouvez amener un document. Si vous apportez une photo, il faudra la décrire puis parler de ce qui s'est passé. Pour plus d'informations sur le document, regardez la section *Focus examen* page 123.

4. Maintenant, imaginez une histoire pour votre photo en utilisant les mots et expressions qui suivent.

- Je me souviens très bien de ce moment.
- Je me rappellerai toute ma vie du moment où …
- Nous avons passé des moments inoubliables.
- Ce souvenir restera gravé dans ma mémoire.
- C'était l'année dernière …

AIDE

En plus de vous aider à préparer votre document, l'exercice ci-dessus est utile pour le récit qui se trouve en général dans la Question 1 (b) de la section II où vous devez raconter un événement ou un souvenir réel ou imaginaire. Pour plus d'informations sur le récit, regardez la section *Focus examen* page 294.

5. Écoutez Marie qui nous parle de son tour du monde en famille, puis répondez aux questions qui suivent.

a. **i.** When did Marie and her family start their trip around the word?
ii. What did Marie's parents do before leaving? (One detail)
iii. How did they go around the world?

b. **i.** What does she say about school work? (One detail)
ii. What's her mother's job?

c. **i.** What was Marie afraid of when she first heard about the trip?
ii. How many countries did they visit?
iii. What did her friends say about her when she came back?

6. Maintenant, trouvez les mots et expressions suivants dans la transcription page 433 de l'exercice 5.

- **a.** During the trip
- **b.** Distance learning
- **c.** It was a bit hard to …
- **d.** At first
- **e.** I was scared
- **f.** I didn't want to leave my friends
- **g.** All went well
- **h.** When I came back
- **i.** I learned a lot about other cultures
- **j.** It was an unforgettable experience

7. Avant de lire le texte littéraire page 266, trouvez les mots et expressions suivants.

a.	un m _ _ _ _ _ t de b _ _ _	=	a swimsuit
b.	gr _ _ _ _ _	=	to scratch
c.	un s _ _ _ _ _ _ r	=	a memory
d.	tr _ _ _ _ _ r	=	to knit
e.	m _ _ _ _ _ _ r	=	to (make) wet
f.	v _ _ _ r	=	to dress
g.	s _ _ s r _ _ _ che	=	relentlessly
h.	f _ _ _ _ q _ _ r	=	to make
i.	é _ _ _ v _ _ _	=	to move, affect
j.	une ch _ _ _	=	a fall
k.	se la _ _ _ _ r a _ _ _ r	=	to let oneself go
l.	c _ _ _ _ _ _ te	=	trusting
m.	re _ _ _ _ _ _ e	=	to catch up with, rejoin
n.	g _ _ _ _ _ nt	=	happily
o.	se pl _ _ _ _ _ e	=	to complain
p.	un co _ _ _ _ _ _ ge	=	a shell

8. Avant de lire le texte page 265, regardez la photo et posez-vous ces questions qui vous aideront à comprendre le texte.

- **a.** Qui sont ces personnes sur la photo ?
- **b.** Sont-elles de la même famille ?
- **c.** À quelle saison a été prise cette photo ?
- **d.** Quel temps faisait-il ?
- **e.** Que portent ces personnes ?
- **f.** En quelle matière est fait le maillot de la petite fille ?

AIDE

Si vous avez la chance d'avoir une photo avec la compréhension écrite, regardez-la bien car elle peut aider à deviner le contexte et à mieux comprendre le texte.

9. Maintenant lisez ce texte et répondez aux questions qui suivent.

Les maillots qui grattent

En regardant des photographies, Anny Duperey cherche à retrouver les souvenirs de sa petite enfance perdus à la suite d'un grave choc émotionnel.

1. Oh ! Une réminiscence ! Un vague, très vague souvenir d'une sensation d'enfance : les maillots tricotés main qui grattent partout lorsqu'ils sont mouillés ... Ce n'est pas le plus agréable des souvenirs mais qu'importe, c'en est au moins un. Et je suis frappée de constater encore une fois, en regardant sur ces photos les vêtements que nous portons ma mère et moi, que tout, absolument tout, à part nos chaussures et les chapeaux de paille, était fait à la maison. Jusqu'aux maillots de bain. Que d'attention, que d'heures de travail pour me vêtir ainsi de la tête aux pieds. Que d'amour dans les mains qui prenaient mes mesures, tricotaient sans relâche. Est-ce pour me consoler d'avoir perdu tout cela, pour me rassurer que je passais des années à fabriquer mes propres vêtements, plus tard ?

2. Et puis qu'importe ces histoires de vêtements, de maniaquerie couturière, et qu'importe si cette vague réminiscence des maillots qui grattent, si fugitive que déjà je doute de l'avoir retrouvée un instant ... Ce qui me fascine sur cette photo, m'émeut aux larmes, c'est la main de mon père sur ma jambe. La manière si tendre dont elle entoure mon genou, légère mais prête à parer toute chute, et ma petite main à moi abandonnée sur son cou. Ces deux mains, l'une qui soutient et l'autre qui se repose sur lui. Après la photo il a dû resserrer son étreinte, m'amener à plier les genoux, j'ai dû me laisser aller contre lui, confiante, et il a dû me faire descendre du bateau en disant « hop là ! », comme le font tous les pères en emportant leur enfant dans leurs bras pour sauter un obstacle.

3. Nous avons dû gaiement rejoindre ma mère qui rangeait l'appareil photo et marcher tous les trois sur la plage. J'ai dû vivre cela, oui ... La photo me dit qu'il faisait beau, qu'il y avait du vent dans mes cheveux, que la lumière de la côte normande devait être magnifique ce jour-là. Et entre mes deux parents à moi, si naturellement et si complètement à moi pour quelque temps encore, j'ai dû me plaindre des coquillages qui piquent les pieds, comme le font tous les enfants ignorants de leurs richesses.

Extrait de : *Le voile noir*, Anny Duperey, Seuil, 1992

a. **i.** Trouvez dans la section 1 un adjectif qui qualifie les maillots.

ii. Trouvez la phrase qui indique que ça prenait beaucoup de temps et d'efforts pour créer ces vêtements. (Section 1)

b. Pour quelle raison la narratrice pense-t-elle qu'elle fabrique encore ses vêtements? (Section 1)

c. Qu'est-ce qui trouble la narratrice ? (Section 2)

d. Dans la section 2, citez :

i. un participe présent

ii. un verbe au passé composé

iii. une préposition.

e. Pourquoi se plaignait-elle ? (Section 3)

f. What do we learn of the narrator as a child? Make two points, referring to the text for each. (50 words)

Raconter un souvenir négatif

On s'échauffe !

10. Travaillez à deux. Regardez ces photos de vacances catastrophes et choisissez-en une pour raconter une histoire. Votre partenaire vous aidera en posant des questions.

Pouvez-vous me décrire la photo ?

Comment vous êtes-vous senti(e)(s) à ce moment-là ?

Qui a pris la photo ?

C'était quand ?

Qu'est-ce qu'il s'est passé ?

C'était où exactement ?

Avec qui étiez-vous ? / Qui sont ces personnes sur la photo ?

AIDE

Regardez la section *Focus examen* page 123 sur le document.

11. Écoutez ces personnes qui parlent de leurs vacances catastrophes et répondez aux questions qui suivent.

Didier

a. Where did he go on holiday last summer?
b. Why was he looking forward to this?
c. How did he choose his hotel?
d. Mention two problems he had with his hotel.
e. What did he do as soon as he got back home?

Armande

f. When and where did she spend her worst holiday?
g. Where did she and her friends stay?
h. What happened that ruined the holiday for her?
i. How was she evacuated?
j. Where is she going to spend her holidays next year?

Jamel

k. Where did he go last summer?
l. Where did he stay?
m. What was the weather like?
n. What happened during the last week of the holiday?
o. How did he spend his time?

12. Maintenant, trouvez les mots et expressions suivants dans la transcription page 433 de l'exercice 11.

a. I couldn't wait.
b. It was exactly what I needed.
c. It did not correspond to the reality.
d. Very close to the beach
e. They did not want to give me my money back.
f. It ruined my holiday.
g. It hurt like hell.
h. I have a lovely memory of the place.
i. I spent my time watching TV.
j. There was a power cut.

13. Pouvez-vous faire correspondre les histoires de l'exercice 11 avec les photos de l'exercice 10 ? Pouvez-vous améliorer vos histoires avec les expressions apprises ?

14. Avec la classe, complétez la liste suivante avec des problèmes qui peuvent arriver dans un hôtel.

- La chambre était sale
- La douche ne marchait pas
- L'ascenseur était en panne
- …

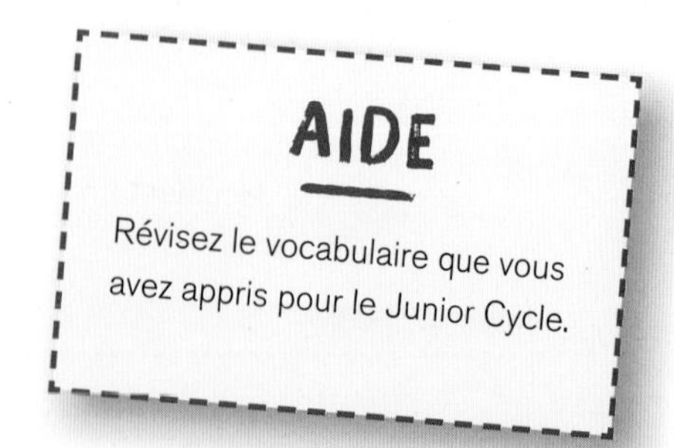

AIDE

Révisez le vocabulaire que vous avez appris pour le Junior Cycle.

15. Écoutez ces quatre personnes qui parlent des problèmes qu'ils ont eus dans leurs hôtels pendant leurs vacances. Recopiez le tableau qui suit dans votre cahier, puis remplissez-le.

Where did they go on holiday?	What they were expecting?	What was the reality?	What was their solution?
1.			
2.			
3.			
4.			

16. Maintenant, cherchez la traduction des mots et expressions suivants dans la transcription page 434 de l'exercice 15.

a. The picture showed …
b. The swimming pool was closed
c. A letter of complaint
d. The shower was broken
e. The window overlooked …
f. Bed linen
g. Noisy
h. The air conditioning was not working
i. The lift was broken
j. I asked for my money back

17. Avant de lire l'article qui suit, faites correspondre les mots et expressions avec leurs traductions.

a. Un vacancier	**i.** The bedlinen was torn
b. Déchanter	**ii.** To become disillusioned
c. Un cauchemar	**iii.** Spoiled
d. Les draps étaient déchirés	**iv.** A nightmare
e. À bout de nerfs	**v.** Even further away
f. À leur frais	**vi.** Compensation
g. Obtenir gain de cause	**vii.** At breaking point
h. Encore plus éloigné	**viii.** To be vindicated / to succeed
i. Gâché	**ix.** At their expense
j. Une indemnisation	**x.** A holiday maker

18. Maintenant, lisez l'article qui suit et répondez aux questions suivantes.

Scandale pour un hôtel 4 étoiles de Bodrum, Turquie

1. Les critiques et témoignages s'accumulent. Alors qu'un jeune couple a été expulsé le mois dernier d'un hôtel 4 étoiles dans lequel il séjournait à Bodrum (Turquie), un autre **vacancier** en colère vient également de faire part de son mécontentement. Les faits ont eu lieu à la même période, début septembre. Avec sa femme, ils avaient réservé une chambre « vue mer » au sein de ce complexe hôtelier par le biais d'une agence, pensant qu'ils allaient vivre un séjour formidable de quinze jours comme des milliers de personnes chaque année. Mais à leur arrivée, ils ont vite **déchanté** : le rêve s'est rapidement transformé en **cauchemar.**

2. Interrogé par *FranceSoir*, le vacancier qui fêtait son quarantième anniversaire à cette occasion, a tout d'abord déploré le manque de professionnalisme du personnel de l'établissement. D'après ses dires, aucun salarié ne faisait d'effort si les touristes ne parlaient pas leur langue. « *Il y avait un manque de considération de leur part* », a-t-il expliqué. Le calvaire a continué lorsqu'ils sont arrivés dans leur chambre. Un espace humide où de nombreux insectes avaient déjà élu domicile. Au total, plus d'une vingtaine ont été comptabilisés en seulement trois jours. Et ces petits nuisibles ne représentaient pas le seul problème du couple. Outre les infiltrations d'eau, « *les bas des murs étaient éclatés,* ***le drap était déchiré,*** *la poussière non faite et les systèmes électroniques visibles* », a-t-il ajouté.

3. Face à ce constat, il a alors décidé d'aller prévenir le personnel de l'établissement qui n'a pas voulu les changer de chambre. Seule consolation : une corbeille de fruit posée à même le sol qui a provoqué une invasion d'insectes. **À bout de nerfs**, le vacancier a alors décidé de contacter la représentante locale de l'agence pour lui exposer les faits, laquelle ne s'est même pas rendue sur place. Très embêtée par la situation, elle leur a simplement expliqué qu'ils pouvaient changer d'hôtel **à leur frais**, une éventualité inenvisageable.

4. Finalement, ils ont tout de même réussi à **obtenir gain de cause** et sont parvenus à changer de chambre au bout d'une semaine et ce, en échange de la suppression d'un mauvais commentaire posté sur le site TripAdvisor. Un chantage auquel le couple n'a pas cédé. Mais au grand désarroi des amoureux, leur nouvelle chambre était **encore plus éloignée** que la précédente et n'était pas non plus celle espérée. « *La vitre était prête à tomber, le lit était digne d'un futon tandis que la climatisation ne marchait quasiment pas* ».

   En soit, des vacances complètement « **gâchées** ». À son retour, le touriste a donc décidé de monter un dossier auprès de l'agence de voyage et devra désormais attendre six semaines pour savoir si lui et sa femme auront droit à **une indemnisation.**

Adapté de : Amandine Zirah pour *www.francesoir.fr*, le 3 octobre 2017

a. Trouvez dans la première section :
   i. le type de chambre que le couple a réservé
   ii. la durée de leur séjour.

b. Citez deux problèmes que ces touristes ont déplorés dans leur chambre. (Section 2)

c. **i.** Qu'est-ce que le personnel de l'hôtel a offert aux touristes ? (Section 3)
   ii. Quelle a été la solution proposée par l'agence de voyage ? (Section 3)

d. Que demandait l'hôtel avant de donner une nouvelle chambre à ces touristes ? (Section 4)

e. Trouvez dans la quatrième section :
   i. un adverbe
   ii. un verbe au futur simple.

f. The hotel did not help these unhappy tourists. Do you agree? Refer to the text in support of your answer. (Two points, about 50 words in total.)

19. Choisissez un des sujets suivants.

a. C'est le 20 juin, le début des grandes vacances, et vous avez plusieurs projets. Mais, désastre – vous tombez dans l'escalier et vous vous cassez la jambe. Selon le médecin, vous devrez passer au moins six semaines avec la jambe dans le plâtre.

Qu'est-ce que vous notez à ce sujet dans votre journal intime, deux jours plus tard ?

(75 mots environ)

2008, Leaving Certificate HL, Section II, Q2 (a)

b. You and your family have just returned home after spending three weeks in an apartment you rented in Avignon. Write a letter of complaint to the owner, making the following points:

- When you arrived, the apartment was dirty and you had to clean it up.
- The area was very noisy at night and you couldn't sleep.
- The lift broke down after a week and was not repaired.
- You tried several times to contact the owner but he did not return your calls.
- If you do not receive a satisfactory reply, you will write to the tourist office in Avignon.

You are Joseph / Josephine O'Malley, 14 Evergreen Road, Kells, Co. Meath.
Address your letter to Monsieur Victor Morel, 22 avenue Pasteur, 84000 Avignon, France.
(75 words)

2007, Leaving Certificate HL, Section II, Q2 (b)

AIDE

Utilisez les conseils et les phrases de la section *Focus examen* page 294.

Vocabulaire :

- J'ai dû la nettoyer
- Il n'a pas été réparé
- Personne ne l'a réparé
- Recontacter / rappeler quelqu'un

GRAMMAIRE

Le pronom « y »

Y can mean 'there', 'in it', 'on it', 'to it', 'at it', 'in them'.
Y replaces the name of a thing, **never a person**.
Y is used instead of ***à*** (or ***en***) + the name of a place, e.g. *J'habite à la campagne, j'y habite depuis ma naissance.*
Y can replace a location, e.g. *Il va dans sa chambre* ⟶ *Il **y** va.*
Y is also used with verbs that take ***à*** before an object, e.g. *Je pense **à l'année prochaine**. J'**y** pense de plus en plus.*

With an imperative:

- ***y*** goes after the verb when the sentence is positive, e.g. *Allez-**y** !* Let's go!
- ***y*** goes in front of the verb when the sentence is negative, e.g. *N'**y** pensez même pas !* Don't even think about it!

If the sentence contains an auxiliary (*passé composé* for example), ***y*** goes before the auxiliary *avoir* or *être*, e.g. *Je suis allé à Paris* ⟶ *J'**y** suis allé.*

If the sentence uses a semi-auxiliary (for example in the *futur proche* ***aller***, or with the recent past ***venir de*** or the modals ***devoir***, ***pouvoir***, ***devoir***, ***vouloir***), ***y*** goes between the semi-auxiliary and the infinitive that follows, e.g.:
Je peux aller à Madrid avec toi ⟶ *Je peux **y** aller.*
Il va s'amuser au camping ⟶ *Il va s'**y** amuser.*

Remplacez le complément par le pronom « y ».

Exemple : Je vais en France ⟶ J'y vais

a. Je pense à l'année prochaine
b. Il reste dans sa chambre pour étudier
c. Nous allons au lycée en bus
d. Je réfléchis à ce problème

Bilan du chapitre 18

On révise le vocabulaire

1. Traduisez les mots suivants.
   a. Je me souviens
   b. Un maillot de bain
   c. Un souvenir
   d. Gâcher les vacances
   e. A power cut
   f. Dirty
   g. The shower was broken
   h. The lift was out of order
   i. The swimming pool was closed
   j. The air conditioning

2. Traduisez les phrases suivantes.
   a. **Je me rappellerai toute ma vie le moment où** je suis arrivé à Paris.
   b. **C'était dur de** se faire des amis.
   c. **J'ai beaucoup appris sur** moi-même.
   d. **Il me tardait vraiment de** partir entre copains.
   e. **J'ai passé le reste de mes vacances à** regarder la télé.

3. Maintenant, utilisez les structures en caractères gras ci-dessus pour créer vos propres phrases.

4. Traduisez le sens général des expressions suivantes.
   a. Ce souvenir restera gravé dans ma mémoire.
   b. Tout s'est bien passé.
   c. J'avais un mal de chien !
   d. J'étais à bout de nerfs.
   e. Je veux obtenir gain de cause.
   f. J'ai dû changer de chambre à mes frais.
   g. C'était exactement ce dont j'avais besoin.

On révise la grammaire

5. Remplacez les mots en caractères gras par le pronom « y » comme dans l'exemple qui suit.

   Exemple : Il me tardait d'aller **en Afrique** avec mes copains ⟶ *Il me tardait d'y aller avec mes copains*

   a. Je n'arrive pas **à skier**.
   b. J'irai **en Espagne** l'année prochaîne.
   c. Il va s'amuser **en colonie de vacances** à …
   d. Nous ne pouvons pas rester **dans cette chambre insalubre** !
   e. Je viens d'arriver **à New York**.

Chapitre 19

Les transports

À la fin de la leçon on pourra :

- parler des transports
- parler du permis de conduire
- comprendre des informations sur les transports
- s'exprimer sur l'impact des transports sur l'environnement
- savoir utiliser le pronom « en ».

Les transports et le permis de conduire

On s'échauffe !

1. À deux puis avec la classe, complétez ce diagramme avec un maximum de mots liés aux transports.

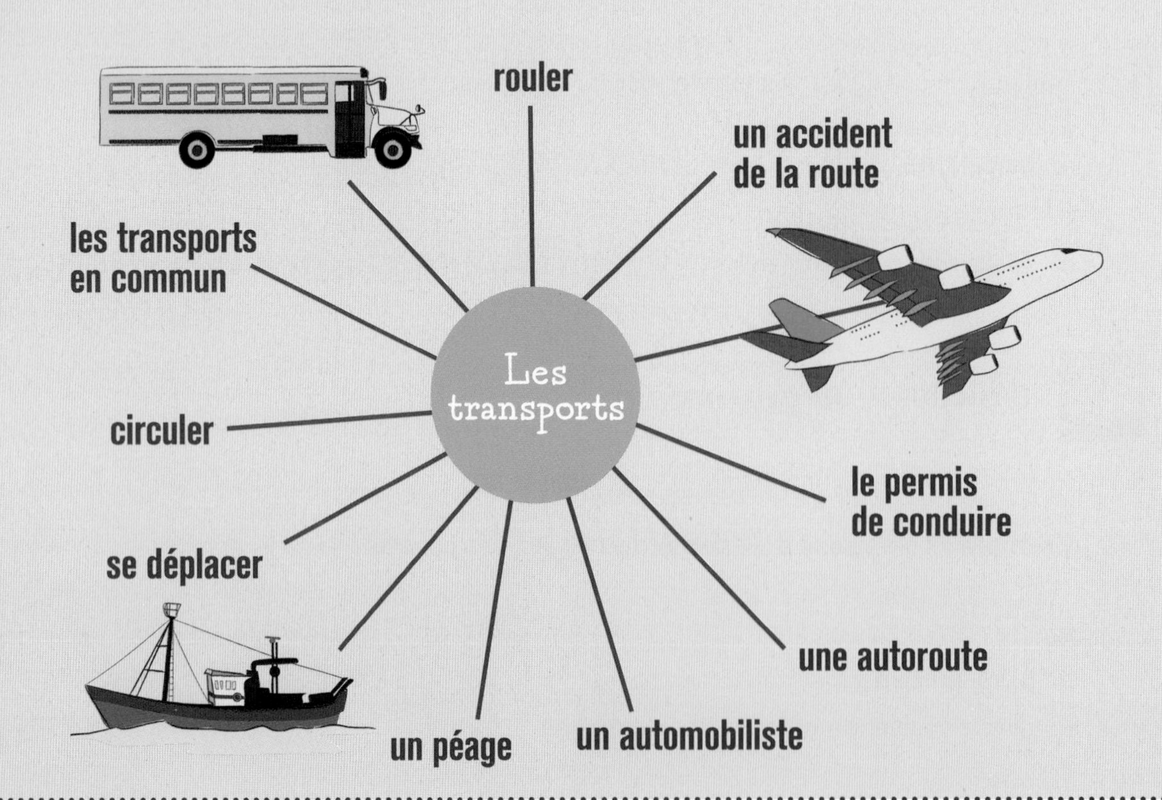

2. Comment vont-ils à l'école ? Écoutez ces quatre lycéens qui répondent à cette question, recopiez le tableau ci-dessous dans votre cahier, puis remplissez-le en anglais.

	Transport	Reason	How long does it take?	Any other details?
Julie				
Mouloud				
Abdel				
Yasmina				

3. Maintenant, trouvez les mots suivants dans la transcription de l'exercice 2 page 434.

a. Rush hour
b. Traffic jam
c. I can't stand public transport
d. My dad takes me to school
e. Traffic delays
f. I'm saving like mad to buy one
g. I'm worth it

4. À deux, avant de lire l'article qui suit, faites correspondre les mots et expressions suivants avec leur traduction.

a. La conduite accompagnée	**i.** A handbrake
b. Avoir confiance en quelqu'un	**ii.** A driver
c. L'examen du permis de conduire	**iii.** Easier said than done
d. Un conducteur novice	**iv.** The driving test
e. Une auto-école	**v.** A learner driver
f. Plus facile à dire qu'à faire	**vi.** To get worked up / to argue
g. Le frein à main	**vii.** Accompanied driving
h. Reculer	**viii.** To trust someone
i. Freiner	**ix.** To reverse
j. La pédale de frein	**x.** To brake
k. Se prendre la tête [fam.]	**xi.** Brake pedal
l. Faire un créneau	**xii.** A driving school
m. Un rond-point	**xiii.** To reverse into a parking space
n. Un chauffeur	**xiv.** A roundabout

5. Maintenant, lisez l'article suivant et répondez aux questions qui suivent.

La conduite accompagnée, des parents témoignent : « J'ai toujours la main sur le frein à main ! »

1. « Vive **la conduite accompagnée** ! » s'exclame Cédric Duhil, sur la page Facebook d'Ouest-France. « Je comprends que certains parents soient frileux. Cependant, c'est une occasion formidable de transmettre notre expérience à notre enfant. » Sandrine Besnier est tout aussi convaincue. D'ailleurs, elle en est à sa troisième expérience de conduite accompagnée. « Il faut que les enfants nous montrent que l'on peut **avoir confiance**. Patience et calme … L'échange est important. Et personnellement, je profite d'une remise à niveau aussi … Aucun accident, pas de casse … »

2. On comprend encore mieux son enthousiasme quand on sait les avantages de cette pratique, qui démarre dès 15 ans : un taux de réussite à **l'examen du permis de conduite** dépassant les 70 %, une réduction de la période du permis probatoire de trois à deux ans, un coût total de formation souvent moins élevé qu'en apprentissage traditionnel, ou encore un tarif préférentiel sur l'assurance « jeune conducteur » proposé par de nombreuses compagnies.

3. Néanmoins, faire 3 000 kilomètres aux côtés d'un **conducteur novice** est parfois très stressant. Même si ce dernier, avant de se lancer dans le grand bain routier, a l'obligation d'effectuer au moins vingt heures de conduite en **auto-école**. « Les moniteurs sont habitués et connaissent bien les jeunes, atteste Claude Dreano, toujours sur Facebook. Si un jeune n'est pas prêt, le moniteur ajoute quelques heures supplémentaires si besoin. Grâce à eux, on peut avoir confiance en nos enfants. » Mais c'est parfois **plus facile à dire qu'à faire**. « On a fait presque 500 km ensemble avec mon fils aîné et je commence à moins stresser pendant sa conduite … Mais j'ai toujours la main sur **le frein à main,** confie une autre internaute. Je ne suis pas prête à faire la conduite en nuit ! »

4. « Quand ma fille freine à 30 cm d'un stop ou qu'elle teste le démarrage en côte sans frein à main et que la voiture **recule** sur celle de derrière, la peur fait que je crie. Tout d'abord, je lui dis **'freine'**. Calmement. Une fois. Deux fois. Trois fois. La quatrième fois, je hurle. Ça la stresse. Elle m'en veut », regrette Francine Dumas. « Il manque **la pédale de frein** côté parents, sourit Mélanie Brunet. En tout cas, il ne faut surtout pas partir en conduite accompagnée quand on vient de « **se prendre la tête** », parce qu'après c'est pire ! Il ne faut pas non plus craindre d'avoir l'air ridicule sur le parking d'une grande surface au bout du dixième **créneau**, ou de se rendre compte qu'on ne sait pas prendre **un rond-point** … »

5. Un bon moment de partage, un ancien conducteur novice s'en amuse encore et raconte comment il a un jour laissé tomber sa mère stressée : « Ça fait une quinzaine d'années que j'ai fini la conduite accompagnée mais je pense que ma mère s'en souvient aussi bien que moi … Un jour où la communication était délicate, elle m'a énervé, rue Jean Jaurès à Brest. J'ai planté la voiture là, en pleine ville, j'ai serré le frein à main et je suis parti. Je l'ai serré tellement fort qu'elle a dû demander au **chauffeur** de bus derrière nous de le desserrer. Pour ma part, je suis rentré en bus … »

Adapté de : Rennes School pour *www.ouest-france.fr,* le 8 février 2018

→

a. Trouvez deux noms qui décrivent les qualités nécessaires aux parents de jeunes conducteurs. (Section 1)

b. Citez deux avantages à la conduite accompagnée. (Section 2)

c. i. Que doit faire un jeune conducteur avant de conduire en conduite accompagnée ? (Section 3)

ii. Que fait le moniteur si le conducteur n'est pas assez préparé ? (Section 3)

d. i. Trouvez une chose qui fait peur à Francine Dumas. (Section 4)

ii. Quel conseil donne Mélanie Brunet aux parents de jeunes conducteurs avant de prendre la route ? (Section 4)

e. i. Pour le pronom en rouge (l'), trouvez le nom auquel il se réfère. (Section 5)

ii. Relevez un adjectif féminin singulier dans la section 5.

f. Accompanied driving can have numerous advantages. Do you agree? Refer to the text in support of your answer. (Two points, about 50 words in total.)

6. À vous maintenant, travaillez à deux et répondez à ces questions à l'oral.

a. Habitez-vous loin de votre lycée ?

b. Comment allez-vous au lycée ?

c. Combien de temps mettez-vous ?

d. À quelle heure arrivez-vous ?

e. Avez-vous votre permis de conduire ?

Les transports dans l'information

On s'échauffe !

7. À deux, trouvez un maximum de mots liés aux transports dans l'actualité. Jouez avec la classe : les noms valent 5 points, les adjectifs 10 points, les verbes 20 points. Ceux qui réussissent à avoir 200 points (sans utiliser les exemples ci-dessous !), gagnent. (Décidez du prix avec votre professeur ! Par exemple, pas de devoirs pour les gagnants !)

Quelques exemples : Un accident – La circulation – Un blessé – Une grève des trains – Un carrefour – Entrer en collision – Vite …

8. Écoutez ces six extraits d'actualités et répondez aux questions.

a. i. What caused the crash?
   ii. How many cars were stuck in the traffic jam that followed?
   iii. What did the firemen have to do?

b. i. Who went on strike?
   ii. What did the SNCF have to do?

c. i. Where were the trains supposed to go?
   ii. Why were they cancelled?

d. i. When did the accident happen?
   ii. How many people were injured?
   iii. The driver was drunk. True or false?

e. What did customs officers find in a car in Burgundy?

f. i. Why was the 70-year-old man arrested?
   ii. What is his sentence?

AIDE

Attention ! Ces six extraits sont comme la section V de l'examen de la compréhension orale. Vous n'entendrez ces extraits que deux fois dans l'examen du bac. Ils sont très courts et très rapides. Concentrez-vous bien et apprenez le vocabulaire.

Faites des prédictions pour vous aider. Par exemple, question a.i., pensez à la météo. Pour question a.ii., comment dit-on « traffic jam » en français ? Attention, il peut y avoir plusieurs numéros, concentrez-vous sur celui qui désigne les voitures bloquées.

9. Maintenant trouvez les mots et expressions suivants dans la transcription de l'exercice ci-dessus page 435.

a. A crash
b. A traffic jam
c. The firemen
d. To go on strike
e. A real mess
f. A very rare measure
g. A fire
h. The Channel Tunnel
i. To do a U-turn / to turn around
j. To crash into
k. Injured
l. To be under the influence of alcohol
m. Customs officers
n. To put their hands on
o. A retired person
p. To steal (two possible verbs!)

AIDE

Révisez la section *Focus examen* page 124 pour plus de vocabulaire sur la section V de la compréhension orale.

Les transports et l'écologie

On s'échauffe !

10. Seul(e) ou à deux, essayez de deviner la définition du mot « autosolisme », puis vérifiez dans le dictionnaire. Quels sont d'après vous les problèmes liés à l'autosolisme ? Quelles pourraient être les alternatives ? Discutez avec votre classe.

11. Regardez la vidéo intitulée « Semaine européenne de la mobilité : comment bouger autrement ? » sur YouTube et prenez des notes. Comparez avec votre partenaire, puis partagez les informations que vous avez comprises avec votre classe.

AIDE

L'examen de compréhension orale est un exercice difficile mais que vous pouvez travailler facilement en écoutant le plus de français possible. Vidéo, film, radio, tout est bon pour habituer votre oreille au français. Concentrez-vous sur l'ensemble puis sur les détails.

12. À deux, faites correspondre les titres avec les textes, puis répondez aux questions qui suivent.

La voiture personnelle

Les transports en commun

Le vélo

La marche

L'autopartage

a. Pratique pour les trajets récurrents, ils sont généralement ponctuels et passent à intervalles réguliers. Les nombreux points d'arrêt font que les centres-villes sont bien desservis. Avantage : prendre en charge de nombreuses personnes en même temps, pour ainsi réduire la circulation et la pollution. Inconvénient : une mauvaise image de lieux stressants.

b. Ce moyen de déplacement offre l'opportunité de faire travailler ses muscles et son cœur, bref de profiter des bienfaits d'une activité physique régulière. Autre avantage, une fois le matériel acheté, il ne coûte rien de l'utiliser fréquemment. Si vous optez pour la location, comme le Vélib', les tarifs sont très attractifs. Attention cependant, il faut rester prudent pour circuler en ville et emprunter le plus possibles les pistes aménagées.

c. En ville, ces services sont parfois mis en place et offre la possibilité de pouvoir utiliser un véhicule ponctuellement sans avoir à supporter les inconvénients, comme l'entretien, les visites chez le garagiste … À Paris, ce service permet de réserver une voiture a 2,30 euros l'heure. Les véhicules sont mis à disposition 24h/24h et 7/7 jours pour les personnes souhaitant les réserver.

d. 100 % écologique, 100 % économique et vraiment bon pour la santé, 30 minutes par jour limite de 50 % les risques cardio-vasculaires. Cette manière de se déplacer est accessible à tous mais n'est pas pratique pour de longs trajets. Il faut donc combiner avec les transports en commun et pourquoi pas s'arrêter un arrêt avant son travail et finir le trajet à pied ?

e. Moyen de transport le plus populaire, il est aussi celui qui comprend le plus d'inconvénients. Polluant, encombrant, bruyant et couteux, 90 % du temps, ce véhicule n'est pas utilisé et reste sur un parking ou dans un garage. Prisé pour le gain d'indépendance qu'il apporte, ce véhicule n'est pas toujours synonyme de gain de temps. En ville, suivant les conditions de circulation (embouteillage, recherche de place de stationnement) la marche ou le vélo peuvent se révéler plus rapide.

→

Quel moyen de transport…

i. est le plus utilisé malgré les nombreux désavantages ?

ii. est complètement écologique mais peu pratique ?

iii. permet d'avoir les avantages de la voiture sans les inconvénients ?

iv. réduit la circulation en ville ?

v. est bon pour la santé et peut être acheté ou loué ?

13. Écoutez cet article sur l'écoconduite et répondez aux questions.

a. i. What is the percentage of people travelling by car nowadays?

ii. The vehicles are responsible for:

A. a third of CO_2 emissions.

B. a quarter of CO_2 emissions.

C. half of CO_2 emissions.

b. Apart from reducing CO_2 emissions, name one benefit of practising *écoconduite*.

c. Name one thing you can do to become an *écoconducteur*.

d. What reminder does this journalist give us?

14. Maintenant trouvez les mots et expressions suivants dans la transcription de l'exercice ci-dessus page 435.

a. Trips
b. Petrol
c. To limit CO_2 emissions
d. To drive slowly
e. Speed limits
f. The rules of the road
g. Air conditioning
h. Tyre
i. Car-sharing
j. Have a nice trip!

15. Écoutez cet entretien avec Oscar Bagnole qui parle de sa vision des transports du futur et répondez aux questions qui suivent.

a. What has the French Minister of the Environment declared will happen by 2050?

b. According to Oscar Bagnole, what will we see a lot more of by 2030?

c. i. According to Bagnole, how will you be able to get a car in the future?

ii. Name one advantage of using driverless cars, according to him.

d. What proportion of greenhouse gas emissions is due to the transport industry?

16. Maintenant, cherchez les mots et expressions suivants dans la transcription de l'exercice 15 page 436.

a. Petrol and diesel cars
b. Driverless cars
c. They will be part of our lives
d. No more need for huge car parks
e. Which will reduce greenhouse gas emissions
f. Do you realise …?
g. It's fighting effectively against global warming

17. Choisissez un des sujets suivants.

a. « La voiture est un fléau ! Elle nous envahit, nous empoisonne l'air et la vie ! »
Qu'en pensez-vous ?
(75 mots environ)

AIDE

Pour cette production écrite, pensez à faire une liste des avantages et des inconvénients de la voiture. Si vous pensez que c'est un fléau, vous pouvez commencer par dire :
« Il est vrai que la voiture est très pratique et je doute que nous puissions vivre sans, mais il faut bien admettre que … »
Commencez par les avantages, puis montrez qu'il y a beaucoup plus d'inconvénients. Utilisez des structures telles que :

- Il est vrai …
- Pourtant …
- Par contre …
- D'un côté … de l'autre …
- Le revers de la médaille c'est que …
- Il faut bien admettre que …

Pour tout problème, il y a une solution, vous pouvez peut-être suggérer une solution à ce fléau : l'écoconduite, les transports en commun, les voitures électriques …
Pour résumer :

- Dites si vous êtes d'accord ou pas, et dites avec quoi vous êtes d'accord ou pas !
- Faites une concession.
- Prouvez que c'est un fléau (ou pas !) en donnant des exemples.
- Proposez une solution.
- Faites une conclusion qui résume votre point de vue.

b. Donnez vos réactions à cette photo.
(75 mots minimum)

GRAMMAIRE

Le pronom « en »

En can mean 'some', 'any', 'of it', 'of them'.
En is used after verbs that take the preposition ***de*** before the object.
En does not always have an English equivalent.

En replaces ***du / de la / des*** + a noun, e.g. *Tu as des devoirs à faire ? Oui, j'en ai plein !* Do you have homework to do? Yes, I have loads. *Je voudrais des timbres. Désolé, je n'en vends pas.* I would like some stamps. Sorry I don't sell them.

En goes in front of the verb when the sentence is negative, e.g. *Je n'**en** prends pas.* I don't take any.

If the sentence contains an auxiliary (*passé composé* for example), ***en*** goes before the auxiliary *avoir* or *être*, e.g. *J'ai demandé de l'argent* ⟶ *J'**en** ai demandé.*

If the sentence uses a semi-auxiliary (for example in the *futur proche* ***aller***, or with the recent past ***venir de*** or the modals ***devoir***, ***pouvoir***, ***devoir***, ***vouloir***), ***en*** goes between the semi-auxiliary and the infinitive verb that follows, e.g. *Je dois économiser de l'argent* ⟶ *Je dois **en** économiser ; Il va s'occuper de sa voiture* ⟶ *Il va s'**en** occuper.*

Réécrivez les phrases en utilisant le pronom « en ».

Exemple : Je mange des fruits ⟶ J'en mange

- **a.** Il a des devoirs ⟶
- **b.** Je parle de mes problèmes à mes copains ⟶
- **c.** Je suis fière de mes résultats en maths ⟶
- **d.** J'ai besoin d'aide ⟶
- **e.** Je m'occupe des réservations ⟶
- **f.** Il doit acheter des billets d'avion ⟶
- **g.** Nous avons de l'argent ⟶
- **h.** Est-ce que vous avez besoin de la voiture ? ⟶
- **i.** Il ne veut pas de ton aide ⟶
- **j.** Tu n'as pas pris de pain ⟶

Bilan du chapitre 19

On révise le vocabulaire

1. Traduisez les mots suivants.
   a. Un péage
   b. Rouler
   c. Freiner
   d. Une grève
   e. Entrer en collision
   f. Driving test
   g. Traffic
   h. A crash
   i. A traffic jam
   j. Speed limits

2. Traduisez les phrases suivantes.
   a. **Le revers de la médaille c'est que** la voiture pollue l'atmosphère.
   b. **Il faut bien admettre que** la voiture est pratique.
   c. **J'ai confiance en** les transports en commun.
   d. **D'un côté** le bus n'est pas cher **mais de l'autre**, on n'est pas indépendant.
   e. **Il est vrai que** le covoiturage est une bonne solution.
   f. L'alcool au volant **est un fléau**.

3. Maintenant, utilisez les structures en caractères gras ci-dessus pour créer vos propres phrases.

4. Traduisez le sens général des expressions suivantes.
   a. On essaie d'éviter les heures de pointe.
   b. Plus facile à dire qu'à faire.
   c. Les bouchons en ville créent une pagaille monstre.
   d. Le conducteur était sous l'emprise de l'alcool.
   e. Il faut respecter le code de la route.

On révise la grammaire

5. Réécrivez les phrases en utilisant le pronom « en ».
   a. Il n'a pas besoin de prendre le bus.
   b. Il faut parler des problèmes liés à la voiture.
   c. Je n'ai pas de voiture.
   d. Il y a des bouchons en ville.
   e. Il peut avoir besoin du permis de conduire.

Chapitre 20

Le tourisme

À la fin de la leçon on pourra :

- parler du tourisme en Irlande
- parler d'un voyage de bénévole
- parler du tourisme humanitaire
- savoir la position des pronoms.

Le tourisme local

On s'échauffe !

1. En groupe, trouvez dix bonnes raisons d'aller en Irlande en vacances (pensez aux sites touristiques à visiter, aux activités à faire, aux villes et régions intéressantes). Comparez avec votre classe.

2. Écoutez Marie, journaliste à Radio-Canada, qui parle des « staycations », les vacances où on reste chez soi, et répondez aux questions qui suivent.

a. Where did the concept of 'staycation' start?
b. What is the main benefit of this kind of holiday?
c. i. Name two things you can do while holidaying at home.
   ii. What kind of activities do towns offer during the holiday season? (Two examples)
d. What is the final benefit stated by this journalist of not travelling abroad for your holidays?

3. Maintenant, cherchez les mots et expressions suivants dans la transcription de l'exercice 2 page 436.

a. The financial crisis
b. Instead of going abroad
c. Make the most of their holidays
d. It is obvious that the number one advantage is
e. To take the time to
f. To spend more time with
g. You're spoiled for choice
h. To reduce the impact on

4. « Pourquoi partir à l'étranger alors qu'on peut passer de très bonnes vacances en Irlande ?! » Rachel, 45 ans

Êtes-vous d'accord ?

(75 mots environ)

AIDE

- Commencez par donner votre opinion en reformulant le sujet.
- Concédez le point de vue contraire : « Il est vrai que partir à l'étranger offre plus de possibilités que de rester en Irlande. Cependant … » ; « Il est vrai que rester en Irlande offre des avantages financiers par exemple mais … »
- Trouvez plusieurs arguments. Faites un plan en utilisant des mots de liaison, e.g. « tout d'abord / en effet / pourtant … » (voir *Focus examen* page 294).
- Parlez de votre expérience, mais ne racontez pas vos vacances !
- N'oubliez surtout pas de faire une conclusion en rappelant votre opinion et le sujet.

5. Avant de faire cette compréhension guidée, faites correspondre les mots avec leur synonyme ou définition.

a. Diminuer	**i.** Une attaque faite par des terroristes
b. Un attentat terroriste	**ii.** Accroître
c. Une manifestation	**iii.** Chaque jour
d. Être revêtu	**iv.** Créer
e. Aisément	**v.** Facilement
f. Augmenter	**vi.** Être habillé
g. Mettre au point	**vii.** Une démonstration publique pour protester
h. Lutter contre	**viii.** Baisser
i. Au quotidien	**ix.** Dénoncer une infraction auprès de la police
j. Déposer plainte	**x.** Combattre

AIDE

Trouver des synonymes aux mots utilisés dans les questions peut vous aider à comprendre le texte et à répondre correctement.

6. Maintenant lisez cet article et répondez aux questions qui suivent. Cette compréhension est tirée de l'examen du Leaving Certificate 2017.

Des mesures pour relancer le tourisme dans la région parisienne

Valérie Pécresse, présidente de la région Île-de-France, révèle son grand plan.

1. Valérie Pécresse s'inquiète, car entre janvier et août 2016, le nombre de touristes étrangers à Paris **a diminué** de 13 %. Au total, c'est un million de touristes en moins. « Nous traversons une période extrêmement difficile, explique-telle, marquée par **les attentats terroristes** et **les manifestations** violentes. Tout cela fait fuir les touristes étrangers. » Valérie a décidé alors d'introduire des mesures fortes pour inciter les touristes à venir découvrir la région Île-de-France.

2. Première mesure : améliorer la qualité de l'accueil. Donc,Valérie installera bientôt des équipes de « volontaires du tourisme ». Comme ces jeunes étudiants **seront revêtus** d'un blouson violet, ils seront **aisément** reconnaissables. Portant sur leur tenue un message : Puis-je vous aider?, ils seront chargés d'informer les touristes étrangers, de les guider, et d'éviter qu'ils se perdent. Deux cents étudiants seront recrutés et formés pour les fêtes de fin d'année. Ils seront déployés sur une trentaine de sites historiques à Paris. Pour Valérie, cette présence humaine est indispensable. C'est aussi une expérience formatrice pour les jeunes.

3. Deuxième mesure : améliorer la pratique des langues étrangères. La France est 23e sur 28 en Europe en ce qui concerne la maîtrise de l'anglais. C'est un vrai problème. L'Île-de-France se doit d'être multilingue. Dès 2017, le conseil régional financera des cours d'anglais pour les professionnels du tourisme, comme les conducteurs de bus et les employés des hôtels et des restaurants. Aussi, il **augmentera** le nombre de panneaux de signalisation en langues étrangères près des sites touristiques, car ils sont très insuffisants. En plus, le conseil encouragera les innovations technologiques qui aideront les touristes étrangers. Par exemple, il a déjà soutenu une entreprise parisienne qui a **mis au point** des lunettes permettant aux spectateurs de traduire en direct les pièces de théâtre.

4. Troisième mesure : des commissariats de police mobiles. D'après Valérie, la sécurité est une question essentielle. Elle croit qu'il faut absolument **lutter contre** la délinquance **au quotidien**, les pickpockets notamment, qui visent en particulier les touristes. C'est pourquoi Valérie va déployer des commissariats mobiles. Ils seront très visibles sur les principaux sites touristiques et auront avant tout un effet dissuasif. Ils permettront aussi aux touristes de **déposer plainte** immédiatement, ce qu'ils font peu souvent.

5. « Il faut simplifier la vie des touristes », dit Valérie. Donc, elle a l'intention de lancer en juin 2017 une application téléchargeable pour smartphone. L'appli permettra aux touristes français et étrangers de préparer leur séjour, grâce à des informations sur Paris et sa région : principaux sites touristiques, jours d'ouverture, horaires, tarifs, etc. Avec cette appli, les touristes pourront aussi acheter des billets d'accès, et notamment des billets à horaires fixes, comme cela existe dans la plupart des grands musées du monde, sans être contraints de faire la queue.

Adapté de : *Le Journal du Dimanche*, le 30 octobre 2016

a. **i.** Pendant quelle période le nombre de touristes étrangers à Paris a-t-il baissé ? (Section 1)

ii. Citez les événements dramatiques qui, selon Valérie, ont contribué au manque de touristes étrangers à Paris. (Section 1)

AIDE

Utilisez votre culture générale. Que s'est-il passé à Paris de dramatique ces dernières années ? Attention de citez seulement ce qui est nécessaire. Si vous ne citez pas assez ou si vous citez trop, vous aurez quatre points au lieu de cinq.

b. **i.** Selon la deuxième section, comment reconnaîtra-t-on facilement les « volontaires du tourisme » ?

ii. Quand est-ce que les « volontaires » seront prêts à commencer leur travail ? (Section 2)

AIDE

Question b.i. : Notez le mot « facilement ». Votre réponse devra inclure l'équivalent de ce mot. Tous les éléments de la question sont importants.

c. **i.** En quoi les Français sont-ils faibles par rapport à plusieurs autres pays européens ? (Section 3)

ii. Selon la troisième section, le conseil régional …

A. installera des panneaux de signalisation supplémentaires ☐

B. traduira des pièces de théâtre pour les touristes étrangers ☐

C. interdira la nouvelle technologie sur les sites touristiques ☐

D. embauchera plus de personnes dans les hôtels et les restaurants. ☐

d. **i.** Trouvez l'expression qui veut dire « combattre la criminalité de chaque jour ». (Section 4)

ii. Qu'est-ce que les victimes de crime dans les endroits touristiques font rarement ? (Section 4)

AIDE

Question d.i. : Ici encore, tous les mots sont importants. La question ne dit pas « combattre la criminalité » mais « combattre la criminalité de chaque jour ». Cherchez une réponse incluant l'équivalent.

e. **i.** Relevez un adverbe dans la cinquième section.

ii. Quel sera l'avantage pour les touristes de pouvoir acheter des billets à horaires fixes ? (Section 5)

AIDE

Question e.i. : Les adverbes réguliers finissent en général par « -ment ». Voir page 81.

f. Valérie Pécresse's proposals to encourage tourists to return to Paris are very practical. Do you agree? Refer to the text in support of your answer. (Two points, about 50 words in total.)

AIDE

Pour la dernière question, relisez le texte plusieurs fois. Vous pouvez aussi utiliser vos réponses pour vous aider à répondre (question b.i., c.ii.). La question c.i. parle d'un problème, quelle solution est proposée dans la section 3 ? N'oubliez pas de citer ou de faire une référence au texte ('*in section 3 …* ').

2017, Leaving Certificate HL, Section I, Q1

Le tourisme humanitaire

On s'échauffe !

7. Quels sont les problèmes dans notre planète ? Pouvez-vous compléter cette liste avec d'autres problèmes ?

- L'environnement
- La faim dans le monde
- Les pays en voie de développement
- La pauvreté
- Les espèces en voie de disparition
- Le racisme
- La discrimination

8. Écoutez ces personnes qui parlent de leurs voyages comme bénévoles, recopiez le tableau ci-dessous dans votre cahier puis le remplissez en anglais.

	Where?	How long?	Main task
Sabine			
Marie-Claire			
Tibaud			
Nouria			

9. Maintenant trouvez les mots et expressions suivants dans la transcription de l'exercice 8 page 436.

a. It's an experience that I will never forget.
b. I can't say how happy I was to be part of such an event.
c. It's gratifying.
d. It was an enriching experience.
e. I'll never forget it.

10. Avant de lire cet extrait, faites correspondre les mots et expressions suivants avec leur traduction.

a. Faire du volontariat	**i.** To debate a topic
b. Clés en main	**ii.** Inclusive (everything organised)
c. Le tourisme humanitaire	**iii.** The wall of indifference
d. Débattre le sujet	**iv.** To finally get a hand on something
e. Rester dubitatif quant à l'efficacité de	**v.** To be sceptical as to the efficiency of
f. Un élan de générosité	**vi.** A spelling mistake
g. Une faute d'orthographe	**vii.** Outpouring of generosity
h. Faire semblant de faire quelque chose	**viii.** Humanitarian tourism
i. Le mur de l'indifférence	**ix.** To volunteer
j. Mettre enfin la main sur quelque chose	**x.** To pretend to do something

11. Maintenant, lisez cet extrait et répondez aux questions qui suivent.

1. Sophie, ma fille aînée, veut **faire du volontariat**. Partir loin avec son amie Pamela. Des agences proposent des circuits humanitaires **clés en main**. Le Ghana est en pleine effervescence avec un accès direct aux pauvres. Bâtir des maisons, des écoles et enseigner le français. Plusieurs propositions pour le Cambodge aussi, où, armés de bonnes intentions, les volontaires vont chercher les enfants dans les familles les plus démunies pour remplir les orphelinats qui ont poussé comme des fleurs sauvages. Gabriel, mon mari, à qui elle a demandé conseil, n'aime pas cette nouvelle économie du **tourisme humanitaire**. Il trouve dangereuses ces nouvelles structures sans réflexion intellectuelle. Il s'oppose à la charité désorganisée sans structure ONG.

2. Avec ma fille, ils ont longuement **débattu le sujet**. Gabriel **reste dubitatif quant à l'efficacité de** ces **élans de générosité** narcissiques, souvent condescendants, voire colonialistes. Il l'a charriée

sur ces pauvres enfants à qui elle allait apprendre le français alors qu'elle ne connaît même pas son passé simple et continue à faire des **fautes d'orthographe** dans chaque texto qu'elle lui envoie. Sophie a **fait semblant de s'intéresser à** la carte du monde qu'il a déployée comme un vieux ringard pour lui proposer des alternatives. Évidemment, elle n'en a fait qu'à sa tête. Elle ne va pas se laisser monter la cabeza, comme elle dit si bien, par un vieil intello de dix ans de plus que sa mère qui a fait le tour du monde dans les années 1980.

3. Quand la jeunesse décide qu'elle sait, il n'y a pas grand-chose à dire. En quelques clics sur l'écran lumineux, c'était fait. Va pour l'orphelinat en Afrique. Le Sénégal. Pays d'origine d'Omar Sy et de Youssou N'Dour. Elle ne connaît même pas Senghor, se lamente Gabriel. Mais il ne se décourage pas. Habité par sa vocation de professeur, il est convaincu que quelques paroles efficaces peuvent traverser **le mur de l'indifférence**. Il cherche un texte dans sa bibliothèque. Sans ses lunettes, ce n'est pas facile. Senghor. Poème à mon frère blanc. Sur Internet, Sophie trouve avant lui :

4. « Quand je suis né, j'étais noir,
Quand j'ai grandi, j'étais noir,
Quand je suis au soleil, je suis noir,
Quand je suis malade, je suis noir,
Quand je mourrai, je serai noir.
Tandis que toi, homme blanc,
Quand tu es né, tu étais rose,
Quand tu as grandi, tu étais blanc,
Quand tu vas au soleil, tu es rouge,
Quand tu as froid, tu es bleu,
Quand tu as peur, tu es vert,
Quand tu es malade, tu es jaune,
Quand tu mourras, tu seras gris.

Alors, de nous deux, Qui est l'homme de couleur ? »

« Cool ! Il a de l'humour ton copain ! » lance Sophie avant de filer s'enfermer dans sa chambre pendant des heures, à l'abri des vieux has-beens, pour débriefer avec son amie Pamela.

Gabriel, qui avait enfin **mis la main sur le livre**, n'a pas le temps de lui dire qu'on ne peut pas toujours se fier à Internet : le poème qu'elle vient de lire a été faussement attribué à Senghor.

Extrait de : *L'absente de Noël*, de Karine Silla, édition Humensis, 2017

a. Trouvez deux activités proposées par les agences humanitaires. (Section 1)

b. **i.** À qui Sophie a-t-elle demandé conseil ? (Section 1)

ii. Pourquoi Gabriel n'apprécie pas ce type de volontariat ? (Section 1)

c. **i.** Pour le pronom en rouge (**l'**), trouvez le nom auquel il se réfère. (Section 2)

ii. Trouvez un adverbe dans la section 2.

iii. Quelle activité Sophie va-t-elle faire pendant son volontariat ? (Section 2)

d. Où Sophie a-t-elle décidé de partir ? (Section 3)

e. Dans la section 4, on apprend que :

i. Gabriel n'a pas aimé le poème de Senghor ☐

ii. Sophie ne comprends pas le poème de Senghor ☐

iii. Le poème n'est pas vraiment de Senghor ☐

iv. Gabriel trouve le poème humoristique. ☐

f. Sophie's father seems to think that Sophie volunteering in Africa is a bad idea. Do you agree? Refer to the text in support of your answer. (Two points, about 50 words in total.)

12. Écoutez ce journaliste qui parle du tourisme humanitaire et répondez aux questions qui suivent.

a. Select the four questions you should ask yourself before going abroad on a humanitarian trip.
- **i.** Can you afford to take such a trip? ☐
- **ii.** Do you have the qualifications required? ☐
- **iii.** Are you strong enough for this kind of trip? ☐
- **iv.** Will the job you are going to do prevent a local person from doing the job? ☐
- **v.** What are your motivations for doing this trip? ☐
- **vi.** Do you have all the necessary vaccinations? ☐
- **viii.** Would the money you are going to spend on this trip be better used to contribute further to humanitarian aid? ☐

b. What do people who want to go on a humanitarian trip not realise?

c. What is the paradox the journalist is talking about?

d. What are associations looking for in a volunteer worker?

13. Maintenant cherchez les mots et expressions suivants dans la transcription de l'exercice 12 page 437.

a. To go on a humanitarian trip

b. Can you afford

c. Further

d. Especially young people

e. Humanitarian trips are not always the best way to help people abroad

f. Loads of CVs

g. To become a volunteer

14. À deux, répondez à ces questions à l'oral.

a. Est-ce que vous avez déjà fait partie d'une association caritative ou avez-vous déjà participé à une action humanitaire avec votre école ?

b. Qu'est-ce que vous avez fait ?

c. Pensez-vous que ce soit important d'aider les pays en voie de développement ?

15. You are spending two weeks as a volunteer at the Special Olympics. Write an email to your French penpal Nathalie / Damien, in which you:

- say that you arrived safely and that you are staying in a lovely hotel with sporting facilities
- say that the atmosphere is fantastic and you are very proud to be part of this event
- explain what you do to help
- say that you will not forget these two weeks and tell him / her that you will call him / her as soon as you get back to Ireland.

(75 mots environ)

AIDE

Révisez le vocabulaire du Junior Cycle.

GRAMMAIRE

La position des pronoms

Object pronouns come immediately **before the verb**, e.g.:
Je ***les*** *aime.* I love them.
Ça ***me*** *plait.* I like it.
Nous ***leur*** *parlons.* We talk to them.
*J'****y*** *vais à pied.* I go there by foot.
*J'****en*** *ai besoin.* I need it.

In a **compound tense** (i.e. a tense that uses the auxiliaries *avoir* or *être*, for example, the perfect tense), the pronoun goes **before** ***avoir*** **or** ***être***, e.g.:
Je ***l'****ai aidé à choisir sa fac.* I helped him to choose his university.
Il ***m'****a parlé de ses problèmes.* He talked to me about his problems.
Il ***y*** *est allé l'année dernière.* He went there last year.
*J'****en*** *ai pris cinq.* I took five of them.

When there are **two verbs together** (a verb + an infinitive), the pronoun comes **before the infinitive**, e.g.:
Je vais ***en*** *parler.* I'm going to talk about it.
Je ne peux pas ***y*** *aller.* I can't go there.
Je voudrais ***le lui*** *donner.* I would like to give it to him.

When there are several pronouns in the same sentence, this is the order they follow:

Je Tu Il / elle / on Nous Vous Ils / Elles	ne	me te se nous vous se	le la les	lui leur	y	en

Traduisez les phrases suivantes en faisant attention à la position des pronoms :

a. I didn't go there
b. I didn't give them to him.
c. I talked to her about it.
d. He spoke to me about them.
e. I think about it often.
f. He already went there with us.

Bilan du chapitre 20

On révise le vocabulaire

1. Traduisez les mots suivants.
   a. La crise financière
   b. Diminuer
   c. Augmenter
   d. Lutter contre
   e. Profiter de ses vacances
   f. Un attentat terroriste
   g. Une manifestation
   h. Faire du volontariat
   i. Les voyages humanitaires

2. Traduisez les phrases suivantes.
   a. **Au lieu d'**aller à l'étranger, certaines personnes préfèrent rester en Irlande.
   b. **Il est évident que le point fort numéro un des** vacances chez soi est l'économie d'argent.
   c. Beaucoup de gens, **notamment des jeunes**, veulent se lancer dans un voyage humanitaire.
   d. **Je reste dubitatif quant à l'efficacité de**s voitures électriques.
   e. **Je ne suis pas prête à** partir seule dans un pays étranger.

3. Maintenant, utilisez les structures en caractères gras ci-dessus pour créer vos propres phrases.

4. Traduisez le sens général des expressions suivantes.
   a. On a l'embarras du choix !
   b. Dans un élan de générosité, ma sœur m'a prêté sa voiture.
   c. Il faut briser le mur de l'indifférence.
   d. J'ai cherché mon permis partout et j'ai enfin mis la main dessus.
   e. C'est une expérience qui restera gravée dans ma mémoire.

On révise la grammaire

5. Complétez ce triangle mnémotechnique avec les pronoms dans le bon ordre.

SUJET	(ne)	me ____ se ____ vous	le ____ les	____ leur	y	____	VERBE	(pas)

FOCUS EXAMEN

L'email formel

The 'email' written production usually comes in Question 2 (b) and is therefore not compulsory. It is worth 30 marks, and if you choose this question you should write a minimum of 75 words.

You should show that you are familiar with the layout of an email:

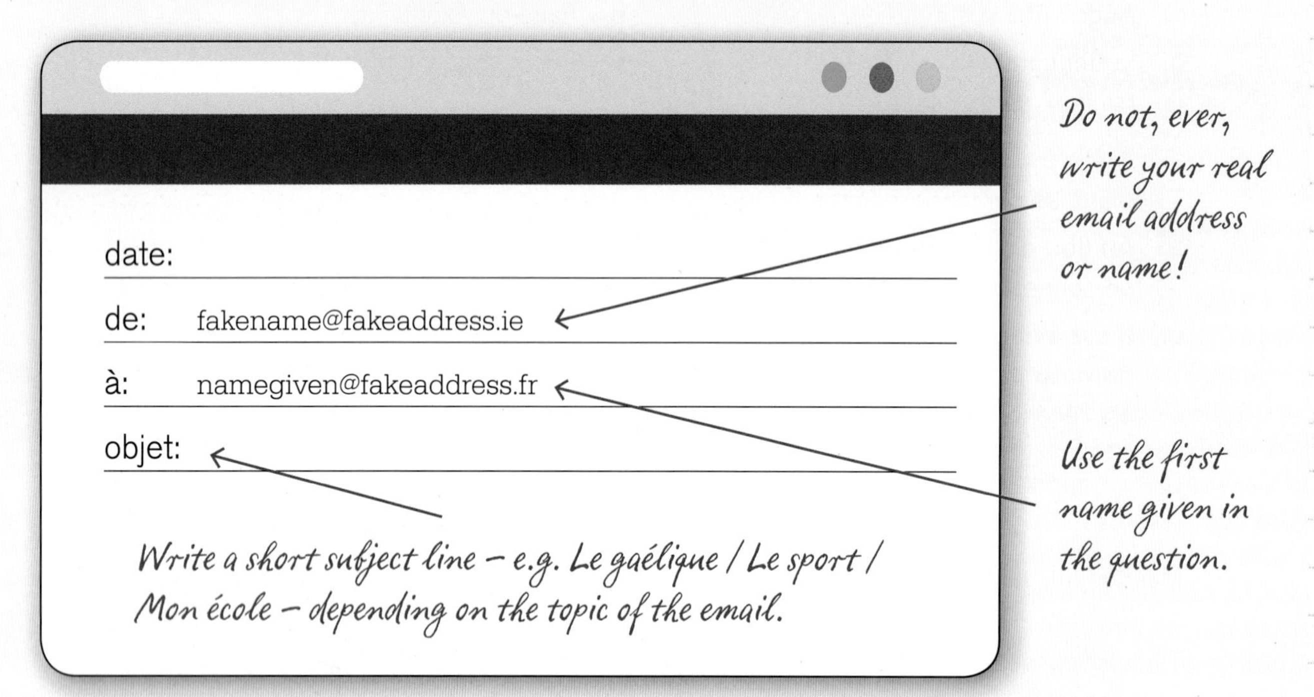

The sentences used for the formal letter can be also used for the formal email. Yet, the following sentences apply specifically to the formal email.

Vocabulaire

Pour commencer un email

Mon professeur de français m'a demandé de répondre à vos questions à propos de l' / de la / du / des … et je suis ravi(e) de le faire.	*My French teacher asked me to answer your questions about … and I am delighted to do so.*
Mon professeur de français m'a parlé de votre organisation / école.	*My French teacher told me about your organisation / school.*
Je suis le / la représentant(e) des élèves du lycée … qui m'ont chargés de vous contacter au sujet de / de répondre à votre email.	*I am the representative of the students from the school … who asked me to talk to you about / to answer your email*

Je vous écris de la part de … — *I am writing on behalf of …*

Ayant vu votre site Internet / votre annonce, je vous écris pour savoir si … / s'il serait possible de [+ infinitif] — *Having seen your website / your advert, I am writing to ask whether … / if it would be possible to …*

Pour finir un email

Cordialement / Bien cordialement / Bien à vous — *Yours sincerely / Yours faithfully*

Veuillez accepter, Monsieur, l'expression de mes salutations distinguées — [A very formal way to end a letter or email]

La lettre formelle

The 'letter' written production usually comes in Question 2 (b) and, as such, is not a compulsory one. It is worth 30 marks, and if you choose this question you should write a minimum of 75 words. You can learn sentences by heart for this section.

If you are writing a **formal letter**, points are allocated for the format.

La mise en page

Town and date. Don't forget the comma, then « le » and the date. No capital letter for the month.

Cork, le premier juin, 2019

Your name → *Mary O'Connor*

Your address → *12 Ferry Point, Monkstown, Co. Cork*

Don't forget the country! → *Irlande*

Name and address of the company. → *Hôtel de la mer*
16 rue des Romarins
66230 Canet Plage

Don't forget the country! → *France*

Write either « Monsieur » or « Madame », not both. Do not write « cher ». Do not write the surname. Write « Monsieur le directeur » only if the title is given in the question. → *Monsieur*

Suite à votre annonce parue dans le magazine L'Étudiant …

Don't start translating the bullet points given in the question. Use logic. How would you start a letter if you were applying for a job?

Always use the *vous* form

Veuillez accepter, Monsieur, l'expression de mes salutations distinguées.

Marie O'Connor

Sign off using the full name given in the exam, not your real name.

Vocabulaire

La demande d'emploi

The following sentences can be used in both an email using a formal tone and a formal letter.

Commencer la demande d'emploi

Suite à votre annonce parue dans le magazine *Phosphore* du 28 mai dernier …	*In response to your advert published in the magazine* Phosphore *on 28th May …*
Ayant lu votre annonce dans le journal *Le Monde* / sur Internet …	*Having read your advert in the newspaper* Le Monde */ on the internet …*
Je voudrais poser ma candidature pour le poste de vendeur / vendeuse, serveur / serveuse, animateur / animatrice …	*I would like to apply for the job of salesman / saleswoman, waiter / waitress, programme organiser …*
Je me permets de poser ma candidature pour le poste de …	*I would like to apply for the job of …*

Votre expérience

J'ai déjà travaillé dans ce domaine / dans l'hôtellerie / dans l'animation …	*I have already worked in this capacity / in a hotel / on a holiday programme …*
J'ai déjà travaillé comme vendeur / vendeuse, serveur / serveuse.	*I have already worked as a salesman / saleswoman, waiter / waitress.*
L'année dernière, j'ai travaillé en tant que serveur / serveuse dans un restaurant local pendant trois semaines.	*Last year I worked as a waiter / waitress in a local restaurant for three weeks.*
Je parle couramment / très bien / bien / assez bien le français.	*I speak French fluently / very well / well / moderately well.*
J'apprends le français depuis cinq ans.	*I have been learning French for five years.*
Je suis en train de passer mon bac, et j'étudie le français au niveau supérieur.	*I am currently studying for my Leaving Certificate, and I'm studying French at Higher Level.*

Demande d'informations

Pourriez-vous me dire quel est le salaire / si je serais logé(e) et nourri(e) ?	*Could you tell me what the salary is / if my accommodation and meals would be supplied?*
Auriez-vous l'amabilité de m'indiquer en quoi consiste le travail que j'aurais à faire ?	*Would you be so kind as to tell me what the job would involve?*
Je vous serais gré de bien vouloir m'envoyer des informations supplémentaires.	*I would be grateful if you could send me more information.*

Et pour finir

Je serai disponible du 15 juin au 30 août / à partir du 15 juin / du début juillet / de fin juin.	*I will be available from 15 June to 30 August / from 15 June / the beginning of July / the end of June.*
Veuillez trouver ci-joint mon CV ainsi qu'une photo d'identité et une lettre de référence de mon employeur précédent.	*Please find enclosed my CV as well as a photograph and a reference from my previous employer.*

Réserver un hôtel ou demander des informations

Pour commencer

Je vous écris de la part de …	*I am writing on behalf of …*
Nous avons l'intention de passer nos vacances dans votre département cet été.	*We intend to spend our holidays in your area this summer.*
Mes amis et moi serons de passage dans votre département pendant nos vacances d'été.	*My friends and I will be passing through your area during our summer holidays.*

Demandez

Pourriez vous …	*Could you …*
… m'envoyer une liste des hôtels et des restaurants du département ?	*… send me a list of hotels and restaurants in the area?*
… m'envoyer un plan de la ville / une brochure / un dépliant des hôtels et campings de votre département ?	*… send me a map of the town / a brochure / a leaflet of the hotels and campsites in your area?*
… me recommander un bon hôtel / camping / restaurant / une auberge de jeunesse pas très loin de la plage ?	*… recommend a good hotel / campsite / restaurant / youth hostel not too far from the beach?*
… m'envoyer des renseignements par email / courriel ?	*… send me more information by email?*
… me dire quelles sont les activités / les sites touristiques / les excursions dans votre région ?	*… tell me what the activities / tourist sites / excursions are in your area?*

Réservez

Je voudrais réserver …	*I would like to book …*
… une chambre simple / double / avec lits jumeaux / avec salle de bains / avec vue sur la mer.	*… a single / double / twin room / with en suite / with a sea view.*
… un emplacement dans votre terrain de camping.	*… a space on your campsite.*
Nous comptons rester du 10 mai au 15 mai / 3 nuits.	*We intend to stay from 10th to 15th May / 3 nights.*

Demande des informations

Y a-t-il un restaurant / une piscine / une laverie dans l'hôtel ?	*Is there a restaurant / swimming pool / laundry in the hotel?*
Acceptez-vous les chiens ?	*Are dogs allowed?*
Quel est le tarif pour une chambre simple ?	*What is the price of a single room?*
Pourriez-vous …	*Could you …*
… me dire si nous devons verser des arrhes ?	*… tell me if we have to pay a deposit?*
… me dire s'il est possible de payer par carte ?	*… tell me if it's possible to pay by card?*

La lettre de réclamation

Je suis resté(e) dans votre établissement du … au … et je dois dire que je ne suis pas du tout content(e) de mon séjour. En effet …	*I stayed in your establishment from … to … and I have to say that I am not at all happy with my stay. Indeed …*
Je regrette d'avoir à vous dire / à vous informer / que je ne suis absolument pas satisfait(e) de mon séjour.	*I regret having to tell you / to inform you / that I am completely dissatisfied with my stay.*
En entrant dans la chambre, j'ai été choqué(e) par l'état déplorable de la salle de bains.	*Upon entering the room, I was shocked by the awful state of the bathroom.*
La chambre était sale / trop petite / bruyante / mal éclairée …	*The bedroom was dirty / too small / noisy / badly lit…*
Le chauffage / la climatisation / la douche / la télé / l'ascenseur ne marchait pas / était en panne.	*The heating system / the air conditioning / the shower / the TV / the lift didn't work / was out of service.*
Le personnel était malpoli / n'était pas serviable.	*The staff were impolite / not very helpful.*
L'hôtel ne correspondait pas du tout à votre site Internet.	*The hotel did not correspond to the website.*
J'exige d'être remboursé(e) / de recevoir une lettre d'excuse.	*I demand to have my money back / to receive a letter of apology.*
Le cas échéant, je me verrai dans l'obligation de me plaindre auprès du syndicat d'initiative de votre ville.	*If not, I will have to complain to the tourist office in your town.*

Évaluation de l'unité 5

La compréhension écrite

Lisez ce texte et répondez aux questions qui suivent.

Vincent et Anaïs en route vers Barcelone

300 équipes s'élanceront de la capitale française pour tenter d'atteindre l'Espagne, à la seule force de leur pouce. Ils ne doivent se déplacer qu'en auto-stop. Parmi eux, Vincent Mabire et Anaïs Martin, 20 ans tous les deux.

1. On connaissait Pékin Express, cette course à travers un continent. Mais Vincent et Anaïs ont choisi la version européenne, la course Barcelona Express. Le concept? Relier Paris à Barcelone en auto-stop. L'aventure comprend cinq étapes, dure six jours et le périple est long de 1500 kilomètres. Chaque groupe, composé de deux ou trois personnes, peut gagner du temps au départ de chaque ville étape.

   Pour cela, les équipes doivent réaliser des défis: « ça peut être se baigner dans une piscine privée, se photographier avec un mouton, ou même conduire la voiture de la personne qui nous a pris en stop », explique Vincent. Habitué des voyages, lui et sa copine Anaïs ont sillonné l'Australie en van et la Thaïlande en bus.

2. Le couple n'aborde pas cette nouvelle édition en amateur: il a déjà participé à la course de l'année dernière. « On a pu découvrir l'organisation, expérimenter le stop et faire des rencontres. Cette année, on part en vainqueurs! », s'exclame l'étudiant en deuxième année d'histoire. L'équipe « La Banane » (comme la sacoche, le fruit et la bonne humeur) qu'ils forment est déjà bien partie. Vincent et Anaïs vont tenter de gagner le tour du monde mis en jeu. Si le jeune homme aimerait visiter les pays froids, les territoires au climat plus clément tentent davantage la jeune femme.

3. Pour gagner du temps au départ de la course, les équipes peuvent demander des « soutiens » auprès des internautes. Il suffit de cliquer sur un bouton pour encourager son binôme préféré. Vincent et Anaïs ont largement partagé cette adresse. Avec un nombre toujours croissant de clics, ils dépassent la deuxième équipe de près de 200 voix. Un score honorable, mais les deux voyageurs espèrent davantage: « on vise les 25 000 supports ».

4. Cette expérience joue sur la préparation: « grâce à nos précédentes expéditions, on sait quoi emporter dans nos sacs et comment se positionner pour que les automobilistes acceptent de nous prendre en stop ». Mais l'inconnu fait aussi partie de l'aventure. Les équipes ne peuvent pas prévoir de stratégie, car les villes étapes ne sont connues que le matin même. Les règles sont strictes: « on doit prendre le nom, le numéro de téléphone et la plaque d'immatriculation des conducteurs, et les organisateurs les appellent le soir pour vérifier », précise Vincent.

5. Pour les aider à financer les frais d'inscription de 250 €, la « team » recherche des sponsors: « les nombreux soutiens des internautes nous donnent de la visibilité et de la crédibilité. Cela rassure les annonceurs. » À un peu plus de deux mois du départ, Vincent et Anaïs ne sont pas stressés par la recherche de partenaires: « on va s'y mettre, on est confiants ». Et en plus de faire des rencontres et de voyager, la course a un but écologique: les équipes économisent 400 tonnes de CO_2. Les fonds sont reversés à une association de protection des arbres.

Adapté de : Lena Plumer-Chabot pour *www.ouest-france.fr*, le 25 avril 2018

1. a. En quoi consiste le Barcelone Express ? (Section 1)
   b. Combien de temps dure le voyage ? (Section 1)
   c. Citez deux choses que les participants peuvent faire pour gagner du temps pour chaque étape. (Section 1)
2. a. D'après Vincent, quelle est la différence entre leur première expérience et cette année ? (Section 2)
   b. Que peuvent gagner Vincent et Anaïs ? (Section 2)
3. Trouvez un adverbe dans la section 3.
4. a. Relevez dans la section 4 une chose que Vincent et Anaïs ont appris lors de leur premier voyage.
   b. Pourquoi les participants ne peuvent pas prévoir un itinéraire avant le voyage ? (Section 4)
5. Relevez les mots qui indiquent que ce voyage est bon pour l'environnement. (Section 5)
6. Vincent and Anaïs are well prepared to win this contest to hitchhike to Barcelona. Do you agree? Refer to the text in support of your answer. (Two points, about 50 words in total.)

L'écrit

Répondez à 1, 2 ou 3.

1. En Irlande le nombre de touristes étrangers augmente en ce moment. De plus en plus de touristes étrangers ont envie de venir en Irlande. Quelles en sont les raisons principales, à votre avis ?

   (90 mots environ)

   2017, Leaving Certificate HL, Section II, Q1(a)

2. Vous avez passé vos vacances en famille dans un camping. Quel désastre ! Tout était affreux : les installations, la nourriture … tout. Même le temps était mauvais !

   De retour chez vous, qu'est-ce que vous notez à ce sujet dans votre journal intime ?

   (75 mots environ)

   2016, Leaving Certificate HL, Section II, Q2 (a)

3. **La cueillette de fruits en Vaucluse**

   Des postes pour des cueilleurs / cueilleuses de fruits avec un contrat de travail de 2 mois à partir du 3 juillet. Salaire : 9,77 € par heure.

   Write an email in French to marine@jouffruit.fr applying for the above job as a fruit picker you saw advertised in the magazine *L'Étudiant*.

   - Introduce yourself, giving your name, nationality and age.
   - Say that you are available to work for the months of July and August.
   - Refer to any type of work you did in the past.
   - Say how long you have been learning French and what your standard is.
   - Ask if accommodation is provided.

   (approx. 75 words)

   2018, Leaving Certificate HL, Section II, Q2 (b)

UNITÉ 6

La santé

Les sujets

- ❑ Les problèmes de santé
- ❑ L'alcool
- ❑ Le tabac
- ❑ La cyberdépendance
- ❑ L'alimentation
- ❑ La malbouffe
- ❑ L'image de soi et la mode
- ❑ L'influence des médias sur la santé
- ❑ Les troubles de l'alimentation

Grammaire

- ❑ Les pronoms possessifs
- ❑ Les pronoms relatifs
- ❑ Le plus-que-parfait
- ❑ Le conditionnel passé

Focus examen

- ❑ Le récit

Chapitre 21

L'alcool

À la fin de la leçon on pourra :

- parler des problèmes de santé
- parler de la dépendance à l'alcool
- comprendre le phénomène de la biture express
- savoir utiliser les pronoms possessifs.

Les problèmes de santé

On s'échauffe !

1. Regardez ces images et faites correspondre les problèmes de santé ci-dessous.

a
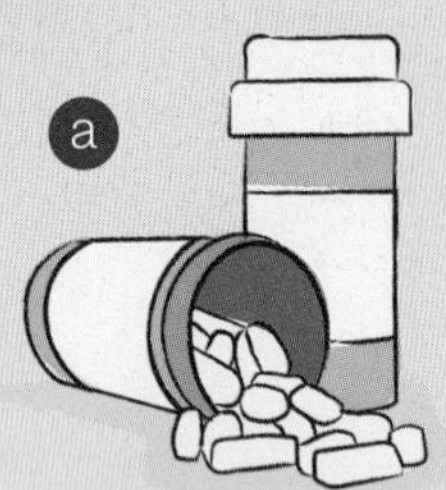

b

c

d

e
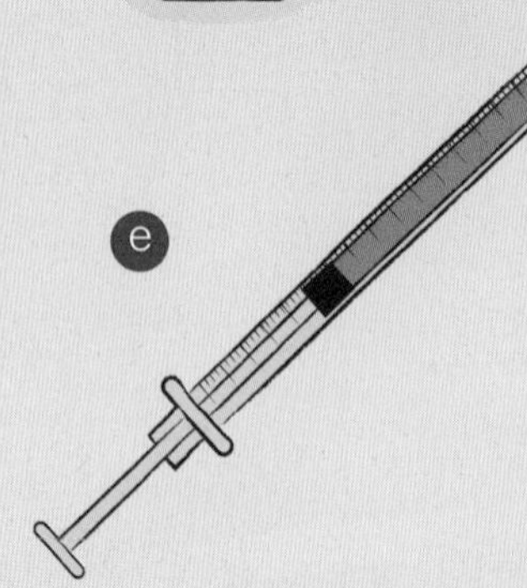

f

i. Dans 85 % des cas d'accident mortel liés à l'alcool, les responsables étaient des buveurs occasionnels. Il suffit souvent d'une fête de famille, d'un pot entre amis, d'un repas bien arrosé. L'alcool est à l'origine de 34 % des accidents mortels toute l'année. Le risque d'accident mortel de la route augmente considérablement avec le taux d'alcoolémie.

ii. Il y a plus de dix ans, l'interdiction de fumer dans les lieux publics est entrée en vigueur. Bien que la loi soit respectée, le taux de fumeurs n'a pas diminué et est toujours d'environ 32 % en France. Cependant, il y a moins de fumeurs passifs et cette législation a fortement modifié l'image de la cigarette et des non-fumeurs. Par conséquent, il y a moins de fumeurs chez les jeunes.

iii. Les Français sont les principaux consommateurs de médicaments par an, suivis de près par les Allemands. Selon une étude récente, la France enregistre les ventes de médicaments par habitant les plus élevées (284€ par an), devant l'Allemagne (244€), le Royaume-Uni, l'Italie et l'Espagne (autour de 200€).

iv. Une création de « salle de consommation » pour les toxicomanes à Paris provoque la controverse dans le voisinage. Ces salles permettent « d'accueillir des personnes qui se droguent de manière très régulière, de faire en sorte qu'elles le fassent dans de bonnes conditions sanitaires, pour les emmener vers des produits de substitution et ensuite vers le sevrage » explique le responsable d'un de ces centres.

v. Les Français gagnés par la malbouffe ! Trop de viande et de graisse animale, pas assez de céréales et de légumes secs. Des repas dans l'ensemble trop salés. Le grignotage devant la télévision en hausse, les repas traditionnels d'autrefois en baisse … Dans un rapport rendu public, le Haut Comité de la Santé Publique dresse un constat mitigé de l'alimentation des Français d'aujourd'hui. Et propose quelques mesures concrètes pour nous réconcilier avec « la bonne bouffe ».

vi. Les médias tentent souvent délibérément d'influencer les attitudes du récepteur, des millions d'euros sont donc dépensés chaque année pour tenter de convaincre. L'obsession des médias pour la minceur et la jeunesse aurait, selon certains spécialistes, des racines économiques. En présentant des femmes qui ont une physique difficile à atteindre, on peut maintenir la croissance et la rentabilité des produits. Puisque les femmes, pour ressembler le plus possible aux mannequins, vont acheter des produits de beauté ou de régime, ce qui rapporteraient 160 milliards de dollars par année.

2. Maintenant, complétez ces phrases en lisant encore une fois le texte et en trouvant les mots-clés.

a. Les ____________ occasionnels sont les plus grands responsables d'accident mortel de la route.

b. La loi sur l'____________ de ____________ a changé l'image de la cigarette et des non-fumeurs.

c. Les plus gros c____________s de ____________ d'Europe sont les Français !

d. Les ____________ ont maintenant un endroit propre où aller pour consommer leurs drogues en toute sécurité.

e. La ____________, c'est quand on mange trop et mal.

f. Les médias se concentrent beaucoup sur la ____________ et la ____________ parce que ça leur rapporte beaucoup d'argent.

AIDE

Ces phrases sont utiles pour l'oral !

3. Lisez les textes suivants et trouvez le vocabulaire. Ensuite, répondez aux questions qui suivent.

Nouria

Moi, je prends soin de moi, je mange équilibré, je ne fume pas, je fais beaucoup de sport. Je fais de la natation à la piscine municipale deux fois par semaine. Je vais aussi à la gym et je fais partie d'une équipe de handball. Comme je voudrais devenir prof de sport, la santé est très importante à mes yeux. Les tentations sont nombreuses et c'est vrai que je bois un peu d'alcool quand je sors, mais rien de bien sérieux. Je suis en pleine forme !

a.	Je p____ s___ de moi	=	*I take care of myself*
b.	Éq_______	=	*Balanced*
c.	D___ ____ par _______	=	*Twice a week*
d.	Éq____	=	*Team*
e.	La s____	=	*Health*
f.	Je suis en ______ _____	=	*I'm as fit as a fiddle*

Eloïse

Alors moi, c'est carrément l'inverse ! Je fume depuis l'âge de 13 ans. J'ai commencé pour faire comme les grands mais maintenant, je suis accro ! Depuis que je suis à la fac, je sors sans arrêt, une vraie fêtarde ! Je me couche très tard et je me lève très tôt pour aller en cours. C'est dur de suivre le rythme avec le manque de sommeil. Comme je suis fatiguée tout le temps, je bois des boissons énergisantes. Cigarette, alcool, manque de sommeil … Je ne pense pas vivre très vieille !

a.	Je suis _____	=	*I'm addicted*
b.	S___ a____	=	*Non-stop*
c.	Une v____ f______	=	*A real party animal*
d.	Le m_____ de s______	=	*Lack of sleep*
e.	Des b_______ é___________	=	*Energy drinks*

Romain

Pour garder la forme, je fais attention à ce que je mange. J'ai une alimentation variée avec des légumes, des fruits et très peu de sucrerie. Je suis végétarien depuis 5 ans, plus parce que je n'aime pas la viande que par conviction. À côté de ça, j'aime fumer une clope quand je sors. Je sais que je bois un peu trop. J'aime faire la fête et boire un coup avec les copains. Je connais mes limites, mais c'est vrai que, des fois, je reviens bourré à la maison ! Et la gueule de bois le matin ! Oh là là !

a.	Une a___________ v_____	=	*A varied diet*
b.	Des s_______	=	*Sweets*

c. La v_____ = *Meat*

d. Une c____ = *A cigarette [fam.]*

e. B____ u_ c___ = *To have a drink*

f. Je c______ m__ l______ = *I know my limits*

g. B_____ = *Drunk [fam.]*

h. La g_____ de b___ = *A hangover [fam.]*

Ludivine

Mon péché mignon, c'est le chocolat ! Je pourrais en manger du matin au soir ! Je ne fais absolument pas attention à ma ligne ! Je mange souvent au McDo et j'adore les plats à emporter : kebab, chinois, pizza. Mmmm ! Rien que d'y penser j'ai faim ! J'essaie de faire du sport, mais ça m'ennuie très vite. Je fume aussi, mais seulement trois ou quatre cigarettes par jour … OK, peut-être un peu plus, mais demain j'arrête ! Pour ce qui est de l'alcool, là, par contre, je ne bois pas une goutte d'alcool ! Je ne comprends pas comment on peut être ivre tous les week-ends ! Je n'ai pas besoin de ça pour m'amuser !

a. M__ p____ m_____ = My guilty secret / my vice

b. Du m____ au s___ = From morning to night

c. Faire a________ à sa l____ = To watch one's figure

d. Les p____ à e_______ = Take-aways

e. Pas u__ g_____ d'a_____ = Not a drop of alcohol

Maintenant, notez la personne qui …

i. ne fume pas.

ii. dort peu.

iii. mange beaucoup dans les fastfoods.

iv. fait beaucoup de sport.

v. ne boit pas d'alcool.

4. Relevez ce que chaque personne fait qui est bon pour la santé, et mauvais pour la santé.

Exemple : Nouria : BON = mange équilibré, ne fume pas, fait beaucoup de sport

MAUVAIS = …

5. Traduisez ce paragraphe qui utilise le vocabulaire de l'exercice 3. Comparez avec votre partenaire, puis avec la classe. Ensuite, répondez à la question : êtes-vous en forme ? Écrivez votre propre paragraphe en expliquant ce que vous faites pour rester en forme et ce qui nuit à votre santé.

I think that I take care of myself. I eat a healthy diet even if, from time to time, I love eating take-aways! I don't smoke but I don't do sports either [non plus]! When I go out, I like to have a drink with my friends, but I never get drunk. I don't need alcohol to have fun.

AIDE

Gardez ce paragraphe car vous aurez l'occasion de l'améliorer plus tard dans ce chapitre.

L'alcool chez les jeunes

On s'échauffe !

6. Discutez avec votre classe et trouvez un maximum de réponses à la question suivante : Pourquoi les jeunes boivent-ils de l'alcool ?

Ils boivent …	
… pour …	… parce que …
s'amuser faire parti d'un groupe se soûler …	ils aiment le goût ils veulent oublier leurs problèmes …

7. Un professeur pose des questions à ses élèves sur leur consommation d'alcool. Écoutez leurs réponses et répondez aux questions qui suivent.

a. **i.** How many glasses does Aurélien drink when he goes out?

ii. Why does he never get drunk?

iii. Name two problems linked to alcohol abuse.

b. **i.** When does Mariana drink?

ii. Name two reasons he gives for getting drunk?

c. i. What 'trick' does Laurent have to prevent a hangover?
   ii. What is, according to him, the drawback of this?

d. i. What does Thierry do before he goes out?
   ii. Why can't he stick to this limit?

e. i. Yohann never drinks. True or false?
   ii. What does he do when the party is over?
   iii. What does he have to do before going into the club and when coming out?

8. Maintenant, trouvez les mots et expressions suivants dans la transcription de l'exercice 7 page 437.

a. To lose control
b. Alcohol abuse
c. Far from it
d. I have a headache
e. I party
f. From time to time
g. I never manage to stick to this limit
h. A round
i. The designated driver
j. Non-alcoholic drinks
k. A breathalyser
l. Everybody's a winner

9. Et vous ? Travaillez à deux et répondez à ces questions à l'oral.

a. Êtes-vous en forme ?
b. Que faites-vous pour garder la forme ?
c. Est-ce que vous buvez de l'alcool quand vous sortez ? Pourquoi (pas) ?
d. Est-ce que vous rentrez ivre à la maison ?

AIDE

Pouvez-vous améliorer votre paragraphe de l'exercice 5 ? L'examinateur n'est pas tant intéressé par la réponse (désolé !) que par le français que vous utilisez en répondant : les structures, les temps, les expressions idiomatiques, etc.

Vocabulaire :

- Je fais attention à ma ligne
- J'aime prendre un pot / boire un coup avec mes amis
- L'essentiel quand je sors c'est de pouvoir m'amuser
- Il m'est arrivé de rentrer soûl chez moi
- Je connais mes limites

10. Avant de lire l'article qui suit, faites correspondre ces mots avec leurs équivalents.

a. Être soucieux de sa ligne	**i.** Inciter quelqu'un à faire quelque chose
b. La sobriété	**ii.** Ne pas boire du tout d'alcool
c. Pousser quelqu'un à faire quelque chose	**iii.** État au réveil d'une personne qui a trop bu d'alcool
d. Se rendre compte	**iv.** Augmenter rapidement
e. Renoncer à l'alcool	**v.** Réaliser
f. Le bien-être	**vi.** Décider d'arrêter de boire de l'alcool
g. Une gueule de bois [fam.]	**vii.** Une réalisation
h. Monter en flèche	**viii.** Le sentiment de bonheur
i. Ne pas boire une goutte d'alcool	**ix.** Faire attention à son poids
j. Une prise de conscience	**x.** Le fait de ne pas boire d'alcool

11. Maintenant, lisez cet article et répondez aux questions qui suivent.

Outre-Manche, les Britanniques trinquent de plus en plus sans alcool

1. Davantage **soucieux** de leur santé et de leur **ligne**, de plus en plus de Britanniques optent pour **la sobriété**, un phénomène qui a **poussé** l'industrie de l'alcool à s'adapter.
« Je **me suis rendu compte** que je dormais mieux, que je me sentais bien et que j'avais bien plus d'énergie », explique Stuart Elkington, 47 ans, qui a **renoncé à l'alcool** il y a sept ans alors qu'il tentait de fonder une famille avec sa compagne. En 2017, sur 7100 personnes d'au moins 16 ans interrogées dans le cadre d'une étude de l'Office des statistiques britannique (ONS), seules 57 % avaient consommé de l'alcool au cours de la semaine écoulée : c'est le niveau le plus bas observé en douze ans. En 2005, quand cette étude avait été menée pour la première fois, la proportion était de 64,2 %.

2. Et les abstinents sont de plus en plus nombreux – 20,4 % de la population ne boit jamais d'alcool, contre 18,8 % douze ans plus tôt –, en particulier parmi les 25-44 ans (20,6 %, contre 15,5 %). Pour Stuart Elkington, **le bien-être** retrouvé s'est accompagné cependant d'une frustration. « Boire une bière me manquait, mais quand j'essayais d'en trouver une sans alcool qui ait le bon goût de la bière, je n'y arrivais pas vraiment ».

3. Alors en 2016, il lance « Dry Drinker », une société de vente en ligne de bières, vins, mousseux et spiritueux sans alcool ou faiblement alcoolisés.
« Quand vous avez des enfants, une famille ou une vie très active, vous ne voulez pas perdre de

temps avec **des gueules de bois**. Pour moi, il s'agissait de tirer le meilleur parti : savourer une bière fantastique, mais sans les aspects négatifs » de l'alcool, dit-il. En deux ans, les ventes **sont montées en flèche**, stimulées par l'arrivée sur le marché britannique de nouveaux produits de qualité offrant « le goût de l'alcool mais sans alcool », constate-t-il.

4. Une tendance amplifiée par le succès croissant de la campagne « Dry January » (« Janvier sobre »), lancée en 2013 par l'association Alcohol Concern, qui encourage à **ne pas boire une goutte d'alcool** pendant un mois après les excès des fêtes de fin d'année. Selon celle-ci, cinq millions de Britanniques y ont pris part en 2017. Le moteur de la demande ? « **Une prise de conscience** croissante des consommateurs de leur santé et des risques liés à une forte consommation d'alcool », explique la société d'analyse économique BMI Research. Ces produits « contiennent également moins de calories que les boissons alcoolisées conventionnelles, donnant un élan supplémentaire à la demande ». L'industrie de l'alcool comme la grande distribution se sont engouffrées dans ce créneau porteur.

Adapté de : Adrian Dennis pour *www.20minutes.fr*, le 6 juin 2018.

a. **i.** Pourquoi certains Britanniques choisissent de ne pas boire ? (Section 1)

ii. Trouvez une conséquence positive à la sobriété de Stuart Elkington. (Section 1)

iii. À quoi correspond le chiffre 57 % ? (Section 1)

b. Qu'est-ce qui frustrait Stuart Elkington après avoir renoncé à l'alcool ? (Section 2)

AIDE

Attention a la structure utilisée pour la question **b**. Vous devez changer les pronoms et la terminaison du verbe à l'imparfait. Regardez page 257 pour une explication des pronoms.

c. Trouver dans la section 3 :

i. un adverbe

ii. un verbe à l'imparfait

iii. un verbe au passé composé

iv. un participe présent.

d. Pourquoi la campagne « Dy January » se passe-t-elle en janvier ? (Section 4)

e. D'après la section 4, quelle est la raison principale à la grande participation à cette campagne ?

f. According to this article, non-alcoholic drinks are more and more popular. Do you agree? Refer to the text in support of your answer. (Two points, about 50 words in total.)

12. Écoutez cet entretien avec docteur Hamérick qui nous parle du phénomène de la biture express et répondez aux questions.

a. What percentage of young people between 15 and 24 are binge drinkers?

b. **i.** Name one short-term consequence of binge drinking on somebody's health.

ii. Name one long-term consequence of binge drinking on somebody's health.

c. **i.** Name one reason that young people drink alcohol.

ii. Why is binge drinking less popular with the new generation?

d. What two solutions to the problem does Dr Hamérick give at the end?

13. Maintenant trouvez les mots et expressions suivants dans la transcription de l'exercice 12 page 438.

a. Binge drinking
b. Road accident
c. The list is long
d. The long-term risks are also well known
e. It depends on the person
f. Some feel at ease after having drunk a bit
g. Embarrassed to dance
h. The barriers fall
i. Alcohol helps to liven things up
j. Bad for your health

14. Choisissez un des documents a. ou b. et donnez vos réactions.

a.

L'ivresse est responsable de

- 40 % des décès de la circulation
- 25–35 % des accidents de voiture non mortels
- 64 % des incendies et des brûlures
- 48 % des hypothermies et des cas de gelures
- 40 % des chutes
- 50 % des homicides
- 50 à 60 % des actes de criminalité
- 20 % des délits.

b.

La fête?

La fête!

Moins d'alcool, plus de fun.

DITES NON AU VERRE DE TROP!

Sante.lu

LE GOUVERNEMENT DU GRAND-DUCHÉ DE LUXEMBOURG
Ministère de la Santé

Direction de la santé

L'abus d'alcool est dangereux pour votre santé.

Donnez vos réactions.
(75 mots environ)

AIDE

Attention ! Quand vous devez donner vos réactions à un document (des statistiques, un dessin, une photo, etc.) sans question, vous ne pouvez pas utiliser les phrases : « je suis d'accord / je ne suis pas d'accord ». Vous devez réagir au document dans votre introduction :

a.

- Les chiffres indiqués dans ces statistiques ne me surprennent pas du tout. En effet …
- Je suis surpris(e) par le nombre d'accidents de la route due à l'alcool. 40 % me semble bas. En effet …
- J'ai été choqué(e) par ce document qui parle de …

Parlez des problèmes de l'alcool en général ou d'une statistique en particulier. L'important est de lier votre production au document.

b.

- Je trouve cette photo très efficace / choquante / drôle …
- Cette image me fait penser au problème de …
- Le slogan de cette affiche est très juste : Moins d'alcool, plus de fun. On devrait tous dire non au verre de trop quand on sort.
- Cette photo / ce document est très intéressant(e) car elle / il montre que …
- La photo qui montre … m'a beaucoup choqué(e) / attristé(e) / amusé(e) …
- L'image de gauche me rappelle une soirée où une amie avait trop bu …

Ici, vous pouvez raconter votre expérience mais n'oubliez pas de parler du document dans l'introduction et, si vous voulez, dans la conclusion.

Penser à faire un plan peut vous aider à écrire :

- introduction
- deux ou trois arguments
- votre expérience / opinion personnelle
- solutions
- conclusion.

GRAMMAIRE

Les pronoms possessifs

In English, the weak possessive pronouns (also called possessive adjectives) are 'my', 'your', 'his', 'her', 'its', 'our' and 'their', while the strong possessive pronouns (also called absolute pronouns) are 'mine', 'yours', 'his', 'hers', 'ours', 'theirs'.

In French, the possessive pronouns agree in gender and number with the nouns they replace.

	Singulier		Pluriel	
	Masculin	**Féminin**	**Masculin**	**Féminin**
Mine	Le mien	La mienne	Les miens	Les miennes
Yours	Le tien	La tienne	Les tiens	Les tiennes
His / hers / its	Le sien	La sienne	Les siens	Les siennes
Ours	Le nôtre	La nôtre	Les nôtres	Les nôtres
Yours	Le vôtre	La vôtre	Les vôtres	Les vôtres
Theirs	Le leur	La leur	Les leurs	Les leurs

À qui est ce devoir ? C'est **le mien** !
Whose is this homework? It's mine!

Tes parents sont super sympa. **Les miens** m'énervent !
Your parents are really nice. Mine get on my nerves!

Complétez les phrases avec les pronoms possessifs.

a. Peux-tu me prêter ton livre, j'ai perdu ____________. (mon livre)
b. J'ai aidé Ludivine à faire ses devoirs et elle m'a aidé à faire ____________. (mes devoirs)
c. J'ai acheté cette robe hier, mais je préfère ____________. (votre robe)
d. Notre maison a trois chambres, mais ____________ n'en a que deux. (votre maison)
e. Je ne pense pas que ces valises soient ____________. (nos valises)
f. C'est ton parapluie ? Non, c'est ____________. (son parapluie)
g. Tu m'as piqué mon pull. Ce n'est pas ____________! (ton pull)
h. Vos enfants sont très sages mais pas ____________. (leurs enfants)

Bilan du chapitre 21

On révise le vocabulaire

1. Traduisez les mots suivants.
   a. An occasional drinker
   b. The ban on smoking
   c. Drug users
   d. Junk food
   e. The designated driver
   f. Drunk

2. Traduisez les phrases suivantes.
   a. **Il ne faut pas pousser** les autres à boire.
   b. **Il m'est arrivé de** rentrer chez moi soûl(e).
   c. **Il faut se rendre compte des** dangers de l'alcool.
   d. **Cette image me fait penser au problème de** la biture express.

3. Maintenant, utilisez les structures en caractères gras ci-dessus pour créer vos propres phrases.

4. Traduisez le sens général des expressions suivantes.
   a. Je prends soin de moi et je fais attention à ma ligne.
   b. Je suis en pleine forme depuis que j'ai arrêté la clope.
   c. Je suis accro aux plats à emporter.
   d. J'aime boire un coup avec mes amis.
   e. Il déteste avoir la gueule de bois.

On révise la grammaire

1. Remplissez ce tableau avec les pronoms possessifs qui manquent.

	Singulier		Pluriel	
	Masculin	**Féminin**	**Masculin**	**Féminin**
Mine	Le mien	La ______	Les miens	Les miennes
Yours	Le ______	La ______	Les ______	Les tiennes
His / hers / its	Le ______	La sienne	Les siens	Les ______
Ours	Le ______	La ______	Les nôtres	Les ______
Yours	Le ______	La ______	Les ______	Les vôtres
Theirs	Le ______	La ______	Les ______	Les leurs

Chapitre 22

La dépendance

À la fin de la leçon on pourra :

- parler des problèmes du tabac
- parler du problème des drogues
- parler de la cyberdépendance
- savoir utiliser les pronoms relatifs.

Le tabac

On s'échauffe !

1. Complétez un diagramme avec un maximum de mots liés au tabac.

AIDE

Vous pouvez créer un nuage de mots sur le site www.wordle.net et le transformer en poster pour votre classe.

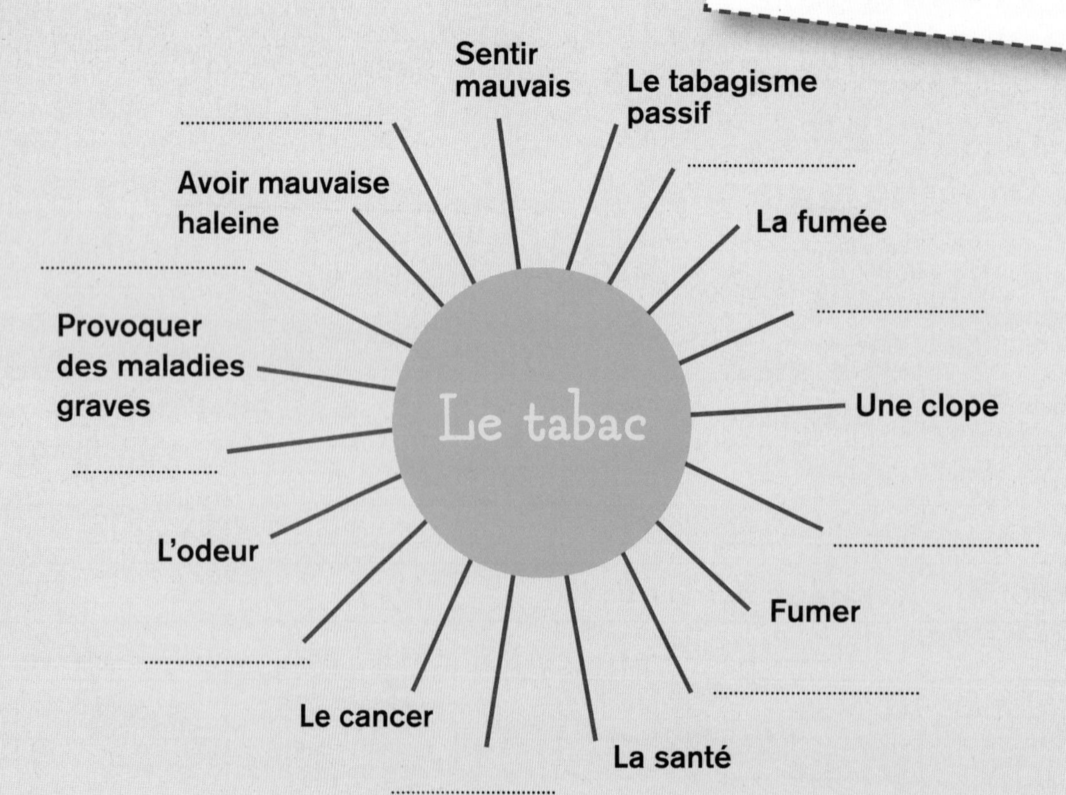

2. Écoutez ces cinq personnes qui parlent de leur mauvaise habitude : la cigarette. Recopier le tableau suivant dans votre cahier, puis remplissez-le en anglais.

	How many years as a smoker?	Why did they start?	How many per day?
1.			
2.			
...			

3. Maintenant, lisez la transcription de l'exercise 2 page 438 et faites la liste des raisons pour lesquelles les jeunes commencent à fumer. Ensuite, seul(e) ou à deux, essayez de trouver d'autres raisons.

AIDE

Vous pouvez regardez les raisons que vous avez trouvées dans l'exercice 4 page 305 du chapitre 21 pour vous aider à rajouter des raisons. Recyclez !

4. Écoutez ces personnes qui parlent de la cigarette et répondez en anglais aux questions qui suivent.

Yannick

a. At what age did he start smoking?
b. Why did he start?
c. What happened the first time he tried?
d. How many cigarettes does he smoke per day?
e. How many times did he try to stop smoking?

Léa

a. When did Léa start smoking?
b. Why did she start?
c. Where did she smoke with her friends?
d. How long has she been smoking?
e. What does she say she is lacking?

George

a. When did he stop smoking?
b. What kind of smoker was he before he gave up?
c. Who advised him on ways to stop?
d. What method did he choose to help him stop?
e. Name one thing he says he will not miss.

Mathieu

a. What is Mathieu's opinion of smoking?
b. What can't he understand?
c. What does he say about the ban on smoking?
d. What, according to him, can also cause cancer?
e. Name one solution he proposes to help smokers stop.

5. Maintenant, trouvez les mots et expressions suivants dans la transcription de l'exercice 4 page 438.

a. She smoked like a chimney
b. I felt grown up
c. A pack a day
d. I nearly choked
e. I can't stop
f. I'm addicted
g. It gave me self-confidence
h. I regret having started
i. To no avail
j. I lack willpower
k. It wasn't easy
l. A chain smoker
m. Smoking substitute
n. A disgusting habit
o. To ruin one's health
p. The ban on smoking in public places
q. To lower the prices

6. Reliez les phrases trop simples avec leurs équivalents plus complexes.

a. Le tabac est nocif. Les jeunes continuent à fumer.	**i.** Malgré les campagnes de prévention, les paquets neutres de cigarettes, l'interdiction de fumer dans les lieux publics, les comportements changent lentement.
b. On commence à fumer par curiosité, parce que les parents fument, pour faire comme les copains.	**ii.** Pour bien des gens, il suffit d'une seule cigarette pour devenir accro.
c. On peut devenir dépendant après avoir fumé une seule cigarette.	**iii.** Grace aux lois et aux campagnes de prévention, on constate une dégradation de l'image du tabac pour les jeunes générations. Il semblerait qu'on commence à gagner la bataille contre le tabac.
d. Il y a beaucoup de substituts nicotiniques. Ils devraient être gratuits.	**iv.** Il est bien connu que le tabac n'a aucun point positif. Possible cancer des poumons, mauvaise haleine, dents jaunes … Malgré ces effets néfastes, les jeunes continuent à fumer.
e. Il est difficile de changer les comportements.	**v.** Les gommes, patchs et cigarettes électroniques devraient être remboursés par la sécurité sociale ou même gratuits pour les jeunes.
f. Il faut augmenter le prix des cigarettes.	**vi.** Les raisons pour lesquelles les gens commencent à fumer sont nombreuses : par curiosité, pour faire comme les parents ou les copains.
g. Fumer est moins populaire chez les jeunes. La prévention est efficace.	**vii.** Le meilleur moyen selon moi pour enrailler le phénomène du tabac est d'augmenter le prix du paquet de cigarettes.

7. Répondez aux questions suivantes à l'oral.

a. Est-ce que vous fumez ?

- **i.** Si oui, combien fumez-vous de cigarettes par jour ?
- **ii.** À quel âge avez-vous commencé ?

b. D'après vous, pourquoi commence-t-on à fumer ?

c. Comment peut-on aider les fumeurs à arrêter ?

8.

« Les cigarettes tuent 6 millions de personnes par an. Il y a une seule solution : interdire purement et simplement la cigarette ! »
Êtes-vous d'accord avec ce point de vue ?
(75 mots environ)

2014, Leaving Certificate HL, Section II, Q4 (a)

AIDE

Attention ! Lisez bien le sujet. Ne parlez pas du tabac en général et surtout, ne recopiez pas un paragraphe que vous avez appris ! Adaptez-le. Voilà des questions pour vous aider à réfléchir et à trouver des arguments :

« Les cigarettes tuent 6 millions de personnes par an. »

- Pourquoi les gens fument malgré les dangers ? (Être accro, dépendance …)
- Qu'est-ce qui existe déjà pour aider les fumeurs à arrêter ? (Interdiction de fumer dans les lieux publics, campagne de prévention, augmentation des prix …)
- Est-ce efficace ? (Moins de fumeurs ? Toujours beaucoup de fumeurs ?)

« Il y a une seule solution : interdire purement et simplement la cigarette ! »

- Peut-on interdire totalement la cigarette ? (Liberté, droit de fumer …)
- Quelles pourraient être les conséquences d'une interdiction totale ? (Marché noir …)
- Existe-t-il de meilleures solutions ? (Prévention dans les écoles, augmentation des prix, substituts nicotiniques gratuits …)

La drogue

On s'échauffe !

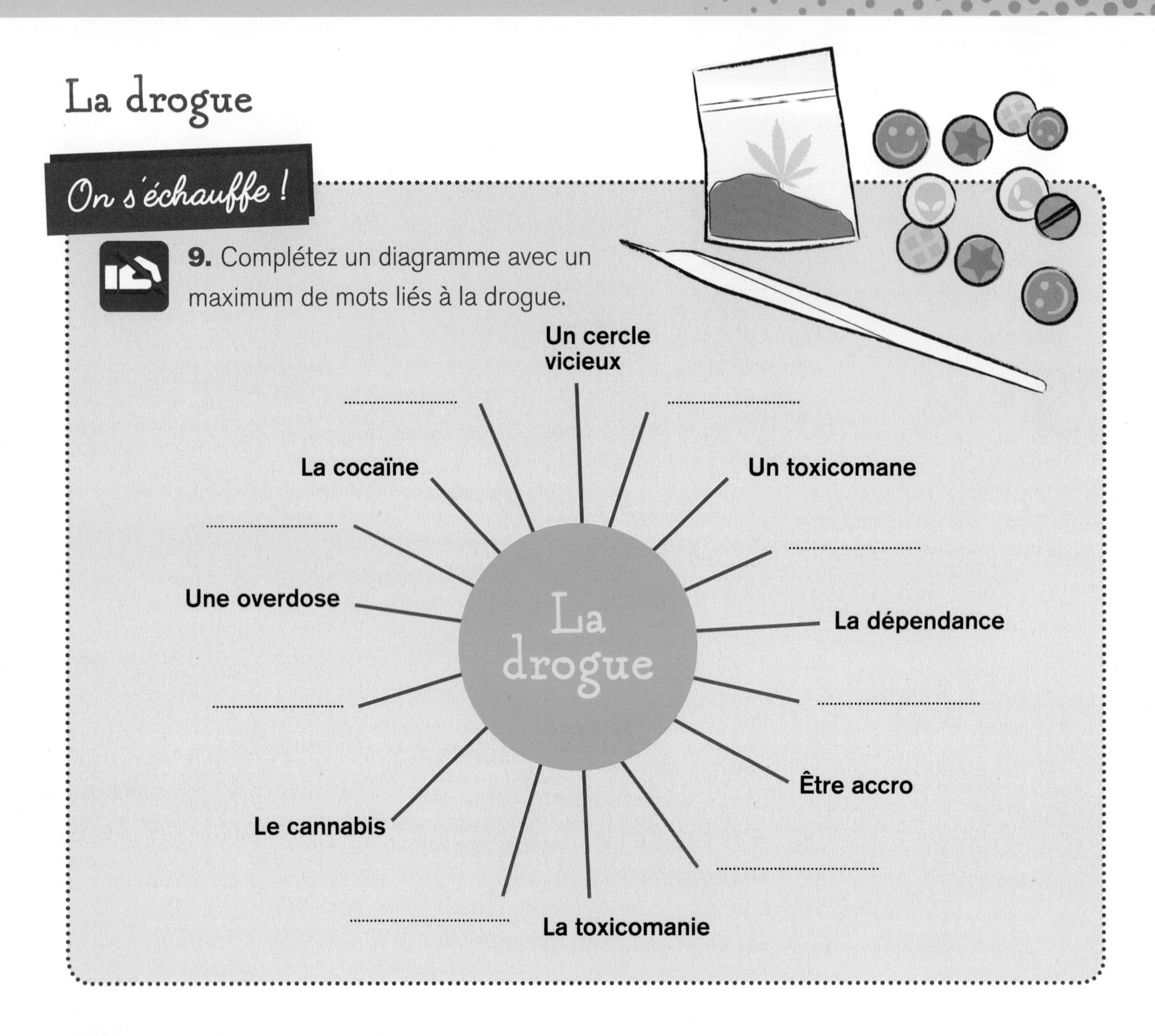

10. Écoutez ces deux adolescents parler des drogues et répondez aux questions qui suivent.

Damien

- **a.** What does Damien do to keep healthy?
- **b.** What does he think of some of his friends who smoke cannabis?
- **c.** Why does he think young people try drugs?
- **d.** What was he worried about when he refused to try the drugs his friends offered him?

Yasmin

- **e.** Where does Yasmin see drugs sometimes?
- **f.** What drug do the young people take there?
- **g.** What would happen to students taking drugs in school?
- **h.** What does Yasmin think parents should learn?
- **i.** Name one other solution she suggests.

11. Maintenant, trouvez les mots et expressions suivants dans la transcription de l'exercice 10 page 439.

- **a.** A healthy mind in a healthy body
- **b.** To giggle
- **c.** I was offered some once
- **d.** It's not unusual to see
- **e.** Expelled straight away
- **f.** To recognise
- **g.** Police patrols

12. Répondez à ces questions à l'oral.

- **a.** Est-ce qu'il y a un problème de drogue en Irlande ? Dans votre ville ? Votre quartier ? Votre école ?
- **b.** Est-ce qu'on vous a déjà offert des drogues ?
- **c.** Pourquoi pensez-vous que les jeunes se droguent ?
- **d.** D'après vous, existe-t-il des solutions à ce problème ?

AIDE

Pour la question **c**, vous pouvez utiliser beaucoup de vocabulaires et d'expressions apprises dans *Le tabac* (pages 314–17).

Vocabulaire :

- Il n'y a pas de problème visible de drogue
- Comme dans toutes les villes irlandaises
- On ne m'en a jamais offert
- C'était il y a un an
- J'étais choqué(e)
- Pour faire comme les autres / par curiosité
- On devrait faire de la prévention dans les écoles
- On pourrait
- Il faudrait

13. Avant de choisir une option, à deux, comparez ces deux sujets. En quoi sont-ils différents ? Quels critères de réussites faut-il pour le journal intime et le récit ? Qu'est-ce qui est important pour chaque style de production ?

AIDE

Regardez la section *Focus examen* pour le journal intime page 61 et celle du récit à la fin de cette unité page 354.

- **a.** Vous êtes allé(e) en boîte de nuit avec vos amis. Pendant la soirée, quelqu'un vous a proposé des drogues pour la première fois. Vous avez refusé mais un de vos amis a accepté. Qu'écrivez-vous à ce sujet dans votre journal intime ? (75 mots environ)
- **b.** Le weekend dernier, vous êtes allé(e) en boîte avec des amis. Pendant la soirée, quelqu'un vous a proposé des drogues pour la première fois. Racontez ce qui s'est passé. (Votre récit peut être réel ou imaginaire.) (90 mots environ)

AIDE

Regardez page 354 pour vous aider à écrire un récit. Vous pouvez aussi regarder le chapitre 18. Il faut absolument travailler vos temps pour cette option !

La cyberdépendance

On s'échauffe !

14. Regardez la vidéo sur le site Internet enseigner.tv5monde.com/fle/carmen de la chanson de Stromae, qui s'appelle « Carmen ». De quoi parle-t-elle ? Discutez avec votre classe.

AIDE

Vous pouvez trouver les paroles en cliquant sur « Transcription » sur ce site de TV5.

15. Classez ces mots et expressions en deux catégories : les avantages d'Internet et les inconvénients. Pouvez-vous en trouver d'autres avec votre classe ?

L'incitation à la violence
ÊTRE CRÉATIF
Faire ses devoirs
Se divertir
OUBLIER SES SOUCIS
Le harcèlement
Atteinte à la vie privée
Garder le contact
Partager ses idées
Les fausses informations, la désinformation
Rechercher d'informations
L'addiction
Regarder l'actualité
Diminuer l'activité physique
Perdre le contact avec la vie réelle
Lire en ligne
Se détendre
Vivre une vie virtuelle
Le manque de sommeil
L'anonymat
S'INSTRUIRE
S'informer
Avoir moins de temps pour la famille et les amis
La désocialisation et l'isolement
PERDRE LA NOTION DU TEMPS

16. Finissez ces phrases en utilisant le vocabulaire de votre choix.

- **a.** L'un des problèmes principaux d'Internet c'est [+ nom] / c'est le fait de [+ verbe infinitif] / c'est qu'on peut [+ verbe infinitif]
- **b.** Quand on utilise trop Internet on risque … / on risque de …
- **c.** L'avantage principal d'Internet c'est … / c'est qu'on peut …
- **d.** Les réseaux sociaux offrent la possibilité aux jeunes de [+ verbe infinitif]
- **e.** L'abus d'écrans peut mener à [+ nom]
- **f.** Il faut se montrer vigilant face aux problèmes comme [+ nom]
- **g.** Il est primordial de sensibiliser les jeunes aux risques liés à Internet tel que [+ nom]

17. Faites correspondre les questions avec leurs réponses.

- **a.** Qu'est-ce que la cyberdépendance ?
- **b.** À partir de quand est-on cyberdépendant ?
- **c.** Quels sont les symptômes ?
- **d.** Que faire ?
- **e.** Quel est le traitement ?

- **i.** « Repli au domicile, diminution des relations sociales, notamment de la vie réelle, chutes des résultats scolaires, tristesse, agressivité, insomnie, fatigue, sensation de manque lorsqu'on n'est plus sur l'ordinateur. »
- **ii.** « Le nombre d'heures passées devant l'ordinateur n'est pas un baromètre à la cyberdépendance. On devient cyberaddict dès que l'ordinateur prend une place centrale dans notre vie au détriment du reste. »
- **iii.** « Le premier objectif va être de rétablir un équilibre des habitudes de vie, de l'hygiène de vie en apprenant à ne pas rester passif devant l'écran, à choisir ses programmes, à développer son sens critique et surtout à savoir s'arrêter. Ainsi les écrans redeviennent des outils pédagogiques de premier ordre, des moyens de découvrir le monde et de communiquer. »
- **iv.** « Il faut en parler autour de soi, à ses amis ou ses parents. On peut aussi prendre contact avec un spécialiste ou une association spécialisée. »
- **v.** « La cyberaddiction est le fait de ne pas pouvoir s'empêcher de se connecter à Internet dans le but d'éprouver du plaisir et / ou de soulager une tension intérieure [stress]. »

18. Suis-je cyberdépendant(e) ? Faites ce test avec un partenaire dans votre classe.

Questions	O	N
Croyez-vous que vous passez trop d'heures devant l'écran de votre ordinateur ?		
Des amis ou des membres de votre famille se sont-ils plaints ?		
Avez-vous de la difficulté à être éloigné(e) de votre ordinateur pendant plusieurs jours ou pendant les vacances ?		
Y a-t-il des zones d'Internet, des sites particuliers, que vous ne pouvez pas éviter ?		
Vous arrive-t-il d'avoir des périodes d'insomnies et / ou de vous lever pour utiliser votre ordinateur pendant la nuit ?		
Avez-vous essayé, sans succès, d'écourter l'usage d'Internet ?		
Perdez-vous beaucoup d'argent, de temps ou de satisfaction personnelle, à cause d'Internet ?		

Résultats :

- De 0 à 3 réponses positives : il y a une petite tendance à devenir addictif à internet.
- Entre 4 et 6 réponses positives : Il y a une chance de développer cette conduite addictive.
- Entre 7 à 9 réponses positives : il y a une forte tendance à devenir dépendant(e).

19. Avant de lire l'article ci-dessous, faites correspondre les mots et expressions suivants avec leurs traductions.

a. Alerter sur les risques liés à la cyberdépendance	**i.** An entertainment tool
b. L'intrusion de publicités	**ii.** To feel lost
c. Un mur virtuel	**iii.** To check friends' profiles
d. Être connecté en permanence	**iv.** To start doing something
e. Un outil de divertissement	**v.** To be constantly connected
f. Consulter le profil de ses amis	**vi.** To do without something
g. Partager avec ceux qui sont loin	**vii.** It is feasible
h. Se mettre à faire quelque chose	**viii.** To warn about the risks linked to cyberaddiction
i. Se sentir démunie	**ix.** To share with those who are far away
j. Donner de ses nouvelles	**x.** A virtual wall
k. C'est faisable	**xi.** To share news about oneself
l. Se passer de quelque chose	**xii.** The intrusion of advertisements

20. Maintenant, lisez cet article et répondez aux questions qui suivent.

Une journée sans Facebook, plus facile à dire qu'à faire

1. À chaque jour son événement mondial. Le 28 février n'est pas seulement la journée des maladies rares. C'est aussi une journée sans Facebook, initiative lancée en 2011 via un groupe … Facebook. L'objectif était alors **d'alerter sur les risques liés à la cyberdépendance** et **à l'intrusion de publicités**, parfois déguisées, sur nos **murs virtuels**. Le réseau social créé en 2004 à Harvard continue d'engranger les utilisateurs (2 milliards dans le monde, 40 millions en France !) et les dollars. C'est évidemment sur Facebook que nous avons demandé aux milliers de fans d'Ouest-France comment ils vivent leur addiction, plus ou moins prononcée.

2. Audrey, 24 ans, « assume » d'**être connectée en permanence** à Facebook, « **un outil de divertissement** sur lequel je **consulte le profil de mes amis** mais aussi les actualités. Je me permets parfois aussi de contacter des entreprises par ce biais, comme un coiffeur ou même un pâtissier qui actualise sa page ». La jeune femme passe « en moyenne deux heures par jour, par tranches de dix minutes », sur l'application mobile Facebook. Quand elle ne partage pas recettes ou bons plans, elle lit des actualités et commente ce qui l'intéresse. « Je suis les aventures de mes amis. Et surtout, je peux **partager avec ceux qui sont loin**, c'est important de pouvoir garder contact avec les gens qui nous sont chers mais que malheureusement on ne peut pas voir souvent ».

3. Françoise, 63 ans, **s'est mise à** Facebook juste avant la retraite. « Quand vous êtes isolée, dans une ville où vous ne connaissez pas grand-monde, c'est un bon moyen de recréer du lien », témoigne l'ancienne institutrice. La retraitée compte 30 amis Facebook, qu'elle connaît tous et qu'elle a tous rencontrés. « J'y ai retrouvé des amis de jeunesse », dit celle qui prend plaisir à commenter les articles des médias. Hospitalisée pendant deux semaines, il y a deux ans, Françoise **s'est sentie démunie** sans Facebook pour **donner de ses nouvelles**.

4. « Une journée sans Facebook, **c'est faisable**, mais quinze jours … », abonde Catherine, la cinquantaine, initiée au réseau social il y a dix ans, grâce à une nièce partie à l'étranger. « Quel moyen de communication utile, notamment lorsqu'on est en voyage », estime Catherine qui compte 400 amis. Quant à Jean-François, qui travaille dans la communication, il assure pouvoir **s'en passer** « personnellement mais pas professionnellement ». Au bureau, il « revendique » d'être accro à cet « outil incontournable pour recueillir, diffuser et partager de l'information ». « Il ne me serait pas impossible de vivre sans mais je dois avouer que je serais perdu », estime-t-il.

Adapté de : Morgan Kervella et Jonathan Le Borgne pour *www.ouest-france.fr*, le 28 février 2018

→

a. i. Que se passe-t-il le 28 février ? (Section 1)

ii. Depuis quand cette cet événement a-t-il lieu ? (Section 1)

iii. Pour quelles raisons cette initiative a-t-elle été lancée ? (Section 1)

b. i. Trouvez une des choses que fait Audrey quand elle va sur Facebook. (Section 2)

ii. Combien de temps passe-t-elle chaque jour sur Facebook ? (Section 2)

c. i. Dans quelle situation Françoise trouve-t-elle Facebook utile ? (Section 3)

ii. Trouvez un verbe pronominal au passé composé dans la section 3.

d. Qui a appris à Catherine à utiliser Facebook ? (Section 4)

e. Dans la section 4, on apprend que :

i. Jean-François pourrait facilement ne pas utiliser Facebook ❏

ii. Jean-François est accro et ne pourrait jamais se passer de Facebook ❏

iii. Il est accro à Facebook dans son travail mais pas dans sa vie privée ❏

iv. Il ne pourrait pas vivre sans Facebook dans sa vie personnelle. ❏

f. Not using Facebook, even for a day, seems to be difficult for most people in this article. Do you agree? Refer to the text in support of your answer. (Two points, about 50 words in total.)

21. Choisissez un des sujets suivants.

a. « Une journée sans les réseaux sociaux c'est faisable, mais quinze jours … ». Selon l'article, il serait très difficile de se passer des réseaux sociaux.

Qu'en pensez-vous ?

(90 mots environ)

b. Depuis une semaine, il n'y a plus d'électricité ni de wifi à cause de la neige. C'est la première fois que vous devez vous passer d'Internet pour si longtemps, et la situation risque de durer une semaine de plus ! Qu'écrivez-vous à ce sujet dans votre journal intime ?

(75 mots environ)

Regardez la vidéo sur le site Internet enseigner.tv5monde.com/fle/mon-precieux de la chanson de Soprano qui s'appelle « Mon précieux ». Qu'en pensez-vous ? Que vous rappelle le titre « Mon précieux » ? Préférez-vous la chanson de Stromae ?

AIDE

Écouter des chansons francophones est un bon moyen de progresser en français. Vous pouvez écouter la radio française sur une appli de votre choix ou sur Internet. Vous pouvez aussi chercher une chanson sur des applis de musique.

AIDE

Vous pouvez trouver les paroles de cette chanson en cliquant sur « Transcription » sur ce site de TV5.

GRAMMAIRE

Les pronoms relatifs

The two most common relative pronouns in French are ***qui*** and ***que***. They translate into English as 'which', 'who', 'that' or 'whom'. They allow you to make a complex sentence without repeating yourself.

In English, the relative pronouns are sometimes implied:
I eat an apple. This apple is very good ⟶ The apple (which) I'm eating is very good.
In French, the relative pronoun is **never** implied:
Je mange une pomme. Cette pomme est très bonne. ⟶ *La pomme* ***que*** *je mange est très bonne.*

First, you have to recognise the subject and the direct object of the sentence.

Qui

If the word 'who' / 'which' refers to the subject, use ***qui***, e.g.:
The man is parking the car. **That man** is my brother ⟶ The man who is parking that car is my brother. ('man' = subject)
L'homme *gare la voiture.* ***Cet homme*** *est mon frère.* ⟶ ***L'homme qui*** *gare la voiture est mon frère.*

Les Français *sont des gens.* ***Les Français*** *aiment la bonne cuisine.* ⟶ ***Les Français*** *sont des gens* ***qui*** *aiment la bonne cuisine.*

Que

If the word 'which' or 'that' refers to the object, (or 'whom', which always refers to the object), use ***que / qu'***, e.g.:
It is **a fruit**. I often eat **this fruit**. ⟶ It is a fruit (which/that) I often eat.
C'est ***un fruit****. Je mange* ***ce fruit*** *très souvent.* ⟶ *C'est* ***un fruit que*** *je mange très souvent.*

Attention à l'accord !

In most cases, the past participle when used with ***avoir*** as an auxiliary never changes, but when the direct object of the verb is placed **before** the verb, the past participle **has to agree with the object**. When you replace the direct object with an object pronoun (*le / la / l' / les*), it moves before the verb and the past participle has to agree.

J'ai donné les bonbons ⟶ ***les bonbons*** is the object of ***ai donné***, but it's behind, so no agreement is needed.

Je ***les*** *ai donné****s*** ⟶ ***les*** replaces ***les bonbons*** (masculine, plural) and is before the verb, so the agreement is needed.

In case of subordinate clauses using the relative pronoun ***que***, the same applies. When you use *que*, you give extra details about the noun. This noun is the object of the second clause, and because *que* is before the verb of that second clause, the part participle agrees with this object.

Object extra detail (second clause)

Les matchs que mon équipe a perdus étaient importants.

The matches my team lost were important ones.

Les photos que tu as prises sont belles.

The pictures you took are beautiful.

1. Complétez ces phrases en utilisant 'que' comme dans l'exemple suivant. Attention à l'accord !

Exemple : J'ai chanté une chanson ⟶ La chanson que j'ai chantée était horrible.

a. J'ai porté les valises ⟶ Les valises ____________________ étaient lourdes.

b. J'ai vu des films ⟶ Les films ____________________ étaient franchement mauvais.

c. Elle a pris des photos ⟶ Les photos ____________________ étaient floues.

d. J'ai rencontré une actrice ⟶ L'actrice ____________________ n'est pas très connue.

e. J'ai mangé des pommes ⟶ Il m'a donné les pommes ____________________.

f. Mon père a ceuilli des fleurs ⟶ J'aime les fleurs ____________________.

Dont

Dont can mean 'of whom', 'about whom', about which' or 'whose' depending on the context.

Dont replaces a word (person or thing) placed before it, e.g.:

Voici mon ami. Je vous ai parlé de mon ami ⟶ *Voici l'ami* ***dont*** *je vous ai parlé.*
Here is my friend. I told you about my friend. à Here is the friend I told you about.

Dont replaces the person or an object that comes after **de**, e.g.:

J'ai besoin ***d'****un livre. Le livre est sur la table.* ⟶ *Le livre* ***dont*** *j'ai besoin est sur la table.*
I need a book. The book is on the table. ⟶ The book I need is on the table.

Dont is commonly used in conjunction with verbs that use the preposition ***de*** (such as *parler de* or *avoir besoin de*).

Dont can be used with adjectival constructions using **de**, e.g.:

La chose dont je suis la plus fière, c'est d'avoir réussi mes examens.
The thing I'm most proud of is that I passed my exams.

Dont is used when talking about the name of someone (le nom **de** …), e.g.:

*C'est un acteur **dont** je ne connais pas le nom.*
It's an actor I don't know the name of.

Où

If the thing being referred to is a place or a time, use the relative pronoun ***où***, which means 'where', 'to which' or 'when', e.g.:

*C'est l'année **où** elle s'est mariée.*
It's the year (when) she got married.

2. Choisissez entre le pronom relatif « qui » ou « que / qu' » pour complétez les phrases suivantes.

a. Les aliments ________ (que / qu' / qui) je mange sont en général bons pour moi.

b. Les personnes ________ (que / qu' / qui) boivent de l'eau sont en meilleure santé que ceux qui n'en boivent pas.

c. Les images ________ (que / qu' / qui) l'on voit dans certains magazines sont retouchées.

d. La fumée de cigarette ________ (que / qu' / qui) les gens respirent est toxique.

e. Les personnes ________ (que / qu' / qui) se droguent mettent leurs vies en dangers

f. Les problèmes ________ (que / qu' / qui) sont liés à l'utilisation d'Internet sont réels.

3. Complètez les phrases suivantes avec les pronoms relatifs « que » / « qu' » / « qui » / « dont » / « où ».

a. La France est un pays magnifique __________ compte plus de 64 millions d'habitants.

b. L'Espagne est un pays très chaud __________ je passe tous mes étés.

c. Mon copain a loué un appartement __________ se trouve au bord de la mer.

d. C'est un endroit charmant __________ me plaît beaucoup.

e. J'ai déjà lu les livres __________ sont sur la table.

f. La lettre __________ tu m'as envoyée m'a fait plaisir.

g. L'homme __________ parle est mon professeur.

h. Il parle de ses enfants __________ il est fier.

Bilan du chapitre 22

On révise le vocabulaire

1. Traduisez les mots suivants.
   - a. Addiction
   - b. Passive smoking
   - c. Willpower
   - d. Smoking substitute
   - e. A vicious circle
   - f. Cyberaddiction
   - g. To lose touch with reality
   - h. To check friends' profiles

2. Traduisez les phrases suivantes.
   - a. **Il ne suffit pas de** vouloir s'arrêter de fumer pour y arriver.
   - b. **Il semblerait qu'**on commence à gagner la bataille contre le tabac.
   - c. **Il est bien connu que** le tabac n'a aucun point positif.
   - d. **Il n'est pas rare de** voir des gens prendre des drogues dans les rues de ma ville.
   - e. **L'un de problèmes principaux d'**Internet **c'est** le cyberharcèlement.
   - f. **Il est primordial de** sensibiliser les jeunes à ces graves problèmes.

3. Maintenant, utilisez les structures en caractères gras ci-dessus pour créer vos propres phrases.

4. Traduisez le sens général des expressions suivantes.
   - a. Il fume comme un sapeur.
   - b. Elle fume à la chaîne.
   - c. Elle fume des clopes du matin au soir.
   - d. Les toxicomanes sont accros, il faut les aider.

On révise la grammaire

5. Faites correspondre le début des phrases avec la fin logique.

a. Nathalie est la correspondante de Caoimhín …	**i.** … où elle est allée l'année dernière.
b. Jamel est bénévole dans une association …	**ii.** … qui s'occupe des enfants handicapés.
c. Elle répond à une annonce pour un échange de maison …	**iii.** … qu'elle a vue dans le journal.
d. Il a rencontré l'homme …	**iv.** … dont on lui a parlé hier.
e. Karine va retourner dans le village de vacances …	**v.** … qui est Irlandais.

Chapitre 23

L'alimentation

À la fin de la leçon on pourra :

- parler de son alimentation
- parler de la malbouffe
- savoir utiliser le plus-que-parfait.

On s'échauffe !

1. Que veulent dire ces expressions et proverbes ? Choisissez l'équivalent anglais.

a. Manger sur le pouce
b. Se gaver de sucrerie
c. Avoir la fringale
d. Avoir une faim de loup
e. Manger aux frais de la princesse
f. N'avoir rien à se mettre sous la dent
g. Se lécher les babines
h. Avoir un petit creux
i. Grignoter entre les repas
j. Ne pas être dans son assiette
k. Sauter un repas

i. To stuff oneself with sweets

ii. To feel unwell

iii. To be as hungry as a wolf

iv. To be starving

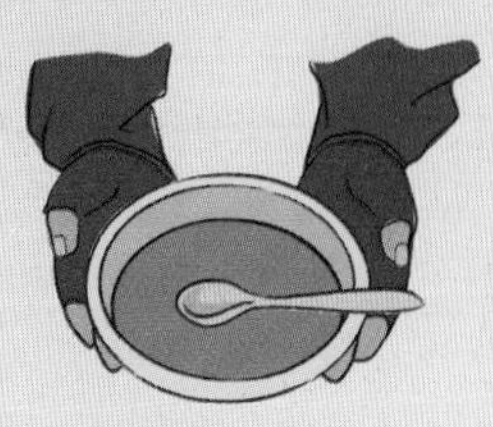

v. Not to have anything to eat

vi. To eat for free

vii. To lick one's lips

viii. To eat on the go

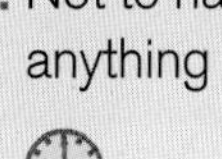

ix. To snack between meals

x. To feel peckish

xi. To skip a meal

AIDE

Utilisez ces expressions à l'oral ou à l'écrit.

2. Écoutez ce docteur qui parle des fasttoods et répondez aux questions qui suivent.

a. i. What is the standard food served as a fast food meal?
   ii. What has appeared on menus in France lately?

b. Name two problems with fast food.

c. i. Name two short-term consequences for health.
   ii. Name two long-term consequences for health.

3. Maintenant, cherchez les mots et expressions suivants dans la transcription de l'exercice 2 page 439.

a. Junk food
b. A bad diet
c. Fast food
d. Rich in fat
e. Overweight
f. Obesity

4. Écoutez les habitudes alimentaires de ces personnes et répondez aux questions qui suivent.

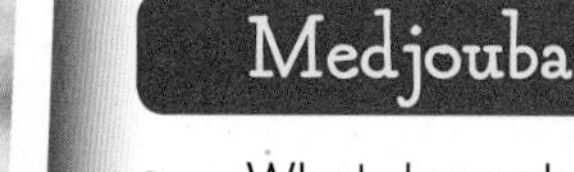

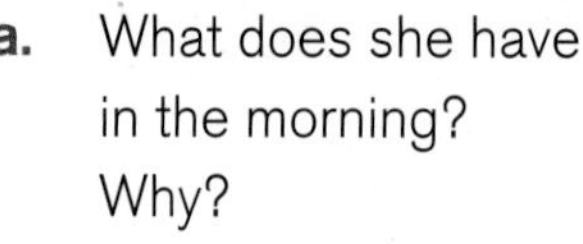

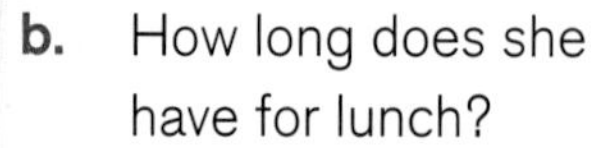

Sandrine

a. What does Sandrine eat for breakfast?
b. Where does she eat at lunchtime?
c. What does she have for a snack?
d. What's her favourite meal?
e. What does she do when she eats at a fast food restaurant?
f. What does she avoid eating?

Medjouba

a. What does she have in the morning? Why?
b. How long does she have for lunch?
c. What does she eat when she feels peckish?
d. What's her favourite type of food?
e. Does she consider herself to be healthy?

5. Maintenant, trouvez les mots et expressions suivants dans la transcription de l'exercice 4 page 440.

a. It is the most important meal of the day.
b. It depends on the day.
c. I avoid fatty and sugary products.
d. I'm in a hurry.
e. There is nothing better than …

6. Traduisez ce paragraphe qui utilise le vocabulaire des exercices précédents.

Usually, I don't have a balanced diet because I don't have the time. It depends on the day but, very often, I snack between meals or I even skip a meal. It's hard to avoid fatty and sugary products when you're in a hurry. The truth is, in my opinion, there's nothing better than junk food!

7. Maintenant, en vous inspirant des réponses de l'exercice 4 (transcription page 440), répondez à l'oral aux questions suivantes.

- **a.** Prenez-vous un petit déjeuner ?
- **b.** Que mangez-vous à midi d'habitude ?
- **c.** Que mangez-vous quand vous avez un petit creux ?
- **d.** Vous arrive-t-il de cuisiner ?
- **e.** Quelle est votre nourriture préférée ?
- **f.** Mangez-vous souvent au fastfood ?
- **g.** Pensez-vous que vous ayez une alimentation équilibrée ?

AIDE

Pensez à utiliser des expressions idiomatiques de l'exercice 1.

8. Avant de lire l'article qui suit, faites correspondre les mots et expressions suivants avec leurs traductions.

a. Une campagne publicitaire	**i.** Overweight
b. Faire la promotion de quelque chose	**ii.** To convince the general opinion
c. Un emballage	**iii.** An ad campaign
d. Guider le consommateur	**iv.** Healthy
e. Prévenir	**v.** A wrapper
f. Surpoids	**vi.** To guide the consumer
g. En mettant en avant	**vii.** To prevent
h. Convaincre l'opinion	**viii.** To promote something
i. Engagé	**ix.** To put forward
j. Sain	**x.** Engaged

9. Maintenant lisez cet article et répondez aux questions qui suivent.

Nutri-score : l'étiquetage anti-malbouffe fait sa pub

1. L'agence nationale de la santé publique lance sa **campagne publicitaire** pour **faire la promotion d'**une nouvelle signalétique sur les produits alimentaires, le « Nutri-Score ». Placé à l'avant de quelques **emballages**, cette petite pastille est un outil de prévention qui **guide le consommateur**. Son but est de limiter la malbouffe et **prévenir** ainsi les risques de **surpoids** ou de maladies cardiovasculaires.

2. Le Nutri-Score note la qualité nutritionnelle de A à E. Les lettres, colorées du vert au rouge, permettent au consommateur de savoir rapidement si le produit qu'il s'apprête à acheter respecte un bon équilibre alimentaire. Mais certains industriels, comme Coca-Cola ou Nestlé, rejettent l'initiative, préférant leur propre système. **En mettant en avant** la simplicité du Nutri-Score, l'État espère **convaincre l'opinion**.

3. « Par cette campagne, les pouvoirs publics, soutenus par plus de 50 entreprises déjà **engagées**, les associations de consommateurs, les professionnels de santé et la communauté scientifique en France adressent un message fort aux industriels et distributeurs pour qu'ils rejoignent cette démarche de transparence, en vue d'améliorer la santé de toute la population », a écrit Santé publique France. « Plus de 50 entreprises se sont engagées à faire figurer le logo sur leurs produits d'ici à 2019 », rappelle l'agence sanitaire.

4. L'Organisation mondiale de la santé désigne l'« augmentation de la consommation d'aliments très caloriques riches en lipides » parmi les principales causes de la progression de l'obésité, à l'origine de graves problèmes de santé publique. Rappelons qu'en France, près de la moitié (49 %) des adultes sont en surpoids, et un sur six (17 %) est obèse. Pour mieux prévenir ce genre de risque, une application appelée « Yuka », utilise le système Nutri-Score pour scanner notre alimentation quotidienne et nous dire si un produit est **sain** ou non. De quoi mieux manger … si on regarde l'étiquette !

Adapté de : *www.lest-eclair.fr*, le 7 mai 2018

a. i. Où peut-on trouvez le logo Nutri-Score ? (Section 1)
   ii. Quel est l'objectif du Nutri-Score ? (Section 1)

b. Trouvez un adverbe dans la section 2.

c. À quoi ressemble le logo Nutri-Score ? (section 2)

d. À part les entreprises, qui participe aussi à ce projet ? (Section 3)

e. À quoi sert l'application Yuka ? (Section 4)

f. Nutri-Score is a system that should help consumers make the right choice. Do you agree? Refer to the text in support of your answer. (Two points, about 50 words in total.)

10. Seul(e) ou à deux, lisez ces phrases et décidez s'il s'agit de problèmes liés à l'alimentation ✗ ou de solutions ✓.

a. Il faudrait que les parents apprennent aux enfants les principes d'une alimentation saine.

b. La malbouffe est, d'après moi, un des plus grands fléaux de notre société.

c. Il faut qu'il y ait plus de transparence dans l'étiquetage des produits de consommation. On devrait savoir exactement ce qu'on achète et sa provenance.

d. Malgré des campagnes de prévention massives, le problème de l'obésité se banalise.

e. Si les jeunes mangent mal, c'est que nos vies trépidantes ne nous permettent pas de nous asseoir autour d'une table et de prendre le temps de manger sainement.

f. Nous devrions interdire les publicités pour les produits malsains pendant les heures où les enfants regardent la télé.

g. Les jeunes sont bombardés par des publicités pour des produits trop sucrés ou trop salés. Il est donc difficile de résister et de manger équilibré.

h. Les chiffres ne mentent pas : une personne sur trois est en surpoids en Europe !

i. Il faut que l'on fasse plus de prévention dans les écoles à commencer par l'instauration de cantines offrant des repas variés et équilibrés.

j. Pour éviter d'acheter n'importe quoi, la solution est simple : acheter frais et au jour le jour.

11. Écoutez les conseils de cette nutritionniste sur la nutrition pendant les examens du bac, puis répondez aux questions qui suivent.

a. What is it very important not to do during your exams when it comes to your meals?

b. i. Approximately how many substances does the brain need to function?

- A. 40 ☐
- B. 60 ☐
- C. 100 ☐

ii. What should you do to help the brain function well?

iii. What should you avoid eating all the time?

c. Which food should you favour during your revision? (One example)

b. i. What should you eat the day before the exam?

ii. Why should you do this?

12. Maintenant, trouvez les mots et expressions suivants dans la transcription de l'exercice ci-dessus page 441.

a. It's the last hurdle

b. To give yourself the best chance

c. It's important to take care of your health

d. To endure / keep going

e. The pressure mounts

13. À deux, complétez ces phrases pour trouver des solutions au problème de l'obésité.

a. Pour enrailler le problème de l'obésité chez les jeunes, il faudrait …
b. Ce qu'on devrait faire au niveau national, c'est …
c. Si nous voulons changer les mentalités par rapport à la malbouffe, il faut absolument …
d. Il va de soit que la meilleure solution au problème de l'obésité c'est …
e. D'après moi, le gouvernement devrait … pour lutter efficacement contre la malbouffe.
f. Au niveau des écoles, on pourrait …
g. Les parents devraient …

14. Avant de lire cet extrait littéraire, faites correspondre les mots et expressions avec leurs traductions.

a. Une baleine	i. To hurt someone's feelings
b. Tourner en rond	ii. To go to pieces
c. Mes kilos en trop	iii. Don't let yourself be pushed around
d. La souffrance	iv. To go round in circles
e. Avaler	v. Suffering
f. Le vide	vi. To whisper
g. À chaque fois que je craque	vii. Each time I give in
h. Planquer	viii. To swallow
i. Chuchoter	ix. Emptiness
j. Faire de la peine à quelqu'un	x. A whale
k. Perdre ses moyens	xi. My extra pounds
l. Ne te laisse pas faire	xii. To hide / to stash away

15. Maintenant, lisez cet extrait et répondez aux questions qui suivent.

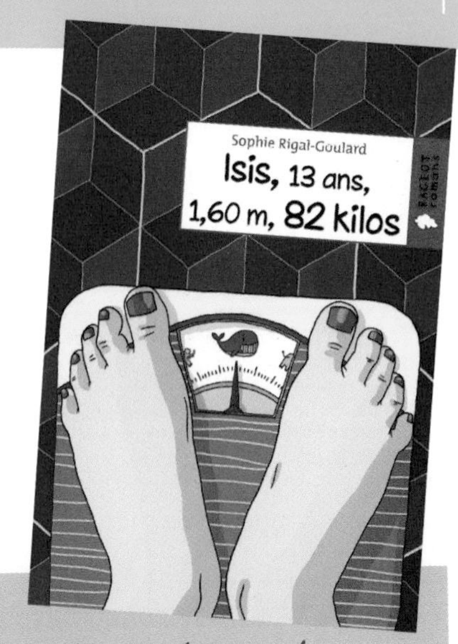

AIDE

Avant de lire le texte, regardez la photo ou l'image s'il y en a une, le contexte et le titre du livre. Ici, vous verrez que cela vous aidera à savoir l'âge, la taille et le poids du personnage principal.

Isis correspond avec son père et lui parle de son problème de poids.

1. J'ai pensé récemment qu'une description physique n'était pas suffisante pour que tu me connaisses bien. J'ai pensé à un portrait chinois que je vais te livrer. C'est la remplaçante de français qui nous en a préparé un. Alors, si j'étais …
   Un objet, je serais un miroir brisé.
   Une saison, je serais l'hiver pour me cacher sous plusieurs couches de vêtements.
   Un aliment, je serais … des pâtes carbo, un gratin de pommes de terre, du bœuf sauté aux légumes, des nems, du poulet rôti entouré de frites, une glace nappée de chocolat, un cookie tout chaud, un cheese-cake banane …
   Un animal : **une baleine**. Elles sont les seules à pouvoir me comprendre.
   Un endroit : une immense forêt dans laquelle je peux disparaître.
   Un végétal : la poire. Image parfaite de mon corps.
   Un sentiment : la honte … Je m'arrête là.
   Je tourne en rond et j'en reviens toujours au même point. **Mes kilos en trop** ont pris toute la place dans ma vie. Ils ont déformé ma silhouette et colonisé mon cerveau. Je suis sûre que tu te demandes « 30 kilos en trop, on y arrive comment ? ». En mangeant beaucoup. Et tout le temps.
2. Il faut donc que je te parle de mon alimentation. C'est juste un moment difficile. Comment t'expliquer que, pour moi, manger est un moment de plaisir intense et de **souffrance** ? Lorsque je me sens seule, malheureuse, je me remplis. J'**avale** en même temps mes peurs, mes doutes, mes hontes et mes peines. Je les engloutis avec des tartines de Nutella. Je suis pleine de **vides**, papa. Je n'ai trouvé que ce moyen pour les combler. **À chaque fois que je craque** et que j'avale de grosses quantités de nourriture, je me sens terriblement mal. Mais je recommence le lendemain. Et le surlendemain …
3. Maman rentre tard. Ça me laisse le temps de me remplir. Le régime, c'est avec elle, plus tard dans la soirée. Tu t'en doutes, je ne maigris pas d'un gramme. Maman a fait disparaître les aliments qui pourraient me tenter des placards de la cuisine, mais j'ai une réserve **planquée** dans ma chambre. C'est à ça que sert mon argent de poche. Le plus dur, c'est le regard des autres.
4. Rien que ce midi à la cantine … J'étais dans la queue au self et on **chuchotait** autour de moi. Jusqu'à ce qu'une fille de troisième se lève pour arracher le papier collé dans mon dos (et que je n'avais pas vu) sur lequel était écrit : « Big Isis finira AUSSI vos assiettes. »
   —Ce collège est un nid d'abrutis ! a murmuré la fille en déchirant la feuille. Je te l'ai déjà dit, quand on **me fait de la peine**, je **perds mes moyens**. Je suis restée sans voix.
   —Ma sœur a eu le même problème que toi, a continué la fille. **Ne te laisse pas faire**. Il faut que tu trouves le débile qui a écrit ça et que tu lui fasses manger la feuille. Tiens, je te la rends, réduis-la en bouillie et enfourne-lui dans la bouche !
   J'ai réussi à sourire.

Extrait de : *Isis, 13 ans, 1,60 m, 82 kilos*, Sophie Rigal-Goulard, édition Rageot

→

a. i. Quel sentiment représente Isis dans son portrait chinois ? (Section 1)
   ii. D'après Isis, comment devient-on en surpoids ? (Section 1)

b. i. Trouvez les deux sentiments contradictoires qu'Isis ressent quand elle mange. (Section 2)
   ii. Comment se sent-elle après avoir trop mangé ? (Section 2)

c. i. Quelles mesures la mère d'Isis a-t-elle prises pour qu'elle arrête de grignoter des aliments mauvais pour sa santé ? (Section 3)
   ii. D'après Isis, qu'est-ce qui est le plus difficile à supporter ? (Section 3)

d. Trouvez la phrase qui indique qu'Isis ne pouvait pas parler. (Section 4)

e. Trouvez dans la quatrième section :
   i. un verbe au plus-que-parfait
   ii. un verbe au futur simple
   iii. un verbe au subjonctif présent
   iv. un verbe à l'impératif.

f. Isis has low self-esteem and suffers from bullying in school. Do you agree? Refer to the text in support of your answer. (Two points, about 50 words in total.)

16. « Les jeunes mangent tout le temps et mal ! Je les vois avec des paquets de chips, des frites, des boissons gazeuses … Ils se ruinent la santé. »

Donnez vos réactions.
(75 mots environ)

Le plus-que-parfait

The pluperfect is used to refer to **an event that had taken place** before some other event in the past, e.g.:
Je suis arrivé à l'aéroport quand j'ai réalisé que j'avais oublié mon passeport.
I arrived at the airport when I realised I had forgotten my passport.

The pluperfect is a **compound tense**, i.e. it uses an auxiliary ***avoir*** or ***être*** and a **past participle**. In that sense, it looks a lot like the perfect tense. The main difference is that the auxiliary is in the imperfect tense.

Avoir

J'avais
Tu avais
Il / elle avait
Nous avions
Vous aviez
Ils / elles avaient

} [+ past participle]

The same rules apply to the pluperfect as for the perfect tense, i.e. it has the same irregular verbs as the perfect tense (see verbs using ***être*** in the perfect tense – the *passé composé* – page 141) and the same rule of agreement.

Être

J'étais
Tu étais
Il était
Nous étions
Vous étiez
Ils étaient

} [+ past participle]

Try to create opportunities to use this tense as follows.

- Instead of using direct speech, report what the person said, e.g.:
  « Je suis allé au lycée, j'ai commencé les cours vers 9 heures, j'ai passé la journée en classe et je suis rentré chez moi vers 5 heures. » Il a dit qu'il **était allé** au lycée, qu'il **avait commencé** vers 9 heures, qu'il **avait passé** la journée en classe et qu'il **était rentré** chez lui vers 5 heures.
  'I went to school, I started lessons around 9 o'clock, I spent the day in class and I went home at around 5 o'clock.' ⟶ *He said that he **had gone** to school, that he **had started** the lessons around 9 o'clock, that he **had spent** the day in class and that **he had** gone home around 5 o'clock.*

- You can also use it with the structure ***si + plus-que-parfait + conditionnel passé*** (see conditional past tense page 352), e.g.:
  S'il **avait révisé** un peu mieux ses examens, il ne les aurait pas ratés.
  *If he **had revised** better for his exams, he wouldn't have failed.*
- You can also use the *plus-que-parfait* to express a regret, e.g.:
  Si seulement j'avais pris mon portable!
  If only I had taken my mobile!

1. Expliquez un regret à propos des personnes indiquées. e.g. : Si seulement j'avais étudié ! *If only I had studied!*

a. Si seulement j' …

b. Si seulement mes parents …

c. Si seulement mon prof de français …

d. Si seulement mon ami(e) / petit(e) ami(e) …

e. Si seulement mes examens …

2. Put the verbs in brackets in the pluperfect. Take care with irregular verbs using *être*, and with agreement.

a. Je n'______ pas __________ mes devoirs et je savais que le prof ne serait pas content. (faire)

b. Si j'__________ ________ mon portable, j'aurais pu t'appeler. (prendre)

c. J'ai reçu la lettre que tu m'__________ _____________ la semaine dernière. (envoyer)

d. Je m'______ __________ à 7 heures du matin croyant qu'on était lundi. (se reveiller)

e. Il m'a dit que j'______ __________ mon test de mathématiques. (réussir)

f. Il n'______ pas __________ rester car il avait un train à prendre. (pouvoir)

g. Je ne suis pas allé en voyage car j'______ __________ malade. (tomber)

h. Il ______ __________ en avril. (mourir)

i. Je n'______ pas __________ le bon formulaire pour mon inscription à la fac. (remplir)

Bilan du chapitre 23

On révise le vocabulaire

1. Traduisez les mots suivants.
   - a. To put on weight
   - b. The level of obesity
   - c. Saturated in fat
   - d. An advertising campaign
   - e. The impact of a poor diet
   - f. Rich in sugar

2. Traduisez les phrases suivantes.
   - a. **Il n'y a rien de mieux que d'**avoir le temps de manger.
   - b. **Il est choquant de voir** les gens manger des plats à emporter matin, midi et soir.
   - c. Il ne faut pas **se laisser faire** !
   - d. L'évolution de nos modes de vie **pèse lourd dans la balance**.

3. Maintenant, utilisez les structures en caractères gras ci-dessus pour créer vos propres phrases.

4. Traduisez le sens général des expressions suivantes.
   - a. Quand je suis pressé(e), je mange sur le pouce.
   - b. Il est très mauvais de sauter un repas.
   - c. Mon frère se gave de sucreries en jouant aux jeux vidéo.
   - d. Si on ne veut pas grossir, il ne faut pas grignoter entre les repas.
   - e. Quand je rentre chez moi après l'école, j'ai une faim de loup.

On révise le grammaire

5. Mettez les verbes entre parenthèses au plus-que-parfait. Attention aux verbes irréguliers.
   - a. Si tu n'_______ pas _____________ (manger) autant, tu n'aurais pas grossi si vite.
   - b. Il _____________ (sauter) le repas donc il avait très faim en arrivant au restaurant.
   - c. Nous _____________ (arriver) en retard.
   - d. Je _____________ (grignoter) des chips avant le dîner.
   - e. Si seulement nous _____________ (interdire) les publicités de produits sucrés, nous n'en serions pas là !
   - f. Si j'_____________ (faire) attention à mon alimentation, je serais en meilleure forme.

Chapitre 24

L'image de soi

À la fin de la leçon on pourra :

- parler de l'influence de la mode chez les jeunes
- parler des dangers de la mode
- parler de l'influence des médias sur l'image de soi
- parler des troubles de l'alimentation
- savoir utiliser le conditionnel passé.

L'influence de la mode

On s'échauffe !

1. À deux, classez les mots suivants par catégorie grammaticale : nom, verbe, adjectif. Puis traduisez-les. Pouvez-vous ajouter d'autres mots à cette liste ?

- La mode
- Influencer
- Original
- Une marque
- Porter
- À la mode
- Démodé
- Les vêtements
- Conforme
- Le maquillage
- Un défilé
- Décontracté
- Un code vestimentaire
- Ressembler à
- Dépenser
- Les soldes
- Suivre la mode
- Une garde-robe
- Influençable
- Moche
- Faire du lèche-vitrine

Nom	Traduction	Verbe	Traduction	Adjectif	Traduction

2. Écoutez ces quatre jeunes parler de la mode et remplissez ce tableau.

	What's his / her style?	What does he / she like wearing?	Does he / she follow fashion?
Damien			
Charlotte			
Mohamed			
Alice			

3. Maintenant, cherchez ces mots dans la transcription de l'exercice 2 page 441.

a. I don't follow fashion
b. I have quite a lot of piercings
c. I'm not influenced by
d. Branded clothes
e. I get inspiration from actors, singers

4. Que pensez-vous de la mode ? Lisez ces opinions et décidez si elles sont positives ou négatives ? Quelle opinion correspond le mieux à la vôtre ? Comparez avec d'autres élèves dans votre classe.

a. Je suis la mode de très près et je dois dire que je dépense beaucoup d'argent de poche à acheter des vêtements de marque.

b. Même si la mode n'est pas très importante à mes yeux, je suis quand même conscient de ce que les autres pensent donc je fais attention à ce que je porte.

c. Les marques sont très importantes pour moi. Il faut que j'aie les derniers sacs, le dernier portable, le dernier style. Je n'ai pas honte de dire que je suis une victime de la mode.

d. Le plus important pour moi quand j'achète mes vêtements c'est d'être à l'aise, pas les marques.

e. Je n'aime pas la mode. Ça crée une certaine pression sociale qui nous pousse à être conformistes. Moi, j'aime exprimer ma personnalité et être original.

f. Je ne comprends pas les gens qui veulent absolument imiter le style des célébrités ! Ce n'est pas réaliste ! Nous ne sommes pas tous minces et riches ! Moi je dis, à chacun son style !

g. Le monde de la mode est responsable de beaucoup des troubles de l'alimentation chez les jeunes. Je m'en méfie.

h. La mode ne m'intéresse pas du tout mais elle m'influence quand même car elle est omniprésente.

5. Répondez aux questions suivantes à l'oral.

a. Suivez-vous la mode ?

b. Quel est votre magasin préféré ?

c. Portez-vous beaucoup de marques ?

d. Pensez-vous que la mode influence beaucoup les jeunes ?

AIDE

Pour la question **d**,

- pensez à utiliser ces expressions pour exprimer votre opinion :
  - À mon avis
  - Selon moi
  - D'après moi
  - En ce qui me concerne
  - Je pense que / je trouve que / il me semble que
- adaptez les phrases de l'exercice 2 :
  - « La jeunesse suit la mode de très près »
  - « Les marques sont très importantes pour les jeunes »
  - « Même si on ne s'intéresse pas à la mode, on est influencé »

6. Écoutez ces personnes qui parlent de l'influence de la mode sur elles, puis répondez aux questions qui suivent.

Béatrice

a. Does she follow fashion?

b. Does she consider herself a fashion victim?

c. What does she say about the top model employed by the fashion industry?

d. Why is she lucky?

Noëlle

e. What does she say about the image of women in magazines? (Two details)

f. According to her, who should the fashion industry show in magazines?

g. What does she say the fashion industry creates?

Florence

h. Name one fashion item she has.

i. Is she a fashion victim?

j. What shocks her most?

k. What does she say makes people look interesting and beautiful?

7. Maintenant trouvez les mots et expressions suivants dans la transcription de l'exercice 6 page 441.

a. I follow fashion

b. Fashionable

c. A fashion victim

d. I'm not obsessed with the way I look

8. « Les jeunes sont beaucoup trop influencés par la mode et les marques. » Qu'en pensez-vous ? (75 mots environ)

AIDE

Faites un plan :

- Introduction (« je suis d'accord / je ne suis pas d'accord »)
- Arguments (deux ou trois arguments en utilisant des mots de liaison)
- « Personnellement … » (êtes-vous trop influencé(e) ?)
- Conclusion (rappel du titre)

L'influence des médias

On s'échauffe !

9. Regardez la vidéo « Un Film Dove: évolution » sur YouTube et partagez vos réactions avec votre classe. D'après vous, quel mot parmi la liste qui suit qualifierait le mieux cette vidéo ? Pouvez-vous pensez à d'autres mots ?

choquant **mensonger** instructif **manipulateur**

réaliste **intéressant** **scandaleux** préventif étonnant

10. Lisez ces questions et faites les correspondre avec les réponses appropriées.

a. Achetez-vous des magazines, suivez-vous la mode sur les réseaux sociaux ou lisez-vous des blogs de mode ?

b. Quelles genres de magazines achetez-vous ? Quels genres de sites de mode aimez-vous ? Quels blogs de mode vous intéressent ?

c. Que pensez-vous de l'image des femmes et des hommes dans ces magazines / ces sites de mode ?

d. Pensez-vous que les photos dans ces magazines / sur ces sites sont retouchées ?

e. Pensez-vous être influencé(e) par ces magazines / ces sites ?

i. Quand j'en achète, c'est plutôt des magazines de mode.

ii. Peut-être un peu. C'est vrai qu'à force de voir des filles minces, voire maigre, dans les magazines ou sur Internet, on se dit qu'il faut l'être pour être jolie.

iii. Totalement ! Il est impossible de voir des personnes aussi belles dans la réalité ! Les photos sont modifiées au maximum je pense.

iv. Je pense que ces images sont idéalisées mais c'est bien pour ça que je les achète ! Pour rêver un peu !

v. Oui, ça m'arrive d'en acheter de temps en temps mais c'est rare. Je préfère aller sur Internet et lire des blogs de mode, de musique, des trucs comme ça.

11. À deux, répondez aux questions de l'exercice 10.

12. Voilà une série d'articles qui portent tous sur l'image des femmes et des hommes dans les médias.

Lisez ces articles et décidez s'ils parlent de dangers ou de changements positifs. Ensuite, cherchez le vocabulaire. Enfin, faites correspondre le début des phrases avec leurs fins logiques :

1. « Les réseaux sociaux mènent facilement les filles et les femmes à penser que leurs corps sont loin d'être suffisamment beaux puisque les gens utilisent des filtres embellissant et modifient leurs photos pour paraître « parfaits ». Les attentes irréalistes provoquées par les réseaux sociaux peuvent pousser les jeunes à des sentiments de gêne, de mauvaise estime de soi et une recherche de perfection qui peut prendre la forme de troubles d'anxiété. »

Far from being = L_____ d'_______

Beautifying filters = Des ______________________________

To appear perfect = ______________________________

Unrealistic expectations = Les ______________________________

Avant

Après

2. La presse écrite donne souvent une fausse image de la réalité en montrant des corps parfaits et très minces, ce qui incite les lecteurs, plus particulièrement les lecteurs, à maigrir. Effectivement, certains plongent dans l'anorexie en voulant leur ressembler. Cependant, ce qu'ils ne savent pas, c'est que ces photos sont très souvent retouchées, et que le corps parfait qu'ils souhaitent avoir n'existe pas.

A false image of reality = ______________________________

To push readers to lose weight = ______________________________

Retouched = ______________________________

3. Avec la « loi mannequin » entrée en vigueur sur le territoire français en 2017, les modèles doivent obligatoirement passer une visite médicale. L'objectif est d'en finir avec les jeunes trop maigres sur les podiums et dans les magazines. Il s'agit non seulement de protéger leur santé, mais aussi d'éviter qu'ils servent de référence en termes de beauté pour les adolescents et d'ainsi éviter la promotion d'idéaux de beauté inaccessibles et prévenir l'anorexie chez les jeunes.

To undergo a medical examination = ______________________________

The goal is to get rid of … = ______________________________

To protect their health = ______________________________

To avoid promoting inaccessible ideals of beauty = ______________________________

To prevent anorexia amongst young people = ______________________________

4. En France, la loi rend obligatoire la mention « photographie retouchée » pour les images à usage commercial si l'apparence des mannequins a été modifiée par logiciel. La mention « photographie retouchée » est un pas en avant pour les personnes qui ont une image négative d'elles-mêmes. La société exerce une pression psychologique en véhiculant des images irréelles. Cette initiative peut aider pour l'estime de soi.

   Retouched pictures = ______________________________

   A step in the right direction = ______________________________

   These initiatives can help self-esteem = ______________________________

5. Il sembleraient que les temps changent. En effet, si l'industrie de la mode embauchait des mannequins trop minces, voire maigres, la nouvelle tendance est d'accepter les différences. Les mannequins grandes tailles, par exemple, ont été les premiers à marcher dans les défilés de mode. Dans l'industrie de la mode, on prône maintenant la diversité sur les podiums et dans les magazines. Bien sûr, le chemin est encore long avant que les mentalités n'évoluent, mais cette nouvelle tendance offre enfin une image plus réaliste du corps de femme aujourd'hui.

   Times are changing = ______________________________

   Diversity is promoted = ______________________________

   There's still a long way to go = ______________________________

   A more realistic representation = ______________________________

Faites correspondre le début des phrases avec leurs fins logiques.

a. Utiliser des filtres embellissants peut pousser les jeunes …

b. La presse écrite montre des corps parfaits ce qui …

c. Avec la loi mannequin, les mannequins doivent passer un examen médical ce qui …

d. Si une photo commerciale a été retouchée …

e. L'industrie de la mode commence à recruter des mannequins qui …

- **i.** protège leur santé et prévient l'anorexie chez les jeunes. ☐
- **ii.** à avoir une mauvaise image d'eux-mêmes. ☐
- **iii.** incite les jeunes à maigrir pour leur ressembler. ☐
- **iv.** il faut que ce soit signalé sur la photo. ☐
- **v.** offrent une image plus réaliste du corps de la femme. ☐

13. En utilisant le vocabulaire de l'exercice ci-dessus, traduisez le paragraphe suivant.

'The media often gives a false image of reality. Indeed, we often see retouched pictures where models appear perfect. This can push young people to want to lose weight. To avoid promoting false and inaccessible ideals of beauty, and thus [donc] prevent anorexia amongst young people, we need a more realistic representation of men and women in the media.'

14. Pour en savoir plus sur « la loi mannequin », regardez la vidéo sur le site Internet https://www.1jour1actu.com/info-animee/cest-quoi-la-loi-mannequins et écrivez les détails que vous avez compris. Comparez avec votre partenaire et avec votre classe.

15. Avant de lire l'article qui suit, faites correspondre les mots et expressions avec leurs traductions.

a. Un chirurgien esthétique	**i.** Omnipresent
b. Être confronté à quelque chose	**ii.** Self-esteem
c. Lisser la peau	**iii.** To be confronted by something
d. Ressembler à quelqu'un	**iv.** To smooth the skin
e. C'est leur but à atteindre	**v.** Beautifying filters
f. Renforcer ce sentiment	**vi.** To look like someone
g. Des filtres qui embellissent	**vii.** It's the goal they want to reach
h. Se sentir belle	**viii.** A plastic surgeon
i. Omniprésent	**ix.** To strengthen this feeling
j. L'estime de soi	**x.** To feel beautiful

16. Lisez cet article et répondez aux questions qui suivent.

Tendance inquiétante : de nombreux jeunes patients demandent à des chirurgiens esthétiques de ressembler à un filtre Snapchat !

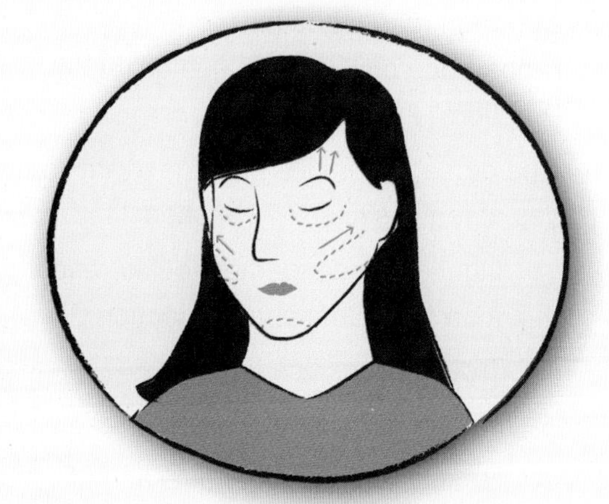

1. Les chirurgiens esthétiques **sont de plus en plus confrontés à** une demande étrange de leurs patients : ressembler à une version « avec filtre » d'eux-mêmes. Sur les réseaux sociaux comme Snapchat et Instagram, des filtres permettent de changer l'apparence en **lissant la peau** ou en agrandissant les yeux par exemple, rapporte *The Independent*.
   Pour le Docteur Esho, chirurgien esthétique à l'Esho Clinic de Newcastle (Royaume-Uni), cette pratique sur les réseaux sociaux a mené à une augmentation du nombre de demandes de femmes voulant **ressembler à** une « version améliorée » d'elles-mêmes grâce aux filtres. Il explique: « Avant les patients venaient à la clinique avec des photos de stars ou de mannequins qu'ils admiraient et auxquels ils voulaient ressembler. Mais avec l'arrivée des réseaux sociaux et des filtres ces cinq dernières années, de plus en plus de patients viennent avec des versions d'elle-mêmes avec filtre. Et **c'est leur but à atteindre**. »
2. Le risque de cette pratique est de mener à une dysmorphie corporelle, c'est-à-dire une obsession face à un défaut physique, imaginaire ou exagéré. Snapchat et Instagram peuvent renforcer ce sentiment, en offrant aux utilisateurs la possibilité d'utiliser de nombreux **filtres qui embellissent**. Une patiente du docteur Esho explique qu'elle n'avait jamais aimé se prendre en photo, jusqu'à ce qu'elle utilise les filtres qui la font **se sentir belle**. « La caméra Snapchat te montre ce que tu vois dans le miroir mais ajoute un filtre sur ton visage et tu peux tout changer. Ton visage peut devenir plus fin, tes lèvres plus grosses, tes yeux et cils plus grands. C'est fantastique. »
3. Elle est donc venue voir le professeur, avec une photo provenant de Snapchat. Celui-ci a refusé de la traiter et il renvoyé cette patiente vers un service de soutien psychologique. Pour le Docteur Esho : « Ce genre de comportement s'explique par la société dans laquelle nous vivons. Les jeunes sont nés dans un monde où les réseaux sociaux sont **omniprésents** et où les sentiments et **l'estime de soi** sont basés sur le nombre de 'likes' ou de 'followers' qu'ils peuvent avoir. »

Adapté de : www.dhnet.be, le 7 février 2018

a. Que veulent certains patients quand ils consultent un chirurgien esthétique ? (Section 1)

b. Comment ces filtres améliorent-ils l'apparence physique de quelqu'un ? (Section 1)

c. Que demandaient les patients avant l'arrivée des réseaux sociaux ? (Section 1)

d. i. Quel est le danger de vouloir ressembler à un filtre Snapchat ? (Section 2)

   ii. Trouvez dans la section 2 :

   A. un participe présent

   B. un verbe au plus-que-parfait

   C. un verbe pronominal à l'infinitif

   D. un adjectif féminin pluriel.

e. i. Qu'a fait le Docteur Esho après avoir refusé une patiente qui voulait ressembler à un cliché filtré de Snapchat ? (Section 3)

   ii. Comment, d'après le Docteur Esho, notre société moderne explique cette pratique ? (Section 3)

f. Filters used in Snapchat and Instagram can have negative effects. Do you agree? Refer to the text in support of your answer. (Two points, about 50 words in total.)

17. La mode nous présente un idéal féminin inaccessible, un idéal dangereux pour la jeunesse d'aujourd'hui.

Qu'en pensez-vous ?

(75 mots environ)

18. Avant de lire cet extrait littéraire, faites correspondre les mots et expressions suivants avec leur traduction.

a. Être en pleine forme	**i.** Out of breath
b. Faire la tête à quelqu'un	**ii.** To try to pretend to …
c. C'est la moindre des choses	**iii.** To be wrong
d. Hors d'haleine	**iv.** To be in great shape
e. Avoir tort	**v.** To be about to do something
f. Tambouriner	**vi.** To sulk
g. Être sur le point de faire quelque chose	**vii.** It's the least you can do
h. Battre des paupières	**viii.** To bat your eyelids
i. Tâcher de faire semblant de …	**ix.** To drum

19. Maintenant, lisez cet extrait littéraire et répondez aux questions qui suivent.

1. Nat et Harriet sont des meilleures amies mais n'ont plus les mêmes centres d'intérêts. Ce matin, Harriet a fait semblant d'être malade pour ne pas faire une sortie scolaire mais Nat l'a forcée. Elles courent pour prendre le car scolaire.

Il est possible que j'aie prétendu être un peu plus malade que je ne l'étais ce matin, à savoir : pas tellement.
Ou pas du tout. En fait, je **suis en pleine forme**.
Et cela peut expliquer que Nat **me fasse un peu la tête**, en ce moment, alors que nous courons vers le car scolaire aussi vite que mes jambes veulent bien me porter.

2. « Tu te rappelles, soupire-t-elle en s'arrêtant pour la douzième fois afin de m'attendre, que tu m'as obligée à me taper un documentaire assommant sur la révolution russe la semaine dernière. Un documentaire qui doit durer à peu près quatre cents heures. Donc, **c'est la moindre des choses** que tu m'accompagnes dans cette 'Sortie éducative d'approche du textile d'un point de vue tant intime que commercial'.
—Du shopping, dis-je, **hors d'haleine**, en tenant mes côtes pour les empêcher de tomber. Ça s'appelle du shopping.
—Ce n'est pas ce que dit la brochure. C'est une sortie scolaire : il doit bien y avoir quelque chose d'éducatif là-dedans.
—Non, je souffle. Rien du tout.
Nat s'arrête une fois de plus pour m'attendre.
—C'est juste du shopping.

3. En toute honnêteté, je crois que je **n'ai pas tort**, sur ce coup-là. Nous nous rendons à la « Mode Expo en direct live à Birmingham ». Ainsi nommée, je présume, parce que des vêtements à la mode y sont exposés. En direct live. À Birmingham. Et qu'on peut **les** acheter. Et les rapporter chez soi. Ce qui s'appelle aussi : du shopping.
Quand nous atteignons le car, c'est à peine si je respire encore. Nat, en pleine crise de panique, se met à **tambouriner** sur les portes du véhicule. Nous sommes en retard – grâce à mon immense numéro d'actrice –, et on dirait bien que la classe **est sur le point de** partir sans nous.

4. « Harriet, me crache-t-elle en se retournant vers moi tandis que les portes commencent à émettre un bruit chuintant, comme si elles se faisaient des bisous. Le tsar Nicolas II a été renversé par Lénine en 1917. »
Je **bats des paupières** sans comprendre. « Oui. C'est vrai.
—Et tu crois vraiment que j'ai envie de savoir ça ? Ce n'est même pas au programme ! Je n'ai jamais eu besoin de le savoir. Alors maintenant, c'est ton tour d'admirer quelques paires de chaussures et de faire des *oh* et des *ah* avec moi, vu que Jo a mangé des palourdes et qu'elle est allergique aux palourdes et qu'elle est malade et qu'elle ne peut pas venir et que je ne vais pas me taper cinq heures de car toute seule. OK ? »

5. Nat inspire à fond et je regarde mes mains, bourrelée de remords. Je suis une égoïste, une sale égoïste.
« OK, je réponds d'une petite voix. Pardon, Nat.
—Tu es pardonnée. »
Les portes se rouvrent enfin pour nous.
« Et maintenant, grimpe dans ce car et **tâche de faire semblant de** t'intéresser un chouïa, un soupçon, au moins un tout petit petit peu, à la mode.
—D'accord », dis-je d'une voix encore plus minuscule.
Car, au cas où vous n'auriez pas encore deviné, c'est là que le bât blesse entre nous.
La mode ne m'intéresse pas. Mais alors, pas du tout.

Adapté de : *Geek Girl*, de Holly Smale, édition Nathan, 2014

a. Pourquoi Nat est-elle fâchée contre Harriet ? (Section 1)

b. i. Qu'est-ce qu'Harriet a forcé Nat à regarder la semaine dernière ? (Section 2)

ii. Trouvez les mots qui indiquent que Nat a trouvé cette émission très longue. (Section 2)

c. i. D'après la narratrice, quels mots pourraient remplacer la définition de cette sortie scolaire ? (Section 3)

ii. Pour le pronom **les** dans la section 3, trouvez les mots auxquels il se réfère.

d. i. Qui devait accompagner Nat au lieu de la narratrice ? (Section 4)

ii. Pourquoi cette personne ne peut pas l'accompagner ? (Section 4)

e. i. Trouvez l'adjectif qui explique comment la narratrice se sent. (Section 5)

ii. Trouvez un verbe au conditionnel passé dans la section 5.

f. What do we learn about the narrator's personality in this extract? Refer to the text in support of your answer. (Two points, about 50 words in total.)

Les troubles alimentaires

On s'échauffe !

20. Seul(e) ou à deux, faites correspondre le début des phrases avec leurs fins logiques.

a. Les critères de beauté représentés dans les médias sont souvent pris …	**i.** … simplifier le problème.
b. La société de consommation dans laquelle nous vivons a des messages contradictoires : …	**ii.** … ne soit plus acceptable
c. L'idéal de minceur conditionne plus ou moins les jeunes en leur imposant …	**iii.** … l'image idéale de minceur véhiculée par les médias et la mode.
d. La pression exercée sur les jeunes pour suivre un idéal de minceur n'est pas …	**iv.** … comme référence par les adolescents.
e. Bien que ce culte de la minceur contribue aux troubles alimentaires, il ne faudrait pas …	**v.** … la seule raison à l'anorexie et la boulimie.
f. Les troubles de l'alimentation s'accompagnent souvent …	**vi.** … « Consommez ! » « Soyez mince ! ».
g. Il faudrait que les mentalités changent complètement pour que l'idéal de minceur proposé dans les médias …	**vii.** … des critères de beauté irréalistes.
h. L'anoréxie et la boulimie sont en nette augmentation ces dernières années à cause de …	**viii.** … de troubles psychologiques.

CD3 T47-48

21. Écoutez ces textes et remplissez les blancs avec les mots qui manquent.

d'aliments	culpabilisant	les filles	vomir	la boulimie

a. Les troubles de l'alimentation les plus courants sont ____________et l'anorexie. Ce sont des comportements fréquents à l'adolescence, en particulier chez ____________.

La boulimie consiste à absorber en très peu de temps (quelques minutes par exemple) d'énormes quantités ____________, cela sans plaisir et sans savoir ce que l'on mange. Dans la majorité des cas, la personne « se fait __________ » car le corps ne peut absorber tous ces aliments. Les boulimiques ne sont pas forcément « gros ». Bien évidemment, tout cela est extrêmement angoissant et ____________.

à l'adolescence	grosse	squelettique	le regard	un trouble	30 kilos

b. L'anorexie est ______________de la personnalité qui est fréquent chez les filles. ______________, elles commencent à contrôler leur nourriture, à la réduire et progressivement à perdre d'importantes quantités de poids (souvent entre 10 et ______________). Il n'y a alors pratiquement plus de graisse dans le corps. Le corps devient ______________. Le problème est que ______________ que la personne anorexique porte sur son corps n'est plus le même que celui que portent les autres : il est déformé. Elle se voit et se ressent ______________ alors qu'on la voit très maigre. Les causes sont à chercher dans des conflits familiaux, des troubles psychologiques, mais aussi dans les médias qui proposent un idéal de minceur irréaliste qui finit par influencer certains jeunes.

22. Donnez vos réactions.

(75 mots environ)

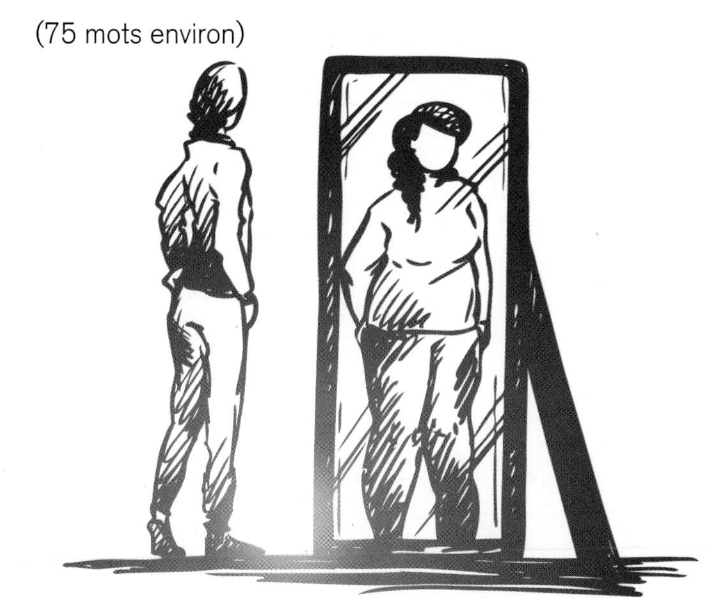

AIDE

Ici, il faut réagir à l'image avant de parler des troubles de l'alimentation et des médias.

Il est important de faire un plan :

- Introduction (« Cette image me choque et me fait penser à / au problème de … », « Bien qu'humoristique, ce dessin décrit un problème réel de notre société » etc). Comme c'est une image, vous pouvez parler plus de l'influence des médias, ou plus du problème de l'anorexie. Attention ! Faites quand même un lien avec l'image.
- Deux ou trois points sur l'influence des médias sur la santé : vous pouvez parler de l'anorexie ; si vous le désirez, et si c'est approprié, vous pouvez parler de votre santé et de l'influence qu'ont les médias sur vous.
- Solutions possibles.
- Conclusion (rappel du sujet principal).

GRAMMAIRE

Le conditionnel passé

The past conditional is used **to say something would have happened (but did not)** if something else had(n't) happened. The past conditional is another **compound tense**, i.e. it uses the auxiliaries ***avoir*** or ***être*** and the past participle. In that sense, it looks a lot like the pluperfect or the perfect tense. The difference is that the auxiliaries *avoir* and *être* are in the conditional tense. The past conditional is used exactly as in English, usually after (or sometimes before) a pluperfect.

The same rules apply to the past conditional as for the perfect tense, i.e. it has the same irregular verbs as the perfect tense and the same rule of agreement.

Avoir		***Être***	
J'aurais Tu aurais Il aurait Nous aurions Vous auriez Ils auraient	[+ past participle]	Je serais Tu serais Il serait Nous serions Vous seriez Ils seraient	[+ past participle]

1. Mettez les verbes entre parenthèses au conditionnel passé.

a. Si il m'avait aidé un peu plus, j'________ ________ de meilleurs résultats. (avoir)

b. Si tu n'avais pas menti, elle n'________ pas ________. (pleurer)

c. J'________ ________ y penser ! (devoir)

d. J'________ ________ aller en Espagne cet été mais je suis fauché. (vouloir)

e. Il n'________ pas ________ autant de bruit s'il avait enlevé ses chaussures. (faire)

2. Traduisez ces phrases en utilisant le plus-que-parfait et le conditionnel passé.

a. If I hadn't given him money, he wouldn't have been able to go home.

b. If she hadn't been lazy, she would have finished by now.

c. If they had listened to Marie, they would have won the match.

d. If we had left earlier, we would have been on time.

e. If I hadn't forgotten my mobile, I would have called you straight away.

Bilan du chapitre 24

On révise le vocabulaire

1. Traduisez les mots suivants.
   a. Les attentes irréalistes
   b. Une fausse image de la réalité
   c. L'estime de soi
   d. Les photos retouchées
   e. Fashion
   f. A brand / label
   g. Out of fashion
   h. A fashion victim
   i. Eating disorders
   j. To express one's personality

2. Traduisez les phrases suivantes.
   a. Les industriels de la mode **poussent les jeunes** à maigrir.
   b. **L'objectif est d'**en finir avec le diktat de la maigreur.
   c. **Nous sommes sur le point de** trouver une solution.
   d. Les jeunes **sont confrontés à** beaucoup de pression sociale.

3. Maintenant, utilisez les structures en caractères gras ci-dessus pour créer vos propres phrases.

4. Traduisez le sens général des expressions suivantes.
   a. La mention des photos retouchées est un pas en avant pour la résolution du problème.
   b. La loi mannequin est la preuve que les temps changent.
   c. J'aime beaucoup faire du lèche-vitrine.
   d. Il me fait la tête parce que j'ai mangé tous les chocolats.
   e. C'est la moindre des choses que de protéger les nouvelles générations.

On révise la grammaire

5. Changez les verbes entre parenthèses au conditionnel passé.
   a. Si les mannequins maigres n'avaient pas été idéalisés, nous n'__________ pas __________ (accepter) cela comme normal.
   b. Il ______________________ (acheter) plus de vêtements s'il avait eu plus d'argent.
   c. On ____________________ (pouvoir) changer les choses plus tôt.
   d. Je ______________________ (venir) te voir si j'avais su que tu étais malade.
   e. Si la mode avait respecté la diversité de notre société, nous ____________________ (créer) moins de troubles de l'alimentation.

FOCUS EXAMEN

Le récit

Le récit is one option of the compulsory Question 1, where you have to write a minimum of 90 words.

- It usually comes at Question 1 (b) – but not always. Sometimes it is Question 1 and sometimes it does not appear at all. However, this type of question appears in most years, so you have to be prepared. It requires specific techniques to give an account or description of an event in the past and sequencing events.
- You have to tell a story, usually about yourself. In order to do well, you need to pay particular attention to your tenses.
- You will need to use past tenses: the *imparfait, passé composé* and even the *plus-que-parfait* and past conditional, so revise them!
- One of the difficulties of this question is to be imaginative and creative. One way to deal with it is to choose a topic where you are comfortable with the vocabulary.

Example 1

Vous ouvrez votre boîte mail un jour et vous trouvez un courriel intéressant ! Vous décidez de répondre. Racontez ce qui s'est passé ensuite. (Votre récit peut être réel ou imaginaire.)
(90 mots environ)

2016, Leaving Certificate HL, Section II, Q1 (b)

Here, the email could be about a gap year, voluntary work abroad, an advert for a degree you never thought of doing, a house swap … the possibilities are endless!

Example 2

Racontez comment un(e) ami(e) vous a aidé(e) avec un problème que vous aviez dans votre vie. (Votre récit peut être réel ou imaginaire.)
(90 mots environ)

2006, Leaving Certificate HL, Section II, Q1 (b)

Here, you have to think about what problem you might have had: an argument with your parents, boyfriend or girlfriend, a person bullying you online or at school, health problems, etc.

When imagining your story. Think about setting the scene:

- when it happened
- where it happened
- who was involved
- what happened (here you will use the perfect, imperfect and pluperfect tense)
- why these things happened
- what were the consequences
- how you felt about what happened.

It is important to express your feelings while telling your story. You will use the imperfect tense to do so.

Vocabulaire

J'ai déjà vécu cette expérience.	*I have already experienced this.*
Ça avait commencé comme une journée ordinaire.	*It started as an ordinary day.*
Ce jour là, il pleuvait des cordes / il faisait un temps magnifique.	*That particular day, it was lashing rain / the weather was beautiful.*
Je me rappellerai toute ma vie de cette journée, ça s'est passé l'année dernière / quand j'avais sept ans / juste avant les examens blancs.	*I will remember that day all my life, it happened last year / when I was 7 / just before the mock exams.*
À l'époque, je n'avais pas encore 10 ans.	*At that time, I was not even 10 years old.*
J'avais peut-être sept ou huit ans quand ça s'est passé.	*I must have been 7 or 8 when it happened.*
Ce jour-là / cette nuit-là.	*That particular day / That particular night.*
J'étais en train de [+ infinitif] quand [+ passé composé].	*I was (doing something) when …*
Je venais juste de rentrer chez moi / m'endormir / arriver chez ma copine quand [+ passé composé].	*I had just come back home / fallen asleep / arrived at my friend's when [+ perfect tense].*
Je venais à peine de [+ infinitif].	*I had only just [+ verb].*
J'étais sur le point de [+ infinitif] quand [+ passé composé].	*I was about to [+ infinitive] when [+ perfect tense].*
Tout à coup	*Suddenly*
Quand soudain / Lorsque tout d'à coup	*When suddenly / when all of a sudden*
Alors	*Then*
Déjà depuis la veille	*Already the day before*
Le lendemain	*The next day*
Après ça	*After that*
J'étais prise de panique	*I was panicking*

Je me sentais mal à l'aise	*I felt ill at ease*
Je tremblais de peur	*I was shivering with fear*
J'étais sur les nerfs	*I was a nervous wreck*
J'ai soudain réalisé que	*I suddenly realised that*
Je me suis soudain senti tellement bête !	*I suddenly felt really stupid!*
Je n'ai pas m'empêcher de rire / pleurer / courir / m'enfuir / crier.	*I couldn't stop myself from laughing / crying / running / running away / shouting.*
Je n'aurais jamais pensé qu'une chose pareille puisse m'arriver.	*I would never have thought such a thing could happen to me.*
Ce souvenir restera gravé dans ma mémoire.	*This memory will stay with me for ever.*
Je n'oublierai jamais ce jour-là /cette nuit-là.	*I will never forget that day / that night.*
Ce fut vraiment une journée inoubliable !	*It was an unforgettable day.*

Voilà un exemple de récit

Au milieu de la nuit, vous avez soudain été réveillé(e) par un bruit. Racontez ce qui s'est passé ensuite. (Votre récit peut être réel ou imaginaire.)

2004, Leaving Certificate HL, Section II, Q1 (b)

Je me rappelle très bien du jour où j'ai eu la pire peur de ma vie. C'était juste il y a trois mois. Tout avait commencé comme une soirée tout à fait ordinaire. Je venais juste d'aller me coucher très tôt. J'étais fatigué de la veille car j'avais révisé pour mes examens blancs. Je dois dire que j'étais sûrement sur les nerfs. J'étais bien confortablement allongée dans mon lit quand tout à coup, j'ai entendu un bruit énorme qui venait de la cuisine. Comme mes parents étaient sortis, j'étais toute seule dans la maison. J'ai quand même pris mon courage à deux mains et j'ai descendu doucement l'escalier. Le bruit a retenti de nouveau comme une explosion, comme un cambrioleur qui casse un vase ... À ce stade, je tremblais de peur. Et si c'était un cambrioleur ? En arrivant dans le salon, j'étais prête à partir en courant. Quand j'ai enfin eu le courage d'allumer la lumière, j'ai vu Patate, mon chien, en train de retourner la poubelle et de manger le reste de mon repas. Il avait l'air très fier de lui. Je n'ai pas pu m'empêcher de rire ! Le lendemain, j'ai décidé de me calmer et d'arrêter mes révisions pour au moins une journée.

Évaluation de l'unité 6

La compréhension écrite

Lisez ce texte et répondez aux questions qui suivent.

Paris : la cigarette bannie dans six parcs

1. Plus question de se griller une cigarette dans six des jardins parisiens. Ces espaces verts sont désormais, et pour 4 mois, non-fumeurs. Il s'agit d'une expérimentation menée par la Ville de Paris. « L'opération vise à sensibiliser aux enjeux du tabagisme passif, à améliorer le cadre de vie de tous et à renforcer la propreté des espaces. À l'issue de cette expérimentation, nous effectuerons une évaluation », explique Pénélope Komitès, adjointe chargée des espaces verts sans se prononcer, à ce stade, sur une éventuelle généralisation des parcs sans tabac.

2. Et pour cause, cette interdiction ne fait pas l'unanimité. « Certains fumeurs sont choqués par cette décision. Ils estiment que c'est une atteinte à leur liberté », confie Franck, jardinier responsable du parc Anne-Frank. « Vous entrez dans un jardin sans tabac » peut-on lire sur le panneau accroché sur les grilles de ce jardin niché au fond d'une impasse, derrière Beaubourg. Le message est clair. Pourtant, en ce début d'après-midi, une jeune fille se prélasse sur l'herbe, une cigarette à la bouche. « Les non-fumeurs nous jettent des regards noirs quand on se grille une clope aux terrasses des cafés. Maintenant on ne peut plus fumer dans certains parcs … Bientôt, le tabac sera interdit dans la rue. Qu'on nous laisse vivre », s'agace l'étudiante.

3. Même certains non-fumeurs estiment que la mesure est « injuste ». « Si l'interdiction devient la règle, alors il faudra prévoir des zones fumeurs dans les parcs et **les** installer bien sûr loin des aires de jeux », suggère Chris, 28 ans. « C'est le cas au Japon où fumeurs et non-fumeurs cohabitent de manière pacifique », ajoute une quadra. D'autres aspirent à une généralisation de la mesure : « On vient ici pour prendre l'air. Pas pour respirer la fumée de cigarette de son voisin », martèle une non-fumeuse tandis qu'un autre applaudit à son tour la mesure.

4. L'initiative vise à préserver la propreté dans les parcs parisiens. « Tous les matins, je passe trente minutes à enlever les mégots au lieu de m'occuper des plantations », déplore le jardinier responsable. « La nicotine contient un insecticide qui s'infiltre dans les sols avec la pluie et tue la vie microbienne », renchérit Jean-Charles Noudell, agent de maîtrise à la Ville de Paris. Si à l'automne le test s'avère concluant, la mairie de Paris pourrait généraliser l'interdiction à l'ensemble des parcs de la Ville, ou bien laisser la responsabilité aux maires d'arrondissement. « Rien n'a encore été décidé », jure l'adjointe d'Anne Hidalgo.

5. En attendant, les gardiens ont pour mission de rappeler la consigne aux fumeurs et d'informer les usagers. Des panneaux sont installés à l'entrée des parcs retenus par la Ville. Pour l'instant, la Ville se contente de faire de la pédagogie. Aucune verbalisation n'est prévue. Depuis 2015, fumer sur les aires de jeux pour enfants est interdit et les personnes qui ne respectent pas l'interdiction risquent une amende de 38 € ... à condition d'être pris en flagrant délit par un agent de la brigade de lutte contre les incivilités.

Adapté de : Christine Henry pour *Le Parisien*, le 10 juillet 2018

1. a. Qu'est-ce qu'on ne pourra plus faire dans six jardins publics de Paris ? (Section 1)
   b. Citez deux raisons pour cette mesure. (Section 1)
2. a. D'après le jardinier Franck, pourquoi quelques fumeurs sont scandalisés par cette interdiction ? (Section 2)
   b. Citez la phrase qui indique que les non-fumeurs regardent méchamment les fumeurs quand ils fument à l'extérieur d'un café. (Section 2)
3. a. Pour le pronom **les** trouvez le nom auquel il se réfère. (Section 3)
   b. Quel argument ceux en faveur de cette interdiction donnent-ils pour qu'elle devienne permanente ? (Section 3)
4. Que pourrait-il se passer en automne si l'expérience est positive ? (Section 4)
5. Citez deux façons dont les usagers du parc sont informés de l'interdiction de fumer. (Section 5)
6. The ban on smoking in some Parisian public parks has received mixed reactions. Do you agree? Refer to the text in support of your answer. (Two points, about 50 words in total.)

L'écrit

Répondez à 1, 2 ou 3.

1. Le weekend dernier, vous êtes allé(e) à une soirée où beaucoup de gens avaient trop bu. Racontez ce qui s'est passé. (Votre récit peut être réel ou imaginaire.) (90 mots environ)

2. Donnez vos réactions. (75 mots environ)

3. **Le shopping et les jeunes, c'est toute une histoire d'amour.**

   Pour les jeunes, le shopping est une activité sociale qu'ils prennent plaisir à réaliser en groupe. Faire les boutiques, trouver le jean qui leur plaît, la tenue pour la prochaine sortie, acheter des jeux vidéo, des livres ou même un parfum, c'est super ! Donnez vos réactions. (75 mots environ)

2014, Leaving Certificate HL, Section II, Q3 (b)

UNITÉ 7

La citoyenneté

Les sujets

- ❑ Les problèmes de société
- ❑ Les fausses informations
- ❑ Les conflits
- ❑ Le terrorisme
- ❑ La précarité
- ❑ La discrimination
- ❑ Le racisme
- ❑ Les inégalités hommes-femmes
- ❑ La politique et le droit de vote
- ❑ L'Europe
- ❑ Les eurosceptiques
- ❑ Les réfugiés

Grammaire

- ❑ La concordance des temps
- ❑ Le subjonctif présent
- ❑ Le passif
- ❑ Le passé simple

Focus examen

- ❑ Production écrite : pour impressionner l'examinateur

Les problèmes de société

À la fin de la leçon on pourra :

- parler des fausses informations
- parler des conflits
- parler du terrorisme
- savoir comment utiliser la concordance des temps avec la structure « si … ».

Les fausses informations

On s'échauffe !

1. À deux, lisez ces articles et décidez s'ils sont vrais – INFO – ou si ils sont faux – INTOX. Comparez avec votre classe et vérifiez les réponses.

a. La guerre en Syrie a fait plus de 350 000 morts dans les 7 premières années.
b. Google a été secrètement racheté par Apple.
c. Les émissions de gaz à effet de serre ont diminué de 12 % en 22 ans.
d. Il y aurait un terroriste par ville de plus de 100 000 habitants en France.
e. Le nombre de cambriolages a augmenté de 38 % en Irlande depuis 2015.
f. 750 millions de déchets flotteraient dans la mer méditerrannée.
g. Il se vend environ 130 millions de smartphones par mois dans le monde, soit 1,56 milliard par an.
h. Un terroriste qui avait l'intention de mettre une bombe dans l'aéroport de Paris, s'est perdu et s'est fait arrêter par le policier à qui il avait demandé son chemin.

AIDE

Le conditionnel passé est parfois utilisé dans les actualités pour évoquer des informations non vérifiées. En utilisant le conditionnel passé, vous pouvez créer vos propres « fake news ». Par exemple : « La Belgique aurait contesté le score de la finale de football ».

Infos : a ; c ; f ; g **Intox :** b ; d ; e ; h

2. Écoutez ces trois personnes parler de leurs confiances aux médias et aux réseaux sociaux pour s'informer et répondez aux questions qui suivent.

Oscar

a. Does Oscar watch the news? Why?
b. What does he use to be informed?
c. Does he trust social media to be informed about what's going on in the world? Why?

Virginie

d. Does Virginie watch the news? Why?
e. What does she use to be informed?
f. Does she trust social media to be informed about what's going on in the world? Why?

Li

g. Does Li watch the news? Why?
h. What does she use to be informed?
i. Does she trust social media to be informed about what's going on in the world? Why?

3. Maintenant, cherchez les mots et expressions suivants dans la transcription de l'exercice 2 page 442.

a. They go straight to the point
b. I don't trust everything I see
c. You have to choose your sources
d. I follow the news closely
e. I hate being manipulated
f. I realise they're completely made up

4. À deux, répondez aux questions suivantes.

a. Regardez-vous les informations ?
b. Qu'utilisez-vous pour vous informer ?
c. Faites-vous confiance aux réseaux sociaux pour vous informer sur le monde ?

AIDE

Il est important de rester au courant de ce qui se passe en France et dans les pays francophones. La section II de l'examen est souvent inspirée des actualités.
Pensez à utiliser des structures complexes :

- Je dois avouer que …
- Je dois bien admettre que …
- La raison pour laquelle je ne regarde pas les infos c'est que …

5. Avant de lire le texte qui suit, faites correspondre les mots et expressions avec leurs équivalents.

a. Que ce soit pour	**i.** Reliable sources
b. Des sources fiables	**ii.** Be it to
c. La surabondance d'informations fausses	**iii.** To become viral
d. Une lutte acharnée pour attirer	**iv.** To attract our attention
e. Tirer profit de la / de l' / du / des	**v.** The overwhelming amount of fake news
f. Se propager de manière virale	**vi.** A relentless fight to attract
g. L'un des défis majeurs de la / de l' / du / des	**vii.** To be suspicious of
h. Il faut trouver une nouvelle manière de s'y prendre pour	**viii.** To profit from
i. Se méfier du / de la / de l' / des	**ix.** We need to find a new way to go about this in order to
j. Des titres accrocheurs	**x.** To beware of

6. Lisez ce texte de prévention et répondez aux questions qui suivent.

1. Mensonge, vérité ou demi-vérité ? Manipulation ou réalité ? Ironie ou sérieux ? Ces questions se posent systématiquement à qui ose s'aventurer dans la jungle d'Internet, **que ce soit pour** rechercher **des sources fiables**, lire les actualités ou visionner des publicités, des photos et des vidéos sur les réseaux sociaux. Sur Internet, **la surabondance d'informations fausses**, d'images trafiquées, de propagande ou de publicités déformant la réalité n'est que le reflet de **la lutte acharnée pour attirer** l'attention du public, tout comme dans la vraie vie.

2. Les fausses informations par exemple **tirent profit de** la crédulité de nombreux lecteurs et de leur tendance à partager des contenus sans **les** vérifier. Leur but est de rassembler un maximum de fans afin de **se propager de manière virale**. La présence médiatique, le nombre de clics, les fans, les impressions, les votes et les nouveaux clients constituent la nouvelle monnaie numérique.

3. Pour les enfants et les jeunes, **l'un des défis majeurs du** monde numérique est d'arriver à évaluer la véracité des textes, des images et des vidéos qui les atteignent. Comme il y a quelques années avec les pourriels (spams), **il faut trouver une nouvelle manière de s'y prendre pour** pouvoir identifier les fausses nouvelles le plus rapidement possible. Quand on reçoit une information, on peut **se méfier du** titre : Les fake news ont souvent **des titres accrocheurs**. Des formulations comme « Ceci n'est pas une plaisanterie ! » ou « Important » doivent mettre la puce à l'oreille. Ces titres jouent aussi sur la ponctuation. S'ils sont écrits en majuscule ou comportent des points d'exclamation, c'est un premier indice qui doit retenir notre attention.

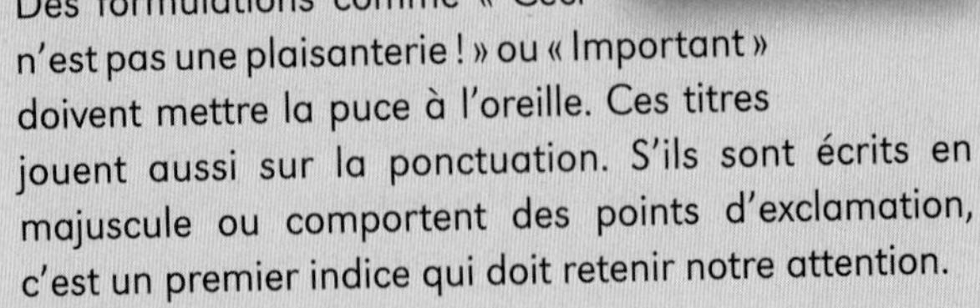

4. Vérifier les dates, l'URL, les photos, pouvoir comparer les faits en trouvant d'autres sources, c'est en étant initiés aux médias de manière critique et en apprenant à juger leurs contenus que les jeunes pourront distinguer les vraies informations des fausses et identifier les tentatives de manipulation. Il est important que les adultes utilisent leur expérience pour les accompagner dans l'établissement d'une distance critique avec les médias.

Adapté de : *www.jeunesetmedias.ch*

a. Citez deux exemples d'utilisation d'Internet où quelqu'un peut être confronté au problème de la manipulation des médias. (Section 1)

b. En plus des fausses informations, trouvez une autre forme de manipulation dans les médias. (Section 1)

c. i. De quel comportement de leurs lecteurs les fausses informations profitent-elles ? (Section 2)

   ii. Pour le pronom **les** dans la deuxième section, trouvez le nom auquel il se réfère.

d. Trouvez un conseil donné dans la section 3 pour évaluer la véracité d'une information sur Internet.

e. Comment les jeunes pourront-ils distinguer entre les vrais et les fausses informations selon la section 4 ?

f. This text gives good advice to help young people learn how to recognise fake news. Do you agree? Refer to the text in support of your answer. (Two points, about 50 words in total.)

7. Faites-vous confiance aux médias et aux réseaux sociaux pour vous informer sur le monde ?

(75 mots environ) *2018, Leaving Certificate HL, Section II, Q4 (b)*

AIDE

Faites un plan et utiliser le vocabulaire des exercices précédents. Voilà un exemple de plan possible :

- Introduction générale (confiance ou non) ?
- Raison 1 (exemple : trop d'informations, difficile de trouver des sources fiables)
- Raison 2 (exemple : manipulation de la vérité à des fins politiques ou économiques)
- Personnellement (comment vous informez-vous)
- Solutions (éducation aux médias à l'école, protections plus sévères sur les réseaux sociaux)
- Conclusion

Les conflits

On s'échauffe !

8. Avec le reste de la classe, associez des mots qui vous viennent à l'esprit à chacun des mots suivants.

VIOLENCE **CONFLIT** **VICTIME** **DÉMOCRATIE**

AIDE

Ce travail de groupe est plus efficace si la parole est spontanée et donc si vous ne levez pas la main. Vous pouvez aussi travailler en groupe et choisir quelqu'un qui écrit vos idées puis faire une petite compétition entre groupe pour voir qui a récolté le plus de mots.

9. À deux, classez ces mots dans la bonne catégorie selon qu'il s'agit d'une CAUSE ou d'une CONSÉQUENCE des guerres. Comparez ensuite avec votre classe pour voir si vous êtes tous d'accord.

- Les problèmes économiques
- Les luttes de pouvoir
- La pauvreté
- L'impérialisme territorial
- Les enjeux pétroliers
- La famine
- Les comportements religieux extrémistes
- Les héritages historiques
- Des victimes parmi les civiles et les militaires
- Des déplacements de population, de réfugiés
- La course à l'armement nucléaire
- L'augmentation du coût de la vie
- La destruction des infrastructures par les bombardements
- Les maladies et les épidémies

10. En utilisant les mots ci-dessus, complétez ces phrases.

a. Les guerres ont plusieurs causes : elles peuvent être provoquées par …

b Il y a diverses raisons aux conflits qui éclatent un peu partout dans le monde : …

c. Les conséquences des guerres peuvent être dramatiques : il peut y avoir …

d. À cause du conflit, la population souffre de …

e. Il n'est pas rare de voir les conséquences désastreuses de la guerre à la télévision. Les images de … montrent que la situation est grave dans ces pays.

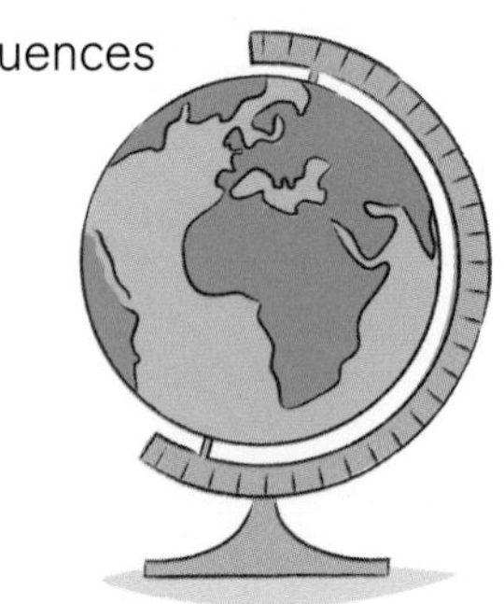

11. Écoutez ces phrases qui décrivent des solutions aux guerres dans le monde et faites correspondre le début des phrases avec la fin qui y correspond.

a. Dans certains pays, il faudrait défendre la …	**i.** … le respect et qu'on promeut la tolérance.
b. Si nous voulons aider les pays en guerre, il faut absolument privilégier …	**ii.** … liberté d'expression.
c. Avant que les pays n'entrent en guerre, il faudrait d'abord les aider à protéger leur …	**iii.** … développement économique et social.
d. Quelles que soient ses opinions politiques, il est indispensable de lutter …	**iv.** … vote et instaurer des démocraties.
e. La paix peut s'installer si on enseigne …	**v.** … les solutions diplomatiques.
f. Pour prévenir des conflits, il faudrait défendre le droit de …	**vi.** … pour les Droits de l'homme.

12. Écrivez un paragraphe pour répondre à cette question : « Pensez-vous que notre monde devient de plus en plus dangereux à cause du nombre de conflits et de guerres qui se multiplient ? ».

AIDE

Gardez ce paragraphe car il vous aidera faire votre production écrite plus tard dans ce chapitre. Regardez la section *Focus examen* page 414 pour vous aider.

Vocabulaire :

- Le problème du / de la / de l' / des …
  - … est sur toutes les lèvres
  - … est trop souvent à la une des journaux
  - … est un sujet brûlant
  - … est hélas toujours trop d'actualité.
  - … est un problème majeur de nos jours.
- Il est évident que le nombre de guerres et de conflits a augmenté à travers le monde et cela pour plusieurs raisons …
- Nous avons la chance de vivre dans un pays en paix mais à travers le monde d'autres pays souffrent de …
- Comme les armes deviennent de plus en plus sophistiquées …
- Il n'existe pas de solution miracle. Cependant, il faudrait / on pourrait …

Le terrorisme

On s'échauffe !

13. Seul ou à deux, faites correspondre les mots et expressions suivants avec leurs traductions. Pouvez-vous penser à d'autres mots liés au terrorisme ?

a. Une attaque terroriste	**i.** To cause an explosion
b. Le règne de la peur	**ii.** To create a panic
c. Créer la panique	**iii.** The reign of terror
d. Une alerte à la bombe	**iv.** To be shot at
e. Faire sauter une bombe	**v.** Hatred
f. La haine	**vi.** A bomb scare
g. Tirer dans la foule	**vii.** To have road blocks
h. Un auteur d'attentat suicide	**viii.** So-called Islamic State
i. Se faire tirer dessus	**ix.** To shoot into the crowd →

j. Renforcer la sécurité	x. A suicide bomber
k. Faire des barrages	xi. In the name of
l. Fouiller les sacs	xii. A religious fanatic
m. Un fanatique religieux	xiii. A terrorist attack
n. Au nom de	xiv. To tighten security
o. Le soi-disant État islamique	xv. To search bags

14. Écoutez ces deux personnes qui parlent de leurs réactions face aux dangers du terrorisme et répondez aux questions.

Amélia

a. Is Amélia afraid of terrorism?
b. How many victims were there on 14th July 2016?
c. What security measures does Amélia mention? (One detail)
d. How has her life changed in the past few years? (One detail)

Gilles

e. Where does Gilles live?
f. Why does he insist on carrying on as usual?
g. When did the attack on the Bataclan concert hall happen?
h. What did he do when the Bataclan re-opened?

15. Maintenant cherchez les mots et expressions suivants dans la transcription de l'exercice 14 page 443.

a. Somebody drove into the crowd
b. I don't feel safe any more
c. Suicide bombers can strike anywhere, any time
d. As if the threat didn't exist
e. I refuse to yield to the reign of terror
f. Life goes on
g. Hostage to fear

16. Avant de lire l'extrait littéraire suivant, faites correspondre les mots et expressions suivants avec leurs traductions.

a. Boire à petites gorgées	**i.** To put someone in danger
b. Un jour de deuil	**ii.** To deserve
c. Sans qu'il s'en rende compte	**iii.** Tied up
d. Jusqu'à l'écœurement	**iv.** To sip
e. Noyer le poisson	**v.** A day of mourning
f. De nouveau	**vi.** To sue
g. Mériter	**vii.** To give one's point of view
h. À quoi bon ?	**viii.** Ad nauseam (up to the point of being completely disgusted)
i. Mettre quelqu'un en danger	**ix.** To avoid the question
j. Ligoté	**x.** Yet again
k. Faire un procès	**xi.** Without his noticing
l. Donner son avis	**xii.** What's the point?

17. Maintenant lisez cet extrait et répondez aux questions qui suivent.

Lors des attentats du 13 novembre 2015, le frère de Benjamin est tué. Le lendemain, Benjamin reconnait l'un des terroristes et le suit jusqu'à son appartement où vit Layla. Dans cette scène, Benjamin parle avec Layla.

AIDE

Charlie

L'attentat contre *Charlie Hebdo* est une attaque terroriste islamiste perpétrée contre le journal satirique *Charlie Hebdo* le 7 janvier 2015 à Paris. Ce journal avait publié des dessins satiriques du prophète Mohamet qui avaient provoqué des manifestations de la communauté musulmane ainsi qu'un procès contre les publications. Au lendemain de l'attaque, on pouvait lire « Je suis Charlie » en message de solidarité sur les réseaux sociaux.

1. —C'est drôle, je me dis que Pierre … Il aurait aimé nous voir faire ça … Essayer de se parler … de se comprendre.

—Tu crois que c'est possible ?

—Je ne sais pas.

Le café le brûlait, il **buvait à petites gorgées**.

—Tu sais ce qui va se passer ? demanda-t-il, sans la regarder, comme pour lui-même.

Elle secoua la tête.

—Après les trois **jours de deuil**, après la minute de silence dans toutes les écoles, il y aura des discours. Des lois. Des accusations. Des contre-accusations. On va parler de civilisations. On va parler d'islamophobie.

—**Sans qu'il s'en rende compte**, sa tasse vide tapotait la table de la cuisine, de plus en plus vite.

—**Jusqu'à l'écœurement**, pendant deux ou trois semaines, on va **noyer le poisson**. Puis on évacuera la question, comme on l'a fait en janvier après Charlie.

2. Elle fit la moue à cette évocation, il poursuivit :

—… Oui, tu vois. On a déjà oublié Charlie. Dix mois après. Pourtant, on savait que ça se produirait **de nouveau** … Et on est tous stupéfaits. Tous.

Elle dit, froidement :

—Je n'étais pas Charlie, moi en janvier.

—Moi non plus. Enfin pas comme il …

—Non, je veux dire … je n'étais pas d'accord pour qu'ils les tuent, bien sûr. Mais pas d'accord non plus pour qu'on se moque du prophète.

—Et tu as pensé quoi ? Qu'ils avaient eu ce qu'ils **méritaient**, les dessinateurs ?

—Non, non. J'ai pensé … je ne sais pas ce que j'ai pensé …

Il hésita à poursuivre – **à quoi bon**, au fond ? – et puis finalement, si :

—Raconte.

Elle ferma les yeux, inspira.

—Quand ils ont publié les caricatures, mes parents ont participé à une manifestation contre la publication … on vivait en région parisienne, à l'époque … j'avais douze ans.

3. Elle parlait les yeux baissés.

—Mon père et ma mère étaient fiers, je crois, leur première manifestation … Et le soir, quand ils sont rentrés, nous avons regardé les images à la télévision.

—Et ?

—À la télé, ils traitaient mes parents d'obscurantistes. Ils disaient que nous **mettions la république en danger**. C'était comme ça : les autres, ils avaient le droit de se moquer du prophète, et mes parents, ils n'avaient pas le droit de … de dire ce que nous pensions. Même légalement.

Elle le regarda.

—Je me souviens, j'ai pensé : la liberté d'expression, c'est leur liberté de leur expression.

4. Etait-ce vraiment le moment qu'une parole se libère, là-dessus ? Dans cette cuisine, avec l'assassin **ligoté**, dans la pièce d'à côté ? Benjamin eut un doute, de nouveau. Et cependant, au fond … quel meilleur moment ? Quand les morts auraient été enterrés ?

—… Et ensuite, quand il y a eu cette association qui a **fait un procès** pour nous représenter, ils ont dénoncé cela comme le retour de l'obscurantisme.

—Oui, dit-il, après un long silence. C'est le débat. Tout le monde **donne son avis**, jusqu'à l'injure, jusqu'au blasphème. Mais ensuite, quand Charlie a gagné son procès, ça aurait dû s'arrêter là …

—Comme ça ? Tout le monde donne son avis, et ensuite on en écoute un seul ? Et on se moque des autres ?

Adapté de : *Samedi 14 novembre*, de Vincent Villeminot, édition Sarbacane, 2016

a. **i.** Citez une des choses qui va se passer après l'attentat d'après Benjamin. (Section 1)

ii. Trouvez la phrase qui indique que Benjamin est très nerveux. (Section 1)

b. Trouvez un verbe au conditionnel passé dans la section 1.

c. **i.** Si Layla ne voulait pas que les terroristes tuent les journalistes pendant l'attaque de Charlie, en quoi n'était-elle pas d'accord ? (Section 2)

ii. Qu'a fait la famille de Layla après la publication des dessins satiriques ? (Section 2)

d. Trouvez l'adjectif que les médias ont utilisé pour décrire les manifestants comme les parents de Layla. (Section 3)

e. Où se trouve le terroriste qui a tué le frère de Benjamin ? (Section 4)

f. What do we learn about Layla's reactions after the attacks against the satirical newspaper *Charlie Hebdo*? Refer to the text in support of your answer. (Two points, about 50 words in total.)

18.

« Notre monde devient de plus en plus dangereux à cause du nombre de conflits, de guerres, et d'actes de terrorisme qui se multiplient. »

Donnez vos réactions.

(75 mots environ)

2015, Leaving Certificate HL, Section II, Q.4 (b)

AIDE

Utilisez votre paragraphe de l'exercice 12. Adaptez-le en ajoutant le problème du terrorisme. Pouvez-vous l'améliorer ?

GRAMMAIRE

La concordance des temps : Si ...

The tenses used in structures using 'if' depend on the context in French. Here, we will narrow it down to three cases that you can use to show your skills when speaking or writing in the exam:

1. *si + présent*
2. *si + imparfait*
3. *si + plus-que-parfait*

Si clauses are used to indicate possibilities that may or may not become reality. There are thus two parts to this type of structure:

***si* clause** (the condition)	+	**result clause** (indicating what will happen if the condition is met)
Si tu veux	+	*tu peux*
If you want	+	you can

Or equally:

result clause	+	***si* clause**
Tu peux	+	*si tu veux*
You can	+	if you want

The tense used in the result clause depends on the *si* clause. In French, this is called *la concordance des temps*. The tenses in these structures follow a prescribed sequence:

⟵	Si clause	Result clause	⟶
Condition may be fulfilled	**Si + présent** S'il fait beau *If the weather is nice*	**Présent** Tu joues dehors *You play outside* **Futur** Tu joueras dehors *You will play outside*	*Seen as possible, regular occurrence, habit*
Contrary to current facts	**Si + imparfait** S'il faisait beau *If the weather was nice*	**Conditionnel** Tu jouerais dehors *You would play outside*	*Seen as impossible*
Contrary to past facts	**Si + plus-que-parfait** S'il avait fait beau *If the weather had been nice*	**Conditionnel passé** Tu aurais joué dehors *You would have played outside*	*Unrealised past possibility*

Note that *si* followed by *il* becomes *s'il: S'il avait révisé, il n'aurait pas râté ses examens.*

Note that *si* can also mean different things, depending on the context and its grammatical use:

- **If:** ***Si*** *tu le dis, je te crois* = If you say so, I believe you.
- **Yes:** *« Je ne l'ai pas vu. » «* ***Si****, il est venu hier ! »* = 'I didn't see him.' 'Yes, he came yesterday!'
- **So** (adv.)**:** *Il est* ***si*** *gentil* = He is so kind.

1. Choisissez le bon verbe.

a. Si j'**habite / habitais / avais habité** en ville, je ne serais pas rassuré.

b. Si le gouvernement **fait / faisait / avait fait** plus d'efforts, nous pourrons régler le problème.

c. Si tu n'**as pas / avais pas / avais pas eu** de cours particuliers, tu aurais raté ton examen de maths.

d. S'il **fait / faisait / avait fait** beau, nous allons à la plage.

e. Si mes parents **sont / étaient / avait été** d'accord, je pourrais partir à l'étranger.

f. Si elle **téléphone / téléphonait / avait téléphoné**, dis-lui que je suis parti

g. Il a dit qu'il viendrait si nous lui **payons / payions / avions payé** son billet de train.

Si je **gagne / gagnais / avais gagné** au loto, je donne la moitié à mes parents.

G

2. Complétez ces phrases avec les bons verbes. Attention à la concordance des temps !

a. Si j'étais une application, je __________ (être) Facebook.

b. Si j'__________ (être) une fleur, je serais la rose.

c. Si tu __________ (venir) maintenant, je peux t'amener en voiture.

d. Si je __________ (gagner) à l'Euromillions, je donnerais de l'argent à ma famille.

e. S'il fait beau, on __________ (pouvoir) aller à la mer demain.

f. Si tu me __________ (parler) sur ce ton, tu vas avoir des problèmes !

g. Si nous étudions régulièrement, nous __________ (réussir) nos examens.

h. S'il __________ (savoir), il ne serait pas content.

Bilan du chapitre 25

On révise le vocabulaire

1. Traduisez les mots suivants.
   a. Poverty
   b. The consequences of war
   c. A terrorist attack
   d. Hatred
   e. To search bags
   f. To put someone in danger
   g. Life goes on
   h. A bomb scare

2. Traduisez les phrases suivantes.
   a. **L'un des défis majeurs dans notre monde, c'est d**'éradiquer les guerres.
   b. **Il faut trouver une manière de s'y prendre pour** que la guerre s'arrête enfin.
   c. **Il n'est pas rare de voir les conséquences de** la guerre à la télévision
   d. **Si nous voulons** aider les pays en guerre, **il faudrait** privilégier les solutions diplomatiques.
   e. **Quelle que soit son opinion politique, il est indispensable de** défendre la liberté d'expression.

3. Maintenant, utilisez les structures en caractères gras ci-dessus pour créer vos propres phrases.

4. Traduisez le sens général des expressions suivantes.
   a. Ça m'a mis la puce à l'oreille !
   b. Ils nous parlent de ce problème jusqu'à l'écœurement.
   c. À quoi bon lui dire ? Il fera ce qu'il voudra de toute façon !
   d. Il est parti sans qu'elle ne s'en rende compte.

On révise la grammaire

5. Transformez les verbes entre parenthèses en choisissant le bon temps.
   a. Si tu avais une voiture, tu ____________ (pouvoir) aller à l'école tout seul.
   b. On réussira à régler le problème de l'insécurité urbaine si on ____________ (prendre) des mesures sévères.
   c. Si j'____________ (faire) plus d'effort, j'aurais réussi.
   d. Si la police ____________ (être) dans la rue, il n'y a pas de problème.
   e. On ne serait pas arrivé en retard si tu n'____________ pas ____________ (dormir) jusqu'à 11h.
   f. Si tout le monde ____________ (aider) les pays en voie de développement, il n'y aurait plus de pauvreté.

Chapitre 26

La précarité

À la fin de la leçon on pourra :

- parler de la précarité
- parler du problème des sans-abris
- savoir utiliser le subjonctif présent.

La précarité en France

On s'échauffe !

1. Regardez la vidéo de www.1jour1actu.com/info-animee/cest-quoi-etre-sdf qui explique ce qu'est un SDF et entourez les mots que vous avez entendus (cinq mots et expressions ne sont pas dans la vidéo). Si vous ne pouvez pas regarder la vidéo, à deux essayez de traduire les mots suivants.

AIDE

Idée jeu : Créez deux équipes avec chacune un capitaine qui viendra au tableau. Les mots seront affichés à droite et à gauche du tableau, chaque capitaine devra entourer les mots quand il les entend dans la vidéo. L'équipe qui a le plus de mots a gagné.

a. Sans Domicile Fixe
b. Au chomâge
c. La précarité
d. Un logement
e. Faire la manche
f. Un abris
g. Un divorce
h. En difficulté
i. Un salaire faible
j. L'isolement
k. La survie
l. Dormir sous les ponts
m. Un centre d'hébergement
n. La pauvreté
o. Le métro
p. Risquer leur vie
q. Être mal vu
r. S'attaquer à la question
s. La rue
t. Rechercher un travail
u. 112 000 personnes
v. La dépendance

2. Faites correspondre ces mots et ces définitions.

a. La précarité	**i.** Période d'inactivité professionnelle due au manque de travail
b. Le chômage	**ii.** Un manque de réseau, une absence ou une pauvreté de contacts sociaux, une solitude sociale
c. Les SDF	**iii.** Acronyme signifiant « sans domicile fixe », les sans-abri
d. L'isolement social	**iv.** Caractère de ce qui est précaire, de ce qui est incertain, de ce qui n'a pas de stabilité
e. La xénophobie	**v.** Hostilité à l'égard des étrangers

3. Écoutez cette biographie de l'abbé Pierre et répondez aux questions qui suivent.

a. Who in particular does the Emmaüs Organisation help?

b. **i.** How do the Emmaüs Communities finance themselves? Two of the following statements are true; which ones?

A. They salvage furniture and other objects and sell them.

B. They build new houses.

C. Through donations.

ii. When was the first Emmaüs Community founded and why?

c. **i.** What happened during the terrible winter of 1954?

ii. Where did l'abbé Pierre make his appeal for help?

d. Give two details describing l'abbé Pierre's physical appearance.

e. How old was l'abbé Pierre when he died?

4. Maintenant cherchez ces mots et expressions dans la transcription de l'exercice 3 page 443.

a. The defender

b. The destitute

c. The poor

d. Famous

e. The homeless (*les m _ _ - l _ _ _ _*)

f. He never stopped defending

g. To live on the street

5. Avant de lire l'article qui suit, faites correspondre les mots et expressions suivants avec leurs traductions.

a. Connaître la galère	**i.** To help each other
b. Joindre les deux bouts	**ii.** To make ends meet
c. Vivre sous le seuil de pauvreté	**iii.** To live below the poverty line
d. Subvenir à ses besoins	**iv.** To tighten one's belt
e. Le calvaire	**v.** To support someone
f. Compter sur son entourage	**vi.** To count on one's friends
g. Cumuler les emplois précaires	**vii.** To make oneself useful
h. Être au chômage	**viii.** To go through hardship
i. Se serrer la ceinture	**ix.** To be unemployed
j. Avoir recours à	**x.** An ordeal
k. Se rendre utile	**xi.** To have several insecure jobs
l. S'entraider	**xii.** To resort to

6. Lisez ce texte et répondez aux questions qui suivent.

Précarité : le défi jeunes

Ils sont loin du marché du travail ou ont des emplois instables ; ils connaissent la galère et ont du mal à joindre les deux bouts : les jeunes pauvres sont de plus en plus nombreux. Le Secours Catholique se mobilise.

1. Un sur cinq : c'est le nombre de jeunes de 18 à 29 ans qui **vivent sous le seuil de pauvreté**. Une réalité qui n'est d'ailleurs pas propre à la France. La précarité est d'abord étudiante : un étudiant sur deux doit travailler à côté de ses études pour **subvenir à ses besoins**. En cause notamment l'apparition de nouveaux coûts comme l'achat d'un ordinateur et les frais liés à la mobilité (stages, séjours d'étude à l'étranger ...).

2. Une fois les études terminées commence **le calvaire** de l'arrivée sur le marché du travail. Et le jeune, s'il n'a pas encore atteint ses 25 ans, ne peut pas prétendre au RSA et doit souvent **compter sur son entourage**. Or l'âge moyen d'accès à l'emploi stable est désormais de 27 ans. En attendant, les jeunes **cumulent les emplois**

précaires ou **sont au chômage** : 25 % des moins de 25 ans n'ont pas d'emploi. Les jeunes précaires doivent se **serrer la ceinture** pour faire face au coût de la vie. Ils n'hésitent pas à **avoir recours à** des colis alimentaires et habitent soit encore chez leurs parents (de plus en plus longtemps), soit chez des copains, quand ils ne tombent pas dans le piège de la rue. Ainsi, un SDF sur quatre a moins de 30 ans. João, demandeur d'emploi, touche le RSA : « Je me prive de vêtements et de sorties. Je me serre la ceinture pour qu'il reste quelque chose à ma fille à la fin du mois. »

3. Cette précarité a des conséquences désastreuses car les jeunes se retrouvent vite isolés. C'est pour répondre à cet isolement que le réseau Young Caritas du Secours Catholique est ouvert aux jeunes de tous horizons, précaires ou non. La force du bénévolat et l'envie d'être acteur et de **se rendre utile** les animent. « Il y a une réelle mixité sociale et cela est riche. Les liens qui se créent entre les jeunes sont forts. Ils **s'entraident** pour l'hébergement, pour trouver un job », observe Tidiane Cissoko, animateur en Seine-Saint-Denis.

Adapté de : *www.secours-catholique.org*, le 25 juin 2018

AIDE

RSA : revenu de solidarité active. C'est une somme d'argent (une aide sociale) versée par le gouvernement aux personnes sans ressources.

a. i. À quoi correspond le chiffre 20 % dans la section 1 ?
ii. Que doivent faire 50 % des étudiants français ? (Section 1)
iii. Citez une raison pour laquelle les étudiants doivent travailler en plus de leurs études. (Section 1)

b. i. Citez la phrase qui indique que les jeunes doivent faire attention à ne pas dépenser. (Section 2)
ii. De quoi João se passe-t-il pour faire des économies ? (Section 2)

c. Trouvez un adverbe dans la section 2.

d. i. Quelle est l'une des répercussions à cette précarité ? (Section 3)
ii. Qu'est-ce qui motive les jeunes qui participent au réseau Young Caritas du Secours Catholique ? (Section 3)

e. Trouvez une des choses pour laquelle les jeunes s'entraident. (Section 3)

f. A lot of young people are poor in France and have a challenging time. Do you agree? Refer to the text in support of your answer. (Two points, about 50 words in total.)

7. Écoutez le responsable ainsi qu'un bénévole de l'association « Les Restos du Cœur », puis répondez aux questions.

AIDE

Pour des chiffres sur l'aide apportée par les Restos du Coeur, visitez www.restosducoeur.org. Des chiffres peuvent vous aider à améliorer une production écrite sur le sujet de la pauvreté, de la précarité ou des sans-abris.

Le responsable

a. i. In what year was the association Les Restaurants du Cœur founded?
ii. How does this association help the destitute?

b. How many meals have been served since Les Restos du Cœur was created?

c. i. How many people earn less than €645 per month in France?
ii. Name two ways in which this association is financed.

Le bénévole

d. i. How long has he been a volunteer with Les Restos du Cœur?
ii. Why did he choose this charity over others?

e. How often does he work in Les Restos du Cœur?

f. i. Name two things he likes about this charity.
ii. Besides hot meals, name one thing that Les Restos du Cœur offers.

8. Maintenant, cherchez les mots et expressions suivants dans la transcription de l'exercice 7 page 443.

- **a.** To give assistance to
- **b.** The destitute
- **c.** Below the poverty line
- **d.** Outdated
- **e.** To give a hand
- **f.** Full-time
- **g.** Conviviality
- **h.** Co-operation
- **i.** Team spirit
- **j.** To rehabilitate

9. Faites correspondre les textes avec leur titre. Ensuite, répondez aux questions qui suivent.

A. Qu'est-ce que le bénévolat ?

B. Combien y a-t-il de bénévoles en France ?

C. Qui dirige ces associations ?

D. Où s'informer ?

i. Auprès des centres de ressources et d'informations des bénévoles (CRIB). Ils ont pour mission de venir en appui aux bénévoles et aux associations, de les accompagner dans toutes les démarches administratives, comptables ou juridiques. Le dispositif est particulièrement destiné aux petites et moyennes associations.

ii. Si on se réfère aux définitions du dictionnaire Robert, c'est « quelqu'un qui est bienveillant » et du Conseil économique et social : « quelqu'un qui s'engage librement pour mener à bien une action non salariée, en dehors de son temps professionnel et familial ». Le bénévolat est donc un don de temps librement consenti et gratuit.

iii. Les bénévoles qui s'occupent des associations restent majoritairement des hommes (54 %) mais le nombre de femmes progresse sensiblement. Le ministère de la Santé, de la Jeunesse et des Sports encourage cette évolution auprès des associations. De même, ils sont plus souvent âgés du fait de leur expérience, de leur disponibilité et de leur attachement à l'association dont ils sont parfois les fondateurs. Mais les associations créées récemment font une plus large place à de plus jeunes dirigeants bénévoles.

iv. On estime actuellement à environ 14 millions le nombre de bénévoles. Ils animent 1 100 000 associations.

- **a.** Citez deux actions du CRIB.
- **b.** Trouvez l'expression qui veut dire « pas payé ».
- **c.** Donnez une définition du bénévolat.
- **d.** Les hommes sont plus nombreux dans les postes de directions des associations caritatives. Vrai ou faux ?
- **e.** Les dirigeants sont souvent ceux qui ont créé l'association dans laquelle ils travaillent. Vrai ou faux ?
- **f.** Quelles associations comptent plus de jeunes ?
- **g.** À quoi correspond le nombre « 1 100 000 » ?

10. Faites correspondre les expressions familières avec leurs équivalents.

a. SDF	**i.** Mal habillé
b. Mal fagoté	**ii.** Mettre dans son sac
c. Une clope	**iii.** J'ai deux ans d'avance à l'école
d. Fourrer dans son sac	**iv.** Une cigarette
e. Ça fait son petit effet	**v.** Ça impressionne
f. J'ai sauté des classes	**vi.** Sans Domicile Fixe (sans-abris)

11. Lisez ce texte et répondez aux questions qui suivent.

Lou est à la gare Austerlitz et rencontre No, une jeune SDF, pour la première fois.

1. J'attendais l'arrivée du TER de 16h 44, en provenance de Clermont-Ferrand, c'est mon préféré parce qu'il y a toute sorte de gens, des jeunes, des vieux, des bien habillés, des gros, des maigres, des **mal fagotés** et tout. J'ai fini par sentir que quelqu'un me tapait sur l'épaule, ça m'a pris un peu de temps parce que j'étais très concentrée, et dans ce cas-là un mammouth pourrait se rouler sur mes baskets, je ne m'en rendrais pas compte. Je me suis retournée.
   –T'as pas **une clope** ?
   Elle portait un pantalon kaki sale, un vieux blouson troué aux coudes, une écharpe Benetton comme celle que ma mère garde au fond de son placard, en souvenir de quand elle était jeune.
   –Non, je suis désolée, je ne fume pas. J'ai des chewing-gums à la menthe, si vous voulez.
   Elle a fait la moue, puis m'a tendu la main, je lui ai donné le paquet, elle l'a **fourré dans son sac**.

2. –Salut, je m'appelle No. Et toi ?
   –No ?
   –Oui.

–Moi, c'est Lou ... Lou Bertignac. (En général, **ça fait son petit** effet, car les gens croient que je suis de la famille du chanteur, peut-être même sa fille. Une fois quand j'étais au collège, j'ai fait croire que oui, bon après ça s'est compliqué, quand il a fallu que je donne des détails, que je fasse signer des autographes et tout, j'ai dû avouer la vérité.) Cela n'a pas eu l'air de l'émouvoir. Je me suis dit que ce n'était pas son genre de musique. Elle s'est dirigée vers un homme qui lisait son journal debout, à quelques mètres de nous. Il a levé les yeux au ciel en soupirant, a sorti une cigarette de son paquet, elle l'a attrapée sans le regarder, puis elle est revenue vers moi.

3. –Je t'ai déjà vue ici, plusieurs fois. Qu'est-ce que tu fais ?
–Je viens pour regarder les gens.
–Ah. Et des gens, y'en a pas par chez toi ?
–Si. Mais c'est pas pareil.
–T'as quel âge ?
–Treize ans.
–T'aurais pas deux ou trois euros, j'ai pas mangé depuis hier soir ?
J'ai cherché dans la poche de mon jean, il me restait quelques pièces, j'ai tout donné sans regarder. Elle a compté avant de refermer sa main.
–T'es en quelle classe ?
–En seconde.
–C'est pas l'âge normal, ça ?
–Ben ... non. J'ai deux ans d'avance.
–Comment ça se fait ?
–**J'ai sauté des classes**.
–J'ai bien compris, mais comment ça se fait, Lou, que t'as sauté des classes ?

4. J'ai trouvé qu'elle me parlait d'une manière bizarre, je me suis demandé si elle n'était pas en train de se moquer de moi, mais elle avait un air très sérieux et très embêté à la fois.
–Je ne sais pas. J'ai appris à lire quand j'étais à la maternelle, alors je ne suis pas allée au CP, et puis après j'ai sauté le CM1. En fait je m'ennuyais tellement que j'enroulais mes cheveux autour d'un doigt et je tirais dessus, toute la journée, alors au bout de quelques semaines j'ai eu un trou. Au troisième trou, j'ai changé de classe.

Extrait de : *No et moi*, de Delphine de Vigan, édition Jean-Claude Lattès, 2007

a. **i.** Pourquoi Lou préfère-t-elle le TER de 16h 44 ? (Section 1)
ii. Citez deux sortes de personnes qui descendent du TER. (Section 1)

b. Pourquoi Lou ne remarque pas que quelqu'un lui tape sur l'épaule ? (Section 1)

c. Que demande No à Lou ? (Section 1)

d. **i.** Pourquoi Lou pense que No sera impressionnée par son nom de famille ? (Section 2)
ii. Citez la phrase qui montre que No n'est pas impressionnée. (Section 2)

e. **i.** D'après la troisième section:
A. Lou est très jeune pour être dans sa classe ☐
B. Lou passe le bac cette année ☐
C. Lou va passer en seconde ☐
D. Lou a arrêté l'école. ☐
ii. Citez la phrase qui indique ce que Lou faisait quand elle s'ennuyait en classe. (Section 4)
iii. Trouvez dans la quatrième section un adjectif masculin singulier.

f. Lou and No are very different teenagers. Do you agree? Refer to the text in support of your answer. (Two points, about 50 words in total.)

La précarité en Irlande

On s'échauffe !

12. En utilisant le vocabulaire des exercices ci-dessus, traduisez le paragraphe suivant.

If most people think they have to tighten their belts to make ends meet in Ireland, the reality for some people is even worse. Too many people live below the poverty line and some have experienced the ordeal of living in the streets. They have to beg to survive. Those who cannot count on their circle of friends have to sleep in the streets and sometimes, when the weather is cold, risk their lives.

AIDE

Si vous avez des problèmes pour traduire certains points grammaticaux ou du vocabulaire, essayez de trouver un équivalent. Par exemple : « *Most people* » peut être remplacé par « *a lot of people* ». Quand vous écrivez une production écrite, ne traduisez pas mot à mot ce que vous voulez dire. Traduisez le sens !

13. À deux, préparez les réponses aux questions suivantes à l'oral.

a. Est-ce qu'il y a un problème de pauvreté, d'inégalités en Irlande ?

b. Est-ce qu'il y a beaucoup de sans-abri dans votre ville ?

c. D'après vous, comment devient-on sans-abri ?

d. Que peut-on faire pour les aider ?

e. Avez-vous déjà fait partie d'une association caritative ?

AIDE

Vocabulaire :

- Il y a plusieurs raisons pour lesquelles une personne se retrouve SDF …
- Une personne peut devenir sans-abris à cause du / de la / de l' / des …
- On pourrait …
- Il faudrait …
- Pour les aider, il vaut mieux donner directement à une association qu'aux SDF dans la rue.
- Je pense qu'il faut donner de l'argent aux SDF dans la rue pour qu'ils puissent manger.

14. « Ce n'est pas vraiment ma faute s'il y en a qui ont faim. Mais ça le deviendra, si on n'y change rien ». Êtes-vous d'accord avec cette déclaration ? Est-ce notre responsabilité d'aider les plus démunis ?

(75 mots environ)

15. Écoutez ce journaliste qui nous parle de la crise du logement en Irlande et répondez aux questions qui suivent.

a. i. How many homeless people are there in Ireland?

ii. How many children are homeless in Ireland?

b. According to the journalist, who is affected by the housing shortage?

c. i. Where does Stephen live at the moment with his three children?

ii. At what time would Stephen find out where he and his family were going to sleep?

d. According to Stephen, what do people think if someone with young children is homeless?

e. What do homeless charities require from the government?

16. Maintenant, cherchez les mots et expressions suivants dans la transcription de l'exercice 15 page 444.

a. The country faces the worst housing crisis in over a decade
b. Austerity
c. Rental rates have skyrocketed
d. Temporary accommodation
e. Working class
f. Middle class
g. Ghost estates
h. On the outskirts
i. The housing market
j. Social housing

17. « En Irlande aussi, la situation des personnes sans domicile fixe (SDF) est assez grave. » À votre avis, est-ce qu'on fait assez pour résoudre ce problème ?

(90 mots environ)

2015, Leaving Certificate HL, Section II, Q1 (a)

GRAMMAIRE

Le subjonctif présent

The present subjunctive has no direct translation in English. It is used very widely in both spoken and written French. The subjunctive is a mood and it is used to express a doubt, a wish, a possibility, an opinion or a feeling. A mood indicates whether the verb expresses a fact (the indicative mood), a command (the imperative mood), a condition (the conditional mood), or a wish or possibility (the subjunctive mood).

It is important to learn some of the expressions that require the subjunctive and use them in your written work. If you are asked to find a verb in the subjunctive, look at the verbs that have *que* in front of them, e.g. *Bien **que** je **sois** riche.*

To form the present subjunctive, take the *nous* form of the **present tense**, drop the ending -**ons**, and then add the following endings:

Infinitive	⟶	**Present tense**	⟶	**Stem**	⟶	**Subjunctive**
finir	⟶	*nous finissons*	⟶	*finiss-*	⟶	*[que] je finiss**e***
						*[que] tu finiss**es***
						*[qu']il / elle / on finiss**e***
						*[que] nous finiss**ions***
						*[que] vous finiss**iez***
						*[qu']ils / elles finiss**ent***

This rule works for all the regular verbs, being **-er** verbs (*parler* ⟶ *nous parlons* ⟶ *parl-* ⟶ *[que] je parle*), **-ir** verbs (as in the example above) and **-re** verbs (*vendre* ⟶ *nous vendon* ⟶ *vend-* ⟶ *[que] je vende*). Notice that the *je* form of regular **-er** verbs in the *subjonctif* look the same as in the *présent de l'indicatif.*

Here are a few of the irregular verbs. You can learn more from the *tableau de verbes irréguliers* on page 450.

	avoir (to have)	être (to be)	aller (to go)	recevoir (to receive)	tenir (to hold)	venir (to come)
[que] je/j'	aie	sois	aille	reçoive	tienne	vienne
[que] tu	aies	sois	ailles	reçoives	tiennes	viennes
[qu'] il/elle	ait	soit	aille	reçoive	tienne	vienne
[que] nous	ayons	soyons	allions	recevions	tenions	venions
[que] vous	ayez	soyez	alliez	receviez	teniez	veniez
[qu']ils/elles	aient	soient	aillent	reçoivent	tiennent	viennent

Sometimes the subjunctive is required in French; these cases need to be learned by heart.

- After verbs of wishing or that give an order:
  demander que (to demand that)
  préférer que (to prefer that)
  vouloir que (to wish that)
- After verbs expressing emotion:
  être ravi que (to be delighted that)
  être triste que (to be sad that)
  être content que (to be happy that)
  être fâché que (to be angry about)
- After impersonal expressions:
  il est important que (it is important that)
  il est certain que (it is certain that)
  il est possible que (it is possible that)
  il est nécessaire que (it is necessary that)
  il faut que (it is necessary that)
- After verbs of fearing:
  avoir peur que (to be afraid that)
  craindre que (to fear that)
- After verbs expressing doubt or denial:
  je ne pense pas que (I don't think that)
  je ne crois pas que (I don't believe that)
- After some conjunctions:
  à condition que (on the condition that)
  afin que (in order that)
  pour que (in order that)
  bien que (although)
  à moins que (unless)
  pourvu que (provided that)

Note: The examples above do not constitute a full list of the structures requiring the subjunctive mood.

Mettez les verbes entre parenthèses au subjonctif présent.

a. Il est important que chacun ____________ (être) conscient du problème d'effet de serre.

b. I faut que nous ____________ (penser) davantage à notre environnement.

c. Il est nécessaire que tout le monde ____________ (se sentir) responsable.

d. En effet, il est possible par exemple que les Pays-Bas ____________ (être) recouverts par la mer dans quelques décennies.

e. Il est temps que nous ____________ (agir).

f. C'est bizarre que le gouvernement américain ne ____________ (prendre) pas ce problème comme une priorité absolue.

g. Néanmoins, c'est une chance que nous ____________ (pouvoir) parler de cela ensemble.

h. En effet, je voudrais que vous ____________ (être) conscients des implications de vos gestes quotidiens.

i. J'aimerais que vous ____________ (comprendre) que beaucoup de nos actions de consommation sont lourdes de conséquences.

j. Je doute que nous ____________ (avoir) un impact réel, mais qui sait ?

Bilan du chapitre 26

On révise le vocabulaire

1. Traduisez les mots suivants.
   - a. A homeless person
   - b. To beg
   - c. A shelter
   - d. To risk one's life
   - e. Unemployment
   - f. To live in the street
   - g. Social isolation

2. Traduisez les phrases suivantes.
   - a. **Il y a plusieurs raisons pour lesquelles** une personne devient SDF.
   - b. **Il faudrait venir en aide** à ceux qui sont mal-logés.
   - c. Pour les aider, **on pourrait leur donner** de l'argent par le biais des associations caritatives.
   - d. Je pense qu'**il vaut mieux** donner directement aux SDF.
   - e. Pour régler la situation, **il faut** avoir recours à des mesures sévères.

3. Maintenant, utilisez les structures en caractères gras ci-dessus pour créer vos propres phrases.

4. Traduisez le sens général des expressions suivantes.
   - a. Pour la plupart des gens, il est difficile de joindre les deux bouts.
   - b. Les SDF font la manche pour subvenir à leurs besoins.
   - c. Il est en dessous du seuil de pauvreté et cumule les emplois précaires.
   - d. Tu n'as plus d'argent ! Il faut te serrer la ceinture !
   - e. Il faut que le gouvernement s'attaque à la question.
   - f. Beaucoup de gens vivent sous le seuil de pauvreté.

On révise la grammaire

5. Écrivez des phrases en utilisant les expressions suivantes et les verbes ci-dessus.
   - a. Je préfère que …
   - b. Je voudrais que …
   - c. J'ai bien peur que …
   - d. Je suis ravi que…
   - e. Je suis fâché que …
   - f. Je ne pense pas que …
   - g. Il est important que …
   - h. Il est possible que …
   - i. Il faut que …
   - j. Bien que …

Chapitre 27

La discrimination

À la fin de la leçon on pourra :

- reconnaître les différents types de discrimination
- parler du racisme
- parler de la tolérance
- parler des inégalités hommes-femmes
- savoir s'exprimer au passif
- savoir utiliser des structures pour éviter le passif.

Les différents types de discrimination

On s'échauffe !

1. Regardez la vidéo « C'est quoi la discrimination ? (EP. 593) - 1 jour, 1 question » sur YouTube qui répond à la question posée. Prenez des notes pour comparer ce que vous avez compris avec le reste de la classe.

2. Qu'est-ce que la discrimination ? Après avoir lu la définition suivante, regardez la bande dessinée page 387 et décidez à deux et à l'oral, lequel (ou lesquels) des 18 critères de discrimination est mis en situation pour chaque scénario.

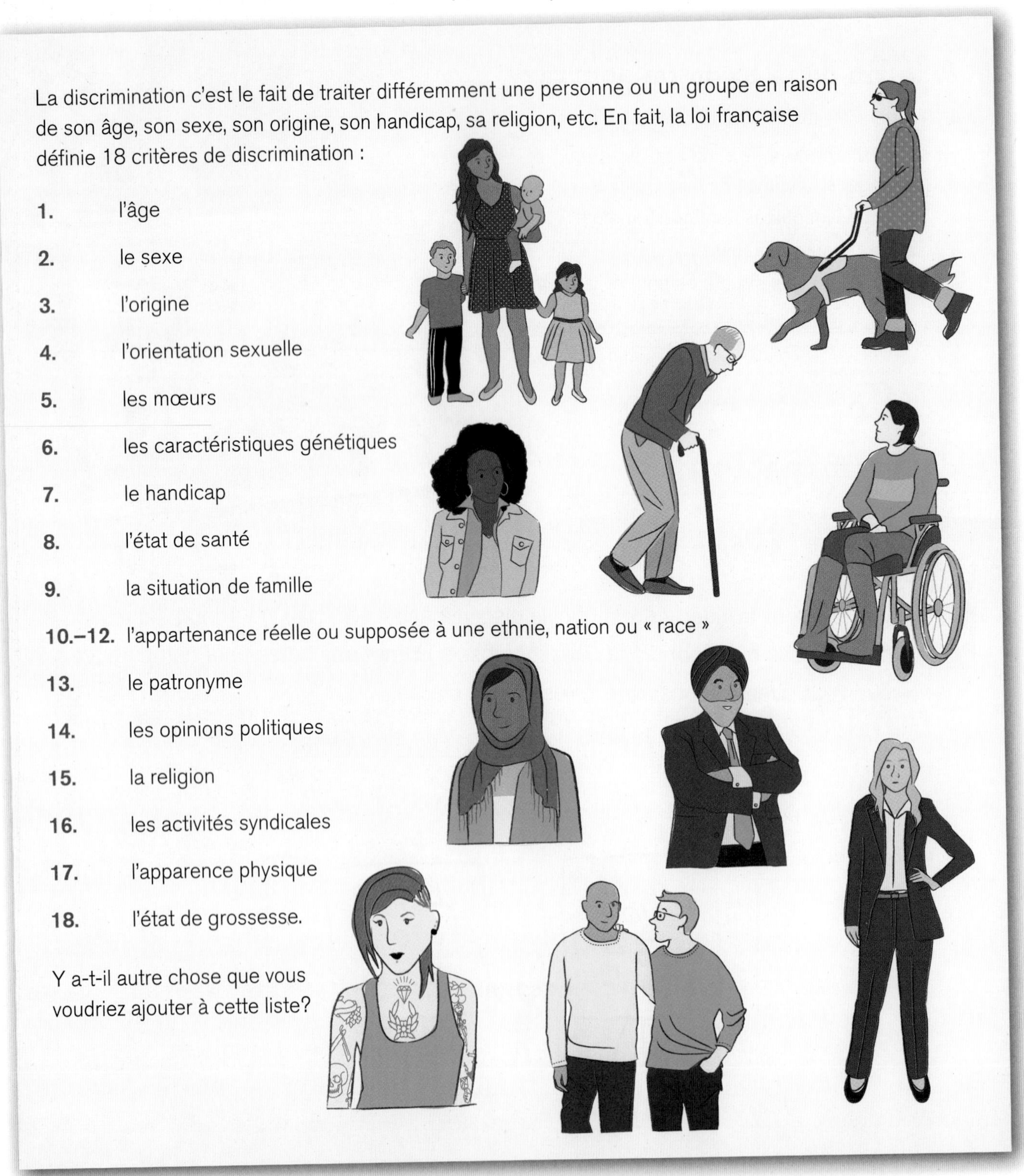

La discrimination c'est le fait de traiter différemment une personne ou un groupe en raison de son âge, son sexe, son origine, son handicap, sa religion, etc. En fait, la loi française définie 18 critères de discrimination :

1. l'âge

2. le sexe

3. l'origine

4. l'orientation sexuelle

5. les mœurs

6. les caractéristiques génétiques

7. le handicap

8. l'état de santé

9. la situation de famille

10.–12. l'appartenance réelle ou supposée à une ethnie, nation ou « race »

13. le patronyme

14. les opinions politiques

15. la religion

16. les activités syndicales

17. l'apparence physique

18. l'état de grossesse.

Y a-t-il autre chose que vous voudriez ajouter à cette liste?

RACISME EN CHAÎNE

Le racisme

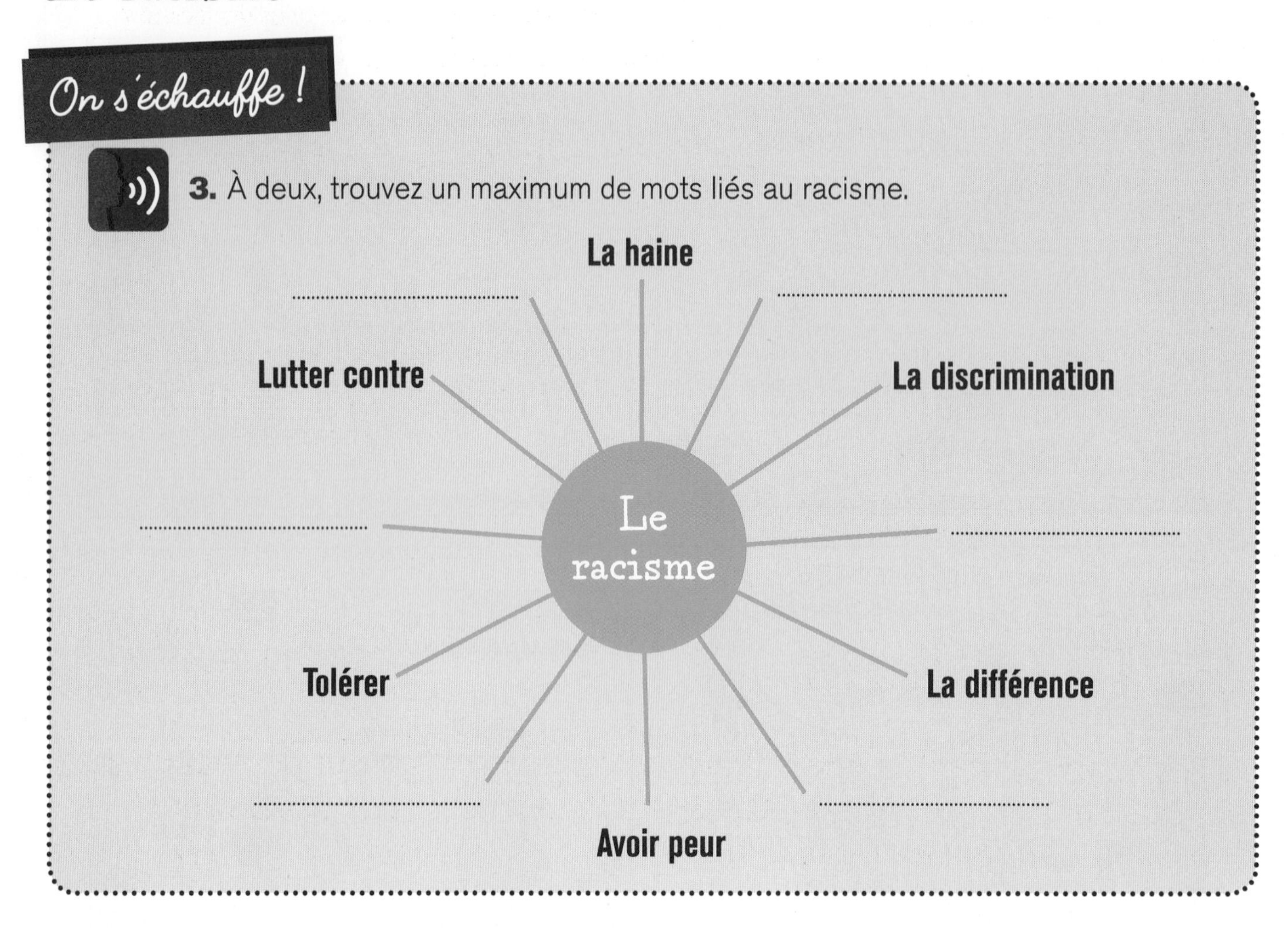

4. Écoutez ce texte et complétez-le avec les mots qui manquent puis répondez aux questions.

menacée méfier chomâge ignorance culturelles
respect idées ayant puisse étrangers

Le racisme, c'est quelque chose qui consiste à se __________ de ou même mépriser des personnes __________ des caractéristiques physiques et __________ différentes. Le racisme existe partout. Il n'y a pas un pays qui __________ prétendre qu'il n'y a pas de racisme chez lui. Une personne raciste peut se sentir __________ par celui qui ne lui ressemble pas. Certains racistes prennent les __________ ou les français d'origine étrangère comme bouc émissaire. Les étrangers seraient alors responsables du __________, de la pauvreté, du terrorisme, de la crise économique … Comme le racisme vient de la peur et de l'__________, il faut éduquer les gens à la différence. Pour apprendre à ne pas généraliser et baser ses opinions sur des __________ reçues, des préjugés, il faut éduquer les gens à la tolérance, le __________ de l'autre et de sa culture.

a. Quelle est la définition du racisme ?
b. Pourquoi une personne peut devenir raciste ?
c. D'après certains racistes, les étrangers seraient responsables de quels problèmes de société ?
d. Quelles solutions sont proposées dans cet extrait ?

5. À deux, essayez de trouver d'autres raisons au racisme et d'autres solutions. Partagez ce que vous avez trouvé avec votre classe.

AIDE

Dans les chapitres précédents, vous avez appris beaucoup de structures pour vous permettre de parler de potentielles solutions à un problème. Recyclez ! Utilisez les le plus possible pour vous entraîner à l'examen. Regardez par exemple le chapitre 23, exercice 10 page 333.

Vocabulaire :

- Pour enrailler le problème du racisme, il faudrait …
- Ce qu'on devrait faire au niveau national c'est …
- Si nous voulons changer les mentalités par rapport au racisme, il faut absolument …
- Il va de soi que la meilleure solution au problème du racisme c'est …
- D'après moi, le gouvernement devrait … pour lutter efficacement contre le racisme.
- Au niveau des écoles, on pourrait …
- Les parents devraient …

6. Avant de lire le texte page 390, faites correspondre les mots et expressions suivants.

a. Un chef-lieu	**i.** A wrist
b. Ricaner	**ii.** Fiercely
c. Faire honte à quelqu'un	**iii.** To make someone ashamed
d. Pousser du coude	**iv.** Someone of mixed race
e. Farouchement	**v.** On top of it all
f. Se priver de	**vi.** To stop suddenly
g. S'arrêter net	**vii.** To nudge
h. Un poignet	**viii.** To take away
i. Interpeller	**ix.** County town
j. Un métis	**x.** To snigger
k. Ôter	**xi.** To deny oneself
l. Par dessus le marché	**xii.** To call out to

7. Maintenant lisez ce texte et répondez aux questions qui suivent.

LE DROIT À LA DIFFÉRENCE

1. Un jeudi, nous avions pris **tous quatre** le train pour aller au **chef-lieu**. Maman entra dans un grand magasin de confection pour acheter du linge. Nous avions reçu des consignes péremptoires : ne toucher à rien, ne pas **ricaner**, ne rien désigner du doigt, la suivre au plus près, sans reniflements ni tortillements excessifs : tout ce qu'elle appelait « **ne pas lui faire honte** ».

2. Une vendeuse, à notre entrée, **poussa du coude** sa collègue et rit, de ce retroussis méprisant, à peine esquissé, des lèvres vers la gauche du visage. C'était en 1936. Les étrangers en France n'étaient pas aussi nombreux que de nos jours.

3. Maman avait, durant deux mois, économisé **farouchement** de quoi renouveler nos culottes et nos chaussettes ; elle **s'était privée de** chaussettes d'été, Père de tabac, pour que nous fussions décents. Devant ce rictus, sans doute souffrit-elle, une fois de plus cruellement, car elle **s'arrêta net** de marcher et, nous serrant **les poignets** à les briser, nous ramenant contre elle, elle **interpella**, d'une voix sourde mais aussi terrible l'employée :

4. –Vous n'avez jamais vu de petits **métis**, et bien regardez-les, ils ont du **sang** indien, espagnol, noir et normand. Ils ont deux yeux, une bouche, dix doigts et même un derrière, Madame. Ils sont vivants, ce sont mes enfants, ils sont intelligents, bien élevés, ils n'**ôtent** le pain de la bouche de personne ; ils ont même, **par-dessus le marché**, le droit d'être différents de vous, comme vous avez le droit d'être différente d'eux.

Extrait de : *Nous autres, les Sanchez*,
de Catherine Paysan, édition Gallimard, 1976

a. **i.** Quelles sont les instructions que la mère avait données à ses enfants ? (Section 1)

ii. Pourquoi avait-elle donné ces directives ? (Section 1)

b. Pourquoi cette vendeuse a-t-elle rit en voyant la mère du narrateur et ses enfants ? (Section 2)

c. Citez la phrase qui montre que les parents du narrateur étaient très pauvres. (Section 3)

d. Relevez dans la section 3 :

i. un verbe au plus-que-parfait

ii. un verbe au passé simple

iii. un adverbe

iv. un verbe à l'infinitif

v. un participe présent.

e. Selon la section 4, pourquoi la mère a-t-elle interpellé la vendeuse qui se moquait d'eux ?

i. Elle avait peur qu'on fasse sortir ses enfants du magasin. ☐

ii. Elle avait peur qu'on dise à ses enfants qu'ils sont différents. ☐

iii. Elle était révoltée et elle voulait qu'on respecte ses enfants même s'ils étaient différents. ☐

iv. Elle ne voulait pas que la vendeuse pense que ses enfants étaient malpolis. ☐

f. What do we learn about the personality of Madame Sanchez in this extract? Make two points, referring to the text each time. (50 words)

8. Écoutez ces extraits tirés de l'actualité et répondez aux questions qui suivent.

Le match de football

a. What was the final score in the football match between France and Spain?

b. What happened to Kylian Mbappé?

c. How did Mbappé react?

Les enfants

d. What is the job of the man being tried for racial discrimination?

e. **i.** How old were the children who were supposed to come?

ii. What did he warn the group leaders of in a letter?

f. Give two reasons he gave for this.

La discothèque

g. What association has started 'testing' in nightclubs?

h. What does this consist of?

i. How were the couples

- **i.** different?
- **ii.** similar?

j. **i.** What reason did the clubs give for refusing entrance to the couple?

ii. What percentage of nightclubs refused entrance to couples of African origin?

9. Maintenant cherchez les mots et expressions suivants dans la transcription de l'exercice 8 page 445.

a. A bitter taste

b. Was attacked

c. To remain stoical

d. Racial discrimination

e. To welcome

f. To avoid

g. Fights

h. To check

i. Whereas

j. On the pretext of

k. To lodge a complaint

10. Avant de lire ce texte, faites correspondre les mots et expressions suivants avec leurs traductions.

a. Avancer	i. To stamp
b. Pousser	ii. To wreck / ransack
c. Vendre à la sauvette	iii. To lead away
d. Surveiller	iv. A species
e. Des irrégularités	v. Irregularities
f. Une espèce	vi. To peddle on the streets
g. Les papiers	vii. To supervise
h. Un coup de poing	viii. Official papers
i. Renverser	ix. Hardly
j. Saccager	x. To advance
k. Trépigner	xi. To push
l. À peine	xii. A punch
m. Emmener	xiii. To knock over

11. Maintenant lisez le texte et répondez aux questions.

AIDE

Eisenstein = un célèbre cinéaste soviétique (1898–1948)

Les fleurs de l'Algérien

1. C'est dimanche matin, dix heures, au carrefour des rues Jacob et Bonaparte, dans le quartier Saint-Germain-des-Prés, il y a de cela une dizaine de jours. Un jeune homme qui vient du marché de Buci **avance** vers ce carrefour. Il a vingt ans, il est très misérablement habillé, il **pousse** une charrette à bras pleine de fleurs : c'est un jeune Algérien qui **vend, à la sauvette**, comme il vit, des fleurs. Il avance vers le carrefour Jacob-Bonaparte, moins **surveillé** que le marché et s'y arrête, dans l'anxiété, bien sûr.

2. Il a raison. Il n'y a pas dix minutes qu'il est là – il n'a pas encore eu le temps de vendre un seul bouquet – lorsque deux messieurs « en civil » s'avancent vers lui. Ceux-là débouchent de la rue Bonaparte. Ils chassent. Nez au vent, flairant l'air de ce beau dimanche ensoleillé, prometteur d'**irrégularités**, comme d'autres espèces, le perdreau, ils vont droit vers leur proie.

   Papiers ? Il n'a pas de papiers lui permettant de se livrer au commerce des fleurs.

3. Donc, un des deux messieurs s'approche de la charrette à bras, glisse son poing fermé dessous et – ah ! comme il est fort ! – d'un seul **coup de poing** il en **renverse** tout le contenu. Le carrefour s'inonde des premières fleurs du printemps (algérien). Eisenstein n'est pas là, ni aucun autre pour relever cette image de ces fleurs par terre, regardées par ce jeune homme algérien de vingt ans, encadré de part et d'autre par les représentants de l'ordre français. Les premières autos qui passent, et cela on ne peut l'empêcher, évitent de **saccager** les fleurs, les contournent instinctivement.

4. Personne dans la rue, sauf, si, une dame, une seule :
– Bravo ! Messieurs, crie-t-elle. Voyez-vous, si on faisait ça chaque fois, on en serait vite débarrassé de cette racaille. Bravo ! Mais une autre dame vient du marché, qui la suivait. Elle regarde, et les fleurs, et le jeune criminel qui **les** vendait, et la dame dans la jubilation, et les deux messieurs. Et sans un mot, elle se penche, ramasse des fleurs, s'avance vers le jeune Algérien, et **le** paye. Après elle, une autre dame vient, ramasse et paye. Après **celle-là**, quatre autres dames viennent, qui se penchent, ramassent et payent. Quinze dames. Toujours dans le silence. Ces messieurs **trépignent**. Mais qu'y faire ? Ces fleurs sont à vendre et on ne peut empêcher qu'on désire les acheter. Ça a duré dix minutes à peine. Il n'y a plus une seule fleur par terre. Après quoi, ces messieurs ont eu le loisir d'emmener le jeune Algérien au poste de police.

Extrait de : *Outside*, de Marguerite Duras, Folio Gallimard, 1957

a. **i.** Citez les mots qui montrent que le jeune homme n'est pas riche. (Section 1)

ii. Trouvez l'expression qui veut dire « illégalement dans la rue ». (Section 1)

b. **i.** Qui sont les deux personnes « en civil » ? (Section 2)

A. Juste des passants ❑

B. Des vrais chasseurs ❑

C. Des policiers sans uniforme ❑

D. Des voleurs. ❑

ii. Quels documents demandent-ils au jeune homme ? (Section 2)

c. **i.** Quelle est la nationalité du jeune homme ? (Section 3)

ii. Trouvez un synonyme d'« agent de police ». (Section 3)

d. Pourquoi la dame est-elle ravie de l'action des « messieurs » ? (Section 4)

e. Pour les pronoms suivants trouvez les mots auxquels ils se réfèrent. (Section 4)

i. **les**

ii. **le**

iii. **celle-là**

f. This extract describes a) racist behaviour; b) proof of solidarity towards the young man. Find evidence for each in the text to support this statement. (50 words in total)

12. Faites correspondre les textes avec les questions qui y correspondent.

a. Qu'est-ce que ça veut dire « la diversité » ?	**i.** C'est l'attitude de quelqu'un qui admet chez les autres des manières de penser et de vivre différentes des siennes.
b. Quels sont les avantages à une société multiculturelle ?	**ii.** C'est une source de richesse culturelle pour le pays et d'enrichissement dû à la mixité ethnique. C'est en vivant avec des gens de plusieurs origines qu'on apprend la tolérance et le respect.
c. Quels sont les inconvénients à une société multiculturelle ?	**iii.** Certaines personnes ont peur de la différence et craignent qu'il y ait une perte d'identité culturelle. Cela peut créer des conflits.
d. Qu'est ce que « la tolérance » ?	**iv.** Je pense que certains stéréotypes persistent dans notre société mais la grande majorité de la population sait vivre ensemble en respectant les différences.
e. Pensez-vous que votre pays soit tolérant ?	**v.** C'est l'ensemble des personnes qui diffèrent les unes des autres par leur origine géographique, socio-culturelle ou religieuse, leur âge, leur sexe, leur orientation sexuelle, etc., et qui constituent la communauté nationale à laquelle elles appartiennent.

13. Répondez à l'oral aux questions suivantes.

a. Pensez-vous qu'il y a un problème de racisme en Irlande ? Dans votre ville ?

b. D'après vous, pourquoi devient-on raciste ?

c. Avez-vous été victime d'un acte raciste ? Ou avez-vous été témoin d'un incident raciste ?

14. Hier, en vous promenant dans la rue, vous avez été le témoin d'un acte raciste. Quelles ont été vos réactions ? Racontez ce qui s'est passé. Votre récit peut être réel ou imaginaire. (90 mots environ)

AIDE

Regardez la section *Focus examen* page 414 pour vous aider.

Vocabulaire :

- Je me suis dis que c'était inacceptable / une honte / honteux !
- Je ne savais pas quoi faire ! Fallait-il intervenir ou laisser faire ?

Utilisez le passif : voir page 398 pour vous aider.

- J'ai été témoin d'une scène horrible qui m'a beaucoup choqué(e).
- Une femme d'origine nord-africaine a été insultée par un homme.

L'égalité hommes-femmes

On s'échauffe !

15. Regardez ces images et partagez vos réactions avec le reste de la classe.

AIDE

Il est souvent plus difficile d'avoir des idées pendant l'examen que d'écrire un paragraphe en français ! Réflechir aux problèmes sociaux avant l'examen peut vous aider à gagner du temps et à bien vous préparer.

LES FEMMES DIRIGENT 90 % DES ÉTATS DANS LE MONDE ?! *

* ON COMPTE 19 FEMMES SUR 192 CHEFS D'ÉTATS ET GOUVERNEMENTS DANS LE MONDE EN 2011. (SOURCE ONU)

À TRAVAIL ÉGAL, LES FEMMES GAGNENT PLUS QUE LES HOMMES ?! *

* À TRAVAIL ÉGAL, LES FEMMES SONT EN MOYENNE PAYÉES 17 % DE MOINS QUE LES HOMMES DANS L'UNION EUROPÉENNE.

CHAQUE ANNÉE, 4 MILLIONS D'HOMMES SONT RÉDUITS À L'ESCLAVAGE, LA PROSTITUTION OU MARIÉS DE FORCE ?! *

* CE SONT 4 MILLIONS DE FEMMES QUI SONT CHAQUE ANNÉE RÉDUITES À L'ESCLAVAGE, LA PROSTITUTION OU MARIÉES DE FORCE. (SOURCE OMS)

16. Écoutez ces deux personnes qui vous parlent des droits de la femme et de l'égalité des sexes et complétez les textes avec les mots de la liste.

Amadine

Au cours des __________ dernières années, le statut des femmes en __________ s'est sans aucun doute __________, mais l'égalité entre les sexes est __________ d'être une réalité. Les femmes continuent d'être __________ dans la vie politique et publique, d'être moins __________ que les hommes pour un travail de __________ égale, d'être plus souvent victimes de la pauvreté et du __________ et d'être plus exposées à la violence.

chômage *loin* trente **payées** marginalisées **valeur** **amélioré** Europe

Marie

Je pense que l'__________ entre les hommes et les femmes n'existe pas. Les hommes et les femmes sont __________. Je ne dis pas que l'un est __________ que l'autre, je dis juste qu'ils ont des qualités et des __________ différents. Comme on dit, les hommes __________ de Mars et les femmes de Vénus ! Les femmes par exemple sont beaucoup plus __________ que les hommes, c'est bien connu ! Par __________, au niveau juridique, la femme doit __________ être l'égale de l'homme ! Elle doit avoir les mêmes __________, les mêmes salaires et les mêmes opportunités que l'homme.

viennent **défauts** *absolument* **droits** **contre** différents égalité **mieux** organisées

17. Maintenant, trouvez les mots et expressions suivants dans l'exercice ci-dessus ou dans la transcription page 445.

- **a.** The status of women
- **b.** Without a doubt
- **c.** Equality between men and women is far from being a reality
- **d.** Women continue to be marginalised
- **e.** Being paid less than men for work of equal value
- **f.** I'm just saying that
- **g.** It's a well known fact
- **h.** The same rights

18. Avant de lire cet article, faites correspondre les mots et expressions suivants avec leurs traductions.

a. Il n'y a pas d'équité	**i.** To help out
b. Les inégalités	**ii.** To get stuck in
c. S'y coller [fam.]	**iii.** Slaving over a hot stove
d. Le farniente [fam.]	**iv.** There is no equity
e. Avoir les doigts de pieds en éventail	**v.** A chore
f. Être derrière les fournaux	**vi.** To push the shopping trolley
g. Pousser le chariot des courses	**vii.** Inequalities
h. Faire les commissions	**viii.** The division of chores
i. La répartition des tâches	**ix.** Idleness
j. Bien loin d'être équitable	**x.** To relax and do nothing
k. Mettre la main à la pâte	**xi.** To shop for food
l. Une corvée	**xii.** Far from being fair

19. Maintenant, lisez cet article et répondez aux questions qui suivent.

La cuisine pendant l'été, c'est encore une affaire de femmes

1. *Pendant les congés d'été, 55 % des personnes sondées par Quitoque.fr déclarent qu'**il n'y a pas d'équité** dans les cuisines.*
   Pas de vacances d'été pour **les inégalités** côté cuisine. C'est toujours madame qui **s'y colle**. À l'heure du **farniente** et **des doigts de pieds en éventail**, les femmes sont majoritairement **derrière les fourneaux** et ce sont elles, aussi, qui arpentent les étals des supermarchés pour nourrir leur tribu.
   46 % d'entre elles, pour être précis, mitonnent les bons petits plats pendant la période estivale. Pour le reste, cette besogne se partage entre le conjoint (18 %), les grands-parents, les amis, les enfants et les restaurateurs. Pour ce qui est de **pousser le chariot des courses**, les femmes sont 66 % à le faire.
2. Ces chiffres proviennent d'une étude menée par Quitoque.fr, site spécialisé dans le marché des

paniers-recettes livrés à domicile, qui a voulu savoir quel membre de la famille s'occupe le plus des repas et **des commissions** pendant les vacances. Le sondage a été effectué auprès de plus de 9 300 personnes et les résultats montrent à quel point **la répartition des tâches** culinaires **est bien loin d'être équitable.**

« Ce n'est pas faux, reconnaît Élise, 47 ans, en villégiature dans le Var. C'est surtout moi qui fais la cuisine pendant l'été, comme le reste de l'année d'ailleurs. A l'exception des barbecues, qui sont plus nombreux pendant les vacances, et qui restent la chasse gardée de mon époux. Les grillades, c'est lui. »

3. Le plus surprenant dans cette enquête, c'est que 56 % des hommes pensent tout de même que « tout le monde » **met la main à la pâte** … ce que contredisent 66 % des femmes.
   Cette tendance n'est que le prolongement de ce qui se passe tout au long de l'année concernant le partage des tâches, selon de nombreuses études. Les sondés de Quitoque.fr sont aussi plus de 80 % à reconnaître que c'est la même personne qui fait les courses pendant l'été, comme lors des trois autres saisons. Madame donc.

4. Chez Florine et Lilian, couple de trentenaires, la répartition semble plus équilibrée. Et pour cause … « Nous ne sommes pas culino-compatibles. C'est donc bien réparti puisque chacun fait les courses de son côté », explique le jeune homme. « En été, comme pour le reste de l'année, nous faisons cuisine à part : elle est végétarienne … pas moi ». Florine ajoute : « L'été nous faisons pas mal de petits restaurants pour éviter cette **corvée**. Ce sont les vacances après tout. Et puis, nous n'avons pas encore d'enfants. Ça reste abordable ».

5. « Pour les couples qui sont autour de nous, et qui font partie de la même génération, les choses ne sont pas aussi figées, assure Lilian. Ce n'est plus maman à la cuisine, papa s'occupe du bricolage … J'ai pas mal de potes qui adorent cuisiner au quotidien. Il n'y a donc pas de raison qu'ils fassent relâche pendant l'été. Il y a moins d'inégalités entre les sexes même si des déséquilibres, surtout lorsqu'il y a des enfants, continuent d'exister. »

Adapté de : Christine Mateus
pour *www.leparisien.fr*, le 17 juillet 2018

a. **i.** Qui s'occupe de faire à manger pendant les vacances ? (Section 1)

ii. A part les femmes, qui s'occupe aussi de faire la cuisine pendant les vacances ? (Section 1)

b. **i.** Citez les mots qui indiquent que le partage des tâches en cuisine n'est pas égal. (Section 2)

ii. De quoi s'occupe le mari d'Élise pendant les vacances ? (Section 2)

c. Dans la troisième section, on apprend que :

i. plus de la moitié des hommes interrogés aident aux tâches culinaires. ☐

ii. plus de la moitié des hommes interrogés pensent qu'ils aident aux tâches ménagères. ☐

iii. les Français ne pensent pas que les tâches culinaires soient équitables. ☐

iv. plus de la moitié des Français pensent qu'il y a une bonne répartition des tâches culinaires. ☐

d. **i.** Pourquoi Florine et Lilian font-ils les courses séparément ? (Section 4)

ii. Comment évitent-ils de faire la cuisine et les courses pendant les vacances ? (Section 4)

e. Trouvez un subjonctif présent dans la section 5.

f. Women tend to do more chores, even during the summer. Do you agree? Refer to the text in support of your answer. (Two points, about 50 words in total)

20. Donnez vos réactions.
(75 mots environ)

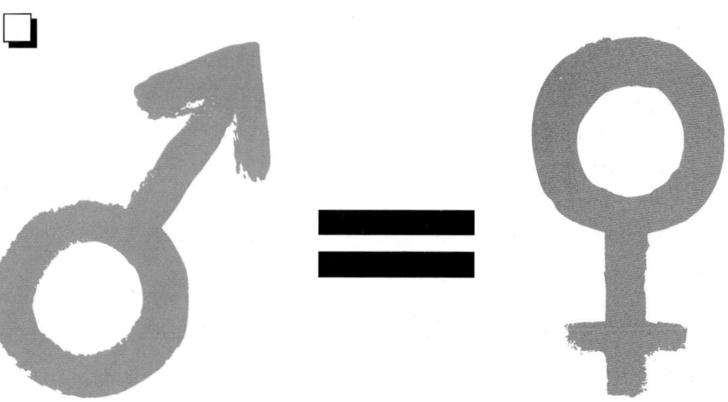

GRAMMAIRE

Le passif

A verb is in the passive voice when the subject of the verb does not do the action, but has the action of the verb done to it.

The passive is used:

- when the person doing the action is unknown or not named, e.g.:
  Un homme a été tué hier.
  A man was killed yesterday.
- when you want to focus on the person/thing receiving the action rather than on whoever is doing the action, e.g.:
  La violence est souvent présentée comme inévitable.
  Violence is often presented as inevitable.
- to highlight the drama of an event, especially in a newspaper, e.g.:
  Deux voleurs ont été arrêtés par la police.
  Two robbers have been arrested by the police.

1. Décidez si ces phrases sont à la voix passive ou à la voix active.

a. Les coureurs sont arrivés il y a cinq minutes.

b. Les vacanciers sont arrivés en masse dans le sud de la France.

c. Le pont a été construit par les Romains.

d. Mes enfants sont soignés par ce docteur depuis des années.

e. Nous avons été retardés par le mauvais temps.

f. La bijouterie a été cambriolée.

g. Le président a été élu hier avec 300 voix contre 200.

h. Les valises seront déposées dans le hall de l'hôtel.

i. Nous sommes montés en haut de la Tour Eiffel.

j. Les voyageurs passent par la sécurité.

Comment éviter le passif ?

To avoid the passive tense:

- use *on*, e.g.:
  On a volé ma voiture.
  My car has been stolen.
- use an 'active' sentence, making the object into the subject, e.g.:
  Ma maison a été construite par un ingénieur. ⟶ *Un ingénieur a construit ma maison.*
  My house was built by an engineer. ⟶ An engineer has built my house.
- use a reflexive verb, e.g.:
  La grammaire est apprise par coeur en France. ⟶ *La grammaire s'apprend par cœur en France.*
  Grammar is learned by heart in France.

2. Réécrivez ces phrases pour éviter la voix passive comme dans les exemples ci-dessus.

a. La voiture a été volée par un groupe de jeunes.

b. Le facteur a été attaqué par un chien.

c. La secrétaire a été renvoyée par son patron.

d. Le criminel a été condamné par le juge.

e. Ma maison a été cambriolée.

f. La peinture a été achetée par mon père.

g. La voiture a été détruite.

h. Le paquet a été envoyé.

i. L'anglais est parlé partout dans le monde.

j. Le passif n'est pas très utilisé en français.

Bilan du chapitre 27

On révise le vocabulaire

1. Traduisez les mots suivants.
   a. To fight against
   b. To threaten
   c. Racial discrimination
   d. The status of women
   e. Equality between men and women
   f. The same rights

2. Traduisez les phrases suivantes.
   a. **Pour enrailler le problème** du racisme, **il faudrait** enseigner la tolérance.
   b. **Ce qu'on devrait faire au niveau national c'est** de condamner sévèrement les attaques racistes.
   c. **Si nous voulons changer les mentalités par rapport** au racisme, **il faut absolument** que l'on accepte les différences.
   d. **Le gouvernement devrait** aider les associations **pour lutter efficacement contre** le racisme.

3. Maintenant, utilisez les structures en caractères gras ci-dessus pour créer vos propres phrases.

4. Traduisez le sens général des expressions suivantes.
   a. Quand j'ai entendu ça, je me suis arrêté net.
   b. Et Il est raciste par-dessus le marché !
   c. Je l'avais à peine entendu que j'étais déjà en colère.
   d. Je ne savais pas quoi faire !
   e. C'est bien connu !
   f. Pendant les vacances, j'ai mis la main à la pâte pour le ménage.
   g. Les tâches ménagères ? C'est toujours ma mère qui s'y colle. Elle passe sa vie derrière les fourneaux.

On révise la grammaire

5. Décidez si ces phrases sont au passif ou pas.
   a. Les étudiants sont arrivés dans la salle pour l'examen.
   b. Cette maison a été construite par mon grand-père.
   c. Ce roman a été écrit par Stephen King.
   d. Mes parents ont été convoqués par le directeur de l'école.

6. Transformez les phrases suivantes pour éviter le passif.
   a. Mon sac a été volé par un homme.
   b. Un magasin a été attaqué par des voleurs masqués.
   c. L'élève a été renvoyé par le directeur.
   d. Le comédien a été choisi par les juges.
   e. Ma maison a été cambriolée.

Chapitre 28

L'Europe

À la fin de la leçon on pourra :

- parler de la politique et du droit de vote
- parler de l'Union européenne
- parler des eurosceptiques
- parler de l'immigration
- parler des réfugiés
- utiliser des structures pour impressionner l'examinateur.

La politique et le droit de vote

On s'échauffe !

1. Lisez ces opinions sur la politique, cherchez le vocabulaire et répondez aux questions qui suivent.

Hervé

Je viens d'avoir 18 ans, ce qui me donne le droit de vote, mais je ne pense pas que je vais voter aux prochaines élections. En fait, je suis un peu paresseux et je ne me suis pas inscrit sur les listes électorales. Et puis, je n'y comprends rien, moi à la politique ! Ils mentent tous comme des arracheurs de dents ! Tout ce qui intéresse les politiciens c'est le pouvoir ! Quand il y aura un candidat sincère et intègre, alors, peut-être, je voterai. Mais ce n'est pas demain la veille !

The right to vote = ______________________________

The electoral register = ______________________________

They all lie through their teeth = ______________________________

That's not going to happen any time soon = ______________________________

Guillaume

Je ne m'intéresse pas à la politique plus que ça, mais je pense qu'il est très important de voter. C'est la base de toute démocratie. En plus, il faut bien se rappeler que nos ancêtres sont morts pour que nous →

ayons ce droit, le droit d'exprimer ses opinions. Certains pays d'Afrique luttent encore pour obtenir le droit de vote. L'abstention en France est incroyable ! Je trouve scandaleux qu'autant de personnes ne votent pas, alors que beaucoup de pays en voie de développement se battent encore pour ce droit. À mon avis, voter n'est pas seulement un droit, mais aussi un devoir !

It is the basis of all democracy = ____________________

To remember = ____________________

To get the right to vote = ____________________

Abstention (not voting) = ____________________

Developing countries are still fighting for this right = ____________________

Julie

Je viens d'avoir la majorité et je m'intéresse beaucoup à la politique. En fait, je vais étudier la politique à l'université l'année prochaine. Voter, à mon sens, devrait être obligatoire comme en Australie ! Grâce au vote, chaque citoyen peut exprimer ses idées, donner son opinion et revendiquer un avenir conforme à ses aspirations. Le vote est donc la première arme dont chacun dispose pour faire changer les choses. Notre avenir dépend en partie des décisions politiques. Pour notre propre bien-être et celui de notre entourage, nous devons donc choisir le parti ou la personne qui correspond le mieux à notre idéal politique. Choisir ses représentants et pouvoir les sanctionner est une liberté fondamentale. C'est la base de la démocratie que revendiquent encore de trop nombreux pays vivants sous des dictatures qui bafouent les droits humains de la population. Alors, à la prochaine élection, votez !

Compulsory = ____________________

To claim a future in accordance with one's aspirations = ____________________

Voting is the first tool that one has to change things = ____________________

A basic freedom = ____________________

Qui … ?

a. n'est pas encore inscrit aux listes électorales.

b. va étudier la politique à la fac.

c. pense que les politiciens sont des menteurs assoiffés de pouvoir.

d. pense que voter est un droit que beaucoup de gens du pays en voie de développement se battent pour avoir.

e. pense que voter est une liberté fondamentale qui nous permet d'exprimer nos opinions et de les revendiquer.

2. En utilisant le vocabulaire ci-dessus, traduisez le paragraphe qui suit.

I am not that interested in politics but I still think we should vote. The right to vote is a privilege, and the basis of all democracy. How can we claim a future in accordance with our ideals if there is no vote? Voting is the primary tool we have to change things. It is a basic freedom that a lot of developing countries still fight for. I don't think that it should be compulsory, but people should realise that they cannot change society without voting.

AIDE

Attention à la traduction '*I don't think that …*'. Quel temps suit cette structure ?

I am not that interested → Je ne suis pas si intéressé(e) que ça.

Still → Quand même.

3. À deux, répondez aux questions qui suivent.

a. Êtes-vous intéressé(e) par la politique ? Pourquoi ? Pourquoi pas ?

b. Pensez-vous que le droit de vote soit important ? Pourquoi ? Pourquoi pas ?

c. Si vous avez la majorité, êtes-vous inscrit(e) sur les listes électorales ? Pourquoi ? Pourquoi pas ?

AIDE

Il est peu probable que l'examinateur vous pose ce genre de question à l'oral, à moins que vous n'ayez abordé le sujet vous-même. Pourtant, travailler ces questions à l'oral vous aide à utiliser le nouveau vocabulaire, à former vos opinions, à travailler en groupe pour vous améliorer et donc, à vous préparer pour l'écrit.

L'Union européenne

On s'échauffe !

4. Testez vos connaissances sur l'Europe avec ce quiz.

a. Quel jour de l'année commémore-t-on l'Europe dans les pays de l'Union ?

- **i.** Le 1er mai ❑
- **ii.** Le 8 mars ❑
- **iii.** Le 9 mai ❑

b. En quelle année a été signé le traité de Rome, qui institue la Communauté économique européenne (CEE) ?

- i. 1951 ❑
- ii. 1957 ❑
- iii. 1973 ❑

c. Où siège le Conseil de l'Europe ?

- i. À Bruxelles (en Belgique) ❑
- ii. À Strasbourg (en France) ❑
- iii. À Genève (en Suisse) ❑

d. Combien y a-t-il d'étoiles sur le drapeau européen ?

- i. 10 ❑
- ii. 12 ❑
- iii. 15 ❑

e. Parmi ces pays, lequel ne fait pas partie de la zone euro ?

- i. La Grèce ❑
- ii. La Suède ❑

f. Quelle est la devise de l'Union ?

- i. Un pour tous, tous pour un ❑
- ii. Liberté, égalité, fraternité ❑
- iii. Unis dans la diversité ❑

Réponses : a.iii ; b.ii ; c.ii ; d.ii ; e.ii ; f.iii ; g.ii ; h.i ; j.iii.

g. Combien y a-t-il de langues officielles dans l'Union ?

- i. 27 ❑
- ii. 24 ❑
- iii. 13 ❑

h. Quelle est la superficie de l'Europe par rapport à l'Afrique ?

- i. ⅓ ❑
- ii. ¼ ❑
- iii. ⅕ ❑

i. De qui est l'hymne de l'Union, « l'Ode à la joie » ?

- i. Mozart ❑
- ii. Bach ❑
- iii. Beethoven ❑

5. « Que pensez-vous de l'Union européenne ? » Un professeur pose cette question à trois de ses élèves. Écoutez leurs réponses et répondez aux questions qui suivent.

Sophia

a. What in particular does she like about Europe?
b. Where did she go last year?
c. What's her nationality?
d. What did she learn from her trip?
e. What is the other point she makes about Europe?

Nouria

a. Give one reason why she is against Europe?
b. What is she afraid of?
c. What positive point does she make about Europe?
d. What doesn't she believe in?

Grégoire

a. What does he say became easier with Europe?
b. What does becoming a member of the EU bring to small countries?
c. What problems were people afraid of at first?
d. What does he say about the different police forces in Europe?
e. What would he like to be created to protect peace in Europe?

6. Maintenant cherchez les mots et expressions suivants dans la transcription de l'exercice 5 page 445.

a. To travel freely in Europe
b. Cultural diversity
c. In any country
d. I'm not interested in this topic
e. To lose one's national identity
f. Beneficial
g. In the beginning, people thought that

7. Lisez ces Tweets et répondez aux questions qui suivent.

Fritz001
@Fritz Ebertz

Moi je suis allemand et la bureaucratie de l'Europe nous étouffe ! Si nous ne faisons pas de réformes radicales alors la question d'une éventuelle sortie se posera ici aussi, en Allemagne, comme ça a été le cas pour le Brexit au Royaume-Uni. Il faut redonner le pouvoir aux capitales !

Retweets 5600 | J'aime 150

→

Kyli concarne
@Kylimignonz

Ton argument ne tient pas le coup Fritz001 ! Les pays qui quittent l'Union européenne devront quand même faire face à sa bureaucratie ! Comme le pays sera toujours un partenaire économique, il devra continuer de respecter les réglementations européennes sans avoir le pouvoir de les décider ! #Onnéchappepasàlabureaucratie

Retweets 15012 J'aime 9700

Jajadejo
@smartin

Je suis eurosceptique ! Je ne crois pas à l'idée d'une plus grande intégration. Avec les énormes défis auxquels la zone euro fait face, l'instabilité géopolitique qui donne lieu à des migrations parfois incontrôlables, sortir de l'Union européenne est la meilleure solution !

Retweets 1050 J'aime 700

Zoe
@Zoezoe

L'Europe, c'est notre avenir et celui de beaucoup de gens qui fuient la guerre, la pauvreté et la misère. Fermer les portes aux gens qui souffrent n'est pas une solution. Les immigrants contribuent davantage en matière d'impôts qu'ils ne coûtent aux caisses de l'État ! Notamment parce qu'il s'agit d'une population jeune. Et l'humanité dans tout ça ? C'est une honte. #proeuropéenne

Retweets 15127 J'aime 9500

Zavaétoi
@nomaisdesfois

Ça suffit de jouer sur la peur des gens et leurs préjugés ! Ceux qui pensent que chaque pays doit récupérer le contrôle de ses frontières pour limiter l'immigration oublient qu'ils perdront la libre circulation ! Il faudra le visa, le permis de travail, etc. Fini le libre-échange ! Regardez les conséquences avant de former votre opinion !

Retweets 12937 J'aime 8000

Qui ...?

a. pense que l'immigration est une bonne chose pour un pays.

b. pense qu'en quittant l'Europe, les gens oublient les conséquences.

c. pense que, même en quittant l'Europe, les pays devront respecter les règles européennes.

d. pense qu'il y a trop de bureaucratie dans le système européen.

e. pense que sortir de l'Europe est la solution contre l'augmentation de l'immigration.

8. À deux, répondez aux questions suivantes à l'oral.

a. Que pensez-vous de l'Europe ?
b. Vous sentez-vous européen ?
c. Quels sont les avantages de l'Union européenne d'après vous ?
d. Quels sont les inconvénients ?

AIDE

Écrivez vos réponses et gardez-les car vous en aurez besoin plus tard dans ce chapitre.

Les réfugiés

On s'échauffe !

9. Faites correspondre les mots suivants avec leurs définitions.

a. Immigrant, migrant	**i.** C'est une personne qui fait entrer illégalement des migrants dans un pays, en bateau ou en camion par exemple. La plupart du temps, les passeurs profitent de la détresse de ces personnes en leur demandant beaucoup d'argent. Souvent, ils ne se soucient pas du danger que représente le passage d'une frontière.
b. Immigré	**ii.** C'est un migrant qui demande à un pays de le protéger en lui permettant de s'y installer. En général, cette personne est en danger dans son propre pays et pour cette raison, ne peut pas y rester ni y retourner.
c. Émigré	**iii.** C'est celui qui quitte son pays d'origine pour aller vivre ailleurs.
d. Demandeur d'asile	**iv.** Les deux termes désignent une personne en déplacement entre son pays d'origine et le pays d'accueil.
e. Réfugié	**v.** Littéralement, c'est celui qui a trouvé un refuge, pour se mettre à l'abri d'un danger. Cela réfère à la personne qui a obtenu une réponse positive à une demande d'asile.
f. Passeur	**vi.** C'est celui qui s'installe dans un autre pays que celui dont il est originaire.
g. Sans papiers	**vii.** C'est un étranger qui n'a pas les papiers qui l'autorisent à vivre là où il habite. S'il se fait arrêter par la police, il peut être renvoyé dans son pays. On appelle aussi ces gens des « clandestins ».

10. Regardez ces arguments pour et contre l'immigration. Lesquels avez-vous entendus ? Décidez ensuite lesquels sont pour ✓ ou contre ✗. Pouvez-vous trouver d'autres arguments avec votre classe ?

a. « Grâce à l'immigration, nous vivons dans une société multiculturelle qui nous permet d'avoir une vraie diversité. »

b. « L'immigration peut causer des problèmes économiques tel que le chômage. Il n'y a pas assez de travail pour tout le monde. »

c. « Avec l'immigration, notre société toute entière est enrichie, au niveau de la musique, les idées, la nourriture. Elle est plus dynamique. »

d. « Nous avons une obligation morale d'accepter les immigrés qui fuient la misère et la guerre. »

e. « Il y a parfois un problème d'intégration quand beaucoup d'immigrés arrivent dans un pays très différent de leurs cultures. Cela crée beaucoup de tensions. »

f. « Nous avons la chance de vivre dans un pays où il y a une liberté d'expression, de mouvement, de droits. Il faut accueillir à bras ouverts ceux qui recherchent ces libertés. »

g. « Avec trop d'immigration, nous perdons nos traditions, notre individualité … Nous allons perdre notre identité nationale ! »

11. Visitez le site web enseigner.tv5monde.com/fle/mercy et regardez le clip de la chanson Mercy chanté par le groupe Madame Monsieur. Répondez aux questions à l'oral.

a. D'après vous de quoi parle cette chanson ?

b. Pourquoi les personnes portent tous des gilets de sauvetage orange ou des couvertures de survie ? Qui représentent-ils ?

c. Qui est Mercy ? Où est-elle née ? Que fuyait sa mère ?

> **AIDE**
>
> Vous trouverez les paroles de la chanson en cliquant sur « Transcription ».

12. Avant de lire l'article qui suit, faites correspondre les mots et expressions avec leurs traductions.

a. Un bateau humanitaire	**i.** The crew
b. En pleine Méditerranée	**ii.** To be close to death / to nearly die
c. Venir en aide aux migrants	**iii.** To escape human trafficking
d. Tenter de traverser	**iv.** To try to cross
e. Un camp de réfugiés	**v.** A refugee camp
f. Être sauvé de la noyade	**vi.** To be saved from drowning
g. L'équipage	**vii.** To come to the migrants' help
h. Embarquer à bord d'un bateau	**viii.** In the middle of the Mediterranean
i. Échapper à la traite des êtres humains	**ix.** A humanitarian boat
j. Frôler la mort	**x.** To board a ship

13. Maintenant, lisez cet article et répondez aux questions qui suivent.

La petite Mercy, qui a inspiré la chanson de Madame Monsieur pour l'Eurovision, a été retrouvée

1. *La petite fille, aujourd'hui âgée d'un peu plus d'un an, est née à bord d'**un bateau humanitaire en pleine Méditerranée**, alors que sa mère fuyait la Libye.*
   Elle s'appelle Mercy. Née sur l'Aquarius, le bateau humanitaire utilisé par l'ONG SOS Méditerranée pour **venir en aide aux migrants tentant de traverser** la Méditerranée, la petite fille a inspiré la chanson éponyme qui représentera la France au concours de l'Eurovision. Un an plus tard, elle a été retrouvée, avec sa mère, par des journalistes de France Inter. Arrivées au port de Catane, en Sicile, le 21 mars 2017, juste après la naissance de Mercy (« Miséricorde ») sur le bateau, la mère et la fille ont été installées dans **un camp de réfugiés** aujourd'hui géré par les autorités. Il s'agit du plus grand camp de réfugiés d'Europe, précise France Inter.
2. La mère, d'origine nigériane, ne connaissait pas la chanson que Madame Monsieur a composé à partir de son histoire. En mars 2017, c'est le reportage du

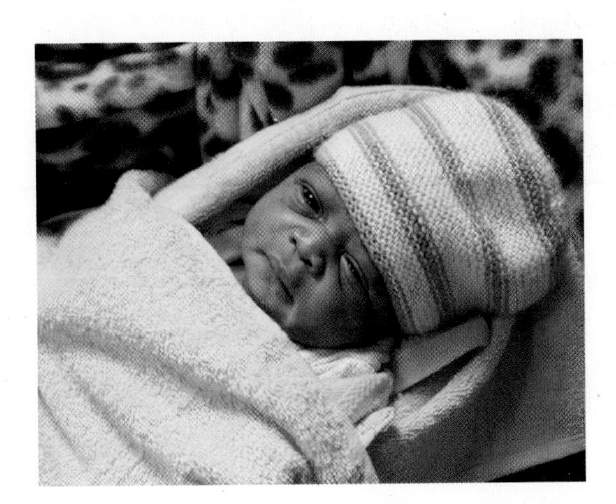

journaliste de Nice-Matin Grégoire Leclerc, qui était à bord de l'Aquarius le jour où Mercy est née, alors que sa mère venait **d'être sauvée de la noyade**, qui a inspiré la chanson aux membres du duo français, Émilie Satt et Jean-Karl Lucas. « Je suis

tous ces enfants que la mer a pris », dit la chanson. Un texte qui « raconte ce que symbolise l'espoir dans l'horreur. C'est un témoignage », selon Émilie Satt.

3. Les journalistes de France Inter ont tout de même tenu à faire écouter une version anglaise de la chanson à la mère de Mercy, pour qu'elle comprenne les paroles. « On croit voir une lueur dans son regard, décrivent-ils. Elle veut 'remercier Dieu, parce qu'il est toujours avec nous', et 'tout l'**équipage** de l'Aquarius' ». Restée seule en Libye après sa séparation avec son mari, la mère de Mercy a **embarqué à bord d'un bateau** de migrants depuis la Libye, pour **échapper à la traite des êtres humains** dans le pays. Elle a également une fille aînée, restée au Nigeria.

4. Elle est aidée par un avocat et une association dans ses démarches pour s'installer dans un autre pays européen, plus au nord. « Je voudrais trouver un travail, je suis couturière de formation mais n'importe quel emploi m'irait très bien. Je voudrais que Mercy aille dans une grande université, elle ne peut endurer ce que j'ai vécu. Tout ce que j'ai entrepris depuis mon départ du Nigeria, c'est pour elle. Et je me dis que donner la vie après avoir **frôlé la mort** est un signe du destin », dit-elle à France Inter.
En deux ans, cinq bébés ont poussé leur premier cri sur l'Aquarius. Mercy est l'un d'entre eux.

Adapté de : *www.huffingtonpost.fr*, le 21 avril 2018

a. **i.** Où est née Mercy ? (Section 1)
ii. En 2017, où vivait Mercy et sa mère ? (Section 1)

b. **i.** Trouvez la phrase qui indique que la mère de Mercy ne savait pas qu'il existait une chanson à propos de sa fille. (Section 2)
ii. À quelle terrible situation la mère de Mercy a-t-elle été rescapée ? (Section 2)

c. D'après les interprètes, que symbolise la chanson Mercy ? (Section 2)

d. **i.** Qui la mère de Mercy remercie-t-elle ? (Section 3)
ii. Pourquoi la mère de Mercy a pris le bateau qui quittait la Lybie ? (Section 3)

e. **i.** Citez ce que voudrait la mère de Mercy pour elle-même et pour sa fille. (Section 4)
ii. Trouvez un verbe au conditionnel présent dans la section 4.

f. What do we learn about the life of Mercy's mother in this article? Refer to the text in support of your answer. (Two points, about 50 words in total.)

14. Écoutez cet entretien avec Nelson, un membre d'une organisation caritative qui s'occupe des migrants et répondez aux questions qui suivent.

a. According to Nelson, why do migrants leave their countries? (Two reasons)

b. Why do some migrants want to go to Europe?

c. Name one problem the migrants face during their trip.

d. **i.** What is the most difficult thing that awaits the migrants when they arrive in Europe?
ii. Once they obtain the status of refugee, what problem will they encounter? (One detail)

15. Maintenant, cherchez les mots et expressions suivants dans la transcription de l'exercice 14 page 446.

a. Natural disasters
b. As far as possible from their country of origin
c. The promised land
d. They don't have the documentation to enter Europe
e. The migrants take huge risks
f. Huge sums of money
g. To seek asylum
h. Refugee status

16. En utilisant le vocabulaire des exercices précédents, traduisez le paragraphe suivant.

A lot of migrants try to cross the sea, boarding ships to try to escape war, poverty or even human trafficking. They come close to death in the hope of reaching the promised land: Europe. Some are saved from drowning, but a lot die during the trip. We have to help them. We have a moral obligation to accept migrants who are fleeing misery and war.

17. « L'Europe ne peut pas accueillir toute la misère du monde ! » Roger, 72 ans

Qu'en pensez-vous ?
(75 mots environ)

AIDE

Vocabulaire :

- Garder les frontières ouvertes c'est permettre aux gens de migrer dans des conditions sûres et dignes.
- Les migrants se trouvent dans une situation tragique par force non par choix.
- La liberté de circulation est un droit fondamental.
- Nous sommes privilégiés par notre lieu de naissance. Tout le monde n'a pas cette chance.
- Le droit de quitter son pays est inscrit dans la Déclaration universelle des droits de l'homme.
- Accepter les migrants, c'est leur donner un statut juridique, un potentiel économique en évitant une migration « illégale ».
- C'est une question d'humanisme, un point c'est tout.

GRAMMAIRE

Le passé simple

The past historic, as it is often called in English, is used in the same way as the perfect tense. Unlike the perfect tense, you do not need to use this tense at all during the Leaving Certificate but you do have to at least recognise it if it is used in your reading comprehension exam.

It is used in formal stories, so you are more likely to meet it in a literary text.
To form the *passé simple*, take the infinitive and drop the endings -**er**, -**ir** or -**re**. Then add the following endings.

- For -**er** verbs:
  aller ⟶ all-
  *j'all**ai***
  *tu all**as***
  *il / elle / on all**a***
  *nous all**âmes***
  *vous all**âtes***
  *ils all**èrent***
- For **-ir** / **-re** verbs:
  finir ⟶ fin-
  *je fin**is***
  *tu fin**is***
  *il / elle / on fin**it***
  *nous fin**îmes***
  *vous fin**îtes***
  *ils fin**irent***

Some irregular verbs in the *passé simple* are included in the verb tables at the back of the book.
For the purpose of the grammar question in the reading comprehension, you need to recognise the following irregular verbs as being in the *passé simple*:

*avoir ⟶ j'**eus***
*être ⟶ je **fus***
*faire ⟶ je **fis***

Lisez et trouvez 10 verbes au passé simple.

La poupée vécut très longtemps bien soignée, bien aimée ; mais petit à petit elle perdit ses charmes, voici comment. Un jour, Sophie pensa qu'il était bon de laver les poupées, puisqu'on lavait les enfants ; elle prit de l'eau, une éponge, du savon et se mit à débarbouiller sa poupée ; elle la débarbouilla si bien, qu'elle lui enleva toutes ses couleurs : les joues et les lèvres devinrent pâles comme si elle était malade, et restèrent toujours sans couleur. Sophie pleura, mais la poupée resta pâle.

Les malheurs de Sophie, Comtesse de Ségur, domaine public, 1858

Bilan du chapitre 28

On révise le vocabulaire

1. Traduisez les mots suivants.
   a. Un passeur
   b. Les sans papiers
   c. Un demandeur d'asile
   d. Les catastrophes naturelles
   e. The right to vote
   f. Electoral register
   g. Abstention
   h. Developing countries
   i. Compulsory
   j. To travel freely in Europe
   k. Cultural diversity

2. Traduisez les phrases suivantes.
   a. **Grâce à l'immigration**, nous vivons dans une société multiculturelle.
   b. **Nous avons une obligation morale d**'aider les migrants.
   c. **Il faut venir en aide aux** migrants.
   d. **Avec l'immigration, notre société toute entière est** enrichie.
   e. **Certains pensent qu'avec trop d'immigration, ils vont perdre** leurs traditions.

3. Maintenant utilisez les structures en caractères gras ci-dessus pour créer vos propres phrases.

4. Traduisez le sens général des expressions suivantes.
   a. Ils mentent tous comme des arracheurs de dents !
   b. Ce n'est pas demain la veille !
   c. Les migrants payent des sommes exorbitantes aux passeurs.
   d. Les bateaux humanitaires sauvent les migrants de la noyade.
   e. Certains migrants frôlent la mort pendant la traversée.
   f. En montant à bord d'un bateau, certains migrants échappent à la traite des êtres humains.

On révise la grammaire

5. Dans l'extrait suivant, trouvez 10 verbes au passé simple.

Le cœur battant affreusement, Manuel commença à marcher à reculons. Le chien le fixait de ses yeux sombres, sans bouger. Puis il dressa légèrement ses oreilles pendantes et se leva avec une lenteur menaçante. Sans réfléchir, Manuel se retourna et se mit à courir. Il ne fallait jamais faire ça. Jamais ! Il le savait pourtant ! Il entendait ... il entendait le souffle du chien derrière lui, du chien qui se rapprochait. Alors, il s'arrêta brusquement et se retourna en mettant son sac de sport devant son visage. Au lieu de lui sauter dessus, le chien stoppa et renifla le sac. Il avait un museau noir, des yeux cerclés de noir. Tout le reste de son corps était beige. Manuel respira mieux. Il venait de comprendre. « Tu as faim ? » demanda-t-il d'une voix étranglée.

« Elle s'appelait Tara », E. Brisou-Pellen, dans *Des Mots pour la vie: Contes*, éditions Pocket Jeunesse, 2000

FOCUS EXAMEN

Production écrite: pour impressionner l'examinateur

Pour impressionner l'examinateur, il faut inclure autant des structures suivantes dans votre travail écrit que possible. Pour chacune de ces structures, écrivez deux ou trois phrases, comme dans les exemples.

1. Les mots de liaison

Tout d'abord, je me suis levée. Ensuite je suis allée le voir. D'un côté j'avais vraiment envie de l'ignorer, mais de l'autre, je ne pouvais pas laisser passer ça ! Finalement, je lui ai dit que je le quittais.
First of all, I got up. Then I went to see him. On the one hand, I really wanted to ignore him, but on the other, I couldn't let it pass. Finally, I told him I was leaving him.

2. Les adverbes

Naturellement, il est très difficile de régler ce problème.
Of course, it is very difficult to solve this problem.

Je ne suis absolument pas d'accord sur ce point
I completely disagree on this point.

3. Les expressions (idiomes)

Il faut bien que jeunesse se passe !
Youth must have its day.

Je ne suis absolument pas d'accord sur ce point.
I completely disagree on this point.

4. Les opinions

Il me semble que ce problème n'a pas de solution facile.
It seems to me that this problem doesn't have an easy solution.

Je ne suis absolument pas d'accord sur ce point
I completely disagree on this point.

5. Exprimer ses sentiments

D'abord, j'ai été bouleversé(e), mais ensuite j'étais aux anges !
At first I was overwhelmed, but then I was over the moon!

C'était tellement drôle que j'ai éclaté de rire !
It was so funny that I burst out laughing!

6. Les phrases complexes

Quand on apprend une langue étrangère, on découvre aussi une autre culture.
When you learn a foreign language, you discover a new culture as well.

Ce qu'on pourrait faire c'est augmenter le nombre de policiers dans les rues.
What we could do is increase the number of police officers on the streets.

7. Les pronoms relatifs

Tout dépend des résultats que je vais avoir.
Everything depends on the results I get.

C'est l'homme dont je t'ai parlé !
It's the man I told you about.

8. Les modaux

Le gouvernement doit vraiment aider les sans-abri.
The government really has to help the homeless.

On pourrait le faire si on voulait.
We could do it if we wanted.

9. Le subjonctif présent

Il faut que j'aille à l'université pour réussir ma carrière.
I need to go to university to succeed in my career.

Bien que j'étudie le français depuis des années, je trouve la grammaire encore très difficile.
Although I've been studying French for years, I still find the grammar difficult.

10. Le conditionnel passé

J'aurais voulu trouver un petit boulot, mais je n'ai rien trouvé.
I would have liked to have found a part-time job, but I didn't find anything.

On aurait dû faire quelque chose plus tôt.
We should have done something earlier.

11. Le plus-que-parfait

Comme j'avais oublié mon portable, je n'ai pas pu t'appeler.
As I had forgotten my mobile phone, I couldn't call you.

J'avais décidé de ne pas prévenir mes parents.
I had decided not to warn my parents.

Évaluation de l'unité 7

La compréhension écrite

Lisez ce texte et répondez aux questions qui suivent.

Jeune Africain, Sam voyage à bord d'un bateau de migrants : destination l'Europe. Une tempête éclate et le bateau se retourne. Sam est sur la coque du bateau, avec d'autres rescapés.

1. Hisser Nafi sur la coque retournée ne fut pas facile. Le mazout qui flottait à la surface de l'eau rendait les membres huileux et empêchait toute prise ferme. Malgré l'aide des naufragés, Sam dut s'y remettre à plusieurs fois.

   La mer avait retrouvé son aspect normal. Celui d'un immense lac parfaitement paisible qui, en d'autres circonstances, aurait suscité le rêve et l'espoir des naufragés. Le ciel aussi devenait plus clément. La pluie avait cessé. Par endroits, les nuages se déchiraient pour laisser apparaître les étoiles.

2. À présent, les survivants dérivaient dans une direction inconnue. Seul le clapotis des vagues contre l'épave troublait le silence saisissant de l'immensité qui les entourait. Dans l'obscurité, Sam évalua le nombre de rescapés sur la coque à une trentaine. Ils devaient être autant dans l'eau, accrochés pour ne pas couler.

   Une soixantaine. Un peu plus de la moitié de leur effectif de départ. La gorge de Sam se serra, empêchant le rugissement de sa colère d'interpeller le ciel.

   Était-ce là le tribut à payer pour entrouvrir les portes de l'Europe ?

   Afin d'éviter que le chagrin ne le submerge, Sam tenta de se convaincre que seul son sort comptait. Avant de monter dans ce bateau, il ne connaissait aucun de ceux qui l'entouraient ou qui s'étaient noyés.

3. Mais une part de lui-même se sentait irrémédiablement responsable de tous ces migrants. Car il n'était pas un simple migrant parmi les autres.

   Au moment de quitter la plage, on lui avait confié une boussole en lui indiquant le cap à tenir, ainsi qu'un téléphone cellulaire pour prévenir les gardes-côtes une fois qu'ils seraient parvenus dans les eaux italiennes. Mais l'orage avait éclaté trop tôt. Moins d'une vingtaine d'heures après le départ.

   Quand la mer s'était formée, Sam avait tenté d'établir la liasion pour demander du secours, sans succès. Depuis, le téléphone avait coulé, et avec lui l'espoir de signaler leur présence.

   En tant que barreur, il était un peu le capitaine de ce navire. Il avait failli à sa tâche.

   Il devait trouver un moyen d'alerter les garde-côtes. Alerter aussi tous ceux qui s'apprêtaient à quitter la Libye pour prendre la mer. Alerter ses copains, ses amis au village. Leur intimer de ne pas partir.

La traversée, de Jean-Christophe Tixier, édition Rageot, 2015

1. a. Pourquoi est-il difficile pour Sam de hisser Nafi sur la coque du bateau ? (Section 1)

   b. Trouvez un passé simple dans la première section.

   c. Trouvez les mots qui montrent que c'est la nuit. (Section 1)

2. a. D'après Sam, combien y aurait-il de survivants ? (Section 2)
   b. Combien de migrants y avait-il avant que le bateau ne se retourne ? (Section 2)

3. Quelle responsabilité avait-on donné à Sam avant de partir de Libye ? (Section 3)

4. Citez le problème que ces migrants ont affronté quelques heures après le début de leur voyage ? (section 3)

5. Que voulait-il dire à ceux qui voulaient quitter la Libye ? (Section 3)

6. What do we learn about Sam's journey in this extract? Refer to the text in support of your answer. (Two points, about 50 words in total.)

L'écrit

Répondez à 1, 2 ou 3.

1. Depuis ces dernières années, l'Irlande est devenue un pays multiculturel.
   Expliquez comment les traditions et les cultures différentes ont apporté une grande richesse à notre pays.

   (75 mots environ)

   2016, Leaving Certificate HL, Section II, Q4 (a)

2.

   Donnez vos réactions

   (75 mots environ)

   2014, Leaving Certificate HL, Section II, Q4 (b)

3. En Irlande aussi, la situation des personnes sans domicile fixe (SDF) est assez grave. À votre avis, est-ce qu'on fait assez pour résoudre ce problème ?

   (90 mots environ)

   2015, Leaving Certificate HL, Section II, Q1 (a)

TRANSCRIPTS

CD 1

CD 1 Track 1

This CD accompanies *À l'Attaque !*, a French textbook for Leaving Certificate, Higher Level students. It was written by Dominique Sénard and published by Gill Education in 2019.

CD 1 Track 2

Chapitre 1, exercise 4

Bonjour, je m'appelle Mohamed mais tout le monde m'appelle Momo, même les profs ! J'ai dix-sept ans. Mon anniversaire est le dix mai. Je suis français. J'ai les cheveux bruns, courts et frisés. J'ai les yeux marron. Je suis assez grand. Je mesure un mètre quatre-vingt et je pèse soixante-dix kilos. Mes copains disent que je suis sympa mais un peu têtu.

CD 1 Track 3

Bonjour, moi c'est Chantal. Je n'ai pas de surnom, je n'aime pas ça et je vais avoir dix-sept ans le six octobre. Je suis Belge mais j'habite à Paris où je fais mes études de Droit à l'université. J'ai les cheveux courts et blonds et les yeux bleus. Je suis très petite. Je mesure un mètre soixante-deux. Je pèse quarante-neuf kilos. Je ne suis pas mince mais je ne suis pas grosse non plus. Je suis bien dans ma peau ! Il paraît que je suis généreuse. On dit que j'ai le c'ur sur la main.

CD 1 Track 4

Salut moi c'est Jonathan. Je déteste ce prénom alors, depuis que je suis petit on m'appelle Johnny. Je viens d'avoir dix-sept ans le vingt septembre. Je n'ai pas fait de fête parce que c'est la rentrée. Je suis canadien. J'ai les cheveux roux et les yeux verts. J'ai beaucoup de taches de rousseur sur le visage. Je suis grand, un mètre quatre-vingt et je pèse quatre-vingt kilos. Ma passion, c'est le rugby et je pense que je suis compétitif et ambitieux.

CD 1 Track 5

Bonjour, moi c'est Sophie mais mes copains m'appellent Sof ou Soso, ça dépend. J'ai dix-huit ans. Je suis née le quinze décembre, mille neuf cent quatre-vingt-dix-neuf. Je suis irlandaise mais j'habite en France depuis ma naissance. J'ai les cheveux châtains, longs et frisés et les yeux marron. Je porte des lunettes. Je suis de taille moyenne, un mètre soixante-sept et je pèse soixante kilos. J'ai l'air timide mais en fait, quand on me connaît, je suis très sociable.

CD 1 Track 6

Chapitre 1, exercice 12

Journaliste Bonjour Julien Priem. Vous jouez dans une série qui s'appelle « Non mais ça va ? ». Pour ceux qui ne vous connaissent pas, pouvez-vous vous présenter ?

Julien Je m'appelle Julien Priem, je suis né le quatorze avril mille neuf cent quatre-vingt-sept. J'ai donc trente ans. Je suis acteur depuis dix ans maintenant et je suis le réalisateur de la série. Je joue le rôle de Jacques Menier, un jeune qui n'a pas de diplôme et se retrouve chauffeur de voiture de VTC.

CD 1 Track 7

Journaliste Comment décririez-vous votre personnage ?

Julien Jacques est râleur, incompétent et alcoolique. Il accueille dans sa voiture des personnes et personnalités de toutes sortes. Il aime bavarder avec ses clients mais il est arrogant et met souvent les pieds dans le plat. Il est paresseux et il ne pense qu'à lui.

CD 1 Track 8

Journaliste Alors vous n'avez rien en commun avec Jacques ?!

Julien Non ! Moi, je suis très ambitieux et travailleur. Je suis assez timide et je n'aime pas bavarder avec tout le monde. Il me faut du temps pour être à l'aise avec les gens. Je suis un peu sauvage. Je suis moi-même avec ma famille, surtout avec ma femme, Céline.

CD 1 Track 9

Journaliste C'est important pour vous la famille ?

Julien Oui, avec ma famille je me sens libre. Je peux me lâcher. Ma femme Céline est le contraire de moi ! Elle se fait des amis en cinq minutes, elle est extravertie, elle aime sortir en boîte, danser, faire du shopping. Moi, je préfère un bon livre ou un film à la télé.

CD 1 Track 10

Chapitre 2, exercice 2

Salut, moi c'est Lucille. J'ai vingt-et-un ans et nous sommes quatre dans ma famille. J'ai une petite sœur qui s'appelle Edwige, comme la chouette d'Harry Potter. Je suis l'aînée. Mon père est pilote d'avion et ma mère est chirurgienne. Je m'entends bien avec mes parents. Ils sont souvent absents à cause de leurs travails mais ils sont sympas et compréhensifs.

CD 1 Track 11

Bonjour, je m'appelle Alexandra mais je préfère qu'on m'appelle Alex. J'ai seize ans. J'ai un demi-frère qui s'appelle Bruno. Il a cinq ans et il est trop mignon. Mes parents sont divorcés et mon père s'est remarié. Je vis avec mon père qui est policier ; ma mère est prof de maths. Je la vois le weekend. Je ne m'entends pas du tout avec ma belle-mère. Elle est stricte, surtout pour les devoirs.

CD 1 Track 12

Je m'appelle Marc et je viens d'avoir dix-sept ans. Je fais partie d'une famille nombreuse. Il y a huit personnes dans ma famille. Moi, je suis le cadet. Être le plus jeune a ses avantages. Mes parents sont plus cools avec moi qu'avec mes frères et sœurs. Mon père est ingénieur et ma mère est docteur.

CD 1 Track 13

Chapitre 2, exercice 7

Paul	Salut Nathalie ! Ça n'a pas l'air d'aller ? Tu as un problème ?
Nathalie	Oui ! C'est ma petite sœur le problème ! Elle est pourrie gâtée ! Elle fait toujours ce qu'elle veut !
Paul	Tu exagères quand même ! Elle est sympa ta sœur.
Nathalie	C'est facile pour toi ! Tu ne vis pas avec elle ! Moi, je dois toujours montrer l'exemple. Comme je suis l'aînée, j'ai plus de responsabilité. Ça m'énerve ! Ma sœur est bête comme ses pieds, égoïste et menteuse !
Paul	Tu t'entends bien avec tes parents au moins ?
Nathalie	Heureusement, je m'entends à merveille avec ma mère. Elle est toujours là quand j'ai besoin d'elle. Mais alors avec mon père ! C'est simple, c'est la guerre entre nous !
Paul	C'est vrai que ton père est sévère.
Nathalie	Sévère ? C'est un vrai dictateur ! Je ne peux pas sortir avec mes copains, ni aller au cinéma, ni aller en boite … Rien ! Il me traite comme un bébé. J'ai dix-sept ans quand même !
Paul	Ne t'inquiète pas, l'année prochaine, tu iras à l'université. Tu seras tranquille.
Nathalie	Il me tarde parce que j'en ai ras le bol !

CD 1 Track 14

Chapitre 2, exercice 15

Bonjour, je m'appelle Soan. Pour aider mes parents à la maison, de temps en temps je passe le balai dans la cuisine et je prépare les repas. Par contre, je déteste passer l'aspirateur.

CD 1 Track 15

Salut, moi c'est Pénélope. Comme mes parents sont très sévères, je dois aider avec le ménage. Je mets la table et je débarrasse la table tous les jours. Ce que je déteste le plus c'est de faire la vaisselle. Beurk !

CD 1 Track 16

Moi, je m'appelle Lilou. Même si je n'ai pas le temps avec mon bac, je dois quand même aider à la maison. Je dois faire la poussière et promener le chien. Je ne supporte pas de sortir les poubelles.

CD 1 Track 17

Je m'appelle Karim et faire le ménage ne me dérange pas trop. C'est normal d'aider à la maison ! Moi, je fais du jardinage et je tonds la pelouse. Je n'aime pas trop laver le sol, mais je le fais !

CD 1 Track 18

Chapitre 3, exercice 4

Je m'appelle Pierre et mon meilleur copain s'appelle Nathan. Je le connais depuis cinq ans. On s'est rencontrée quand on est entré au collège, en sixième. On avait onze ans.

Maintenant, on étudie pour le bac, mais on n'est pas dans la même classe. Il aime les maths et la physique, moi, c'est plutôt la littérature et l'art.

Mais on passe quand même beaucoup de temps ensemble. On fait beaucoup de sport tous les deux : on joue au foot, au rugby … On aime aussi les jeux vidéo et on joue pas mal sur ma console Wii.

L'année dernière, je voulais quitter l'école, j'en avais marre du lycée, mais Nathan m'a aidé et je suis resté. Maintenant, je passe le bac.

Être à l'écoute, c'est le plus important pour moi. Comme je ne parle pas trop de mes problèmes à mes parents, c'est super d'avoir un copain qui vous écoute, qui vous donne des conseils.

CD 1 Track 19

Moi, c'est Sandra et ma meilleure copine Nathalie a seize ans, comme moi. On se connaît depuis six ans, depuis le collège. Nous sommes différentes. Elle est extravertie et moi je suis plutôt du genre timide ! Elle parle fort et je déteste ça.

On se dispute souvent à cause des sorties. Elle veut aller en discothèque tous les soirs ! Moi, aller en boîte, ça va cinq minutes mais pas tous les soirs quand même !

Mais bon, c'est vrai qu'on a la même passion : la musique. Elle fait de la guitare et moi du piano. La chose la plus importante pour moi, c'est de partager : partager ses goûts, ses humeurs, partager ses problèmes. Tout quoi !

CD 1 Track 20

Chapitre 3, exercice 14

Mon meilleur ami s'appelle Quentin. Je le connais depuis au moins quinze ans. Il est extraverti et il me fait toujours rire.

Nous sommes nés à un jour de différence. Quentin est né le quinze mars et moi le seize mars. En général, nous fêtons nos anniversaires ensemble. Nous nous entendons super bien.

CD 1 Track 21

Nos meilleurs souvenirs d'enfance? Une fois, en été, nous sommes partis faire du camping pendant une semaine. C'était génial. On est même allés en discothèque pour la première fois ! On a bien rigolé.

CD 1 Track 22

L'année dernière, Quentin et ses parents ont déménagé dans un autre quartier de la ville. Quentin a dû changer d'école. J'étais bouleversé et j'avais peur de ne plus le revoir. Heureusement, sa maison n'est pas trop loin en bus donc on se voit tous les weekends. Alors on peut toujours se retrouver et s'amuser tous les deux.

CD 1 Track 23

Chapitre 4, exercice 9

Je m'appelle Marianne et je suis Française. Ma mère est née au Maroc et mon père est né à Paris.

Comme je ressemble beaucoup à ma mère, il y a des gens qui pensent que je ne suis pas Française, parce que je suis du Maroc. Je souffre pas mal du racisme. C'est ce que je déteste le plus, les gens racistes.

À mon avis, ils sont racistes parce qu'ils ont peur. Ils ne comprennent pas les autres alors ils ont peur.

On devrait leur apprendre les différences de cultures, pour qu'ils comprennent et qu'ils acceptent. Il faut éduquer les gens.

La meilleure solution contre le racisme, c'est l'éducation.

CD 1 Track 24

Je m'appelle Olivier, je viens d'avoir la majorité. J'ai dix-huit ans depuis deux mois maintenant.

Ce que je déteste le plus c'est d'être encore chez mes parents, de vivre avec eux. Je n'ai aucune indépendance !

Bon, c'est vrai que je ne dois pas faire la cuisine, mon linge est lavé miraculeusement, j'ai de l'argent de poche toutes les semaines ...Mais tous les soirs, je dois mettre la table et la débarrasser et faire la vaisselle. Tous les soirs !

Comme j'ai dix-huit ans, je peux rentrer quand je veux le samedi. En général, je rentre à deux heures du matin. Ma mère me dispute à cause de ça. Elle dit que j'ai le bac cette année et que je ne dois pas sortir !

Il me tarde l'année prochaine à la fac pour sortir tous les soirs !

CD 1 Track 25

Chapitre 4, exercice 12

Je m'appelle Lucie, j'ai dix-sept ans et je suis en terminale au lycée Sévigné à Paris. Depuis deux ans, je sens que la moindre réflexion de ma mère me met dans tous mes états. Je vis seule avec elle et elle m'énerve au plus haut point ! Elle m'agace !

CD 1 Track 26

C'est embêtant car je ne suis jamais tranquille à la maison. Elle aimerait avoir la fille parfaite ! Ce qui m'énerve le plus, c'est quand je dois faire ce qu'elle dit tout de suite ! Quand elle me demande quelque chose et que je n'ai pas envie de le faire tout de suite, ou que je suis occupée, elle attend que j'obéisse, et ça m'énerve ! J'écoute, mais je n'ai pas envie de le faire.

CD 1 Track 27

On se fâche, parfois fort. Elle se met en colère et moi aussi. Après une grosse dispute, on ne se parle plus pendant des jours. C'est l'enfer à la maison.

Souvent, j'essaie de trouver des techniques pour me calmer : quitter le salon où on s'engueule, sortir me promener pour respirer un peu, m'enfermer dans ma chambre et écouter de la musique. J'essaie aussi de comprendre pourquoi je réagis comme ça.

CD 1 Track 28

L'année prochaine je pars à l'université et je vais vivre dans un appartement. Je serai indépendante. J'espère que mes relations avec ma mère vont s'améliorer avec la distance.

CD 1 Track 29

Chapitre 5, exercice 2

Moi c'est Patrick, j'ai dix-sept ans et je suis fan de sport. Le weekend, j'ai besoin de me défouler en faisant du sport pour oublier le stress du bac. Je joue au foot et je fais de la natation. Je dois dire que je préfère le foot parce que j'adore mon équipe. Je suis gardien de but. Il faut être très précis et rapide. J'ai commencé quand j'avais dix ans. En général, le weekend, je m'entraîne avec mon équipe et parfois on a un match. J'aime aussi jouer aux jeux vidéo. Ce sont des jeux d'aventure ou de sport. Je peux passer des heures à jouer sur ma console.

CD 1 Track 30

Je m'appelle Danielle et j'ai la majorité. Quand j'ai besoin de décompresser, je vais me balader ou je me plonge dans un bon livre. Ça me change les idées. J'adore la lecture. Mon genre préféré c'est les romans de fantaisie. Je suis un vrai rat de bibliothèque ! Sinon, je sors en ville avec mes amies. On va faire de la lèche-vitrine ou on s'assoie à un café et on bavarde.

CD 1 Track 31

Moi, je m'appelle Sarah et j'ai dix-sept ans. Je faisais du sport en première l'année dernière mais je n'ai plus le temps à cause de mes études. J'ai trop de devoirs. Le weekend, je me détends en regardant la télé. Mes émissions préférées sont sur la chaîne MTV. Ce sont des émissions de télé-réalité. Je passe beaucoup trop de temps devant le petit écran. Quand je ne regarde pas la télé le weekend, je suis sur les réseaux sociaux. J'adore rester en contact avec mes copains sur Facebook ou Twitter. Je suis accro !

CD 1 Track 32

Moi c'est Sébastien, mais tout le monde m'appelle Séb. Je suis un cinéphile. J'adore le cinéma et j'y vais tous les weekends. Je passe un temps fou sur Netflix ou à télécharger des films sur mon ordinateur. Je voudrais travailler dans le cinéma après le bac. J'aimerais être réalisateur. À part le cinéma, je m'intéresse à la musique. J'adore aller aux concerts en plein air. Ma musique préférée c'est le rock. Je n'aime pas trop la pop. Je joue de la guitare et de la batterie depuis l'âge de six ans. Je fais même partie d'un groupe de rock et on joue dans les pubs le weekend.

CD 1 Track 33

Chapitre 5, exercice 7

Charlotte Moi, je préfère les feuilletons et les téléfilms. J'adore *Bones* et *CSI : Miami*. Je suis scotchée à l'écran ! Je pense que je passe au moins trois heures tous les soirs à regarder la télé ! Je dois suivre mes feuilletons ! C'est important ! Et depuis qu'il y a des émissions de télé-réalité comme la *Star academy* ou *Loft story*, je peux passer cinq heures devant la télé sans problème ! J'adore ça ! Comme mes parents ne supportent pas ces émissions, je vais dans ma chambre pour les regarder. Ils disent que c'est de la télé-poubelle. Comme il y a cinq télévisions chez moi, il y a le choix !

CD 1 Track 34

Henri La télévision n'est pas mon passe-temps favori. Je préfère lire. Mais je regarde quand même la télé tous les soirs. Mon émission préférée c'est *Tout le foot*, une émission sportive. Ils expliquent les matchs et tout ça. J'aime aussi les films, surtout les films d'horreur, mais il n'en passe pas beaucoup à la télé. À mon avis, il n'y a rien de mieux. J'en ai marre des gens qui disent qu'il y a trop de violence à la télévision. J'adore ça moi la violence ! Il y a plus de violence dans les jeux vidéo !

CD 1 Track 35

Chapitre 5, exercice 11

Les jeunes passent leur temps devant leur smartphone. Et ce qu'ils y font de plus en plus, c'est de regarder des vidéos sur YouTube ! Mais quels programmes regardent-ils ? Qui sont les vedettes qu'ils suivent sur YouTube ?

Quelques chiffres pour poser le tableau :

- La fréquentation de YouTube a augmenté de quatorze pour cent entre deux mille quinze et deux mille seize.
- Un français sur deux de moins de quatorze ans regarde YouTube tous les jours.
- Deux-tiers d'entre eux le font plusieurs fois par jour.
- Cette consommation se fait aux deux-tiers depuis un smartphone.
- Chez les vingt-cinq à trente-quatre ans, un quart d'entre eux attaquent et finissent leur journée sur YouTube.

Les visiteurs se consacrent essentiellement à la musique, au sport, aux choses de la vie quotidienne (mode, santé beauté, cuisine, ...) et à l'humour.

CD 1 Track 36

Chapitre 5, exercice 16

Le dernier film que j'ai vu c'était un film de science-fiction : *Avengers*. C'était le weekend dernier. J'ai trouvé le film absolument excellent ! Vraiment génial.

CD 1 Track 37

Moi, je suis allé voir un film d'horreur hier. C'était nul !

CD 1 Track 38

Alors moi, j'adore les animations, alors je suis allée voir le dernier dessin animé *The Incredibles 2* il y a deux semaines. C'était pas mal, mais j'ai préféré le premier.

CD 1 Track 39

Moi, je suis allé au cinéma samedi dernier. J'ai vu une comédie : *Deadpool 2*. J'ai rigolé ! C'était amusant. J'ai bien aimé.

CD 1 Track 40

Je suis allé au cinéma pour voir *The Irishman*. C'est un film policier. Ce n'était pas terrible mais l'acteur principal est excellent.

CD 1 Track 41

Chapitre 5, exercice 24

Il était un peu plus d'une heure du matin, dimanche, lorsqu'une automobiliste de soixante-dix-sept ans s'engage sur la route A16, près de Calais, dans le Pas-de-Calais. Elle roule alors pendant une quinzaine de kilomètres, sans se rendre compte qu'elle était … à contresens. L'automobiliste imprudente a croisé plusieurs véhicules sous une pluie battante sans toutefois causer d'accident. Alertés par des conducteurs, les gendarmes l'ont arrêtée et la septuagénaire a été autorisée à repartir après avoir subi un test d'alcoolémie qui s'est révélé négatif.

CD 1 Track 42

C'est aujourd'hui qu'a lieu le procès du restaurant McDonald de Reims après la chute d'une cliente qui avait glissé sur une frite, il y a plus d'un an. Le vingt-deux septembre deux mille sept, vers vingt-deux heures trente, Marie Duchant vient chercher quelques hamburgers pour ses quatre enfants. Elle n'arrivera jamais à la caisse. « Ma jambe gauche a glissé sur une frite et je suis tombée », expliquait-elle. Résultat : une jambe cassée qui l'oblige à porter un plâtre de la cheville à la cuisse. Aujourd'hui, la victime affirme qu'elle ne pourra plus jamais marcher comme avant. Elle réclame une indemnisation de quinze mille euros.

CD 1 Track 43

Le tribunal correctionnel de Bourgoin-Jallieu dans l'Isère a condamné à deux mois de prison ferme et dix mois avec sursis un automobiliste de trente-huit ans qui s'était endormi au volant de sa voiture alors qu'il conduisait avec cinq virgule quatre-vingt-quatre grammes d'alcool par litre de sang.

CD 1 Track 44

La grève des conducteurs de train se poursuit sur le Paris-Beauvais et les lignes adjacentes. Élément nouveau, aujourd'hui : le mouvement s'étend à la ligne Amiens-Compiègne. Les conducteurs du Paris-Beauvais continuent le mouvement de grève lancé mardi par trois organisations syndicales (CGT, CFDT, FGAAC). Ils ont rendez-vous aujourd'hui avec leur direction pour trouver une issue au conflit.

CD 1 Track 45

Chapitre 6, exercice 4

Patricia Je fais du football féminin dans l'équipe de mon école depuis trois ans. Je m'entraîne dans mon club dans le gymnase de mon école tous les jours, du lundi au dimanche ! Je me sens toujours beaucoup plus calme, détendue après avoir couru sur le terrain.

CD 1 Track 46

Ingrid Moi, je ne fais pas de sport, mais je joue du piano depuis sept ans. Je m'entraîne pendant deux heures, trois fois par semaine, le lundi, le mercredi et le vendredi après l'école. Je vais chez mon professeur de piano. J'aime le piano et comme j'étudie la musique pour le bac, je vais avoir une bonne note !

CD 1 Track 47

Sébastien Moi, je joue au rugby. Je m'entraîne sur le terrain de mon village. Je joue pour l'équipe de rugby de mon village. Je m'entraîne quatre fois par semaine. Avec le rugby, je garde la forme et je suis plus résistant. C'est bon pour ma forme physique.

CD 1 Track 48

Yannick Je fais du tennis depuis six ans. Je joue dans un club de tennis à côté de chez moi. C'est pratique. Ça demande beaucoup d'effort et je dois m'entraîner tous les jours pendant une heure. J'aime vraiment ce sport et comme je dois me concentrer sur la balle, j'oublie tous mes problèmes le temps de l'entraînement.

CD 1 Track 49

Chapitre 6, exercice 10

Katie L'année dernière, j'étais en première et j'avais déjà beaucoup de travail mais je pouvais quand même faire du sport. Je faisais du hockey sur gazon et de la voile. Cette année, avec le bac, il m'est impossible de faire les deux. Je dois me concentrer complétement sur mes études. Avec le sport, je pouvais me défouler et oublier le stress du bac. Maintenant, je n'ai plus le temps. C'est leçons, devoirs, révisions, examens … et je deviens de plus en plus stressée. La seule chose que j'ai le temps de faire c'est de me promener un peu. Je vis à la campagne donc c'est facile de prendre l'air.

CD 1 Track 50

Ingrid Je fais attention à ma santé donc je mange bien et je fais du sport. Je vais à la gym trois fois par semaine et je cours le long de la rivière à côté de chez moi. Je n'aime pas les sports d'équipe. Je préfère être toute seule avec mes pensées, mon iPad et ma musique. Le mois dernier, j'ai été malade et je n'ai pas pu faire de sport. Je suis devenue irritable et franchement horrible avec mes copains et ma famille. Si je ne fais pas de sport, je ne peux pas décompresser, je garde tout le stress, tous mes problèmes et, après quelques jours, je suis prête à exploser ! J'ai besoin de faire du sport pour avoir une vie équilibrée.

CD 1 Track 51

Dr Hamérick En gros, quand on fait du sport, on se sent en meilleure forme et on se protège contre certaines maladies comme le diabète, l'obésité ou les problèmes cardio-vasculaires. Et puis quand on s'active, notre cerveau sécrète des endorphines, c'est-à-dire des hormones qui véhiculent une sensation de plaisir. Faire du sport a donc des effets positifs sur notre moral !

CD 1 Track 52

Chapitre 7, exercice 2

Fabrice Alors moi, j'utilise Internet principalement pour faire des recherches pour mes études et aussi pour bavarder avec mes copains. J'envoie pas mal de mail et j'utilise Facebook. J'ai un ordinateur chez moi, mais j'utilise ceux de la bibliothèque le plus souvent. Le problème c'est qu'on peut passer des heures devant l'écran à chercher une information et puis on finit toujours sur un site de messagerie à chatter avec ses copains !

CD 1 Track 53

Marlène Je viens juste d'installer Internet chez moi. Mon petit-fils m'a expliqué comment l'utiliser. Au début je pensais que je n'y arriverais pas ! Ça avait l'air si compliqué ! Mais en fait, une fois qu'on s'y met, ça va. J'utilise Internet sur mon ordinateur, dans mon bureau. J'en ai besoin car ma fille a déménagé en Allemagne, c'est vraiment pratique pour garder contact avec la famille. J'envoie des emails et je sais même envoyer des photos !

CD 1 Track 54

Ludmila Je suis complètement accro à Internet ! Mes parents n'en peuvent plus ! Je suis collée à l'écran dès que je rentre du collège. Je chatte avec mes copains et j'ai même un blog ! Avant j'utilisais mon téléphone portable et je dépensais une fortune à bavarder avec mes copines. Maintenant, je chatte en ligne et c'est super parce qu'on peut s'envoyer des photos, et chatter à plusieurs ! Mes parents devraient être contents d'avoir une fille si populaire, mais non, ils disent que je devrais me concentrer sur mes études et faire mes devoirs !

CD 1 Track 55

Chapitre 7, exercice 6

À mon avis, le portable nous envahit. C'est simple ! Il est partout. Mais le pire c'est qu'on dépense beaucoup d'argent pour les sonneries et les jeux. C'est la faute des industriels de la téléphonie qui ciblent les jeunes.

CD 1 Track 56

Alors moi, je ne comprends absolument pas pourquoi les enfants ont des portables ! C'est vrai ça ! Ils n'ont pas besoin de portable à sept ou huit ans quand même ?! Ça leur donne de mauvaises habitudes dès le plus jeune âge.

CD 1 Track 57

Moi c'est le contraire, j'adore le portable, on peut même dire que je suis accro ! Je l'ai toujours avec moi, je ne peux pas m'en passer. En plus, quand j'ai mon portable, je me sens plus en sécurité car je peux contacter mes parents ou mes copains en cas d'urgence.

CD 1 Track 58

Je ne vais pas sur les réseaux sociaux et je ne joue pas avec des jeux sur mon portable. Pour moi, un téléphone permet d'être toujours en contact avec ses copains et sa famille. C'est tout.

CD 1 Track 59

Le téléphone portable nous envahit mais ce qui m'énerve le plus c'est les gens qui parlent au téléphone dans les lieux publics. Je n'ai pas forcément envie d'écouter leurs conversations ! C'est vraiment impoli !

CD 1 Track 60

Chapitre 7, exercice 10

Comment les jeunes communiquent-t-il sur les réseaux sociaux?

Snapchat est le premier réseau social à conquérir le cœur des jeunes entre seize et vingt-deux ans. Intuitif, ludique et inventif, Snapchat arrive en première position, laissant la deuxième place à Facebook et la troisième place, à YouTube.

Cinquante-et-un pour cent des jeunes utilisent Snapchat pour partager des photos tandis qu'Instagram n'emporte que vingt-quatre pour cent des préférences.

Pour envoyer des vidéos, Snapchat est aussi l'application favorite de cinquante-six pour cent des jeunes sondés. Seulement dix pour cent passent en priorité par Facebook pour envoyer des vidéos.

Soixante-seize pour cent de jeunes interrogés utilisent encore Snapchat pour publier ce qu'ils font ou communiquer avec leurs amis. Quatre-vingt pour cent des jeunes préfèrent Facebook Messenger pour parler à leurs parents. Snapchat serait donc l'appli où les jeunes « se lachent » le plus !

Un jeune sur deux utilise des filtres lors du partage des photos. À noter que les filles sont davantage adeptes des filtres que les garçons: soixante-et-un pour cent contre trente-cinq pour cent.

Du côté du partage de la vie quotidienne sur les réseaux sociaux, les pratiques divergent. Cinquante-six pour cent des jeunes de seize à vingt-deux ans avouent avoir publié une photo de leur assiette et cinquante-quatre pour cent des jeunes voyant quelque chose d'insolite ont pour premier réflexe de le partager.

Rien de tout cela ne nous permet de dire que les jeunes sont accros aux réseaux sociaux, mais plutôt qu'ils semblent maîtriser leurs publications. Et cette idée de contrôle est justement très importante pour dix-neuf pour cent des jeunes, qui ambitionnent de gagner en notoriété, grâce à leurs réseaux sociaux.

CD 1 Track 61

Chapitre 8, exercice 1

Cette jupe coûte trois cent soixante-quinze euros. Oui, je sais, c'est cher, mais c'est du Yves Saint Laurent, Madame !

CD 1 Track 62

Seulement trois jeunes sur dix reçoivent de l'argent de poche.

CD 1 Track 63

Depuis mille neuf cent soixante-treize, il est interdit au moins de dix-huit ans de travailler plus de trente-cinq heures par semaine.

CD 1 Track 64

Je reçois quarante-cinq euros par semaine. Quand j'avais dix ans je recevais quinze euros.

CD 1 Track 65

La moitié de mon argent de poche passe dans les jeux vidéos.

CD 1 Track 66

Cinquante-sept pour cent des jeunes économisent.

CD 1 Track 67

Sept cent vingt-cinq euros : c'est la somme moyenne d'argent de poche donnée chaque mois aux petits Européens de dix à seize ans ! La France est l'un des pays d'Europe où les parents en donnent le moins (trente pour cent contre soixante-sept pour cent en Allemagne).

CD 1 Track 68

Chapitre 8, exercice 9

Amandine Je travaille dans un restaurant. Je suis serveuse. Je travaille dix heures par semaine, du lundi au samedi. Je ne travaille pas le dimanche parce que le restaurant est fermé. Je prends les commandes et je suis parfois derrière le bar pour servir les boissons. Je ne gagne pas beaucoup car c'est le restaurant de mes parents. Je gagne 10 euros de l'heure. Heureusement que je reçois des pourboires ! J'économise cet argent pour mes vacances.

CD 1 Track 69

Ludivine Moi, je travaille dans un supermarché. Je dois me lever à cinq heures parce que je commence tôt, à six heures du matin. Je n'aime pas du tout ce boulot, mais j'en ai besoin pour pouvoir sortir le weekend. Je dois ranger les rayons et je range les dossiers dans le bureau et parfois je travaille à la caisse. Depuis le mois dernier, j'ai plus de responsabilités et je travaille sur l'ordinateur. C'est dur d'avoir un petit boulot parce qu'on est fatigué et on a du mal à se concentrer en classe. Mais bon, comme je l'ai déjà dit, j'ai besoin de cet argent pour aller en boîte le weekend avec les copains.

CD 1 Track 70

George Moi, je travaille dans une station-service. Je travaille seulement le weekend, mais je finis assez tard. Je balaie, je sers les clients et parfois je réponds au téléphone. Je gagne 20 euros de l'heure. C'est bien payé pour ce qu'on a à faire. Avec cet argent, je m'achète des CDs et des livres. J'aime bien ce boulot parce que l'équipe est super sympa et il y a une fille que j'aime bien ... Magalie ... Elle est trop belle ! L'année prochaine je vais essayer d'aller en France pour travailler dans un restaurant et améliorer mon français.

CD 1 Track 71

Chapitre 9, exercice 2

Moi, j'habite très près du centre-ville dans un quartier calme de la banlieue. Je trouve ça trop calme en fait. J'habite dans une maison individuelle à deux étages. J'aime bien ma maison. C'est très spacieux et très lumineux.

CD 1 Track 72

J'habite dans une grande maison jumelée au centre-ville. Je trouve ma maison très belle et en plus, ma chambre est absolument immense !

CD 1 Track 73

Moi, j'habite dans un tout petit appartement. Je le déteste ! Je dois partager ma chambre avec mon petit frère. L'horreur !

CD 1 Track 74

J'habite dans une ferme à la campagne. Comme j'adore la nature et les animaux, c'est l'endroit parfait pour moi !

CD 1 Track 75

Moi, je vis dans une maison individuelle à deux étages. C'est en banlieue. Je n'aime pas trop ma maison parce qu'elle est vieille et démodée. Bonjour la déco !

CD 1 Track 76

Chapitre 9, exercice 5

De l'extérieur, on peut voir que la villa a deux garages et un grand jardin. À l'arrière, il y a aussi un grand terrain avec des écuries pour les chevaux. La piscine chauffée est à l'intérieur de la propriété pour pouvoir s'en servir toute l'année. Alors quand vous entrez, il y a un long couloir, un hall d'entrée qui mène aux salons ... Ah oui, parce que, bien sûr, il y a trois salles de séjour. La salle à manger est juste à côté de la cuisine. Au rez-de-chaussée, il y a aussi une salle de jeux pour les enfants. Au premier étage, il y a les dix chambres et les huit salles de bains et le bureau ... Oh oui, j'oubliais ! Il y a aussi une petite maison dans le jardin pour les invités.

CD 1 Track 77

Chapitre 9, exercice 12

Gaston Moi, je suis obligé de partager ma chambre avec mon frère jumeau. J'aime bien partager ma chambre parce qu'on s'entend super bien avec Luc. Il est très organisé et moi aussi, alors notre chambre n'est jamais en désordre. L'année prochaine, j'irai à la fac. Je vais partager un appartement avec mon frère.

CD 1 Track 78

Béatrice Moi, je partage ma chambre avec ma petite sœur Jade. Toutes les deux, on est des vraies catastrophes ! On met un bazar monstre dans la chambre. Moi, le désordre, ça ne me dérange pas. Ma mère par contre, c'est une autre histoire ! Dans ma chambre, j'aime bien écouter de la musique et chatter sur Internet. Notre chambre est pas mal, mais la vue est horrible. La fenêtre donne sur le parking du supermarché ... Le problème c'est le bruit ! Mais le pire, c'est que je n'ai plus de place pour tous mes trucs.

CD 1 Track 79

Chapitre 9, exercice 22

Kylian Mon quartier est super. J'habite au centre-ville donc il y a tout à portée de main. C'est vraiment pratique. Il y a plein de choses à faire. On peut faire les magasins, aller au cinéma, aller au théâtre. Il y a aussi un musée qui n'est pas mal. Le problème c'est la circulation. Le trafic est infernal ! Il y a des bouchons du matin au soir.

CD 1 Track 80

Nathalie J'habite dans un quartier de la banlieue. Ce n'est pas trop loin de la ville donc ça va, ça me plaît. Il y a un centre commercial à côté donc on peut faire les courses et faire les magasins. Il y a aussi un cinéma. Le problème c'est que c'est mal desservi. Il n'y a pas assez de bus. Il faut attendre des heures et ils sont souvent en retard.

CD 1 Track 81

Nadine J'habite dans un village au milieu de la campagne. Je déteste y habiter. Il n'y a rien à faire. On a un parc où je traîne avec les copains. Mais c'est tout. Le problème ? Ben, y a rien à faire !

CD 1 Track 82

Hamed Moi, j'habite en ville, pratiquement au centre-ville. C'est à cinq minutes des magasins, des restaurants, et des pubs. Il y a plein de choses à faire : si vous aimez le sport, il y a un gymnase et une piscine. Le problème, c'est qu'il y a beaucoup de délinquance et de violence à la sortie des pubs.

CD 1 Track 83

Chapitre 10, exercice 2

Violette Moi, je préférerais habiter à la campagne. À part le fait que c'est beaucoup plus tranquille, les gens sont moins stressés, moins pressés. Tout le monde prend le temps de vivre.

CD 1 Track 84

Grégory Moi aussi je préférerais habiter à la campagne. Je pense que les gens sont plus conviviaux. Tout le monde se connaît. Ce n'est pas anonyme comme en ville.

CD 1 Track 85

Solange C'est vrai que les transports en commun sont nuls, la circulation est horrible aux heures de pointe, il y a du bruit, la pollution, etc. Mais moi, je trouve que c'est ce qui fait le charme de la ville. Je ne voudrais pas habiter à la campagne. Ce serait mon pire cauchemar !

CD 1 Track 86

Fatima Moi, j'ai de la chance parce que j'habite à la campagne, mais je vais à l'université en ville. Je rentre les weekends chez mes parents mais la plupart du temps, je suis en ville. Plus tard, je pense que je vivrais en ville parce qu'il y a plus de choses à faire. Tout simplement.

CD 1 Track 87

Chapitre 11, exercice 5

Rachid J'habite dans un quartier difficile de Paris où la police ne va pas souvent. C'est la galère d'habiter ici, il n'y a pas de boulot, il n'y a rien à faire. Du coup, la plupart des jeunes de notre cité passent leurs temps à traîner dans la rue avec leurs copains. On se marre bien, mais ça intimide les gens quand on est en bande. C'est vrai qu'il y a des jeunes qui volent, surtout des autoradios, et des portables. Il y a beaucoup de racket et de drogues. Moi, je vais toujours au lycée, mais mes copains ont laissé tomber les études. Ils disent qu'on n'apprend rien d'utile et que, de toute façon, si c'est pour devenir chômeur, ce n'est pas la peine ! Mais moi, je continue mes études. Je veux réussir dans la vie.

CD 1 Track 88

Bernard Bonjour, moi je vis un peu à l'extérieur dans une banlieue tranquille. Le problème c'est qu'en ce moment, il y a beaucoup de cambriolages. Mes voisins sont rentrés de vacances et ont découvert qu'on avait tout volé chez eux: la télé, les bijoux ... Les voleurs étaient passés par la fenêtre. Maintenant, j'ai peur de laisser ma maison sans surveillance. Je laisse la radio et les lumières allumées quand je sors pour qu'on croit qu'il y a quelqu'un. Je pense que je vais acheter un système d'alarme.

CD 1 Track 89

Annie Moi, j'habite au centre-ville, dans un quartier populaire où on trouve beaucoup de bars et de pubs. Quand j'étais plus jeune, j'adorais l'ambiance le soir, les bruits des jeunes qui s'amusent et la musique jouée dans les bars. Maintenant que je suis maman, je ne supporte plus tout ce bruit ! Les jeunes s'amusent, OK, mais certains boivent trop et ils crient, chantent à tue-tête, et même, parfois, ils se bagarrent. Alors la police arrive et le bruit continue. Ils ne pensent pas aux riverains ! J'en ai marre ! J'ai vraiment envie de déménager mais je n'ai pas les moyens. Je rêve d'habiter à la campagne, loin de tout.

CD 1 Track 90

Fatima J'aime ma ville. C'est une ville très pittoresque, au bord de la Loire, tranquille et où il fait bon vivre. Le seul problème, c'est la propreté ! Il y a vraiment trop de déchets par terre. Les gens n'ont aucun respect pour leurs villes, pour l'environnement. Tous les weekends, on se retrouve avec un groupe pour nettoyer la ville et s'occuper des espaces verts. On le fait volontairement, en tant que bénévole. Et chaque weekend, on remplit des dizaines de sacs poubelles avec des détritus en tout genre. J'aimerais tant que la municipalité fasse quelque chose pour régler le problème une fois pour toutes ! À mon avis, il faut essayer de changer les mentalités, et ce dès la maternelle !

CD 1 Track 91

Chapitre 12, exercice 2

Journaliste Bonjour Béa, vous êtes l'auteure du livre *Zéro Déchet* où vous racontez votre parcours vers une vie sans déchet. Pouvez-vous vous présentez pour nos auditeurs?

Béa Bonjour à tous, j'habite en Amérique mais j'ai grandi en Avignon, en France. Mon père était fils de paysan et aimait réparer les choses cassées et ma mère faisait les vêtements elle-même. Après le bac, je suis partie comme fille au pair en Californie où j'ai rencontré mon mari. Je suis donc restée en Amérique.

CD 1 Track 92

Journaliste Quand avez-vous commencé à réduire vos déchets?

Béa Quand nous avons déménagé. Notre première maison était une villa de deux cent quatre-vingt mètres carrés. Notre deuxième maison était beaucoup plus petite et nous avons dû jeter des meubles, des affaires. On a réalisé qu'on vivait beaucoup mieux avec moins de choses. On a découvert une vie riche en expériences, basées sur le verbe « être » et non « avoir ».

J'ai commencé à réduire ce que j'achetais, à recycler, à composter. J'ai décidé de ne plus acheter de bouteilles plastiques et quand je faisais les courses, j'apportais mes sacs et mes pots. Je n'achète plus de produits avec des emballages. Avant, notre poubelle était de deux cent quarante litres par semaine, maintenant, notre poubelle annuelle tient dans un bocal d'un quart de litre. C'est un vrai style de vie.

CD 1 Track 93

Journaliste Quels conseils donneriez-vous à ceux qui nous écoutent pour réduire leurs déchets?

Béa Pensez à la façon dont vous achetez. Refusez les emballages. Fabriquez vos propres produits ménagers. Réutilisez un maximum, mais surtout, réduisez votre consommation.

CD 1 Track 94

Chapitre 12, exercice 7

- Moi, je bois l'eau du robinet et je n'achète pas de bouteille d'eau.
- Je trie le papier, le plastique, le verre, le carton et le métal.
- Quand la pièce est vide, j'éteins la lumière. C'est devenu un réflexe !
- Je mets les couverts, les bols, les assiettes, les verres du petit déjeuner, du déjeuner et du dîner dans le lave-vaisselle et je le fais tourner une fois par jour seulement.
- Le soir, j'éteins le lecteur DVD, l'ordinateur, la télé. Je ne les laisse pas en veille.

CD 1 Track 95

Chapitre 12, exercice 10

Alain Chez moi, on fait notre possible pour ne pas gaspiller l'électricité. Tous les soirs, on pense à éteindre l'ordinateur, la télévision, la chaîne hi-fi et ne pas les laisser en veille. On trie aussi les déchets comme le plastique, le verre et le métal. Ce sont les petits gestes qui comptent ! Ce qui me fait le plus peur pour l'avenir, c'est le réchauffement climatique ! On doit tous faire quelque chose, c'est notre responsabilité de citoyen.

CD 1 Track 96

Ludovic Moi, je voudrais bien prendre le bus plutôt que la voiture, mais c'est tellement mal desservi dans mon village ! Les bus sont souvent en retard et il n'y en a pas beaucoup ! Mais j'ai trouvé une solution bien pratique : le covoiturage. Mes voisins travaillent près de mon boulot donc on part ensemble le matin. Un jour c'est moi qui conduis, puis c'est quelqu'un d'autre le lendemain. On fait des économies car on partage les frais. En plus, nous polluons moins l'atmosphère. Tout le monde y gagne !

CD 1 Track 97

Béatrice Moi, je m'inquiète beaucoup pour l'avenir de notre planète. Il faut absolument agir avant qu'il ne soit trop tard ! Je pense à réduire les émissions de CO_2 en éteignant tous les produits électriques chez moi. Je prends aussi le bus et quand je vais faire mes courses, je prends toujours mon cabas. Je trie aussi les déchets, évidemment. Ce qui m'énerve le plus, c'est de voir tous ces jeunes qui jettent les déchets par terre ! Ils n'ont aucun respect pour l'environnement. On devrait leur donner une amende sévère à payer, plus de soixante-dix euros par exemple ! Ça les aiderait peut-être à changer leurs habitudes ! Ça me dégoûte !

CD 1 Track 98

Chapitre 12, exercice 15

Pour limiter le réchauffement de la planète, nous devons réduire les émissions de gaz à effet de serre de quatre-vingt pour cent à quatre-vingt-quinze pour cent d'ici deux mille cinquante par rapport à la quantité émise en mille neuf cent quatre-vingt-dix.

Pour mettre en œuvre des modifications significatives, il est donc indispensable que les pouvoirs politiques s'engagent à réduire les gaz à effet de serre et à développer les énergies renouvelables comme l'énergie éolienne, l'énergie solaire ou l'énergie hydraulique. Il faut que les gouvernements se concentrent sur le développement durable.

Mais les pouvoirs publics et les grandes entreprises ne sont pas les seuls à devoir prendre leurs responsabilités. Le mode de vie de millions de personnes a également un impact sur notre climat. Chacun est appelé à réduire sa consommation d'énergie ou à changer ses habitudes. Il faut, par exemple, prendre les transports en commun, recycler ses déchets, réduire sa consommation d'eau, mieux isoler son logement.

Les écologistes défendent l'idée qu'il faut « penser global et agir local » : de petits gestes peuvent entraîner de grandes conséquences.

CD 2 Track 1

This CD accompanies *À l'Attaque !*, a French textbook for Leaving Certificate, Higher Level students. It was written by Dominique Sénard and published by Gill Education in 2019.

CD 2 Track 2

Chapitre 13, exercice 3

Bonjour, je m'appelle Julie Dupuis, je suis en première. Mon école s'appelle Lycée Jean-François Champollion. C'est assez moderne et c'est super grand. Les cours commencent à huit heures et ils finissent à six heures moins le quart mais si je finis plus tôt, je peux rentrer chez moi !

La journée que je déteste le plus c'est le lundi ! Mon premier cours, c'est l'anglais. Ensuite, j'ai ma deuxième langue vivante, l'espagnol. C'est dur de passer d'une langue à l'autre ! Ensuite, c'est la récréation pendant vingt minutes et hop ! Après ça j'ai deux heures d'histoire-géo.

On a une heure pour manger.

L'après-midi, je commence à treize heures vingt avec la physique et la chimie. Et à quatorze heures vingt j'ai deux heures de français. C'est un cours important car j'ai le bac de français cette année ! Ma dernière heure le lundi c'est les maths. Beurk ! Je finis à dix-sept heures quarante-cinq. Crevée !

Le jeudi, je commence à huit heures, j'ai une heure d'anglais. Puis j'ai physique-chimie. Après la récré, j'ai deux heures de français ! L'horreur ! Mais heureusement, après la pause-déjeuner, j'ai mon cours préféré : deux heures d'EPS ! Je voudrais être prof de sport après le bac. J'adore l'éducation physique, en plus, le prof de sport est vraiment génial.

CD 2 Track 3

Chapitre 13, exercice 9

Je suis en première dans le Lycée Jean-François Champollion à Montpellier. Je dois me lever très tôt.

CD 2 Track 4

Le matin, je me lève à six heures trente et je vais directement à la cuisine où je mange mon petit déjeuner.

CD 2 Track 5

En général, je mange des céréales et je bois du café et du jus d'orange. Ensuite je vais dans la salle de bains et je me lave, je me douche et je me brosse les dents.

CD 2 Track 6

Je m'habille. Je porte un jean et un pull en général, comme tous les copains. Je quitte la maison à sept heures trente.

CD 2 Track 7

Je prends le bus pour aller au lycée. C'est un bus scolaire. Le trajet dure vingt minutes.

CD 2 Track 8

Quand j'arrive, je vais dans la cour et je bavarde avec mes copains. On parle de ce qu'on a fait le weekend, des trucs comme ça.

CD 2 Track 9

Les cours commencent à huit heures. Une leçon dure une heure et nous avons quatre cours le matin. D'abord j'ai une heure de maths, après je n'ai rien donc je vais en salle d'études et je fais mes devoirs, je révise et tout ça.

CD 2 Track 10

La récréation est à dix heures. On a vingt minutes et d'habitude, j'ai un petit creux donc je mange un fruit. Après ça, j'ai deux heures de français. Puis c'est enfin l'heure de manger !

CD 2 Track 11

Nous avons une cantine où je mange tous les jours. On a une heure et demie de pause-déjeuner. À une heure vingt, je vais en salle d'études, puis j'ai histoire-géo et enfin, j'ai mon option, la physique-chimie.

CD 2 Track 12

En général, les cours finissent à cinq heures quarante-cinq et je rentre enfin chez moi. À la maison, je fais mes devoirs tout de suite, puis on dîne en famille et je regarde la télé pour me détendre. En général, je révise encore un peu avant d'aller dormir. Je me couche vers vingt-deux heures trente.

CD 2 Track 13

Chapitre 13, exercice 14

Bonjour ! Je m'appelle Coralie et je viens d'avoir dix-sept ans donc je suis en première. Je suis élève au Lycée Charles Renouvier à côté de Bordeaux. C'est assez grand avec mille lycéens et une quarantaine de professeurs. C'est un établissement très moderne avec salles d'ordinateurs, tableaux intéractifs, etc. Je fais un bac L, littéraire, donc j'ai beaucoup de français. Comme le prof explique bien et nous aide beaucoup, j'aime bien cette matière, mais j'ai un peu peur car on a le bac de français cette année. La matière que je ne supporte pas c'est les maths ! Je ne suis pas du tout scientifique ! Je n'y comprends rien et la plupart des trucs qu'on apprend ne me serviront à rien. C'est inutile et super difficile ! Je suis nulle en maths. C'est ma bête noire !

CD 2 Track 14

Alors moi c'est Léa. Je viens d'avoir dix-huit ans et je suis en terminale S. Je passe le bac cette année. Mon lycée s'appelle le Lycée Mitterrand à Paris. C'est petit, il n'y a que cinq cent élèves et trente enseignants. J'aime le fait que ce lycée soit petit car c'est moins anonyme et les profs peuvent vraiment nous aider et nous donner du soutien scolaire si on en a besoin. Ma matière préférée c'est la philosophie. Ça m'a vraiment ouvert l'esprit. Je suis forte en philo ! Ce que je trouve vraiment dur c'est la physique. Le prof va trop vite et j'ai beaucoup trop de devoirs.

CD 2 Track 15

Je m'appelle Mathieu et je suis en seconde. J'ai seize ans. Je suis élève au Lycée George Pompidou à Narbonne. C'est un lycée de taille moyenne, assez vieux, en béton. C'est horrible quoi ! Il y a sept cent cinquante élèves et une quarantaine de professeurs. Je fais plein de matières comme les maths, l'anglais, l'espagnol, l'histoire-géo, mais ma matière préférée, c'est l'EPS. Ça j'adore ! J'ai besoin de faire du sport pour me défouler ! C'est dommage que notre gymnase soit si petit. La matière que je déteste, c'est l'anglais. J'ai un mauvais accent et ma prononciation est terrible ! Je déteste quand la prof nous demande de parler ! En plus je m'ennuie à mourir en classe. Il me tarde vraiment d'être à la fac pour ne plus jamais faire d'anglais et partir de ce bahut pourri !

CD 2 Track 16

Chapitre 14, exercice 3

Armande — Je voudrais aller à l'université de Cork pour étudier le commerce. J'ai besoin d'environ quatre cents points. J'aimerais travailler dans une banque après la fac.

CD 2 Track 17

Hubert — Moi, je vais aller à la fac pour étudier la médecine. J'ai besoin de six cents points. J'aimerais me spécialiser dans la chirurgie esthétique. Ça paie mieux !

CD 2 Track 18

Momadou Je voudrais étudier le Droit à l'université de Dublin. J'ai besoin de presque cinq cent points. Je voudrais devenir avocat ou juge, je ne sais pas encore.

CD 2 Track 19

Yohan Moi, j'adore les langues et je parle déjà très bien français et italien. Je voudrais aller à l'université de Galway pour faire une licence de français et de commerce. J'ai besoin de quatre cent cinquante points environ.

CD 2 Track 20

Ingrid Je vais faire une licence de physique-chimie à l'université de Limerick. J'ai besoin de quatre cent soixante-dix points. Je voudrais travailler dans la recherche plus tard.

CD 2 Track 21

Chapitre 14, exercice 6

Interviewer Bonjour Agnès, quelle est votre profession ?

Agnès Alors moi, je suis hôtesse de l'air.

Interviewer Quels sont les avantages et les inconvénients de ce métier ?

Agnès Pour rien au monde, je ne changerais de métier. C'est une grande famille. Les contacts humains sont très riches. Mais le mieux c'est qu'entre deux longs vols, je vais à l'hôtel et j'ai souvent du temps pour visiter le pays. En contrepartie, il faut être disponible car je ne connais pas mon planning et le rythme de vie est très fatiguant.

Interviewer En quoi consiste votre travail ?

Agnès Durant le vol, mon rôle est d'assurer la sécurité et le bien-être des passagers.

Interviewer Quelles qualités faut-il pour devenir une bonne hôtesse de l'air ?

Agnès À mon avis, une hôtesse de l'air doit faire preuve d'énormément de patience. Il faut qu'elle reste ferme mais polie, face à un passager qui devient nerveux ou agressif.

CD 2 Track 22

Interviewer Bonjour Céline, qu'est-ce que vous faites dans la vie ?

Céline Bonjour, moi je suis professeur de français.

Interviewer Quels sont les avantages et les inconvénients de votre métier ?

Céline On dit souvent que l'avantage principal c'est les vacances ! C'est vrai que les profs ont beaucoup de vacances, mais elles sont nécessaires pour gérer le stress, indispensables pour préparer ses cours et continuer à se former.

Les inconvénients sont nombreux : c'est stressant, fatiguant, et attention à la correction des devoirs ! Ça prend énormément de temps, on n'imagine pas, au départ, la masse de travail que ça représente.

Interviewer Quels conseils donneriez-vous à quelqu'un qui veut devenir professeur ?

Céline Si vous êtes enseignant, c'est que vous avez aimé l'école. Mais il ne suffit pas d'être bon en français, il faut aussi savoir comment intéresser trente-cinq élèves ! Le bon prof doit être optimiste, enthousiaste et juste. Il faut aussi bien sûr aimer les enfants.

CD 2 Track 23

Interviewer Bonjour Djamila. Que faites-vous dans la vie ?

Djamila Bonjour, je suis infirmière. C'est une vocation. J'ai toujours voulu être infirmière.

Interviewer Pourquoi avez-vous choisi ce métier ?

Djamila Ce qui m'attirait le plus, c'était le contact avec les patients et aussi d'avoir le sentiment de vraiment aider quelqu'un, de leur apporter un vrai réconfort.

Interviewer Quels sont les inconvénients ?

Djamila Eh bien, les horaires sont très difficiles et mon emploi du temps change tous les trois ou quatre jours. Je travaille parfois le weekend, avec des journées de travail de huit heures. Évidemment, le plus difficile, c'est le décès d'un patient dans le service. La première fois que j'ai vu mourir une patiente, j'étais en stage. Elle avait mon âge. Cela reste mon plus mauvais souvenir.

Interviewer Quelles sont les qualités indispensables ?

Djamila Il est très important d'apporter son sourire et sa bonne humeur aux patients. Mieux vaut donc savoir mettre de côté ses soucis personnels !

Interviewer Des conseils pour les futurs infirmiers ou infirmières ?

Djamila Cette profession n'est pas pour tout le monde : certains élèves infirmiers abandonnent d'ailleurs leurs études. C'est donc une bonne idée de faire un stage dans un hôpital ou dans une maison de retraite pour avoir une idée du métier au quotidien.

CD 2 Track 24

Chapitre 15, exercice 7

J'ai besoin du français pour aller à la fac mais après le bac, c'est fini ! Je ne parlerai plus un mot de français, ras le bol de cette langue !

CD 2 Track 25

Le français, c'est ma bête noire ! J'ai beau essayer, je n'y comprends rien ! Ce que je trouve le plus difficile c'est la grammaire.

CD 2 Track 26

J'apprends le français depuis cinq ans et je trouve que c'est une langue très intéressante et riche. En plus, c'est une langue qui est parlée sur les cinq continents !

CD 2 Track 27

Plus de cent soixante-quinze millions de personnes parlent français sur cinq continents. C'est la langue la plus utilisée après l'anglais. C'est une bonne raison pour apprendre cette langue, non ?!

CD 2 Track 28

Je vais en France régulièrement et je pense que c'est la moindre des choses que de parler la langue du pays que l'on visite.

CD 2 Track 29

Je pense qu'on ne devrait pas être obligé d'apprendre une langue étrangère au bac. Ça prend beaucoup de temps et d'énergie qu'on pourrait consacrer à des matières plus importantes comme les maths et l'anglais.

CD 2 Track 30

Chapitre 15, exercice 11

Chaque semaine nous avons quatre cours de français. Nous faisons beaucoup de compréhensions écrites. On doit lire des textes journalistiques et littéraires et on doit répondre aux questions. C'est assez difficile, mais si on apprend le vocabulaire par cœur et régulièrement, ça va. Notre professeur nous donne beaucoup de devoirs. Chaque semaine nous devons faire une compréhension écrite et écrire un paragraphe, sans parler du vocabulaire, de la grammaire. Nous sommes surchargés de boulot ! Ce que je trouve le plus dur, c'est la grammaire et surtout les temps. J'aime quand nous parlons en groupe ou à deux. J'ai de la chance parce que ma voisine est Française et je peux lui parler français en dehors de la classe. Avant les vacances nous regardons parfois un film en français, mais c'est rare.

CD 2 Track 31

Chapitre 15, exercice 17

Bonjour, je m'appelle Nicole et je suis en deuxième année de fac d'anglais et j'ai vingt ans. L'année dernière je suis partie un an comme étudiante Erasmus à Sheffield en Angleterre. C'était excellent ! Vraiment fabuleux. J'y suis restée neuf mois et à la fin je ne voulais plus repartir en France ! Je me suis fait des supers potes, j'ai rencontré des gens de toutes nationalités, de toutes cultures. Ça m'a vraiment ouvert l'esprit ! Bon c'est vrai que par moments c'était difficile de parler anglais tout le temps, on ne comprend pas tout et c'est frustrant mais on s'habitue ! Je ne regrette pas du tout cette expérience.

CD 2 Track 32

Je m'appelle Vincent et je viens d'entrer en première littéraire. Au collège, nous avons fait un échange avec une école irlandaise. Je suis allé à Dublin pendant deux semaines. C'était très court, mais ça m'a suffit ! Même si mon correspondant était super sympa, je n'ai pas aimé les sorties culturelles et il a plu tout le temps ! Un vrai temps de chien ! J'étais très content de rentrer chez moi dans le midi !

CD 2 Track 33

Je m'appelle Antonio et j'ai dix-neuf ans. Je suis Italien et je passe un an en France dans une université. C'est une expérience incroyable ! Je me suis tellement amélioré en français ! Je parle couramment maintenant et mon accent est excellent, je dois dire ! Mais ma famille me manque beaucoup. Je téléphone à mes parents toutes les semaines mais c'est pas la même chose. Il me tarde de les revoir !

CD 2 Track 34

Je m'appelle Hamed et j'ai fait un séjour linguistique aux États-Unis qui a duré dix mois. Je suis resté dans une famille et j'ai étudié à l'université. C'était une expérience unique. J'ai eu la chance de rencontrer beaucoup de gens et de visiter les États-Unis. Je n'ai pas trop aimé la nourriture que j'ai trouvée trop riche et trop grasse : dans la famille où je suis resté, c'était hamburger-frites matin, midi et soir !

CD 2 Track 35

Chapitre 16, exercice 2

Quentin Je pense que la pression principale pour les jeunes c'est les études. On ne se rend pas compte des difficultés qu'on rencontre quand on prépare le bac. La réussite scolaire, c'est le truc le plus important quand on passe son bac. Pour ma part, je bosse comme un fou pour des notes qui ne sont jamais très bonnes ! J'ai peur de rater le bac et de décevoir mes parents.

CD 2 Track 36

Jean-François Quand on est au collège ou au lycée, il y a toujours quelqu'un pour vous mettre la pression ! Moi, j'ai été victime du harcèlement scolaire et je pense que c'est une pression énorme sur les jeunes. Quand j'étais au collège deux mecs plus grands que moi se moquaient de moi tous les jours, sans arrêt. Ils voulaient se battre avec moi. Tout ça parce que j'avais de bonnes notes ! C'était tellement dur que je ne voulais plus aller à l'école. Maintenant que j'ai changé d'établissement et que je suis au lycée, j'ai plein de potes et on rigole bien !

CD 2 Track 37

Nadine Je pense que la difficulté principale pour les adolescents c'est la pression que mettent les parents sur leurs enfants. C'est dur de répondre à leurs attentes ! Ils veulent qu'on réussisse, qu'on se concentre sur les études, qu'on ne sorte pas, qu'on n'ait plus de vie quoi ! Moi aussi je veux passer mon bac, mais je ne veux pas devenir un ermite pour autant ! J'ai besoin d'une vie sociale aussi ! Les parents qui mettent la pression n'aident pas du tout leurs enfants. Ils devraient les aider à avoir une vie équilibrée.

CD 2 Track 38

Youssef Je pense que l'alcool est un véritable danger chez les jeunes. Ils veulent sortir, boire le plus possible en un minimum de temps pour impressionner les copains. C'est une mode, un fait de société ! On devrait demander systématiquement la carte d'identité aux jeunes dans les bars et les boîtes de nuit.

CD 2 Track 39

Chapitre 16, exercice 11

Léo Pour moi, cela n'a pas été si facile que ça de m'adapter à la fac. Les premiers jours, je n'allais pas bien du tout. Je me sentais perdu, sans repère, car je pense que je n'avais pas été bien préparé à ce passage. Ce qui m'a aidé, c'est que j'ai vite parlé de mes difficultés à mes copains. Certains étaient déjà en deuxième année et ils m'ont dit que c'était tout à fait normal de se sentir largué. Pour moi, les amis étaient des repères. Après les choses se sont bien déroulées. Cette expérience un peu difficile m'a fait grandir et me sentir beaucoup plus indépendant.

CD 2 Track 40

Nina Le souvenir que je garde de mon arrivée à la fac est un peu mitigé. J'étais très stressée, je ne connaissais personne à Montpellier et surtout, ma famille me manquait terriblement. Nous sommes très unis chez moi et c'était très difficile de se retrouver dans cette chambre minuscule à la cité universitaire avec un petit lit, une table et une chaise. La première nuit, j'ai décidé de ne pas rester dans ma chambre et d'explorer un peu la cité universitaire. J'ai vite rencontré des filles super sympa qui m'ont montré les bons coins où sortir à Montpellier. Maintenant, ma mère me gronde parce que j'oublie de l'appeler au téléphone pendant une semaine ! Ce n'est pas ma faute ! Je m'éclate maintenant à la fac !

CD 2 Track 41

Juliette Je me rappelle qu'avant de partir à l'université, j'avais pleins de sentiments contradictoires : il me tardait vraiment de commencer cette nouvelle aventure mais j'avais un peu peur de quitter mes copains du lycée. Je me suis retrouvée dans ma chambre universitaire et là, j'ai réalisé que j'étais vraiment indépendante. Enfin ! J'étais si contente d'être sans mes parents qui me demander d'aider avec le ménage, plus besoin de m'occuper de mon petit frère, de sortir les poubelles C'était fini ! Je n'avais plus peur et j'ai profité un maximum de ma nouvelle liberté ! Bien sûr, la cuisine de ma mère me manque quand même mais … c'est tout !

CD 2 Track 42
Chapitre 17, exercice 10

- Où passez-vous les grandes vacances en général ?
- Qu'est-ce que vous avez fait année dernière pour les grandes vacances ?
- Que ferez-vous cet été ?
- Où êtes-vous allé pour les vacances de Noël ?
- Préférez-vous partir en vacances à la mer ou à la montagne ?
- Quelles seraient pour vous les vacances idéales ?
- Où irez-vous l'été prochain ?
- Que ferez-vous là-bas ?
- Est-ce que vous êtes déjà allé en France ?

CD 2 Track 43
Chapitre 17, exercice 12

Interviewer Où vont les Français en vacances ?

Journaliste La destination des Français qui partent en vacances est variée. Elle dépend de l'âge de la personne, de son salaire, de sa classe sociale. Bien sûr, un jeune de vingt ans n'aura pas les mêmes vacances qu'une famille avec trois enfants en bas âge. Mais de façon générale, les Français restent en France et quand ils vont à l'étranger, ils privilégient encore l'Europe.

CD 2 Track 44

Interviewer Est-ce que deux mille dix-huit a été une bonne ou une mauvaise année pour le tourisme en France ?

Journaliste Disons une année moyenne. Soixante pour cent des offices de tourisme interrogés la jugent moins bonne. Les gens sont plus partis au mois d'août qu'en juillet, malgré la météo moins favorable. Au niveau de la clientèle étrangère, les Belges et les Hollandais sont revenus, mais il y a moins d'Allemands.

CD 2 Track 45

Interviewer Quelles sont les régions gagnantes et celles perdantes ?

Journaliste Même si les Français avaient peur des grosses chaleurs, de la canicule, les régions qui notent une hausse de fréquentation par rapport à l'an dernier sont celles du sud : le Languedoc, la Corse, la côte Méditerranée, alors que celles du nord (Bretagne, Normandie ...) ont enregistré une baisse.

CD 2 Track 46

Interviewer Quels sont les types d'hébergement préférés par les Français cette année ?

Journaliste Les Français aiment et préfèrent rester en famille, on se retrouve chez une tante ou un cousin pour loger et faire du tourisme dans la région Sinon ils restent à l'hôtel et les campings continuent d'avoir des taux de réservations corrects, tandis que les gîtes et les locations meublées sont en baisse.

CD 2 Track 47
Chapitre 18, exercice 5

Nous avons commencé notre voyage autour du monde en septembre l'année dernière. Mes parents ont tout organisé. Ils ont vendu la voiture et ont loué notre maison à des étudiants. Nous sommes partis en bateau. Nous avons un voilier.

Pendant le voyage, je ne pouvais pas aller à l'école donc j'ai suivi des cours par correspondance. C'était un peu dur de se concentrer sur le bateau et de faire mes devoirs. Ma mère, qui est professeur de français, m'a beaucoup aidée.

Au début, quand mes parents m'ont parlé de ce voyage, j'étais un peu inquiète. J'avais peur de m'ennuyer sur le bateau et je ne voulais pas quitter mes amis pour si longtemps. Mais tout s'est bien passé et nous avons visité dix-huit pays.

À mon retour, beaucoup de mes amis m'ont dit que j'avais changé, que j'étais devenue moins timide. J'ai beaucoup appris sur les différentes cultures mais aussi sur moi-même. C'était une expérience inoubliable.

CD 2 Track 48
Chapitre 18, exercice 11

Didier Je suis allé dans le sud de la France l'été dernier. Il me tardait vraiment d'y être car j'habite dans le nord, en Picardie, et il pleut très souvent dans ma région, alors, des vacances au soleil c'était exactement ce dont j'avais besoin ! J'ai choisi mon hôtel par Internet. Le site avait l'air professionnel mais hélas, il ne correspondait pas du tout à la réalité ! Le site Internet décrivait un hôtel luxueux, avec piscine, sauna et à deux pas de la plage. En fait, la piscine était minuscule et la plage était à trois kilomètres à pied de l'hôtel. C'est de la publicité mensongère ! En plus, ma chambre était sale ! Je n'ai pas pu rester là-bas. J'ai dû changer d'hôtel et ça m'a coûté cher parce qu'ils n'ont pas voulu me rembourser ! C'est un scandale ! Dès que je suis rentré, j'ai écrit une lettre de réclamation. Ils vont m'entendre !

CD 2 Track 49

Armande — Les pires vacances que j'ai jamais passées c'était cet hiver, à la montagne. J'adore skier et je suis partie avec des copains dans les Alpes. Nous sommes restés dans un chalet, au pied des pistes. Un vrai bonheur ! Il a fait un temps magnifique, il y avait beaucoup de neige, tout allait très bien jusqu'au moment où je suis tombée. Ça a gâché mes vacances ! Je suis tombée et je me suis fait extrêmement mal ! Je suis restée coincée en haut des pistes pendant presque une heure. Je me suis cassé la jambe et j'ai dû être évacuée en hélicoptère. C'était horrible, j'avais un mal de chien ! J'ai passé le reste de mes vacances la jambe dans le plâtre, à regarder mes copains s'éclater sur les pistes. J'étais furieuse et verte de jalousie ! Pour moi, c'est fini la montagne, à partir de maintenant, je passe mes vacances sur la plage à me faire bronzer ! C'est moins dangereux !

CD 2 Track 50

Jamel — Je suis allé en Bretagne pour les grandes vacances chez mes grands-parents. Ils ont un bungalow au bord de la mer. Quand j'étais petit, je passais tous mes étés là-bas, c'était excellent et j'ai de très bons souvenirs de cet endroit. Mais l'été dernier, il a plu sans arrêt pendant trois semaines. Pas un rayon de soleil pendant trois semaines, vous vous rendez compte ? J'ai passé mon temps à regarder la télé, et, comme il y a eu une coupure d'électricité la dernière semaine, j'ai fini par jouer aux cartes et aux jeux de société tout le temps avec mon grand-père. La bellotte, le tarot, le Monopoly… L'horreur… Depuis que j'ai dix-huit ans, les vacances chez papi, mami, franchement, c'est moins drôle ! L'année prochaine je vais partir avec des copains en Espagne pour fêter les examens. Il me tarde !

CD 2 Track 51

Chapitre 18, exercice 15

Je suis partie avec ma famille en Espagne pendant deux semaines. Nous avions réservé l'hôtel par Internet. La description semblait sympa. La photo montrait que l'hôtel était près de la mer, moderne avec une grande piscine et un toboggan. En réalité, quand nous sommes arrivés, l'hôtel était à deux kilomètres de la mer, l'hôtel était vieux et la piscine était fermée. J'ai fait une lettre de réclamation en rentrant. Une honte !

CD 2 Track 52

Ma petite amie et moi avions réservé une chambre dans un chalet à la montagne, dans les Alpes, pour nos vacances d'hiver. On avait demandé une chambre double avec douche et vue sur les montagnes. Quand on est arrivés, la chambre était minuscule avec deux lits séparés. La douche ne marchait pas et la fenêtre donnait sur le parking. On a demandé à changer de chambre.

CD 2 Track 53

Je suis parti seul pour des vacances sac-à-dos. J'ai décidé de rester dans une auberge de jeunesse au centre-ville de Paris. Je devais partager la chambre avec cinq autres personnes. Quand je suis arrivé, c'était une chambre de douze personnes, il était très très sale, il n'y avait pas de draps mais le pire c'était le bruit de la circulation. C'était si bruyant ! Impossible de dormir ! J'ai dû changer d'hôtel, à mes frais.

CD 2 Track 54

Ma famille et moi sommes allés en voyage organisé l'année dernière. Nous sommes partis en Afrique. On voulait faire un safari. L'agence de voyage a organisé l'hôtel. On devait avoir un restaurant, une piscine, une chambre climatisée. En arrivant, la chambre était jolie mais la climatisation ne marchait pas. Il faisait si chaud ! L'ascenseur était cassé et la nourriture du restaurant était dégoûtante. Une horreur ! En rentrant, j'ai fait une lettre de réclamation à l'agence de voyage et j'ai demandé un remboursement.

CD 2 Track 55

Chapitre 19, exercice 2

Julie — Moi je vais à l'école en bus. Mes parents ne veulent pas me payer une voiture ! Ce n'est pas juste ! Je dois prendre le bus tous les matins et ça prend plus de quarante-cinq minutes aux heures de pointe.

CD 2 Track 56

Mouloud — Moi, j'ai une petite mobylette et je vais au bahut comme ça. C'est super pratique parce que je vais plus vite que les voitures dans les bouchons. Ça me prend vingt-cinq minutes. Elle ne va pas vite ma mob, cinquante kilomètres heure le vent dans le dos mais au moins, je ne me tape pas le bus ! Je ne supporte pas les transports en commun !

CD 2 Track 57

Abdel Moi c'est mon père qui m'amène au lycée. Il travaille juste à côté de mon bahut. On part très tôt donc on évite les embouteillages et les ralentissements. Ça prend un quart d'heure pour arriver. Je préférerais avoir ma propre voiture, mais on ne peut pas tout avoir dans la vie ! J'économise comme un fou pour m'en payer une.

CD 2 Track 58

Yasmina Je vais à l'école en voiture parce que mes parents m'en ont offert une pour mon anniversaire. Je suis donc très indépendante. Ça me prend seulement dix minutes. Je pourrais marcher, mais je déteste ça ! Oh je sais que c'est mauvais pour l'environnement mais je le vaux bien, non ?

CD 2 Track 59

Chapitre 19, exercice 8

Un carambolage dû à la neige et impliquant vingt-deux véhicules – douze voitures et dix camions – s'est produit dans l'après-midi sur l'autoroute A7, à quinze kilomètres de Marseille, entraînant la fermeture de l'autoroute. Environ cinq cent cinquante véhicules avec leurs occupants ont été bloqués dans un embouteillage monstre tout l'après-midi. Les pompiers sont intervenus pour donner à boire et à manger aux conducteurs.

CD 2 Track 60

Après l'agression lundi douze janvier de l'un de leurs collègues, les conducteurs de train au départ de la gare Saint-Lazare sont entrés en grève mardi matin treize janvier, provoquant une pagaille monstre. Pour éviter tout incident, la SNCF a été obligée de fermer la gare. Une mesure rarissime.

CD 2 Track 61

En Gare du Nord jeudi onze septembre, des centaines de voyageurs sont restés à quai, comme tous les trains en direction de Londres. Quelques heures plus tôt, un incendie s'était déclaré dans le tunnel sous la Manche, interrompant totalement le trafic. Les Eurostars qui se dirigeaient vers l'Angleterre ont dû aussi faire demi-tour.

CD 2 Track 62

Samedi vingt-trois août, sept heures du matin, un car de supporters de l'équipe de foot, l'Olympique de Marseille, percute le pilier d'un pont sur l'autoroute A6. Le bilan est lourd : l'accident a fait deux morts et trente-deux blessés dont quatre graves. Les analyses effectuées rapidement sur les deux chauffeurs ont démontré qu'ils n'étaient pas sous l'emprise de l'alcool.

CD 2 Track 63

Belle prise pour les douaniers de la brigade de Dijon qui ont mis la main sur quatre mille trois cent quatre-vingt kilos de cocaïne dissimulée dans une voiture. Il s'agit, pour les douaniers, de la plus grosse saisie effectuée en Bourgogne dans ce type de drogue.

CD 2 Track 64

Un retraité de soixante-dix ans a été condamné mardi à Bâle, dans le nord-ouest de la Suisse, à deux ans de prison avec sursis pour avoir volé près de neuf cent vélos en six ans. L'homme, un ancien assureur, avait commencé à voler des bicyclettes lors de son départ à la retraite en deux mille un. Fin deux mille sept, il en avait ainsi dérobé huit cent soixante-treize au total.

CD 2 Track 65

Chapitre 19, exercice 13

Aujourd'hui, quatre-vingt pour cent des déplacements de personnes se font en voiture, dix pour cent en train et cinq virgule cinq pour cent en avion. Les véhicules particuliers sont responsables de plus de la moitié des émissions de CO_2.

En pratiquant l'écoconduite, un automobiliste consomme moins de carburants, réduit son risque d'accident et surtout limite l'émission de gaz à effet de serre, responsable du réchauffement climatique.

Pour être un écoconducteur, vous pouvez par exemple rouler doucement pendant les cinq premiers kilomètres, garder une vitesse constante en respectant les limitations de vitesse et le code de la route. Vous pouvez aussi privilégier la vitre ouverte à la climatisation, vérifier la pression des pneus …

Rappelons aussi que pour vos déplacements quotidiens, il n'y a pas que la voiture ! Vous pouvez marcher à pied, prendre le vélo, utiliser les transports en commun ou, si vous devez prendre la voiture, pratiquer le covoiturage. Bonne route et soyez prudents !

CD 2 Track 66

Chapitre 19, exercice 15

Journaliste Comment imaginez-vous les transports du futur ?

Oscar Bagnole Le ministre de l'environnement Français a déclaré qu'en deux mille cinquante, les voitures à essence et diesel ne seront plus fabriquées. Donc, j'imagine un futur très proche ou les transports seront électriques ou autonomes.

CD 2 Track 67

Journaliste Des voitures autonomes ? C'est un peu de la science-fiction non ?

Bagnole Mais pas du tout ! Les voitures sans chauffeurs existent déjà ! Et je pense que dans vingt ans, elles feront parties de notre paysage quotidien. Les compagnies automobiles investissent des millions de dollars pour le développement de l'intelligence artificielle de voiture autonome. Je pense que d'ici deux mille trente, il y aura beaucoup de bus et de taxis autonomes, c'est-à-dire, sans chauffeur. Et on trouvera ça normal.

CD 2 Track 68

Journaliste Vraiment ?

Bagnole Oui, imaginez ! Dans le futur, vous pourrez appeler une voiture avec une application téléphonique et hop ! Une voiture viendra vous prendre. Ça veut dire, plus besoin de garer sa voiture, plus besoin d'énormes parkings, plus d'embouteillages De plus, les obstacles à la conduite comme la fatigue, l'ivresse ou l'âge disparaîtront. Tout le monde pourra circuler, tout le temps.

CD 2 Track 69

Journaliste Tout cela aurait un impact sur notre climat ?

Bagnole Bien sûr ! Ces taxis et bus autonomes auront des moteurs électriques ce qui réduira les émissions de gaz à effet de serre. Il faut savoir que, à ce jour, plus d'un quart des émissions de gaz à effet de serre provient du secteur automobile ! Vous vous rendez compte ? Un quart ! Utiliser des voitures autonomes, c'est lutter efficacement contre le changement climatique.

CD 2 Track 70

Chapitre 20, exercice 2

La staycation, c'est un concept qui a démarré en Amérique pendant la crise économique. Au lieu de partir à l'étranger, les vacanciers restent chez eux, mais profitent de leurs vacances autrement.

CD 2 Track 71

Il est évident que le point fort numéro un de la staycation c'est l'économie d'argent. Non seulement on réduit ses coûts en billets d'avion et en hébergement, mais on évite également le stress du voyage.

CD 2 Track 72

Rester chez soi pour les vacances ne veut pas dire s'ennuyer. Au contraire ! On peut vraiment prendre le temps de découvrir sa région, de faire des activités ludiques ou culturelles, ou simplement de passer plus de temps avec ses amis et sa famille. Souvent, les villes offrent des concerts, des excursions, des festivals de musique. Il y a l'embarras du choix, surtout en été.

CD 2 Track 73

Finalement, la staycation permet de réduire l'impact sur l'environnement puisque, en ne prenant pas l'avion, les émissions de gaz à effet de serre en sont diminuées.

CD 2 Track 74

Chapitre 20, exercice 8

Bonjour, moi c'est Sabine et j'ai vingt-deux ans. Je suis française et l'année dernière je suis partie en Afrique quinze jours, au Nigéria dans un petit village. J'étais professeure d'informatique et j'aidais les élèves ainsi que les profs à utiliser les ordinateurs. C'était une expérience qui restera gravée dans ma mémoire. J'ai vraiment adoré mes deux semaines et je me suis fait beaucoup d'amis.

CD 2 Track 75

Bonjour, alors moi je m'appelle Marie-Claire. L'année dernière après mon bac, j'ai commencé à travailler avec une association qui aide les handicapés. Je suis allée au Special Olympics à Pékin pour trois semaines et c'était magique. Je ne peux pas exprimer le bonheur de faire partie d'un tel événement. J'ai aidé mon équipe avec l'organisation, l'inscription, le transport etc.

CD 2 Track 76

Je m'appelle Tibaud et j'ai dix-neuf ans. Moi j'habite dans un quartier difficile de Paris, dans une cité. Il n'y a pas grand-chose à faire ici pour les jeunes donc avec des copains, on a créé un groupe de théâtre et de danse hip-hop. Ça fait deux ans qu'on est ouvert et de plus en plus de jeunes viennent participer, soit en tant qu'acteurs ou danseurs, soit en faisant les décors et les costumes. C'est parfois difficile, mais c'est vraiment très gratifiant.

CD 2 Track 77

Moi je m'appelle Nouria et j'ai vingt-cinq ans. Je fais des études pour devenir vétérinaire et j'adore les animaux. L'été dernier, je suis partie en Amérique du Sud pendant deux mois, dans un parc animalier en Amazonie. Ce parc recueille les animaux blessés et en danger. Tous les jours pendant deux mois, je me suis occupée des animaux, je leur donnais à manger, je nettoyais leurs cages. C'était un travail très enrichissant et je ne l'oublierai jamais.

CD 2 Track 78

Chapitre 20, exercice 12

Vous voulez partir à l'étranger pour effectuer un voyage humanitaire ? C'est super, mais avant posez-vous quelques questions. Est-ce que vous êtes prêt à payer pour un tel voyage ? Est-ce que vous avez des qualifications ou des diplômes nécessaires pour ce voyage ? Est-ce que l'emploi que vous effectuerez volera l'emploi d'un habitant sur place ? Est-ce que l'argent que vous allez dépenser pour vous payer ce voyage ne pourrait pas être utilisé pour contribuer davantage à l'aide humanitaire ?

CD 2 Track 79

Beaucoup de gens, notamment des jeunes, veulent se lancer dans un voyage humanitaire pour l'expérience du voyage. Très peu cependant réalisent que les voyages humanitaires ne sont pas toujours la bonne façon d'aider les gens à l'étranger.

CD 2 Track 80

Les associations reçoivent bien souvent des tonnes de CV de gens qui veulent partir à l'étranger, alors que paradoxalement, peu de gens veulent aider ces associations en France, à trouver l'argent ou simplement tenir un stand... Ils veulent partir à l'étranger, mais ils ne veulent pas aider ces associations en France avec des tâches plus « ingrates ».

CD 2 Track 81

Si vous souhaitez aider, peut-être devriez-vous plutôt devenir bénévole ? Les associations humanitaires recherchent avant tout des gens qualifiés qui auront des expériences à partager sur le terrain.

CD 3

CD 3 Track 1

This CD accompanies *À l'Attaque !*, a French textbook for Leaving Certificate, Higher Level students. It was written by Dominique Sénard and published by Gill Education in 2019.

CD 3 Track 2

Chapitre 21, exercice 7

Aurélien Moi, je ne bois que deux ou trois verres d'alcool quand je sors. J'alterne boissons alcoolisées et boissons sans alcool. Je n'aime pas perdre le contrôle donc je ne suis jamais ivre. En plus, il y a plein de problèmes liés à l'excès d'alcool : la violence, les accidents de la route, l'échec scolaire, les maladies. Je pense qu'on peut s'amuser et être raisonnable à la fois. Ce n'est pas incompatible, loin de là.

CD 3 Track 3

Mariana Je bois seulement le weekend. Je prends des cuites régulièrement et j'ai mal au crâne le lendemain. Les gueules de bois, je connais ! Je m'amuse mieux en ayant bu, je suis désinhibée et je fais la fête quoi ! Eh puis, tous mes copains boivent alors je ne vais pas rester là avec ma limonade, non ?

CD 3 Track 4

Laurent Je bois de temps en temps quand je sors. Mais j'ai mon truc pour ne pas avoir la gueule de bois : je bois de l'eau pour éviter la déshydratation et l'envie de boire encore plus d'alcool. Ça marche super bien Si ça ne vous dérange pas de passer la soirée aux toilettes !

CD 3 Track 5

Thierry Quand je sors, je décide toujours à l'avance du nombre de verres que je vais boire, mais je n'arrive jamais à respecter cette limite parce que mes copains m'offrent des tournées ! Ils m'offrent à boire et je dis oui, puis c'est à moi d'offrir à boire. Avant de m'en rendre compte, je suis saoul !

CD 3 Track 6

Yohann Je ne bois pas, je n'aime pas ça. Mes copains

boivent et ça ne me dérange pas. J'arrive à m'amuser autant qu'eux sans alcool. Le bon côté, c'est que je conduis tout le monde quand la fête est finie. Je suis le conducteur désigné. Il y a des avantages pour moi aussi. Ça dépend des boîtes, parfois on m'offre une boisson non-alcoolisée en entrant dans la discothèque. Je donne les clés de ma voiture à l'entrée de la boîte et à la fin de la soirée, je souffle dans le ballon, dans un éthylotest, quoi. Si le test n'indique pas d'alcoolémie, on me redonne mes clés. Tout le monde y gagne !

CD 3 Track 7

Chapitre 21, exercice 12

Interviewer Bonjour docteur Hamérick, qu'est-ce que le phénomène de la biture express ?

Dr Hamérick Alors, la biture express c'est le fait de boire de très grandes quantités d'alcool, au moins six verres, en une même occasion, en très peu de temps. C'est un phénomène qui s'observe majoritairement chez les jeunes : quatorze pour cent des quinze à vingt-quatre ans et dix pour cent des vingt-cinq à trente-quatre ans. Et les conséquences négatives sont nombreuses.

CD 3 Track 8

Interviewer Quelles en sont les conséquences ?

Dr Hamérick En ayant une consommation excessive d'alcool, les adolescents s'exposent à des risques importants : accidents de la route, violence, vomissements, perte de connaissance et même coma éthylique. La liste est longue. Les risques au long terme sont aussi bien connus : alcoolisme, maladies du foie ou crises cardiaques.

CD 3 Track 9

Interviewer Pourquoi pensez-vous que les jeunes boivent de cette manière ?

Dr Hamérick Ça dépend de la personne. Certains jeunes se sentent plus à l'aise une fois qu'ils ont un peu bu, car ils sont réservés, gênés de danser devant tout le monde ou parce qu'ils pensent que boire de l'alcool les aide à être plus sociables. Avec un ou deux verres d'alcool, les barrières tombent. L'alcool aide à mettre de l'ambiance et renforce le sentiment de faire partie d'un groupe. La biture express est néfaste sur la santé mais heureusement, ce phénomène diminue chez la nouvelle génération qui ne considère plus la biture express comme quelque chose de « cool ».

CD 3 Track 10

Interviewer Y-a-t-il des solutions ?

Dr Hamérick Bien sûr ! La prévention dans les écoles est très efficace. Il faut expliquer aux jeunes les effets de cette pratique pour changer les mentalités, comme on le fait pour le tabac. On devrait aussi augmenter le prix des boissons alcoolisées.

CD 3 Track 11

Chapitre 22, exercice 2

Je fume depuis cinq ans. J'ai commencé parce que tout le monde fumait chez moi : ma mère fume, mon père fume, mon frère aîné aussi Je fume dix cigarettes par jour.

CD 3 Track 12

Je fume depuis quatre ans. J'ai commencé par curiosité. Je fume entre dix et quinze cigarettes par jour.

CD 3 Track 13

Je fume depuis l'année dernière. J'ai commencé parce que je passais mes examens et j'étais stressée. Je fume une ou deux cigarettes de temps en temps.

CD 3 Track 14

Je fume depuis trois ans. Je ne fume seulement que quand je sors. Je fume cinq cigarettes quand je sors.

CD 3 Track 15

Je fume depuis quatre ans. J'ai commencé pour faire comme les copains. Je fume un paquet par jour maintenant.

CD 3 Track 16

Chapitre 22, exercice 4

Yannick J'ai commencé à fumer à l'âge de treize ans. Ma tante était venue nous rendre visite et comme elle fume comme un sapeur, j'ai décidé d'essayer, par curiosité ! J'ai toussé comme un fou la première fois. J'ai failli m'étrangler ! Je me suis senti plus grand avec ma clope à la main ! Résultat, cinq ans plus tard, je fume presque un paquet par jour. Ça me coûte une fortune et je n'arrive pas à arrêter. J'ai essayé deux fois ! Rien à faire, je suis accro.

CD 3 Track 17

Léa Moi, j'ai commencé quand je suis rentrée au collège parce que je voulais me faire des copains. Je voulais faire partie d'un groupe de fumeurs, alors j'ai acheté mon premier paquet de cigarettes. Je trouvais que ça me donnait de l'assurance. On fumait en cachette dans les toilettes ou dans la rue avant d'aller au collège. Maintenant, je fume depuis six ans. Je regrette d'avoir commencé, comme tous les fumeurs. J'ai essayé d'arrêter plusieurs fois sans succès. Je manque de volonté.

CD 3 Track 18

George Moi, je ne fume plus. Je suis devenu non-fumeur ! J'ai arrêté cet été, il y a juste un an et croyez-moi, ce n'était pas de la tarte ! Je fumais vingt cigarettes par jour, tous les jours. J'étais ce qu'on appelle un fumeur à la chaîne. J'étais devenu esclave du tabac. Un jour, j'en ai parlé avec mon docteur qui m'a conseillé et m'a parlé des substituts nicotiniques : gommes, patchs, pastilles, chewing-gum, inhalateurs et j'ai décidé d'essayer les patchs de nicotine. C'était difficile au début, mais j'ai réussi. L'odeur de clope, la mauvaise haleine, les dents jaunes, le manque ? Non, rien de rien, je ne regrette rien !

CD 3 Track 19

Mathieu Je ne fume pas car je trouve cette habitude dégoûtante ! Je ne comprends pas comment on peut se ruiner la santé et dépenser une fortune pour une drogue ! Je suis content qu'il y ait une interdiction de fumer dans les lieux publics. Avant, il y avait beaucoup de fumée. Le tabagisme passif provoque aussi le cancer, vous savez ? Heureusement maintenant, je peux aller au pub tranquillement sans avoir peur d'être empoisonné par le tabac. On respire, enfin ! On devrait aider les fumeurs à arrêter en faisant plus de prévention dans les écoles et les médias. On pourrait aussi baisser les prix des substituts nicotiniques.

CD 3 Track 20

Chapitre 22, exercice 10

Damien Je ne m'intéresse pas du tout aux drogues. En fait, je fais très attention à ma santé en évitant les substances nocives comme la cigarette ou l'alcool. Un esprit sain dans un corps sain ! J'ai des copains qui fument du cannabis occasionnellement et je pense que c'est stupide parce qu'ils perdent le contrôle, ils rigolent pour un rien. Je pense que la plupart des jeunes qui se droguent commencent par curiosité, pour rentrer dans un groupe. Une fois, ils m'en ont proposé, mais j'ai dit non. J'avais peur qu'ils pensent que je n'étais pas cool mais j'ai bien fait de refuser. Je préfère faire attention à ma santé.

CD 3 Track 21

Yasmin Les drogues sont partout dans ma ville. Quand je vais en boîte, il n'est pas rare de voir des jeunes qui sont drogués. Ils ont pris de l'ecstasy ou des trucs comme ça. On ne m'en a jamais proposé, Dieu merci. Dans mon école aussi il y a de la drogue. Je connais beaucoup de monde qui se droguent régulièrement, et pas seulement en groupe. Si on les découvre avec de la drogue, ces élèves seront sûrement renvoyés sur le champ. Il n'y a pas de solution miracle à mon avis, je pense que c'est aux parents de surveiller leurs enfants et d'apprendre à reconnaître les symptômes. Je pense qu'il devrait y avoir aussi plus de sécurité dans les boîtes et plus de patrouilles de polices dans les rues.

CD 3 Track 22

Chapitre 23, exercice 2

Interviewer Les fastfoods sont très souvent associés à la malbouffe, à une mauvaise alimentation : quels sont les effets, les conséquences des fastfoods sur la santé ?

Docteur Que vous soyez un enfant, un adolescent, un adulte, une personne âgée, malade ou en bonne santé, actif ou non, etc., le célèbre hamburger-frites est à la base de tous les repas dans la restauration rapide. Depuis quelques années sont apparues quelques salades, du poulet, poisson pour une nouvelle variété.

CD 3 Track 23

Docteur La nourriture des fastfoods est en général :

- trop riche en gras
- trop riche en sucre et en sel
- trop riche en produits chimiques
- pauvre en fibres végétales
- et pauvre en vitamines.

CD 3 Track 24

Docteur Les effets de cette nourriture à court terme sont :

- une envie de dormir
- un léger sentiment de dépression
- et une envie de manger encore plus.

Quelques dangers potentiels des « restaurants rapides » à plus ou moins long terme pour la santé sont :

- des maladies cardiaques
- un surpoids
- certains cancers comme par exemple le cancer des poumons, des intestins
- du diabète
- et le phénomène d'obésité.

CD 3 Track 25

Chapitre 23, exercice 4

Interviewer Sandrine, prenez-vous un petit déjeuner ?

Sandrine Oui, bien sûr ! Ma mère m'a toujours dit que le petit déjeuner était le repas le plus important de la journée. En général, je mange des céréales avec du lait, un fruit et je bois du café et un verre de jus d'orange.

CD 3 Track 26

Interviewer Que mangez-vous à midi d'habitude ?

Sandrine Je mange à la cantine. Ça dépend des jours, j'essaie d'avoir une alimentation variée.

CD 3 Track 27

Interviewer Que mangez-vous quand vous avez un petit creux ?

Sandrine J'ai toujours un fruit dans mon sac, une pomme ou une orange.

CD 3 Track 28

Interviewer Vous arrive-t-il de cuisiner ?

Sandrine Oui, j'adore cuisiner, surtout la cuisine italienne. Mon plat préféré, c'est les lasagnes.

CD 3 Track 29

Interviewer Mangez-vous souvent au fastfood ?

Sandrine De temps en temps quand je vais au cinéma. Je prends de la salade et pas de frites. Je remplace aussi le coca par une bouteille de jus d'orange ou simplement de l'eau.

CD 3 Track 30

Interviewer Pensez-vous avoir une alimentation équilibrée ?

Sandrine Oui, je pense que j'évite les produits gras et sucrés. Je mange un repas léger le soir avec beaucoup de légumes.

CD 3 Track 31

Interviewer Medjouba, prenez-vous un petit déjeuner ?

Medjouba Je ne mange pas de petit déjeuner car je n'ai jamais le temps et que je ne veux pas me lever trop tôt. Pour moi, le matin, c'est un café et hop ! J'y vais !

CD 3 Track 32

Interviewer Que mangez-vous à midi d'habitude ?

Medjouba À midi je suis très pressée, donc je mange un sandwich ou une soupe. Je mange sur le pouce car j'ai une pause d'une demi-heure à midi.

CD 3 Track 33

Interviewer Que mangez-vous quand vous avez un petit creux ?

Medjouba Ça dépend, parfois je mange un paquet de chips, parfois c'est une barre de chocolat.

CD 3 Track 34

Interviewer Quelle est votre nourriture préférée ?

Medjouba J'adore aller au McDo. Pour moi, il n'y a rien de mieux qu'un bon hamburger et des frites !

CD 3 Track 35

Interviewer Pensez-vous avoir une alimentation équilibrée ?

Medjouba Non, je n'ai pas une alimentation équilibrée mais je pense que je suis en bonne santé quand même. Je fais du sport et je ne fume pas.

CD 3 Track 36

Chapitre 23, exercice 11

Le bac approche ? C'est la dernière ligne droite ! Pendant vos examens, pour mettre toutes les chances de votre côté, il est indispensable de soigner votre alimentation. Le plus important c'est de ne jamais sauter les repas. Petit déjeuner, déjeuner, dîner et éventuellement goûter sont très importants.

CD 3 Track 37

Le cerveau a besoin d'une quarantaine de substances différentes pour bien fonctionner : des vitamines, des minéraux, des acides aminés ... Un seul aliment ne peut contenir tous ces éléments. Pour aider le cerveau à bien fonctionner, il faut diversifier le plus possible son régime alimentaire, manger une alimentation variée. Concrètement, ça signifie que pendant la semaine des révisions, il faut manger différemment à chaque repas. Le régime « pizza-pâtes » pendant une semaine ou dix jours, parce qu'on n'a pas de temps, n'est vraiment pas une bonne idée.

CD 3 Track 38

Pendant les révisions, privilégiez les aliments comme les pâtes, les légumineuses, les petits pois, les cerises, le pamplemousse, la pomme ou la pêche, les yaourts. Réservoirs d'énergie, ces aliments vous aideront à tenir le coup.

CD 3 Track 39

La veille de l'examen, la pression monte. Pour calmer l'angoisse mangez un repas à base de riz ou de pâtes : effectivement des aliments riches en glucides et pauvres en protéines. Pour le dessert, choisissez ce que vous aimez le plus. Le plaisir favorise la production d'endorphines qui calment l'angoisse.

CD 3 Track 40

Chapitre 24, exercice 2

Damien Je dirais que j'ai un style décontracté. J'aime porter des choses confortables comme des jeans, des tee shirts et des baskets. Je ne suis pas la mode. Ça ne m'intéresse pas.

CD 3 Track 41

Charlotte Moi, j'ai un style gothique. Je porte des vêtements noirs, du maquillage noir et j'ai pas mal de piercing. Je ne suis pas influencée par la mode traditionnelle mais je suis la mode gothique.

CD 3 Track 42

Mohamed Moi j'ai un style sportif. Je porte des survêtements tous les jours. La mode m'influence car j'achète toujours des fringues de marques comme Nike, Reebok, Adidas Ça me coûte une vraie fortune.

CD 3 Track 43

Alice J'ai un style assez moderne et plutôt rock. Je suis la mode dans les magazines et sur Internet. Je m'inspire des acteurs, des chanteurs, j'adore la mode !

CD 3 Track 44

Chapitre 24, exercice 6

Béatrice Je suis la mode parce que j'aime être branchée et avoir des vêtements dans le vent, mais je ne pense pas que je sois une victime de la mode. C'est vrai que de nos jours, on voit de plus en plus de top-modèles maigres dans les journaux et sur les posters dans la rue. Ça peut créer des troubles de l'alimentation comme l'anorexie et la boulimie. Moi, je n'ai jamais fait de régime, mais j'ai de la chance parce que j'adore le sport et je garde la ligne comme ça.

CD 3 Track 45

Noëlle Je pense que la mode nous influence tous les jours. L'image de la femme dans les magazines est négative. Les industriels de la mode exploitent les femmes ! Ils emploient des jeunes files de plus en plus minces, ce qui force les jeunes à s'inquiéter de leur poids et à faire des régimes beaucoup trop jeunes. Je trouve ça scandaleux ! L'industrie de la mode devrait montrer des images de femmes qui correspondent à la population du pays, des femmes de toutes les tailles et de tous les poids ! Au lieu de ça, cette industrie crée des stéréotypes ridicules et dangereux !

CD 3 Track 46

Florence Bien sûr que je suis la mode ! J'ai le dernier jean de Topshop, l'iPod, le sac et les chaussures assorties ! Mais je ne suis pas obsédée par mon look. La mode a des bons côtés, mais ce qui me choque le plus c'est de voir que les industriels de la mode nous montrent des images corrigées dans les magazines. Les mannequins sont déjà beaucoup plus beaux et minces que la normale, mais en plus de ça, ils corrigent les photos, enlevant tous les défauts et créant ainsi un idéal inaccessible. Je pense que les petits défauts sont ceux qui rendent les gens intéressants et beaux.

CD 3 Track 47

Chapitre 24, exercice 21

Les troubles de l'alimentation les plus courants sont la boulimie et l'anorexie. Ce sont des comportements fréquents à l'adolescence, en particulier chez les filles. La boulimie consiste à absorber en très peu de temps (quelques minutes par exemple) d'énormes quantités d'aliments, cela sans plaisir et sans savoir ce que l'on mange. Dans la majorité des cas, la personne « se fait vomir » car le corps ne peut absorber tous ces aliments. Les boulimiques ne sont pas forcément « gros ». Bien évidemment, tout cela est extrêmement angoissant et culpabilisant.

CD 3 Track 48

L'anorexie est un trouble de la personnalité qui est fréquent chez les filles. À l'adolescence, elles commencent à contrôler leur nourriture, à la réduire et progressivement à perdre d'importantes quantités de poids (souvent entre dix et trente kilos). Il n'y a alors pratiquement plus de graisse dans le corps. Le corps devient squelettique. Le problème est que le regard que la personne anorexique porte sur son corps n'est plus le même que celui que portent les autres : il est déformé. Elle se voit et se ressent grosse alors qu'on la voit très maigre. Les causes sont à chercher dans des conflits familiaux, des troubles psychologiques, mais aussi dans les médias qui proposent un idéal de minceur irréaliste qui finit par influencer certains jeunes.

CD 3 Track 49

Chapitre 25, exercice 2

Journaliste Regardez-vous les informations ?

Oscar Non, je ne regarde jamais les informations à la télé. Ça ne m'intéresse pas.

Journaliste Qu'utilisez-vous pour vous informer ?

Oscar Je suis les infos sur des blogs et sur les réseaux sociaux. Je préfère parce que c'est plus court et ça va à l'essentiel.

Journaliste Faîtes-vous confiance aux réseaux sociaux pour vous informer sur le monde ?

Oscar Non, je ne fais pas confiance en tous ce que je vois. Il y a beaucoup de « Fake News » alors je fais le trie. J'ai des blogs que je sais être impartial. Il faut bien choisir ses sources.

CD 3 Track 50

Journaliste Regardez-vous les informations ?

Virginie Oui. J'aime savoir ce qui se passe dans le monde donc je suis l'information de très prêt.

Journaliste Et qu'utilisez-vous pour vous informer ?

Virginie Je lis les journaux comme Le Monde ou Courrier International et je regarde les actualités à la télé.

Journaliste Faîtes-vous confiance aux réseaux sociaux pour vous informer sur le monde ?

Virginie Absolument pas ! Je déteste être manipulée par des sites qui transforment les informations pour attirer les lecteurs et les likes !

CD 3 Track 51

Journaliste Regardez-vous les informations ?

Li De temps en temps quand mes parents les regardent à la télé. Je trouve les infos à la télé trop longues.

Journaliste Et qu'utilisez-vous pour vous informer ?

Li J'aime écouter la radio pour m'informer. Je ne regarde pas trop les infos à la télé parce que ça me déprime.

Journaliste Faîtes-vous confiance aux médias et aux réseaux sociaux pour vous informer sur le monde ?

Li Je fais confiance aux médias mais pas trop aux réseaux sociaux. C'est vrai que je regarde les vidéos que mes amis partagent et parfois je me rends compte que c'est inventé de toutes pièces.

CD 3 Track 52

Chapitre 25, exercice 11

Dans certains pays, il faudrait défendre la liberté d'expression.

CD 3 Track 53

Si nous voulons aider les pays en guerre, il faut absolument privilégier les solutions diplomatiques.

CD 3 Track 54

Avant que les pays n'entrent en guerre, il faudrait d'abord les aider à protéger leur développement économique et social.

CD 3 Track 55

Quelles que soient ses opinions politiques, il est indispensable de lutter pour les droits de l'homme.

CD 3 Track 56

La paix peut s'installer si on enseigne le respect et qu'on promeut la tolérance.

CD 3 Track 57

Pour prévenir des conflits, il faudrait défendre le droit de vote et instaurer des démocraties.

CD 3 Track 58

Chapitre 25, exercice 14

Amélia Le terrorisme, c'est la chose qui me fait le plus peur de nos jours. Après les attentats à Paris et ceux de Nice pendant le feu d'artifice du quatorze juillet deux mille seize où quelqu'un a foncé sur la foule avec un camion faisant quatre-vingt-quatre morts, je ne me sens plus en sécurité. Les auteurs d'attentats suicides peuvent frapper n'importe où, n'importe quand. Alors bien sûr, la police est présente dans les aéroports, dans les gares, et on fouille mon sac quand je rentre dans les magasins par exemple, mais ça ne me rassure pas. Depuis quelques années ma vie a changé, je ne vais plus au concert, je n'assiste plus aux fêtes dans mon village, j'évite la foule le plus possible.

CD 3 Track 59

Gilles Bien sûr que j'ai peur des attaques terroristes, surtout que j'habite à Paris ! Mais je continue ma vie comme si cette menace n'existait pas. Je refuse de céder au règne de la peur. Si je fais ça, si je me cache, si je ne sors plus, alors les terroristes ont gagné. J'habite à deux pas du Bataclan, un théâtre qui a été attaqué en deux mille quinze. Des fanatiques religieux ont tiré sur la foule. Quand le Bataclan a ré-ouvert ses portes, je suis allé au concert, juste pour montrer que la vie continue, que je ne deviendrai pas otage de cette peur.

CD 3 Track 60

Chapitre 26, exercice 3

L'abbé Pierre est le fondateur du mouvement Emmaüs et le défenseur des sans abri. Cette organisation aide les déshérités et particulièrement les sans-abri.

CD 3 Track 61

Les communautés Emmaüs se financent par la vente de meubles et d'objets de récupération et elles construisent aussi des logements. L'abbé Pierre avait fondé la première communauté Emmaüs en mille neuf cent quarante-neuf pour aider les plus pauvres.

CD 3 Track 62

Il était devenu célèbre lors du terrible hiver mille neuf cent cinquante-quatre, où, après la mort d'une femme dans la rue, l'abbé Pierre avait lancé sur les ondes de Radio Luxembourg, un appel en faveur des mal-logés.

CD 3 Track 63

Portant toujours un long manteau noir, un béret, une canne et de grosses chaussures, l'abbé Pierre n'a jamais cessé de défendre la cause des sans-abri avec une ardeur étonnante.

CD 3 Track 64

Malgré les actions de l'abbé Pierre, de nombreuses personnes vivent encore aujourd'hui en France dans la rue. Il est mort le lundi vingt-deux janvier deux mille sept, à l'âge de quatre-vingt-quatorze ans.

CD 3 Track 65

Chapitre 26, exercice 7

Le responsable Cette association a été fondée en mille neuf cent quatre-vingt-cinq par un comique français, mort maintenant, qui s'appelait Coluche. Les « Restos du Cœur sont une association qui a pour but d'aider et d'apporter une assistance bénévole aux personnes démunies, notamment en leur servant des repas gratuits.

CD 3 Track 66

Durant la première campagne des Restos, l'hiver mille neuf cent quatre-vingt-cinq, ce sont huit virgule cinq millions de repas qui ont été servis. Les Restos ont franchi la barre des cent trente millions de repas servis depuis leur création.

CD 3 Track 67

En France, trois virgule sept millions de personnes gagnent moins de six cent quarante-cinq euros par mois (plus de sept millions si l'on se réfère au seuil de pauvreté européen). La plus grande partie des ressources de l'association provient des donateurs et des concerts de chanteurs français sous le nom des « Enfoirés ».

CD 3 Track 68

Le bénévole Je suis bénévole depuis quelques semaines aux Restos du C'ur de Houdan. Je voulais devenir bénévole, mais je ne savais pas quelle association choisir : le secours populaire, l'armée du salut, la fondation Emmaüs Ces associations me paraissaient un peu vieilles, démodées. J'ai choisi les Restos du C'ur car c'est une association qui me semble plus dynamique, plus jeune.

CD 3 Track 69

Pour être bénévole, il ne suffit plus de venir donner un coup de main de temps en temps. Être bénévole, c'est une activité à temps plein ou presque. Moi, je vais travailler aux Restos du Cœur deux jours par semaine toutes les semaines, toute l'année.

CD 3 Track 70

Quand j'arrive aux Restos du C'ur, il y a toujours une telle ambiance de convivialité, d'entraide. Il y a un vrai esprit d'équipe aussi. Moi, je sers le repas chaud aux personnes en général. Je leur donne du pain, des légumes, mais aussi des paniers-repas pour emporter chez eux, de l'alimentation pour les bébés. Les Restos du C'ur aident aussi les gens à trouver du travail, un logement, à se réinsérer dans la société.

CD 3 Track 71

Chapitre 26, exercice 15

Journaliste Le pays est confronté à la pire crise du logement de ces dernières décennies. En dix ans d'austérité, presque aucun logement n'a été créé en Irlande. Résultat, le prix des loyers a explosé et, avec lui, le nombre de SDF. Actuellement, plus de huit mille sans-abris sont recensés, dont trois mille enfants. Et ce nombre ne cesse d'augmenter.

CD 3 Track 72

Les prix de l'immobilier sont tellement élevés que la crise concerne les chômeurs bien sûr mais aussi les familles qui ont un emploi. C'est le cas de Stephen, peintre en bâtiment et père de trois enfants.

Stephen Nous avons trouvé un logement provisoire mais c'était très dur de ne pas savoir où on allait dormir avant vingt-trois heures. Et le lendemain, j'essayais d'amener les enfants à l'école.

CD 3 Track 73

Stephen Quand vous êtes sans-abris avec trois enfants, les gens pensent que vous avez des problèmes d'addiction, que vous n'êtes pas bon pour la société. Ils pensent que vous n'êtes pas quelqu'un de bien. Ils ne réalisent pas ce que c'est que d'être SDF aujourd'hui. Il y a des familles de la classe ouvrière et de la classe moyenne qui deviennent SDF à cause de la situation que le gouvernement a instauré dans ce pays.

CD 3 Track 74

Journaliste Pourtant il y aurait aujourd'hui plusieurs centaines de quartiers fantômes, contenant des milliers de logements vides, construits en périphérie des grandes villes ou dans les zones rurales, au début des années deux mille. Les associations de l'aide au logement exigent que le gouvernement régule d'avantage le marché de l'immobilier en imposant par exemple des règles pour limiter les expulsions et augmenter la construction de logements sociaux.

CD 3 Track 75

Chapitre 27, exercice 4

Le racisme, c'est quelque chose qui consiste à se méfier ou même mépriser des personnes ayant des caractéristiques physiques et culturelles différentes. Le racisme existe partout. Il n'y a pas un pays qui puisse prétendre qu'il n'y a pas de racisme chez lui. Une personne raciste peut se sentir menacée par celui qui ne lui ressemble pas. Certains racistes prennent les étrangers ou les français d'origine étrangère comme bouc émissaire. Les étrangers seraient alors responsables du chômage, de la pauvreté, du terrorisme, de la crise économique Comme le racisme vient de la peur et de l'ignorance, il faut éduquer les gens à la différence. Pour apprendre à ne pas généraliser et baser ses opinions sur des idées reçues, des préjugés, il faut éduquer les gens à la tolérance, le respect de l'autre et de sa culture.

CD 3 Track 76

Chapitre 27, exercice 8

L'équipe de France de football s'est assuré son titre de champion samedi contre l'Espagne (victoire six–deux).

Une performance qui doit ravir tous les joueurs. C'est pourtant avec un goût amer que Kylian Mbappé a dû quitter le stade. L'attaquant a encore été pris à partie par le public madrilène. À chaque touche de balle, Mbappé a reçu des cris racistes émanant des tribunes.

Mais Mbappé est un professionnel et a décidé de rester stoïque et de ne pas réagir. Il a même marqué un but !

CD 3 Track 77

Le propriétaire d'un camping de Charente-Maritime, près de l'océan Atlantique va être jugé pour discrimination raciale.

L'année dernière, ce camping devait en effet accueillir un groupe de jeunes âgés de quatorze à dix-huit ans, encadrés par deux animateurs. Mais avant qu'ils arrivent, le propriétaire du terrain avait écrit une lettre aux organisateurs du séjour. Il les avait avertis qu'il ne voulait pas de « groupe composé de plus de cinquante pour cent d'enfants de couleur ».

Ceci aurait permis selon lui de maintenir une bonne ambiance dans son camping et d'éviter les risques de bagarres. Or, cette façon de vouloir trier les gens selon leurs origines peut être considérée comme un acte de racisme. Plus d'un an après avoir écrit cette lettre, ce directeur de camping devrait bientôt être jugé par un tribunal.

CD 3 Track 78

Depuis quelques mois, l'association SOS Racisme a lancé un grand mouvement de « testing » en boîte de nuit à travers la France.

Cette méthode originale de lutte contre les discriminations consiste à envoyer deux cent jeunes d'origines européennes, maghrébines ou africaines pour prouver qu'il existe des discriminations racistes à l'entrée de discothèques.

SOS Racisme a envoyé des couples de personnes blanches et de personnes de couleur dans les mêmes discothèques pour vérifier qu'aucune discrimination n'était faite à l'entrée. Ces jeunes envoyés par SOS Racisme étaient habillés de la même manière et n'étaient jamais allés dans les établissements testés.

Alors que les blancs entraient sans problèmes, les couples de couleur étaient rejetés sous le prétexte qu'ils n'étaient pas des « habitués » des lieux et qu'ils ne pouvaient donc pas rentrer. Selon l'association, plus de quarante pour cent des boîtes de nuit ont refusé de laisser entrer les couples maghrébins ou africains alors qu'elles acceptaient des couples de blancs. SOS Racisme a porté plainte contre les discothèques concernées.

CD 3 Track 79

Chapitre 27, exercice 16

Amandine Au cours des trente dernières années, le statut des femmes en Europe s'est sans aucun doute amélioré, mais l'égalité entre les sexes est loin d'être une réalité. Les femmes continuent d'être marginalisées dans la vie politique et publique, d'être moins payées que les hommes pour un travail de valeur égale, d'être plus souvent victimes de la pauvreté et du chômage et d'être plus exposées à la violence.

CD 3 Track 80

Marie Je pense que l'égalité entre les hommes et les femmes n'existe pas. Les hommes et les femmes sont différents. Je ne dis pas que l'un est mieux que l'autre, je dis juste qu'ils ont des qualités et des défauts différents. Comme on dit, les hommes viennent de Mars et les femmes de Vénus ! Les femmes par exemple sont beaucoup plus organisées que les hommes, c'est bien connu ! Par contre, au niveau juridique, la femme doit absolument être l'égale de l'homme ! Elle doit avoir les mêmes droits, les mêmes salaires et les mêmes opportunités que l'homme.

CD 3 Track 81

Chapitre 28, exercice 5

Sophia Moi, je suis pour l'Europe. Ce que je trouve fantastique c'est que, maintenant, avec l'ouverture des frontières, nous pouvons circuler plus librement au sein de l'Union Européenne. Moi, l'année dernière, je suis partie un an en France avec le programme Erasmus. Je suis allemande et en partant à l'étranger, j'ai découvert une autre culture que la mienne. L'Europe offre une vraie diversité culturelle. Avec l'Union Européenne, on peut travailler dans n'importe quel pays de l'Union.

CD 3 Track 82

Nouria Moi, je suis contre l'Europe parce que je suis avant tout Française, pas Européenne. En plus, c'est vraiment un sujet qui ne m'intéresse pas l'Europe. Pour tout dire, ce qui me fait peur c'est de perdre notre identité nationale. Il faut protéger nos coutumes et nos cultures. Bon, c'est vrai qu'avec l'euro, c'est plus facile de voyager. On n'a pas à changer l'argent dans chaque pays. Ça c'est bien. Mais une politique commune, des lois communes, etc., ça, je n'y crois pas !

CD 3 Track 83

Grégoire Je suis pour l'Europe. Je pense que les rapports entre les différents pays sont plus faciles. L'élargissement est bénéfique aussi. Les petits pays qui deviennent membres de l'Union Européenne sont plus compétitifs, plus forts. Au début, certaines personnes pensaient qu'il y aurait plus de réfugiés et de trafic de drogues avec l'abolition des frontières mais, en fait, il y a plus de coopération entre les différents pays en matière de sécurité et d'immigration clandestine. Les forces de police travaillent ensemble. Pour moi, la création d'une Europe fédérale assurerait la paix en Europe.

CD 3 Track 84

Chapitre 28, exercice 10

Ah non ! Ça suffit ! Avec trop d'immigration, nous perdons nos traditions, notre individualité Si ça continue, nous allons perdre notre identité nationale !

CD 3 Track 85

À mon avis, grâce à l'immigration, nous vivons dans une société multiculturelle qui nous permet d'avoir une vraie diversité, des mélanges de cultures qui nous rendent plus tolérants.

CD 3 Track 86

Il est évident que nous avons une obligation morale d'accepter les immigrés qui fuient la misère et la guerre. Et si c'était vous ?

CD 3 Track 87

La plupart des immigrés ne posent pas de problèmes, mais bon. Il y a parfois un problème d'intégration quand beaucoup d'immigrés arrivent dans les pays très différents de leurs cultures. Cela crée beaucoup de tensions quand même.

CD 3 Track 88

Je sais que les migrants fuient la misère, mais l'immigration peut causer des problèmes économiques tel que le chômage. À mon avis, il n'y a pas assez de travail pour tout le monde.

CD 3 Track 89

Chapitre 28, exercice 14

Journaliste Pourquoi les migrants partent-ils ?

Nelson Il y a diverses raisons qui peuvent mener au départ : la guerre, la faim, les catastrophes naturelles, les violences des régimes politiques, la pauvreté, etc.

CD 3 Track 90

Journaliste Et où vont les migrants ?

Nelson Ils vont dans une autre région de leurs pays, dans des camps aménagés dans des pays voisins ou bien le plus loin possible de leurs terres natales. Certains migrants veulent rejoindre l'Europe car ils pensent pouvoir trouver la paix, du travail et de l'aide. Ils voient parfois l'Europe comme « la Terre promise ».

CD 3 Track 91

Journaliste Quels sont les problèmes que les migrants affrontent pendant leurs voyages ?

Nelson Comme ils n'ont pas de papiers pour entrer en Europe, les migrants prennent de très gros risques pour y arriver. Certains traversent la mer sur de vieux bateaux ou passent les frontières enfermés dans des camions. Par la mer ou par la terre, de nombreux réfugiés meurent avant d'atteindre l'Europe. Ils paient des passeurs des sommes exorbitantes.

CD 3 Track 92

Journaliste Que se passe-t-il quand ils arrivent en Europe ?

Nelson La plus grande difficulté des migrants c'est de faire une demande d'asile. Il faut convaincre les autorités et la procédure est longue et difficile. Beaucoup de migrants sont obligés de séjourner dans un centre ouvert pour réfugiés, parfois en centre fermé ... S'ils obtiennent le statut de réfugiés, ils ont des difficultés à trouver du travail et un logement. Sans parler du racisme dont ils sont victimes !

 TABLEAU DE TERMES GRAMMATICAUX

The grammar terms in **bold** are those that you are more likely to be asked to quote in a reading comprehension.

TERME	EXEMPLES	SUGGESTION
L'adverbe	surtout, vraiment, follement	Look for an adjective finishing in **-ment**
Adjectif qualificatif	gentil, beau, grand	
Adjectif possessif	mon, ma, mes ton, ta, tes son, sa, ses notre, notre, nos votre, votre, vos leur, leur, leurs	
Adjectif démonstratif	ce, cet, cette, ces	
Adjectif interrogatif	quel, quelle, quels, quelles	
Article défini : indéfini : partitif :	 le, la, l', les un, une, des du, d', de la, de l', des	
Infinitif	aller, jouer, finir, voir, vendre	Look for a verb with **-er / -ir / -re** at the end
Participe présent	(en) allant, regardant, étant	Look for a verb finishing in **-ant**
Participe passé	allé, parti, lu, pris, fini, vendu	
Préposition	pour, de, à, sur, avant, devant, derrière, avec …	
Les pronoms personnel sujet : d'objet direct : d'objet indirect : disjonctif : possessif : démonstratif : interrogatif : relatif :	 je, tu, il, elle, on, nous, vous, ils, elles me, te, le / la, nous, vous, les me, te, lui, nous, vous, leur y, en moi, toi, lui, elle, soi, nous, vous, eux, elles le mien, la mienne, les miens, les miennes le tien, la tienne, les tiens, les tiennes le sien, la sienne, les siens, les siennes le nôtre, la nôtre, les nôtres le vôtre, la vôtre, les vôtres le leur, la leur, les leurs celui, celle, ceux, celles lequel, laquelle, lesquels, lesquelles auquel, auxquels, auxquelles qui qui / que / dont	

TERME	EXEMPLES	SUGGESTION
Les temps présent de l'indicatif :	mange, finissons, vendent	
passé composé :	ai donné, suis allé(e), avons pris	Remember: you need to quote two terms
l'imparfait :	allais, partions, vendiez	To remember the endings, look at the ending of the word *imparfait*; it might jog your memory
passé récent :	je viens de (faire)	
passé simple :	parla, demanda, déclara, fut, eus	Look for a verb finishing in -a (no r in front of the **a**, as that might be the future tense)
futur proche :	vais partir, allez dormir, vont donner	
futur simple :	donnera, finira, vendra, irai, seront	Look for a verb with an **r** before the following endings: **-ai, -as, -a, -ons, -ez, -ont**
conditionnel présent :	voudrais, devrait, pourrions, donneriez, finiraient	Look for a verb finishing with r and the endings: **-ais, -ait, -ions, -iez, -aient**
conditionnel passé :	aurait fait, aurions joué, seraient allé(e)s, serions monté(e)s	Look for the conditional of **avoir** or **être** and a **past participle**
plus-que-parfait :	avait fait, avions fini, était allé(e), étions parti(e)s	Look for **avoir** or **être** in the **imperfect** and a **past participle**
verbe pronominal :	se lever, se réveiller	You may be asked to quote a reflexive verb in a certain tense, e.g. **un verbe pronominal au passé composé : je me suis levé(e)**. It is important to quote both the pronoun and the verb

TABLEAU DE VERBES RÉGULIER

RÈGLES

	PRÉSENT DE L'INDICATIF	PASSÉ COMPOSÉ	IMPARFAIT	FUTUR PROCHE	FUTUR SIMPLE	CONDITIONNEL PRÉSENT
	Je joue → *I play* / *I am playing*	J'ai joué → *I played* / *I have played*	Je jouais → *I was playing* / *I played*	Je vais jouer = *I'm going to play*	Je jouerai = *I will play*	Je jouerais = *I would play*
RÈGLES	1. Take the **infinitive verb** 2. Drop ER/IR/**RE** 3. Add the endings.	1. Take the verb **avoir** in the present tense 2. Add the **past participle**. **To create the past participle:** -ER verbs: drop ER, add é -IR verbs: drop IR add i **-RE** verbs: drop RE, add U **Learn the irregular past participles:** j'ai **lu,** il a **vu,** nous avons **pris** …	1. Take the **nous** form of the **present** tense. 2. Drop **ons**. 3. Add the endings. **Example :** 1. nous jouons 2. jou 3. je jouais	1. Take the present tense of aller 2. Add an infinitive verb. **With reflexive verbs:** 1. Take the present tense of **aller** 2. Add the infinitive **but** change the **pronoun** according the person. **Example:** je vais **me** lever, tu vas **te** lever, il va **se** lever …	1. Take the **infinitive verb** 2. Add the endings.	1. Take the **infinitive verb** 2. Add the endings.

TERMINAISONS

	PRÉSENT DE L'INDICATIF			PASSÉ COMPOSÉ		IMPARFAIT	FUTUR PROCHE		FUTUR SIMPLE	CONDITIONNEL PRÉSENT
	jouER	finIR	vend**RE**	**AVOIR**	PARTICIPE PASSÉ	**JOUER**	**ALLER**	INFINITIF	**JOUER**	**JOUER**
Je	joue	finis	vend**s**	J'ai	joué	Je jou**ais**	Je **vais**	jouer	Je jouer**ai**	Je jouer**ais**
Tu	joues	finis	vend**s**	Tu **as**	joué	Tu jou**ais**	Tu **vas**	jouer	Tu jouer**as**	Tu jouer**ais**
Il / elle / on	joue	finit	vend	Il / elle / on **a**	joué	Il / elle / on jou**ait**	Il / elle / on **va**	jouer	Il / elle / on jouer**a**	Il / elle / on jouer**ait**
Nous	jouons	finissons	vend**ons**	Nous **avons**	joué	Nous jou**ions**	Nous **allons**	jouer	Nous jouer**ons**	Nous jouer**ions**
Vous	jouez	finissez	vend**ez**	Vous **avez**	joué	Vous jou**iez**	Vous **allez**	jouer	Vous jouer**ez**	Vous jouer**iez**
Ils / elles	jouent	finissent	vend**ent**	Ils / elles **ont**	joué	Ils / elles jou**aient**	Ils / elles **vont**	jouer	Ils / elles jouer**ont**	Ils / elles jouer**aient**

G Tableau de verbes irréguliers

INFINITIF	PRONOM	PRÉSENT	PASSÉ COMPOSÉ	IMPARFAIT	PASSÉ SIMPLE
regular **-er** verbs: **parler** (to speak)	je / j' tu il / elle / on nous vous ils / elles	parle parles parle parlons parlez parlent	ai parlé as parlé a parlé avons parlé avez parlé ont parlé	parlais parlais parlait parlions parliez parlaient	parlai parlas parla parlâmes parlâtes parlèrent
regular **-ir** verbs: **finir** (to finish)	je / j' tu il / elle / on nous vous ils / elles	finis finis finit finissons finissez finissent	ai fini as fini a fini avons fini avez fini ont fini	finissais finissais finissait finissions finissiez finissaient	finis finis finit finîmes finîtes finirent
regular **-re** verbs: **vendre** (to sell)	je / j' tu il / elle / on nous vous ils / elles	vends vends vend vendons vendez vendent	ai vendu as vendu a vendu avons vendu avez vendu ont vend	vendais vendais vendait vendions vendiez vendaient	vendis vendis vendit vendîmes vendîtes vendirent

INFINITIF	PRONOM	PRÉSENT	PASSÉ COMPOSÉ	IMPARFAIT	PASSÉ SIMPLE
aller (to go)	je / j' nous ils / elles	vais allons vont	suis allé(e) sommes allé(e)s sont allé(e)s	allais allions allaient	allai allâmes allèrent
avoir (to have)	je / j' nous ils / elles	ai avons ont	ai eu avons eu ont eu	avais avions avaient	eus eûmes eurent
boire (to drink)	je / j' nous ils / elles	bois buvons boivent	ai bu avons bu ont bu	buvais buvions buvaient	bus bûmes burent
connaître (to know)	je / j' nous ils / elles	connais connaissons connaissent	ai connu avons connu ont connu	connaissais connaissions connaissaient	connus connûmes connurent
devoir (to have to)	je / j' nous ils / elles	dois devons doivent	ai dû avons dû ont dû	devais devions devaient	dus dûmes durent
dire (to say)	je / j' nous ils / elles	dis disons disent	ai dit avons dit ont dit	disais disions disaient	dis dîmes dirent
écrire (to write)	je / j' nous ils / elles	écris écrivons écrivent	ai écrit avons écrit ont écrit	écrivais écrivions écrivaient	écrivis écrivîmes écrivirent
être (to be)	je / j' nous ils / elles	suis sommes sont	ai été avons été ont été	étais étions étaient	fus fûmes furent
faire (to make, do)	je / j' nous ils / elles	fais faisons font	ai fait avons fait ont fait	faisais faisions faisaient	fis fîmes firent
mettre (to put)	je / j' nous ils / elles	mets mettons mettent	ai mis avons mis ont mis	mettais mettions mettaient	mis mîmes mirent

FUTUR SIMPLE	CONDITIONNEL	SUBJONCTIF	IMPÉRATIF	PARTICIPE PRÉSENT
parlerai parleras parlera parlerons parlerez parleront	parlerais parlerais parlerait parlerions parleriez parleraient	parle parles parle parlions parliez parlent	parle parlons parlez	parlant
finirai finiras finira finirons finirez finiront	finirais finirais finirait finirions finiriez finiraient	finisse finisses finisse finissions finissiez finissent	finis finissons finissez	finissant
vendrai vendras vendra vendrons vendrez vendront	vendrais vendrais vendrait vendrions vendriez vendraient	vende vendes vende vendions vendiez vendent	vends vendons vendez	vendant

FUTUR SIMPLE	CONDITIONNEL	SUBJONCTIF	IMPÉRATIF	PARTICIPE PRÉSENT
irai irons iront	irais irions iraient	aille allions aillent	vas allons allez	allant
aurai aurons auront	aurais aurions auraient	aie ayons aient	aie ayons ayez	ayant
boirai boirons boiront	boirais boirions boiraient	boive buvions boivent	bois buvons buvez	buvant
connaîtrai connaîtrons connaîtront	connaîtrais connaîtrions connaîtraient	connaisse connaissions connaissent	connais connaissons connaissez	connaissant
devrai devrons devront	devrais devrions devraient	doive devions doivent	dois devons devez	devant
dirai diron diront	dirais dirions diraient	dise disions disent	dis disons dites	disant
écrirai écrirons écriront	écrirais écririons écriraient	écrive écrivions écrivent	écris écrivons écrivez	écrivant
serai serons seront	serais serions seraient	sois soyons soient	sois soyons soyez	étant
ferai ferons feront	ferais ferions feraient	fasse fassions fassent	fait faisons faites	faisant
mettrai mettrons mettront	mettrais mettrions mettraient	mette mettions mettent	mets mettons mettez	mettant

INFINITIF	PRONOM	PRÉSENT	PASSÉ COMPOSÉ	IMPARFAIT	PASSÉ SIMPLE
partir (to leave, depart)	je / j' nous ils / elles	pars partons partent	suis parti(e) sommes parti(e)s sont parti(e)s	partais partions partaient	partis partîmes partirent
pouvoir (to be able, can)	je / j' nous ils / elles	peux pouvons peuvent	ai pu avons pu ont pu	pouvais pouvions pouvaient	pus pûmes purent
prendre (to take)	je / j' nous ils / elles	prends prenons prennent	ai pris avons pris ont pris	prenais prenions prenaient	pris prîmes prirent
recevoir (to receive)	je / j' nous ils / elles	reçois recevons reçoivent	ai reçu avons reçu ont reçu	recevais recevions recevaient	reçus reçûmes reçurent
savoir (to know)	je / j' nous ils / elles	sais savons savent	ai su avons su ont su	savais savions savaient	sus sûment surent
sortir (to go out)	je / j' nous ils / elles	sors sortons sortent	suis sorti(e) sommes sorti(e)s sont sorti(e)s	sortais sortions sortaient	sortis sortîmes sortirent
tenir (to hold)	je / j' nous ils / elles	tiens tenons tiennent	ai tenu avons tenu ont tenu	tenais tenions tenaient	tins tînmes tinrent
venir (to come)	je / j' nous ils / elles	viens venons viennent	suis venu(e) sommes venu(e)s sont venu(e)s	venais venions venaient	vins vînmes vinrent
voir (to see)	je / j' nous ils / elles	vois voyons voient	ai vu avons vu ont vu	voyais voyions voyaient	vis vîmes virent
vouloir (to want)	je / j' nous ils / elles	veux voulons veulent	ai voulu avons voulu ont voulu	voulais voulions voulaient	voulus voulûmes voulurent

FUTUR SIMPLE	CONDITIONNEL	SUBJONCTIF	IMPÉRATIF	PARTICIPE PRÉSENT
partirai partirons partiront	partirais partirions partiraient	parte partions partent	pars partons partez	partant
pourrai pourrons pourront	pourrais pourrions pourraient	puisse puissions puissent		pouvant
prendrai prendrons prendront	prendrais prendrions prendraient	prenne prenions prennent	prends prenons prenez	prenant
recevrai recevrons recevront	recevrais recevrions recevraient	reçoive recevions reçoivent	reçois recevons recevez	recevant
saurai saurons sauront	saurais saurions sauraient	sache sachions sachent	sache sachons sachez	sachant
sortirai sortirons sortiront	sortirais sortirions sortiraient	sorte sortions sortent	sors sortons sortez	sortant
tiendrai tiendrons tiendront	tiendrais tiendrions tiendraient	tienne tenions tiennent	tiens tenons tenez	tenant
viendrai viendrons viendront	viendrais viendrions viendraient	vienne venions viennent	viens venons venez	venant
verrai verrons verront	verrais verrions verraient	voie voyions voient	vois voyons voyez	voyant
voudrai voudrons voudront	voudrais voudrions voudraient	veuille voulions veuillent	veuille / veux voulons veuillez / voulez	voulant

THE MARKING SCHEME

Here is a quick reminder of the marking scheme for the French Leaving Certificate Higher Level examination:

Exam section	Marks	Percentage of total marks
Reading comprehension *(Compréhension écrite)*	120	30%
Written expression *(Production écrite)*	100	25%
Oral *(Épreuve orale)*	100	25%
Aural *(Compréhension auditive)*	80	20%

The marking scheme for the **oral exam** is as follows:

Pronunciation and intonation	20 marks
Vocabulary	20 marks
Structures	30 marks
Communication	30 marks

The marking scheme for **written expression** is as follows:

Answer either part of Question 1:

Q1 (a) or (b)	Communication	20 marks	40 marks total
	Language	20 marks	

Answer two questions from Questions 2–4:

Q2, 3, 4 (a) or (b)	Communication	15 marks	30 marks total
	Language	15 marks	

If Question 2 (b) is a **formal letter**, there are points given for the layout:

Q2 (b)	*Formule*	6 marks	30 marks total
	Communication	12 marks	
	Language	12 marks	

Communication	Question 1[1] (20 marks)	Questions 2–4 (15 marks)	Question 2 (b) Formal letter[2] (12 marks)
Top • Stimulus material well exploited • High level of textual coherence[3] • Clarity in argumentation[4] • Communication intention fulfilled[5] • little or no irrelevant material • Few mistakes in register[6]	13–20	11–15	9–12

Communication	Question 1 (20 marks)	Questions 2–4 (15 marks)	Question 2 (b) Formal letter (12 marks)
Middle • More or less competent treatment of stimulus material • Reasonable level of textual coherence • Comprehensible for a French monoglot[7] • Communicative intention more or less respected • Some irrelevant material • Not too many mistakes in register	8–12	6–10	5–8
Bottom • Mere transcription or very poor treatment of stimulus material • Lack of textual coherence • French monoglot would have difficulty understanding • Communication intention stultified • A lot of irrelevant material • Mistakes in register	0–7	0–5	0–4

Language	Question 1 (20 marks)	Questions 2–4 (15 marks)	Question 2 (b) Formal letter (12 marks)
Top • Idiomatic French[8] • Rich vocabulary • Complex sentences well handled • Few mistakes in verbs, agreement or spelling[9]	13–20	11–15	9–12
Middle • Vocabulary adequate • Verbs generally correct • Rule of agreement generally respected • Not too many mistakes in spelling	8–12	6–10	5–8
Bottom • Problems with vocabulary • Most verbs incorrect • Basic rule of agreement not respected • Many mistakes in spelling	0–7	0–5	0–4

1. Question 1 is compulsory.
2. Question 2 (b) is usually a letter – but not always.
3. Use link words; make a plan.
4. Organise your ideas.
5. Have you answered the question? Read the subject several times.
6. Do you have to use **tu** or **vous**? Do you need to be formal or informal?
7. Would a French person understand what you wrote?
8. Use expressions and idioms.
9. Three things you absolutely must check: verbs, agreement and spelling.

ACKNOWLEDGEMENTS

For permission to reproduce photographs and artwork, the author and publisher gratefully acknowledge the following:

© Alamy: 2TR, 26, 74, 76T, 76B, 77, 320, 349, 367, 378; ©AFP/Getty Images: 10; © E+/Getty Premium: 244; © Editions du Seuil, 1992, Points, 1995: 265; © Getty Images: 267L, 344B, 362, 369, 374, 377, 416; ©iStock/Getty Premium: ii, iv, vii, 1, 2TL, 2B, 3, 4, 5, 7, 8, 9, 11, 13, 15, 17, 18, 19, 20, 21, 22, 23, 27, 35, 36, 37, 39, 40, 41, 44, 47, 49, 51, 53, 55, 57, 60, 65, 66, 67, 68, 69, 70, 78, 79, 84, 86, 87, 89, 92, 94, 95, 96, 100, 101, 102, 103, 104, 105, 107, 109, 112, 113, 115, 117, 118, 129, 130, 131, 132, 133, 134B, 135, 137, 138, 141, 145, 146, 147, 149, 150, 151, 152, 154, 156, 158, 160, 161, 163, 169, 171, 174, 183, 184, 185, 186, 187, 188, 190, 191, 192, 193, 196, 197, 199, 202, 204, 207, 209, 216, 218, 220, 223, 227, 229, 233, 234, 245, 246, 250, 251, 252, 254, 255, 256, 259, 260, 262, 263, 264, 267C, 267R, 268, 274, 276, 277, 280, 281, 282, 284, 285, 288, 289, 301, 302, 304, 305, 307, 308, 309, 311, 314, 317, 323, 327, 329, 330, 332, 334, 336, 340, 342, 344T, 344C, 345B, 346, 347, 351, 359, 360, 361, 363, 365, 366, 373, 375, 379, 385, 394, 395, 396, 397, 398, 399, 401, 404, 405, 406, 410; © MSF: 409; © Shutterstock: 88, 162, 167, 324, 345T; Wikicommons: 134T.

The authors and publisher are grateful to the following for permission to reproduce copyrighted material:

Enfin Chez Moi by Kidi Bebey, Éditions Didier, 2013, used by permission of the publisher; 'Coupe du monde féminine de rugby: quatre résponses à votre beau-père Jean-Louis, qui pense que "c'est pas un sport de nanas"' by Marie-Violette Bernard © Marie-Violette Bernard, used with permission by www.francetvinfo.fr; Albert Camus, Le Premier Homme. © Éditions Gallimard, 1994, used by the permission of the publisher; 'Sarah revient au collège pour lutter contre le harcèlement', 2017, 'Témiognages. Ils racontent leurs pires jobs d'été' by Capucine Gilbert, 2017, 'Des parents témoignent: "En conduit accompagnée, on serre les fesses!"' by Janik Le Caïnec, 2018; 'Saint-Malo. Vincent et Anaïs en route vers Barcelone' by Lena Plumer-Chabot, 2018, Used with permission by www.ouest-france.fr; Extract from *Le Vioile Noir* by Anne Duperey © Anne Duperey, Éditions du Seuil, 1992, Points 1995; 'Les Fleurs de l'Algérien' in Outside by Marguerite Duras © P.O.L Editeur, 1984; Elise Franck, 'Mon chemin vers la réussite', © Maxima, 2014. Used by permission of the publisher; 'Quelle différence entre un copain et un véritable ami?' © www.faire-des-amis.com, 2018; Extract from Isis, 13 ans, 1 60m, 82 kilos by Sophie Rigal-Goulard © Rageot Romans, Rageot, 2018; 'Paris: la cigarette bannie dans six parcs, à partir de ce mardi' by Christine Henry © Christine Henry, 2018, www.leparisien.fr, used with permission; 'Portable: Une journée pour "debrancher"' by Émilie Leturcq © Émilie Leturcq, used with permission by www.1jour1actu.com; La Dernière Neige, Hubert Mingarelli © Éditions du Seuil, 2000, Points, 2002, pour la traduction française; Extract from No Et Moi by Delphine Vigan © Delphine Vigan, Éditions Jean-Claude Lattès, 2007; Akira Mizubayashi, Une Langue venue d'ailleurs © Éditions Gallimard, 2011; Extract from *Nous autres les Sanchez* by Catherine Paysan © Catherine Paysan, Éditions Denoël, 1961; 'Découvertes Hebdo, Cahier de Civilisation, Minerva Italica, 2004' by Martin Pelon © Martin Pelon, used with permission by Mondadori Education; Extract from *La Traversée* by Jean-Christophe Tixier © Rageot, 2015; 'Thomas Pesquet, l'astronaute "normal" au parcours sans faute' © Tristan Vey, *Le Figaro*, 2016; *Samedi 14 Novembre* de Vincent Villeminot © Éditions Sarbacane, 2016; 'Déménager' by Georges Perec © Georges Perec, 1974, Éditions Galilée.

The authors and publisher have made every effort to trace all copyright holders, but if any have been inadvertently overlooked we would be pleased to make the necessary arrangement at the first opportunity.